Numéros de téléphone importants

Urgence : 911   autre : _____

Centre anti-poison   Tél. : _____

Info-Santé   Tél. : _____

CLSC   Tél. : _____

Hôpital   Tél. : _____

Médecin de famille   Tél. : _____

Pédiatre   Tél. : _____

Autres médecins   Tél. : _____

Dentiste   Tél. : _____

Pharmacien   Tél. : _____

Compagnie d'assurance   Tél. : _____

Polices d'assurance   Tél. : _____

Autre   Tél. : _____

_____

Autre   Tél. : _____

_____

LE GUIDE
DE LA SANTÉ

Données de catalogage avant publication (Canada)

Vedette principale au titre :

Le guide de la santé : se soigner à domicile

Traduction de : Mayo Clinic guide to self-care.

1. Autothérapie. 2. Habitudes sanitaires. 3. Santé. I. Hagen, Philip T.
II. Mayo Clinic.

RA776.95.M2914   2000   616.02'4   C00-941520-3

DISTRIBUTEURS EXCLUSIFS :

• Pour le Canada et les États-Unis :
MESSAGERIES ADP*
955, rue Amherst
Montréal, Québec
H2L 3K4
Tél. : (514) 523-1182
Télécopieur : (514) 939-0406
* Filiale de Sogides ltée

• Pour la France et les autres pays :
INTER FORUM
Immeuble Paryseine, 3, Allée de la Seine
94854 Ivry CEDEX
Tél. : 01 49 59 11 89/91
Télécopieur : 01 49 59 11 96
Commandes :   Tél. : 02 38 32 71 00
                  Télécopieur : 02 38 32 71 28

• Pour la Suisse :
DIFFUSION : HAVAS SERVICES SUISSE
Case postale 69 - 1701 Fribourg - Suisse
Tél. : (41-26) 460-80-60
Télécopieur : (41-26) 460-80-68
Internet : www.havas.ch
Email : office@havas.ch
DISTRIBUTION : OLF SA
ZI 3, Corminbœuf
Case postale 1061
CH-1701 FRIBOURG
Commandes :   Tél. : (41-26) 467-53-33
                  Télécopieur : (41-26) 467-54-66

• Pour la Belgique et le Luxembourg :
PRESSES DE BELGIQUE S.A.
Boulevard de l'Europe 117
B-1301 Wavre
Tél. : (010) 42-03-20
Télécopieur : (010) 41-20-24

Pour en savoir davantage sur nos publications,
visitez notre site : **www.edhomme.com**
Autres sites à visiter : www.edjour.com • www.edtypo.com
www.edvlb.com • www.edhexagone.com • www.edutilis.com

L'Éditeur bénéficie du soutien de la Société de développement des entreprises culturelles
du Québec pour son programme d'édition.

Nous remercions le Conseil des Arts du Canada de l'aide accordée à notre programme
de publication.

Nous reconnaissons l'aide financière du gouvernement du Canada par l'entremise du
Programme d'aide au développement de l'industrie de l'édition (PADIÉ) pour nos activités d'édition.

Mayo, Mayo Clinic et le logo de Mayo Clinic sont des marques déposées
de Mayo Foundation au Canada et en France et sont utilisées sous licence
de Mayo Foundation.

© 1999, Mayo Foundation for Medical Education and Research

Les Éditions de l'Homme,
une division du groupe Sogides,
pour la traduction française

Tous droits réservés

L'ouvrage original américain a été publié
par Mayo Clinic
sous le titre *Mayo Clinic Guide to Self-Care*

Dépôt légal : 4ᵉ trimestre 2000
Bibliothèque nationale du Québec

ISBN 2-7619-1569-0

CLINIQUE MAYO

LE GUIDE DE LA SANTÉ

Se soigner à domicile

Traduit de l'américain
par Marie Perron

LES ÉDITIONS DE
L'HOMME

Préface

En ma qualité de praticien en médecine préventive à la Clinique Mayo, j'ai pris conscience de la portée réelle de l'autotraitement. Pour vraiment prendre soin de lui-même, un individu doit tenir compte de l'ensemble de ses besoins : spirituels, affectifs, physiques et psychologiques.

Selon mon expérience, les personnes en santé sont celles qui ont su développer toute une gamme de ressources dans leur recherche de bien-être. Ces ressources incluent des amis, des professionnels de la santé et des documents d'information. Mais pour préserver sa forme, il importe avant tout d'être à l'écoute de son corps.

J'espère que cet ouvrage fera partie intégrante des moyens dont vous disposez pour prendre soin de votre santé.

La conception de cet ouvrage

Au moment de concevoir cet ouvrage, nous avons demandé à des gens de toutes les régions des États-Unis ce qu'ils souhaitaient y trouver. Voici ce qu'ils nous ont dit : « Abordez les ennuis de santé les plus fréquents en termes faciles à comprendre. Donnez-nous des conseils pour la prévention et l'autotraitement. N'oubliez ni la santé des enfants ni la santé et la sécurité au travail. Après tout, nous passons un tiers de notre vie quotidienne au travail. » C'était tout un programme. Nous avons commencé par énumérer les 200 causes principales de consultation médicale. Ensuite, nous avons discuté avec les infirmières de la Clinique Mayo qui répondent aux demandes d'information que les gens leur soumettent par téléphone. Nous avons consulté des professionnels de la santé, des employeurs et des directeurs des services de santé dans les grandes entreprises afin de nous renseigner sur les problèmes de santé et de sécurité au travail.

Nous avons aussi étudié le coût des soins de santé. Nous avons fait le bilan de nos travaux à la Clinique Mayo et des soins que nous prodiguons annuellement à plus de 400 000 patients, de même qu'aux 30 000 employés de la Mayo Foundation à Rochester, dans le Minnesota, à Scottsdale, dans l'Arizona, et à Jacksonville, en Floride.

Munis de ces données, nous avons convenu d'articuler notre ouvrage autour de la prévention et du dépistage précoce, ainsi que des moyens à prendre pour éviter les visites inutiles en clinique ou en salle d'urgence.

Comment consulter ce livre

Avant tout, feuilletez-le. Lisez les sections intitulées « Restez en forme » et « Le consommateur averti ». Si vous souffrez d'asthme ou de diabète, lisez les passages consacrés à votre état dans la section « Affections spécifiques ». Nos suggestions d'autotraitement sont conçues dans le but de prévenir les complications liées à votre état de santé et d'en minimiser les effets négatifs sur votre vie.

Si les questions de santé et de sécurité au travail vous intéressent plus particulièrement, consultez la section intitulée « La santé au travail ». Vous constaterez que notre approche est unique et instructive.

J'espère que cet ouvrage vous sera utile et que vous le consulterez souvent.

PHILIP T. HAGEN, M.D.
Directeur de l'édition

Équipe éditoriale

Directeur de l'édition
Philip T. Hagen, M.D.

Directeur de la rédaction médicale
Charles C. Kennedy, M.D.

Rédacteur en chef
N. Nicole Spelhaug

Directeurs administratifs
Ralph C. Heussner, fils
David E. Swanson

Production
LeAnn M. Stee

Directeur de la création
Daniel W. Brevick

Illustrateur médical
John V. Hagen

Assistantes à la production
Margery J. Lovejoy
Roberta J. Schwartz
Renée S. Van Vleet

Directeur artistique
Jeffrey A. Satre

Secrétariat
Laura B. Long
Pennylu Marshall

Index
Larry H. Harrison

Rédacteurs
Harvey K. Black
Katie M. Colón
Terry L. Jopke
Lynn L. Madsen
Lee Ann Martin
Catherine L. Stroebel
Jeremiah C. Whitten

Recherche
Brian M. Laing

Collaborateurs et réviseurs

Julie A. Abbott, M.D.
Susan L. Ahlquist, R.N.
Steven I. Altchuler, M.D.
Gregory J. Anderson, M.D.*
Linda B. Arneson, P.T.
Patricia A. Barrier, M.D.
A. Renée Bergstrom, M. Ed.
Donna L. Betcher, R.N.
Allen T. Bishop, M.D.
Nancy Boysen, R.N.
Gerald A. Christenson, R. Ph.
Patricia Conrad, R.N.
Michael A. Covalciuc, M.D.*
Edward T. Creagan, M.D.
Bradford L. Currier, M.D.
Albert J. Czaja, M.D.
Wyatt W. Decker, M.D.*
Sean F. Dinneen, M.D.
Lisa A. Drage, M.D.*
Joseph R. Duffy, M.D.
Darlene R. Eddingsaas
Frederick D. Edwards, M.D.*
Rokea A. el-Azhary, M.D.
Richard J. Fairley, M.D.
Richard E. Finlayson, M.D.
Sherine E. Gabriel, M.D.
Mary M. Gallenberg, M.D.
Gerald T. Gau, M.D.
Jayne E. Gilmore, R.N.
James L. Graham, D.P.M.
John D. Hagen, M.D.

Paul W. Hardwig, M.D.
Peg C. Harmon, R.N.
J. Taylor Hays, M.D.
Donald D. Hensrud, M.D.*
Daniel L. Hurley, M.D.
Richard D. Hurt, M.D.
Douglas A. Husmann, M.D.
Robin M. Janke, M.D.
Mary L. Jurisson, M.D.
Darlene G. Kelly, M.D.
Debra I. Koppa, C.P.N.P.
Lois E. Krahn, M.D.
Barbara L. Kreinbring, R.N.*
Teresa K. Kubas, R.D.
Kristine A. Kuhnert, R.D.
Edward R. Laskowski, M.D.
James T. Li, M.D.
Mary C. Madden, R.N.*
Amy L. Manolis, M.D.*
Deb K. McCauley, R.N.P.*
Mary Jane McHardy, M.S.*
Peggy A. Menzel, R.N.
Linda K. Miller, M.D.*
Sara K. Miller, R.N.P.*
Robin G. Molella
Robert M. Morse, M.D.
Margaret A. Moutvic, M.D.*
Lee A. Nauss, M.D.
Jennifer K. Nelson, R.D.
Marilynn W. Olney, M.D.*
Eric J. Olson, M.D.

David L. Orgel, M.D.
William J. O'Rourke, M.D.
David E. Patterson, M.D.
Jerald A. Pietan, M.D.*
Gregory A. Poland, M.D.
Carroll F. Poppen, P.A.
Russell R. Rein, M.H.A.*
Randall K. Roenigk, M.D.
Jeffrey D. Rome, M.D.
Jane E. Ryan*
Arnold L. Schroeter, M.D.
Jacalyn A. See, R.D.
Dianne C. Shober, M.S.
Marilyn J. Smith, R.N.
Ray W. Squires, Ph. D.
Robert J. Stroebel, M.D.*
Jerry W. Swanson, M.D.
Jill A. Swanson, M.D.
Sandra J. Taler, M.D.
Robert T. Trousdale, M.D.
Robert M. Valente, M.D.*
Richard G. Van Dellen, M.D.
Laurie Jo Vlasak, R.N.
Michelle Weber, R.N.
Floyd B. Willis, M.D.*
Donna M. Wohlhuter, R.N.
Alan J. Wright, M.D.
Katherine M. Zahasky, R.N.
Réviseur de la version française
Marie-Josée Caron, M.D.
* Membre du comité éditorial

Introduction

Le guide de la santé de la Clinique Mayo rassemble des informations fiables, pratiques et faciles à comprendre sur plus de 150 problèmes de santé parmi les plus fréquents ainsi que sur de nombreux aspects du bien-être général.

Aucun ouvrage ne saurait se substituer aux conseils de votre médecin ou d'un autre professionnel de la santé. Aussi notre but est plutôt de vous aider à régler en toute sécurité certains des ennuis de santé les plus courants, tant à la maison qu'en milieu de travail, et de vous permettre d'éviter de vous rendre inutilement en clinique ou à l'urgence. Nous vous indiquons également les moments où il importe de consulter.

Structure de l'ouvrage

La plupart des chapitres du *Guide de la santé* s'ouvrent sur une présentation générale des problèmes de santé dont il sera question, accompagnée ou non de leurs symptômes et de leurs causes probables. Le texte propose ensuite des suggestions d'autotraitement et des conseils pour la prévention. Sous l'intitulé « Soins médicaux », nous vous indiquons les situations où il importe de consulter un médecin ou un professionnel de la santé, et nous résumons les soins auxquels vous pouvez vous attendre. Lorsque certains renseignements s'appliquent plus particulièrement aux enfants, ils apparaissent sous l'intitulé « Les enfants ». Enfin, les encadrés apportent des informations complémentaires sur des sujets connexes.

Le lecteur trouvera ci-dessous un résumé de chacune des huit sections comprises dans *Le guide de la santé*.

Les soins d'urgence

Les urgences sont relativement rares et nécessitent le plus souvent une intervention médicale. Mais vous pouvez quand même faire quelque chose en attendant l'arrivée des secours pour stabiliser le sujet et le préparer à recevoir des soins professionnels. Cette section couvre la réanimation cardiorespiratoire (RCR), la suffocation, l'infarctus, les accidents vasculaires cérébraux, de même que toute une gamme de problèmes courants tels que les saignements, les morsures d'animaux, les engelures, les plaies pénétrantes et les maux de dents.

Nous vous incitons fortement à suivre un cours de premiers soins afin d'apprendre à maîtriser les techniques de survie dont vous pourriez avoir besoin en situation d'urgence.

Symptômes généraux

Certaines affections présentent des symptômes globaux qui touchent le corps tout entier. Ces symptômes incluent la fatigue, la fièvre, le vertige, la douleur, l'insomnie, la transpiration et les changements de poids inattendus. Nous abordons l'origine la plus fréquente de chacun de ces symptômes généraux, nous incluons des suggestions d'autotraitement et nous vous indiquons quand vous devez consulter votre médecin.

Les problèmes courants

Cette section est la plus volumineuse du livre. On y aborde les ennuis de santé les plus fréquents qui peuvent affecter les yeux, les oreilles, le nez, la peau, l'estomac, la gorge, le dos et les membres. Le lecteur y trouvera également des chapitres sur les problèmes de santé spécifiques aux hommes et aux femmes. Nous proposons des remèdes simples pour des affections bénignes telles que le rhume, les maux de gorge ou d'estomac, les ongles incarnés et l'œil au beurre noir.

Les affections spécifiques

Cette section propose des directives générales pour la prévention et la gestion des affections courantes qui résistent à l'autotraitement. Si vous souffrez de l'une ou l'autre de ces affections, consultez un professionnel de la santé qui pourra établir un diagnostic et procéder à un traitement approprié.

La santé mentale

Nous vous suggérons ici des moyens variés pour réagir à quelques-uns des problèmes de dépendance les plus courants. Nous abordons aussi d'autres problèmes de santé mentale tels que l'anxiété, la violence conjugale et les pertes de mémoire. Nous vous expliquons la différence entre la dépression clinique et la déprime, nous vous suggérons des façons de vivre le deuil d'un être cher, et nous énumérons les indices à surveiller lorsqu'une personne de votre entourage envisage de se suicider.

Restez en forme

Cette section regorge de suggestions pratiques pour préserver sa santé : alimentation, contrôle du poids, conditionnement physique, gestion du stress, prévention des accidents et des maladies.

Introduction (suite)

La santé au travail

Dans cette section, nous étudions les moyens à votre disposition pour vous assurer un milieu professionnel sécuritaire et favorable à une bonne santé.

Nous abordons d'abord les problèmes les plus fréquents en milieu de travail tels que les maux de dos et le syndrome du canal carpien ; ensuite, nous traitons des questions de sécurité et de la prévention des accidents. Il n'est pas facile de trouver un équilibre entre sa vie professionnelle et sa vie familiale. Nous vous proposons donc quelques suggestions visant à vous empêcher de devenir fou et à vous sortir des matins échevelés. Le stress fait l'objet d'une étude poussée. Nous ne négligeons pas non plus l'épuisement professionnel et les conflits entre collègues, l'organisation du temps, l'hostilité et les commérages. Vous trouverez dans cette section des conseils pratiques sur la façon de réagir à un surcroît de travail et des indications pour apprendre à développer un bon sens de l'écoute.

On n'arrête pas le progrès technologique. Nous vous proposons donc des moyens pour prévenir les problèmes de santé associés au travail à l'ordinateur. Enfin, nous nous penchons sur la grossesse et la femme au travail, de même que sur la planification de la retraite.

Le consommateur averti

Dans cette section, vous trouverez des suggestions pour communiquer efficacement avec votre médecin, pour établir un arbre généalogique médical, pour évaluer les trousses d'analyse à domicile et pour préparer une trousse de premiers soins. Nous examinons en détail les médicaments les plus utilisés et nous vous proposons une description claire de nombreux médicaments en vente libre contre le rhume et contre la douleur.

Voyagez-vous par plaisir ou par affaires ? Cette section se termine par un survol de tout ce que vous devez savoir avant de faire vos bagages.

La santé des enfants et des adolescents

Ce livre ne prétend pas couvrir de façon exhaustive toutes les maladies infantiles. Vous y trouverez néanmoins des données sur les affections médicales qui touchent plus spécifiquement les enfants et les adolescents. De nombreux chapitres incluent un passage sur les soins à prodiguer aux enfants dans des cas particuliers. Nous discutons également des vaccins (Gardez la forme) et nous vous proposons, tout au long de ce livre, des conseils pour la sécurité des enfants. La prévention du tabagisme et de l'usage de l'alcool chez les adolescents ne nous a pas échappé. Si vous êtes inquiet pour votre enfant, consultez l'index : vous y trouverez sans doute une entrée qui s'applique à son cas.

Quelques mots sur notre style

Lorsqu'ils s'adressent à leurs patients, les médecins comprennent très bien le message qu'ils cherchent à transmettre. Mais ce n'est pas toujours le cas du patient qui les écoute. Nous avons rédigé cet ouvrage dans un langage clair et simple, qui reproduit les modes de communication quotidiens. L'ouvrage ne comporte que peu ou pas de termes techniques.

Nous recourons souvent à l'expression « professionnels de la santé ». Cette expression désigne, en plus des médecins et des omnipraticiens, les autres membres de la profession médicale, y compris les infirmières, les résidents et les sages-femmes.

Les soins d'urgence

Les urgences sont rares, mais lorsqu'elles se produisent, le temps nous fait défaut pour trouver l'information voulue. Afin de réagir efficacement, vous devez savoir ce qu'il convient de faire lorsqu'une personne semble blessée, gravement malade ou en détresse. Il se pourrait que votre intervention ne soit pas requise. Mais il se pourrait aussi qu'une action décisive de votre part sauve la vie d'un autre être humain.

Suivez un cours de premiers soins. Vous y apprendrez des techniques indispensables telles que la RCR et la manœuvre de Heimlich, et vous saurez comment agir en cas d'arrêt cardiaque, de choc ou de trauma. Votre section locale de la Croix-Rouge, l'Ambulance Saint-Jean et votre CLSC, entre autres, sont en mesure de vous renseigner sur les cours de premiers soins offerts dans votre région.

- La réanimation cardiorespiratoire ou RCR
- La suffocation/Étouffement
- La crise cardiaque (infarctus du myocarde)
- L'accident vasculaire cérébral (AVC)
- Les empoisonnements
- L'hémorragie
- Le choc
- Les réactions allergiques
- Les morsures
- Les brûlures
- Les problèmes dus au froid
- Les coupures, les éraflures et les plaies mineures
- Les blessures aux yeux
- Les intoxications alimentaires
- Les problèmes dus à la chaleur
- Les plantes vénéneuses
- Les problèmes dentaires
- Les traumas

La réanimation cardiorespiratoire ou RCR

La réanimation cardiorespiratoire (RCR) consiste à exercer des pressions rythmiques sur la poitrine en association avec le bouche-à-bouche. La RCR permet la circulation du sang oxygéné au cerveau et aux autres organes vitaux jusqu'à ce qu'un traitement médical approprié puisse restaurer le rythme cardiaque normal.

Avant d'entreprendre la RCR, il est indispensable de faire un bilan rapide de la situation. La victime est-elle consciente ou inconsciente? Si elle semble consciente, tapotez-lui l'épaule ou secouez-la délicatement en lui demandant d'une voix forte: « Est-ce que ça va? » Si la victime ne réagit pas, intervenez en respectant la séquence ci-dessous (A, B et C) et composez immédiatement le 911. Si vous n'êtes pas en mesure de quitter les lieux, demandez à quelqu'un d'autre d'appeler les secours.

A. Voies aériennes. Avant tout, dégagez les conduits aériens qu'obstrue peut-être l'arrière de la langue ou l'épiglotte (la lame cartilagineuse qui ferme le larynx) (voir les Figures 1 et 2 ci-dessous).

B. Respiration. Le bouche-à-bouche est le moyen le plus rapide d'assurer la circulation de l'oxygène dans les poumons (voir les Figures 3 et 4 ci-dessous).

C. Circulation. Les pressions rythmiques sur la poitrine remplacent le battement du cœur lorsque celui-ci s'est arrêté. Ces pressions contribuent aussi à irriguer le cerveau, les poumons et le cœur (voir la Figure 7 à la page **13**). Le bouche-à-bouche doit toujours accompagner les pressions rythmiques sur la poitrine.

Les illustrations ci-dessous détaillent les sept étapes de la réanimation cardiorespiratoire (RCR).

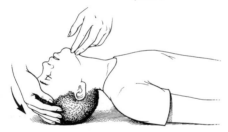

1. *Couchez la victime à plat dos sur un plan dur et placez sa tête bien en arrière; cela vous permettra de constater si la poitrine se soulève et (s'il respire) de prendre le pouls.*

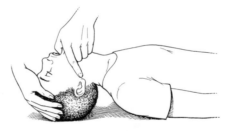

2. *Ouvrez la bouche de la victime et dégagez ses voies aériennes en poussant sa mâchoire inférieure vers l'avant.*

3. *Vérifiez si la victime respire: soyez attentif simultanément au bruit de sa respiration, à un déplacement d'air contre votre joue et au mouvement de sa poitrine.*

4. *Si la victime ne respire pas, pincez ses narines, placez votre bouche ouverte sur la sienne de façon à sceller celle-ci et soufflez deux fois dans sa bouche. Procédez à une insufflation toutes les cinq secondes en remplissant vos poumons d'air après chacune.*

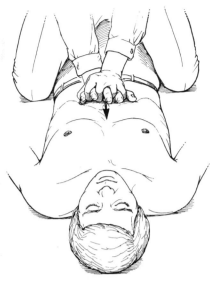

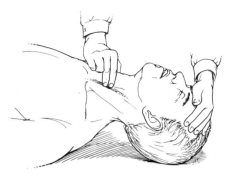

6. Prenez le pouls de la victime en posant 2 doigts sur l'artère carotide.

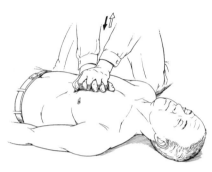

5. Si la poitrine de la victime ne se soulève pas lorsque vous soufflez dans sa bouche, il y a peut-être obstruction des voies aériennes. Efforcez-vous de retirer le corps étranger (par exemple, un débris alimentaire) en pratiquant la manœuvre de Heimlich. Puisque la victime est couchée, placez vos mains un peu au-dessus du nombril et exercez une pression ferme rapide, de bas en haut. Vous devrez insérer un doigt dans la bouche de la victime pour vous assurer que le corps étranger a été expulsé des voies aériennes et pour le retirer de la bouche ou de l'arrière-gorge.

7. En cas d'absence de pouls, procédez à un massage cardiaque externe. Pour utiliser votre poids de façon optimale, placez vos mains au bas du sternum de la victime, tendez bien les coudes et assurez-vous que vos épaules sont directement au-dessus de vos mains. Exercez de 80 à 100 pressions à la minute. La pression doit atteindre une profondeur d'environ 4 cm. Les mouvements descendant et ascendant de la pression doivent être égaux en durée, c'est-à-dire qu'il faut éviter une pression forte suivie d'un relâchement souple. Après 15 compressions, soufflez 2 fois dans la bouche de la victime. Après 4 cycles de 15 compressions et 2 insufflations, prenez le pouls et vérifiez si la victime respire. Continuez la manœuvre tant que vous ne percevrez ni pouls ni respiration.

La RCR et les bébés

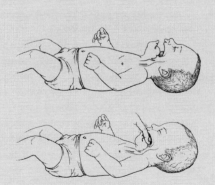

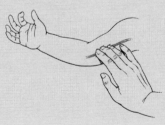

Prenez le pouls du bébé en posant vos doigts sur la partie interne de son bras.

Avant de procéder au bouche-à-bouche avec un bébé, repoussez sa tête vers l'arrière pour libérer ses voies respiratoires (croquis supérieur). Si vous constatez la présence d'un corps étranger, retirez l'obstacle par un mouvement de balayage du doigt (croquis inférieur), en prenant soin de ne pas enfoncer l'obstacle plus avant dans la gorge du bébé.

Pour procéder à la RCR, couvrez la bouche et le nez du bébé avec votre bouche. Donnez une insufflation pour cinq pressions rythmiques. Avec 2 doigts seulement, comprimez le thorax du bébé sur une profondeur d'environ 2 cm. Une centaine de pressions rythmiques par minute sont nécessaires.

La suffocation (étouffement)

La suffocation se produit lorsque l'arrière-gorge ou la trachée sont obstruées. Une intervention immédiate s'impose afin de prévenir la perte de conscience ou la mort. La suffocation, les maladies du cœur ou d'autres causes peuvent être à l'origine d'un arrêt cardiaque ou respiratoire. Pour sauver la vie de la victime, il est indispensable de restaurer la respiration et la circulation sanguine de la victime (voir les pages **12** et **13** sur la RCR).

Comment constater la présence d'une obstruction et libérer les voies aériennes

La personne qui suffoque est incapable de communiquer autrement que par signes. Souvent, les mouvements des mains et des bras manquent de coordination. N'oubliez pas que le signe universel pour indiquer la suffocation consiste à porter les mains à la gorge, pouces et doigts tendus.

La suffocation est souvent due à la présence, dans l'arrière-gorge ou la trachée, d'un débris de nourriture insuffisamment mastiqué. La plupart du temps, il s'agit d'aliments solides tels que la viande.

Il n'est pas rare que la personne qui suffoque ait été en train de parler tout en mastiquant une bouchée de viande. Les prothèses dentaires favorisent également la suffocation en interférant avec la sensation que produit la présence de nourriture dans la bouche. La pression qu'exercent les prothèses sur la nourriture étant moindre que celle des dents naturelles, il s'ensuit une mastication inadéquate.

La suffocation entraîne un état de panique. Le visage de la victime dénote la peur ou la terreur, et devient violacé. Le sujet pourrait avoir les yeux exorbités, chercher sa respiration ou produire une respiration sifflante.

Lorsqu'on «avale de travers», tousser suffit parfois à résoudre le problème. En réalité, une personne ne suffoque pas si elle parvient à tousser librement, si son teint est normal et si elle est en mesure de parler. Si la toux ressemble davantage à un halètement, ou si la victime bleuit, il s'agit sans aucun doute d'une suffocation.

Dans le doute, demandez à cette personne si elle peut parler. Dans l'affirmative, la trachée n'est pas entièrement obstruée et l'oxygène peut se rendre aux poumons. Une personne qui suffoque est incapable de communiquer autrement que par signes.

Lorsque le sujet suffoque, il porte invariablement la main à son cou, pouce et doigts tendus. Ce comportement requiert une intervention immédiate. Ne laissez jamais sans surveillance une personne qui suffoque.

La manœuvre de Heimlich

La manœuvre de Heimlich est la méthode la plus connue pour déloger un corps étranger de la trachée d'une personne qui suffoque. On peut la pratiquer sur une autre personne ou sur soi. Voici comment.

1. Passez derrière la victime et, en l'inclinant légèrement vers l'avant, entourez-lui la taille.

2. Placez votre poing fermé un peu au-dessus de son nombril.

3. En retenant votre poing avec votre autre main, exercez une pression ferme et rapide, de bas en haut,

au niveau du creux de l'estomac. Répétez cette procédure jusqu'à ce que vous ayez délogé l'obstacle.

Pour pratiquer cette manœuvre sur vous-même, placez votre poing fermé juste au-dessus du nombril. En retenant votre poing de l'autre main, exercez une pression ferme et rapide, de bas en haut, au niveau du creux de l'estomac jusqu'à ce que vous ayez délogé l'obstacle. Vous pouvez obtenir le même effet en exerçant des pressions contre le dossier d'une chaise.

La crise cardiaque (infarctus du myocarde)

Cinquante pour cent des personnes qui font une crise cardiaque attendent deux heures ou plus avant de recevoir des soins, et 50 p. 100 de celles-ci, soit 300 000 Nord-Américains chaque année, décèdent avant leur arrivée à l'hôpital.

Chez la plupart des gens qui survivent à une telle attaque, les lésions permanentes au muscle cardiaque ont lieu au cours de la première heure qui suit la crise. Si vous êtes victime d'un infarctus, ce que vous ne faites pas pourrait vous tuer.

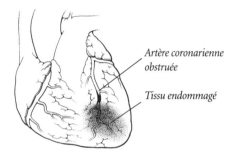

Artère coronarienne obstruée

Tissu endommagé

L'infarctus est une lésion du cœur provoquée par une interruption de l'irrigation sanguine. La crise a lieu lorsqu'il y a obstruction des artères qui assurent l'irrigation et l'oxygénation du muscle cardiaque. De minute en minute, la détérioration ou la nécrose des tissus privés d'oxygène est de plus en plus étendue. Les lésions les plus graves se produisent pendant l'heure qui suit le début de la crise. La restauration de la circulation sanguine est donc critique pour la survie de la victime.

Pourquoi la première heure est-elle si importante ?

L'infarctus est une lésion du cœur provoquée par une interruption de l'irrigation sanguine. L'attaque a lieu lorsqu'il y a obstruction des artères qui assurent l'irrigation et l'oxygénation du muscle cardiaque.

La cause habituelle de cette obstruction est la présence d'un caillot dans une artère rétrécie par une accumulation de cholestérol et d'autres graisses. L'absence d'oxygène détruit les cellules, provoque une douleur vive et une sensation d'oppression, et porte atteinte au fonctionnement normal du cœur.

Dans l'infarctus, la crise n'est ni statique ni momentanée. C'est un processus dynamique dont l'évolution s'étend sur 4 à 6 heures. De minute en minute, la détérioration ou la nécrose des tissus privés d'oxygène est de plus en plus étendue.

Chaque minute compte

L'administration d'un agent antiplaquettaire est le traitement le plus utilisé pour limiter l'extension des lésions. Les antiplaquettaires tels que l'activateur tissulaire du plasminogège (tPA) et la streptokinase, en dissolvant le caillot, rétablissent la circulation sanguine. Selon une étude réalisée par l'université de Washington, 75 p. 100 des personnes qui ont survécu à une crise cardiaque n'ont subi que peu ou pas de lésions au cœur lorsqu'un agent leur avait été administré dans les 70 minutes suivant l'apparition des symptômes.

L'angioplastie d'urgence, une procédure couramment utilisée dans les grands centres médicaux, élargit les artères obstruées et facilite l'irrigation du cœur. Mais, comme dans le cas des agents antiplaquettaires, les avantages de l'angioplastie sont beaucoup moindres si cette procédure est retardée au-delà de 2 heures.

Dans les premières minutes, la crise cardiaque présente aussi un risque de fibrillation ventriculaire. Ces contractions désordonnées se traduisent par un rythme cardiaque inefficace et entraînent une diminution de l'irrigation des organes vitaux. Une intervention médicale immédiate s'impose, sans quoi la fibrillation ventriculaire peut entraîner la mort subite.

Soyez vigilant avec ces symptômes

Les personnes victimes d'un infarctus perdent souvent de précieuses minutes parce qu'elles ignorent les symptômes de la crise ou nient ceux-ci. Certaines personnes tardent aussi à appeler les secours de peur de se rendre ridicule dans le cas d'une « fausse alerte ».

L'infarctus provoque le plus souvent des douleurs thoraciques qui persistent plus de 15 minutes. Mais il peut également s'agir d'une crise « muette » et ne présentant pas de symptômes.

Chez environ la moitié des victimes de crise cardiaque, des symptômes précurseurs se manifestent quelques heures, quelques jours, voire quelques semaines auparavant. L'indice le plus précoce de l'imminence d'un infarctus est sans doute une douleur thoracique récurrente qui apparaît à la suite d'un effort physique et disparaît avec du repos.

Nous énumérons ci-dessous les symptômes de l'infarctus. Il importe de savoir que l'on pourrait ne pas les ressentir tous et qu'ils pourraient ne pas être constants.

- Une sensation d'oppression écrasante, de plénitude ou un serrement douloureux au thorax qui ne s'estompent pas au bout de quelques minutes.
- Une douleur qui irradie aux épaules, au cou ou aux bras.
- Un léger vertige, un évanouissement, une transpiration abondante, de la nausée ou de la difficulté à respirer.

Soins d'urgence

En cas d'infarctus, il faut être en mesure de prendre très rapidement des décisions cruciales. Si bonnes soient ces décisions, vous perdrez de précieuses minutes si vous devez d'abord en peser le pour et le contre. Que vous croyiez être en train de faire un infarctus ou une simple indigestion, ne perdez pas une seconde. Agissez immédiatement.

- **Avant tout, faites le 911.** Le préposé contactera Urgences-santé. Dans les régions où le service 911 n'est pas disponible, composez le numéro proposé par les autorités locales pour les urgences médicales. Il est préférable de joindre ce service avant tout, car un appel à votre généraliste vous ferait perdre de précieuses minutes.

  Décrivez vos symptômes au préposé (par exemple, essoufflement ou douleurs thoraciques) afin que celui-ci dépêche en priorité auprès de vous une équipe d'ambulanciers formés aux techniques de base et aux techniques avancées de réanimation.

  La plupart des équipes d'urgence disposent de défibrillateurs cardiaques portatifs. Le rétablissement du rythme cardiaque normal par la transmission de courants électriques au muscle cardiaque est une étape critique du traitement d'urgence dont dépend la survie du patient. De nombreuses équipes des services de police et des services des incendies disposent également de défibrillateurs et pourraient arriver sur les lieux avant l'ambulance.

- **Administrez la RCR.** Si la victime est inconsciente, le préposé du 911 vous demandera sans doute de procéder vous-même à la RCR (bouche-à-bouche et compressions thoraciques). Si vous ne savez pas comment procéder, il vous guidera tout au long de chacune des étapes de la RCR jusqu'à l'arrivée des secours (voir la page **12** pour la description des techniques de RCR).

- **Optez pour le moyen de transport le plus rapide.** Le préposé contacte automatiquement l'ambulance la plus proche et la mieux dotée d'équipement de réanimation. Idéalement, les secours devraient arriver dans les 4 à 5 minutes. Si vous habitez dans une zone rurale ou une très grande ville, vous pourriez vous rendre plus vite à l'hôpital en voiture. Mais attention, si vous pensez être en train de subir un infarctus, demandez à une autre personne de prendre le volant. Ne conduisez jamais vous-même.

- **Rendez-vous aux services d'urgence les plus proches.** Sachez par avance où trouver des services d'urgence fonctionnant 24 heures sur 24 et disposant de médecins formés aux soins cardiaques d'urgence.

- **Croquez de l'aspirine***. Grâce à ses propriétés anticoagulantes, l'aspirine favorise la circulation du sang dans une artère rétrécie. La prise d'aspirine pendant une crise cardiaque peut réduire d'environ 25 p. 100 le taux de décès. Il faut prendre un comprimé d'aspirine de force normale et le croquer pour accélérer son absorption.

  Les agents antiplaquettaires et l'angioplastie augmentent les chances de survie. Mais la rapidité de traitement est cruciale. Sachez identifier les symptômes de l'infarctus et réagissez sans retard.

---

* Ou tout autre produit contenant de l'acide acétylsalicylique (AAS).

L'accident vasculaire cérébral ou AVC

Chaque année, environ 12 Américains sur 10 000 subissent un accident vasculaire cérébral. L'AVC occupe le troisième rang parmi les causes de décès aux États-Unis, après les maladies cardiovasculaires et le cancer. Heureusement, 1991 a connu une baisse de 65 000 décès dus à des AVC par rapport à 1971. Ce déclin indique sans doute une meilleure identification et un meilleur contrôle des facteurs de risque de la maladie.

Vous pouvez réduire le risque d'AVC en identifiant et en modifiant certaines habitudes de vie. Si vous êtes à risque élevé de subir un accident vasculaire cérébral, la prise d'aspirine, ainsi qu'une intervention chirurgicale appelée « endartériectomie », pourrait prévenir un AVC grave.

Si vous subissez néanmoins un AVC, la rapidité d'intervention pourrait minimiser les lésions cérébrales et les incapacités subséquentes. Aujourd'hui, 70 p. 100 des victimes d'AVC sont autonomes ; 10 p. 100 recouvrent complètement la santé.

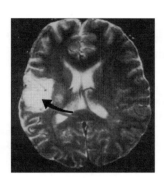

Dans cette IRM (Imagerie par Résonance Magnétique), la flèche indique la zone du cerveau qui a été endommagée par un accident vasculaire cérébral.

Les différents types d'accident vasculaire cérébral

En cas d'accident vasculaire cérébral, une intervention médicale immédiate s'impose. Comme pour une crise cardiaque, chaque minute compte. Plus on tarde à secourir la victime, plus le risque de lésions et d'incapacité augmente. La réussite du traitement peut dépendre de la rapidité d'intervention.

Le cerveau comporte 100 milliards de cellules nerveuses (neurones) et des billions de synapses (points de contact entre deux neurones). Bien qu'il ne représente que 2 p. 100 du poids total du corps, le cerveau utilise jusqu'à 70 p. 100 de l'oxygène et des autres nutriments de l'organisme. Puisque le cerveau ne peut entreposer ces nutriments comme le fait la masse musculaire, son fonctionnement normal dépend d'une irrigation sanguine ininterrompue.

L'AVC survient lorsqu'une insuffisance circulatoire prive de sang les tissus cérébraux. En 4 minutes à peine, les neurones ainsi privés des nutriments indispensables à leur survie commencent à mourir.

Il existe deux types principaux d'AVC :

- **Ischémique (embolie, thrombose).** Environ 80 p. 100 des AVC sont dus à l'athérosclérose (accumulation dans les artères, sous forme d'une plaque jaunâtre, de nodules graisseux contenant du cholestérol : les « athéromes »). En épaississant la paroi interne des artères, ces athéromes provoquent une circulation sanguine turbulente (comme lorsque l'eau d'un torrent se heurte à un rocher) et favorisent la formation de caillots.

  Au cours d'une ischémie cérébrale transitoire (ICT), les symptômes provisoires – et le plus souvent brefs – sont dus à une perturbation de l'irrigation sanguine. Dans certains cas, l'organisme libère des enzymes qui dissolvent le caillot sanguin et rétablissent une circulation normale.

- **Hémorragique.** Ce type d'AVC survient lorsqu'il y a épanchement de sang ou rupture d'un vaisseau sanguin dans le cerveau. Le sang se répand dans les tissus cérébraux environnants et les endommage. Les cellules nerveuses situées en deçà de l'épanchement ou de la rupture, en étant privées de sang, sont également endommagées.

  Un anévrisme est une cause fréquente d'accident vasculaire cérébral hémorragique. Un gonflement, formé par le sang qui dilate la paroi de l'artère en s'épanchant, se développe avec l'âge ; toutefois, certains anévrismes sont également dus à une prédisposition génétique. L'hypertension est la principale cause des accidents vasculaires cérébraux hémorragiques.

  Ce type d'AVC est moins fréquent que l'accident ischémique, mais plus souvent mortel. Environ 50 p. 100 des victimes en meurent, comparé à 20 p. 100 des victimes d'accident ischémique. Chez les jeunes adultes, l'AVC est majoritairement hémorragique.

Peut-on prévenir l'AVC ?

Certains facteurs de risque sont inéluctables. D'autres facteurs favorisants peuvent être contrôlés par la prise de médicaments et par une modification des habitudes de vie. L'ennui est que certains de ces facteurs de risque sont asymptomatiques : vous pourriez ignorer leur présence. Les facteurs contrôlables sont les suivants :

- **L'hypertension.** Environ 40 p. 100 des AVC sont dus à l'hypertension. Dans l'hypertension, la pression systolique est supérieure à 140 mm Hg et la pression diastolique supérieure à 90 mm Hg (voir page **190**).
- **Le tabagisme.** Les fumeurs encourent 50 p. 100 plus de risques que les non-fumeurs de subir un AVC.
- **Les maladies cardiovasculaires.** Outre l'athérosclérose, certains facteurs prédisposent aux accidents vasculaires cérébraux : les maladies coronariennes, notamment l'insuffisance cardiaque (congestive), un infarctus du myocarde dans le passé, une valvulopathie grave, une valvule artificielle et la présence de fibrillation auriculaire (rythme cardiaque irrégulier et souvent rapide).
- **L'ischémie cérébrale transitoire (ICT).** Une ischémie cérébrale transitoire (ICT) peut ne durer que quelques minutes et s'accompagner de symptômes légers. Toutefois, environ 15 à 20 p. 100 des victimes d'un AVC ont subi antérieurement une ou plusieurs ischémies cérébrales transitoires. Plus grande est la fréquence de ceux-ci, plus grand est le risque d'AVC.
- **Le diabète.** Le diabète double le risque d'AVC.
- **Un taux élevé de cholestérol.** Un taux élevé de LDL cholestérol (LDL : lipoprotéine de basse densité) augmente le risque d'athérosclérose, tandis qu'un taux élevé de HDL cholestérol (HDL : lipoprotéine de haute densité) procure une protection en empêchant la formation de plaque.

Sachez reconnaître les symptômes d'un AVC

Si vous remarquez la présence d'un ou de plusieurs des symptômes ci-dessous, appelez immédiatement votre médecin. Il pourrait s'agir d'une ischémie cérébrale transitoire (ICT) ou d'un accident vasculaire cérébral grave.

- Faiblesse soudaine ou engourdissement d'un côté du visage, d'un bras ou d'une jambe.
- Diminution soudaine de l'acuité visuelle, vue brouillée ou perte de vision, en particulier dans un seul œil.
- Aphasie (perte de la parole), difficultés d'élocution ou de compréhension du langage.
- Douleur violente et soudaine à la tête (comme un « éclair »), sans cause apparente.
- Perte d'équilibre subite, vertige soudain ou chute brusque, en particulier en présence de l'un ou l'autre des symptômes précédents.

Vous ne pouvez rien contre certains facteurs favorisants

On ne peut empêcher les facteurs favorisants énumérés ci-dessous. Mais le fait de savoir que vous êtes à risque pourrait vous motiver à améliorer votre mode de vie afin de réduire ces risques.

- *Les antécédents familiaux :* Vous êtes d'autant plus à risque si l'un de vos parents, votre frère ou votre sœur a été victime d'un AVC ou d'une ischémie cérébrale transitoire (ICT). On ignore toujours si ce risque accru est dû à des facteurs génétiques ou aux habitudes de vie de la famille.

- *L'âge :* Le risque d'AVC augmente avec l'âge.
- *Le sexe :* Jusqu'à 55 ans, le risque d'AVC est plus élevé chez les hommes. Après 55 ans, la femme est autant à risque que l'homme en raison de la diminution de la sécrétion d'œstrogène à la ménopause.
- *La race :* Les Noirs sont plus sujets aux accidents vasculaires cérébraux que les autres groupes ethniques minoritaires et les Blancs. Cela est en partie dû à un risque plus élevé, chez les Noirs, d'hypertension et de diabète.

Les empoisonnements

Les symptômes d'un empoisonnement peuvent être visibles ou non. Parfois, la source en est aisément identifiable : un contenant ouvert de médicaments ou un produit de nettoyage répandu par terre. Si vous soupçonnez un empoisonnement, soyez à l'affût des indices suivants :

- Une brûlure ou une rougeur sur le pourtour des lèvres. Ces marques peuvent indiquer que la victime a ingéré un produit toxique.
- Une haleine à odeur chimique (par exemple, une odeur de gazoline ou de solvant à peinture).
- Des brûlures, des taches, des odeurs sur la personne, sur ses vêtements, sur les meubles, les parquets, les tapis ou les objets environnants.
- Des vomissements, une détresse respiratoire, l'envie de dormir, de la confusion ou tout autre symptôme inattendu.

Plusieurs affections occasionnent des symptômes similaires à ceux de l'empoisonnement, notamment les convulsions, l'intoxication par l'alcool, les accidents vasculaires cérébraux et le choc insulinique. Si vous ne trouvez aucun indice pouvant faire croire à un empoisonnement, **ne traitez pas la victime,** mais appelez les secours. Entre-temps, assurez-vous que la personne est aussi confortable que possible et prodiguez-lui les soins d'urgence nécessaires en cas de choc (voir page **21**).

Les soins d'urgence

Si vous croyez qu'une personne a été victime d'un empoisonnement, procédez comme suit :

1. L'étiquette de certains produits recommande la marche à suivre en cas d'ingestion. Suivez les instructions.
2. Si la victime est consciente et alerte, donnez-lui à boire un verre d'eau ou de lait. Le liquide ralentira l'absorption du poison par l'organisme. Mais si la personne semble faible ou léthargique, si elle est inconsciente ou si elle a des convulsions, n'administrez rien par voie buccale.
3. S'il vous est impossible d'identifier le poison ou si l'étiquette ne propose aucune marche à suivre, **appelez immédiatement le centre anti-poison de votre localité.** Ayez leur numéro à proximité de votre téléphone. Dans la plupart des cas, ce numéro figure à la page 1 de votre annuaire téléphonique. Si vous ne l'y trouvez pas, faites le 911.
4. Certains poisons doivent être vomis, d'autres non. Si vous ignorez quelle est la substance ingérée, ne provoquez pas le vomissement. Dans l'ensemble, on ne doit pas faire vomir le sujet, sauf sur l'avis d'un spécialiste du centre anti-poison ou d'un médecin.
5. Si l'on vous demande d'induire le vomissement, administrez du sirop d'ipéca. Vous pouvez aussi insérer un doigt au fond de la gorge de la victime pour provoquer un haut-le-cœur. En l'absence d'une autre solution, donnez à boire à la personne un verre d'eau tiède additionnée de 1 c. à thé de moutarde sèche ou de 3 c. à thé de sel.
6. Après que la victime a vomi, faites-lui boire un verre d'eau ou de lait.
7. Si la peau, les yeux ou les vêtements de la victime ont été en contact avec la substance toxique, déshabillez-la et rincez sa peau ou ses yeux à l'eau fraîche ou tiède pendant 20 minutes, en attendant l'arrivée des secours.
8. Appelez immédiatement les secours. Si vous avez pu identifier la substance toxique, ne jetez pas le contenant, mais emportez-le avec vous aux services d'urgence. Si vous ignorez de quelle substance il s'agit et que la victime a vomi, prélevez un échantillon de vomi en vue d'une analyse de laboratoire.

La surdose de médicaments

Les médicaments qui sauvent des vies peuvent aussi vous tuer. De nombreuses personnes meurent chaque année d'une surdose d'un médicament en apparence inoffensif, par exemple un analgésique tel que l'aspirine ou l'acétaminophène. Un grand nombre de médicaments en vente libre sont dangereux lorsqu'on ne respecte pas la posologie, surtout dans le cas de jeunes enfants ou de personnes âgées. Les médicaments les plus souvent responsables de ces intoxications sont les somnifères, les antihistaminiques et les suppléments vitaminiques. Voir la page **265** pour un usage approprié des médicaments.

L'hémorragie

Pour arrêter une hémorragie, procédez comme suit :

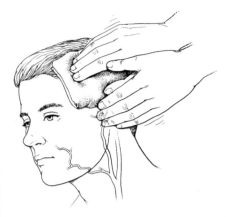

Pour arrêter l'hémorragie, comprimez directement la blessure à l'aide d'un pansement de gaze ou d'une pièce de tissu propre.

1. Étendez le sujet à plat dos. Si possible, surbaissez légèrement sa tête par rapport au thorax ou élevez quelque peu ses jambes. Cette position réduit les risques d'évanouissement en assurant l'irrigation sanguine du cerveau. Autant que possible, assurez-vous que le site de la blessure est plus élevé que le reste du corps.
2. Retirez de la blessure tout débris ou toute saleté visible. Ne retirez pas un objet qui aurait pénétré la chair. À ce point, n'examinez pas la plaie et ne tentez pas de la nettoyer. Vous devez avant tout arrêter l'hémorragie.
3. À l'aide d'un pansement stérile, d'un linge propre ou même d'une pièce de vêtement, comprimez la plaie. Si vous n'avez rien d'adéquat sous la main, comprimez la plaie à mains nues.
4. Maintenez la compression jusqu'à l'arrêt du saignement. Lorsque le saignement a pris fin, enserrez étroitement le pansement à l'aide d'un bandage élastique ou de gaze. Si vous n'en avez pas, servez-vous d'un morceau de vêtement propre.
5. Si le sang imbibe le pansement ou le tissu avec lequel vous comprimez la plaie, ne l'enlevez pas. Ajoutez plutôt une ou plusieurs autres couches de tissu absorbant.
6. Si une compression directe ne suffit pas à enrayer l'hémorragie, vous devrez sans aucun doute comprimer l'artère qui irrigue la blessure. Lorsqu'il s'agit d'une blessure à la main ou à l'avant-bras, pressez l'artère du bras contre l'os. Gardez les doigts à plat et, de l'autre main, poursuivez la compression.
7. Immobilisez le membre blessé dès que le saignement s'est arrêté. Laissez le pansement en place et conduisez le sujet aux services d'urgence le plus tôt possible.

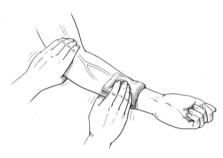

Si la compression ne suffit pas à enrayer l'hémorragie, continuez à comprimer la plaie tout en pressant de vos doigts l'artère voisine.

Que faire en cas d'hémorragie interne

Lorsqu'il y a blessure traumatique, par exemple à la suite d'un accident de voiture ou d'une chute, il peut y avoir hémorragie interne sans signes extérieurs. Recherchez les indices suivants :

- Saignement d'oreille, du nez, du rectum ou du vagin ; le sujet vomit ou crache du sang.
- Ecchymose au cou, à la poitrine ou à l'abdomen.
- Blessure profonde à la tête (avec pénétration du crâne), à la poitrine ou à l'abdomen.
- Douleurs abdominales au toucher, parfois accompagnées de raideurs ou de spasmes musculaires abdominaux.
- Fracture.

L'hémorragie interne peut provoquer un état de choc. Le volume de sang dans l'organisme étant insuffisant, le sujet est faible, altéré et anxieux. Sa peau est fraîche au toucher. D'autres symptômes de choc qui pourraient indiquer une hémorragie interne sont une respiration superficielle et lente, un pouls faible et rapide, des tremblements et de l'agitation. Le sujet peut s'évanouir s'il est debout ou assis, mais recouvrer ses esprits si on le fait s'étendre.

Si vous soupçonnez une hémorragie interne, appelez immédiatement les secours. Prodiguez au sujet les soins d'urgence appropriés en cas de choc (voir page 21). Faites en sorte que le sujet soit confortablement étendu et calme. Dégrafez ses vêtements, mais ne lui donnez rien à boire ou à manger.

L'hémorragie interne, en particulier dans l'abdomen, dans la tête ou dans le thorax, est extrêmement grave et peut entraîner la mort. La perte de sang est parfois considérable, même en l'absence de tout signe extérieur.

Le choc

Le choc est parfois dû à un trauma, à la chaleur, à une réaction allergique, à une infection grave, à une intoxication ou à d'autres causes. La personne en état de choc manifeste une variété de symptômes :

- Le teint est pâle ou grisâtre ; la peau, froide et humide.
- Le pouls est faible et rapide, la respiration superficielle et lente. La pression artérielle est basse.
- Les yeux sont mats et le regard fixe. On constate parfois une dilatation de la pupille.
- Le sujet est conscient ou inconscient. S'il est conscient, il semble parfois sur le point de s'évanouir, sa faiblesse est extrême et il est confus. Mais le choc provoque parfois un état d'anxiété et de surexcitation.

Même si une personne blessée vous semble normale, prenez les précautions qui s'imposent en cas de choc et procédez comme suit :

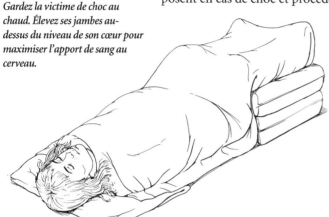

Gardez la victime de choc au chaud. Élevez ses jambes au-dessus du niveau de son cœur pour maximiser l'apport de sang au cerveau.

1. Étendez le sujet à plat dos en vous assurant que ses pieds sont surélevés par rapport à sa tête. Empêchez les mouvements inutiles. Surveillez les signes de choc que nous avons décrits plus haut.
2. Assurez-vous que le sujet est confortable et au chaud. Dégrafez ses vêtements et enveloppez-le dans une couverture. Ne lui donnez rien à boire.
3. Si le sujet vomit ou s'il crache du sang, tournez-le sur le côté pour éviter qu'il ne suffoque.
4. Traitez adéquatement toute blessure (par exemple, une hémorragie ou une fracture).
5. Appelez immédiatement les secours. Faites le 911.

Le choc anaphylactique peut tuer

Les réactions allergiques les plus graves sont dites anaphylactiques. Elles peuvent être causes de choc et entraîner la mort. Des centaines de Nord-Américains meurent chaque année de réactions allergiques anaphylactiques, bien que celles-ci soient plutôt rares.

La réaction anaphylactique est rapide ; elle se produit dans les secondes ou les minutes qui suivent le contact avec l'agent allergène. Presque tous les allergènes peuvent provoquer cette réaction : venin d'insecte, pollen, latex, certains aliments ou médicaments. Certaines personnes ont une réaction anaphylactique sans cause connue.

Les sujets particulièrement sensibles auront une grave poussée d'urticaire et une enflure importante des yeux, des lèvres ou de la gorge, parfois suivie de détresse respiratoire et de choc. Une réaction sévère peut également être accompagnée d'étourdissements, de confusion mentale, de crampes abdominales, de nausées ou de vomissements.

La plupart des gens qui connaissent bien leurs allergies spécifiques portent toujours un antidote sur eux. L'épinéphrine (adrénaline) est le médicament le plus courant. Toutefois, l'effet de ce médicament est temporaire. Le sujet doit consulter immédiatement son médecin.

Si vous êtes témoin d'une réaction allergique présentant des symptômes d'anaphylaxie, faites le 911. Assurez-vous que le sujet a sur lui un antidote approprié (à inhaler, à avaler ou à injecter). S'il y a arrêt respiratoire ou cardiaque, pratiquez la RCR (voir pages 12 et 13).

Les réactions allergiques

Une allergie est une réaction du système immunitaire à un agent externe (allergène). Cette réaction est de plusieurs types : éruptions cutanées, congestion, asthme et, plus rarement, le choc ou la mort. Les allergènes les plus courants incluent le pollen (voir la section sur les Allergies respiratoires, page **168**) et le venin d'insecte (voir la section sur les Morsures, page **24**). Dans le présent chapitre, nous nous limitons aux allergies alimentaires et médicamenteuses.

■ Les allergies alimentaires

Les allergies alimentaires sont les moins bien comprises de toutes. Deux Nord-Américains sur 5 croient être allergiques à certains aliments. Dans les faits, moins de 1 p. 100 d'entre eux le sont vraiment.

Quatre-vingt-dix pour cent des allergies alimentaires sont dues à certaines protéines présentes dans le lait de vache, l'albumine de l'œuf, les arachides, le blé ou le soja. Les autres aliments pouvant causer des allergies sont, entre autres, les baies, les fruits de mer, le maïs, les fèves et la gomme arabique (utilisée comme épaississant dans les aliments préparés). La teinture alimentaire jaune n° 5 peut aussi provoquer une réaction allergique. Le chocolat, qu'on a longtemps cru responsable d'allergies (en particulier chez les enfants), est rarement à l'origine d'une réaction allergique.

Voici quelques-uns des symptômes d'allergies alimentaires :
- Crampes abdominales, diarrhée, nausée ou vomissements
- Évanouissements
- Urticaire (voir page **133**), œdème sous-cutané ou eczéma (voir page **131**)
- Enflure des lèvres, des yeux, du visage, de la langue et de la gorge
- Congestion nasale et asthme

Autotraitement
- Le meilleur remède est la prévention : évitez de consommer les aliments responsables de vos allergies.
- Lorsque vous substituez un aliment à un autre, assurez-vous qu'il comporte les mêmes éléments nutritifs.
- Si vos réactions sont graves, portez un bracelet ou un collier d'alerte médicale (voir page **23**) ; ceux-ci sont offerts en pharmacie. Demandez à votre médecin si vous devez toujours avoir une trousse d'urgence à portée de la main.
- Initiez-vous et initiez les membres de votre famille et vos amis aux soins d'urgence appropriés.

Les soins médicaux
Le diagnostic d'une allergie alimentaire est un processus exigeant en 5 étapes :

Étape 1 : Un bilan de vos symptômes, y compris le moment où ils se produisent, les aliments qui en sont la cause, la quantité de nourriture nécessaire à leur déclenchement et, le cas échéant, vos antécédents familiaux.

Étape 2 : La tenue d'un journal alimentaire qui permet de monitorer les habitudes alimentaires, les symptômes et la prise de médicaments.

Étape 3 : Un examen médical.

Étape 4 : Les tests allergologiques. D'abord, le test épicutané ou encore le test de la piqûre : à l'aide d'une aiguille, on applique sur la peau des extraits d'aliments ; ensuite, l'analyse sanguine pour mesurer le taux d'IgE (un anticorps) de l'organisme. Aucun de ces tests n'est efficace à 100 p. 100, mais ils peuvent vous aider à identifier les aliments auxquels vous n'êtes pas allergique.

Étape 5 : Le régime d'élimination est le test diagnostique le plus courant, car il permet d'associer les symptômes à un aliment spécifique. On ne peut cependant pas y recourir en cas de réactions très sévères.

En cas de réactions légères, la prise d'antihistaminiques ou l'application d'une préparation topique suffit le plus souvent.

Mise en garde	Les réactions violentes telles l'anaphylaxie (voir page **21**) ou l'asthme aigu sont très graves et peuvent entraîner la mort. Mais ces réactions sont rares. La plupart du temps, l'allergie provoquera une éruption cutanée ou de l'urticaire. Cela ne signifie pas que l'on doive les ignorer. La malnutrition et toute condition qui contribue à affaiblir le système immunitaire favorisent le développement des allergies alimentaires.
Les soins à prodiguer aux enfants	Les enfants sont 10 fois plus susceptibles que les adultes de souffrir d'allergies alimentaires. Le système digestif de l'enfant, insuffisamment développé, n'est pas en mesure d'absorber complètement les aliments allergènes. Ordinairement, les enfants de 6 ans environ cessent d'être allergiques au lactose, au gluten et aux œufs. Mais les allergies plus graves telles celles dues aux noix et aux fruits de mer perdurent souvent toute la vie.

■ Les allergies médicamenteuses

Si vous souffrez d'allergies médicamenteuses, ayez ce renseignement sur vous en tout temps. Les bracelets et les colliers d'alerte médicale sont offerts en pharmacie.

Tous les médicaments ou presque peuvent provoquer des réactions allergiques chez certaines personnes. Relativement rares, ces réactions vont de la plus bénigne à celles qui mettent la vie en danger. Certaines de ces réactions (par exemple, les dermites) sont d'authentiques allergies. Mais dans la plupart des cas, il s'agit des effets secondaires d'un médicament donné, notamment la sécheresse buccale ou la fatigue. D'autres réactions sont provoquées par la toxicité d'un médicament, par exemple, les lésions au foie. Enfin, certaines réactions allergiques demeurent assez mal comprises. Votre médecin pourra identifier vos allergies et vous prescrire un traitement approprié.

La pénicilline et ses analogues sont responsables de nombreuses réactions allergiques, de l'éruption cutanée à l'anaphylaxie immédiate, en passant par l'urticaire. La plupart du temps, l'allergie n'entraîne qu'une légère éruption cutanée.

Les médicaments les plus susceptibles de provoquer des réactions allergiques sont les sulfamides, les barbituriques, les anticonvulsivants, l'insuline et les anesthésiques locaux. Ce sont là des médicaments couramment employés, efficaces et très utiles. Très peu de gens y sont allergiques. Si vous prenez l'un de ces médicaments et qu'il ne vous cause aucun problème, continuez de le prendre. Au surplus, les teintures utilisées en radiographie pour délimiter les organes majeurs contiennent de l'iode et pourraient causer des réactions allergiques.

Près d'un million de Nord-Américains, des adultes surtout, réagissent à un médicament courant, l'aspirine. Bien qu'il s'agisse d'une intolérance plutôt que d'une allergie réelle, les symptômes sont similaires et potentiellement graves.

Les indices et symptômes des allergies médicamenteuses sont les suivants :
- Respiration sifflante ou difficulté à respirer
- Éruption cutanée, urticaire, prurit généralisé
- Choc

Autotraitement	• Évitez tout médicament qui vous cause des réactions allergiques. • En cas d'allergie sévère, retenez les noms des médicaments en question. • Portez un bracelet ou un collier d'alerte médicale pour signaler votre allergie. • Prévenez tout médecin traitant de votre allergie avant le début des soins. • Faites part de toute réaction à votre médecin. Une réaction peut se produire même plusieurs jours après l'interruption de la prise d'un médicament. • Ayez un antihistaminique à portée de la main quand vous quittez la maison.
Soins médicaux	Les allergies médicamenteuses les plus courantes – éruptions cutanées, prurit et urticaire – se traitent aux antihistaminiques ou, occasionnellement, à la cortisone. La plupart des allergies médicamenteuses sont incurables à l'exception de l'allergie à la pénicilline. Dans ce cas, le sujet peut être désensibilisé par des injections du médicament dont on augmente progressivement la dose jusqu'à ce que le sujet le tolère.

Les morsures : animales, humaines, morsures d'insectes et d'araignées

■ Les morsures animales

Les animaux domestiques sont responsables de la majorité des morsures d'animaux. Les chiens sont plus susceptibles de mordre que les chats. Toutefois, le risque d'infection est supérieur avec les morsures de chats. La prévention reste le meilleur traitement.

Autotraitement

- Si la morsure est superficielle, soignez-la comme toute autre plaie mineure. Lavez-la soigneusement à l'eau savonneuse. Appliquez une crème antibiotique pour prévenir les infections et recouvrez d'un pansement propre.
- Si vous n'avez pas été vacciné contre le tétanos au cours des 5 dernières années, un rappel s'impose dans les cas de morsure avec perforation de l'épiderme.
- Rapportez toute morsure suspecte aux autorités médicales de votre localité.
- Suivez les directives de votre vétérinaire en ce qui concerne la vaccination de vos animaux de compagnie.

Soins médicaux

En présence d'une plaie perforante, ou lorsqu'il y a déchirure et saignement, comprimez la plaie pour arrêter le sang et consultez votre médecin. Si vous n'avez pas été vacciné récemment contre le tétanos, un traitement médical s'impose. Soyez à l'affût de tout signe d'infection. Prévenez immédiatement votre médecin si vous constatez un œdème, une rougeur sur le pourtour de la morsure, une raie rougeâtre rayonnant de la plaie, un écoulement purulent ou une douleur vive.

La rage

Les chauves-souris, les renards, les ratons laveurs et d'autres animaux sauvages peuvent transmettre la rage, mais c'est aussi le cas du chien, en particulier s'il court en liberté dans les bois. Les animaux de ferme, surtout les vaches, peuvent être porteurs du virus, bien que les cas de transmission aux humains par les animaux de ferme soient extrêmement rares.

Le virus de la rage s'attaque au cerveau. Il se transmet aux humains par la salive d'un animal atteint, lorsque celle-ci pénètre dans une morsure. Sa période d'incubation est de 3 à 7 semaines. La période d'incubation est le délai entre la morsure et l'apparition des premiers symptômes. Lorsque prend fin la période d'incubation, le sujet ressent un fourmillement à l'emplacement de la morsure. À mesure que le virus se propage, le sujet éprouve parfois des problèmes de déglutition et sa salive présente de l'écume. L'irritabilité irrépressible et la confusion suivent, en alternance avec des périodes de calme.

En cas de morsure non provoquée d'un chien ou d'un chat domestique ou d'un animal de ferme, l'animal devrait être mis en quarantaine et demeurer sous observation pendant 7 à 10 jours. Même dans le cas d'une morsure provoquée, l'animal devrait demeurer enfermé et sous observation pendant 10 jours. Contactez un vétérinaire si l'animal semble malade. Un animal sauvage qui vous a mordu devrait être abattu.

■ Les morsures humaines

Chez les humains, les dents peuvent occasionner deux catégories de morsures : la morsure à proprement parler, lorsque les dents mordent la chair directement ; et la morsure indirecte, résultat d'un coup de poing, lorsque l'épiderme des jointures se fend au contact des dents de l'adversaire. Dans les deux cas, le traitement est le même. Les morsures humaines sont dangereuses, car elles comportent un risque d'infection élevé. La bouche est un terrain favorable à la prolifération des bactéries.

Autotraitement

- Comprimez la plaie pour arrêter le sang, lavez la blessure à l'eau savonneuse et recouvrez-la d'un pansement. Rendez-vous ensuite aux services d'urgence. Votre professionnel de la santé pourrait vous prescrire un antibiotique ou vous donner un rappel de vaccin si vous n'avez pas été vacciné contre le tétanos au cours des 5 dernières années.

Le guide de la santé

Les morsures de serpent

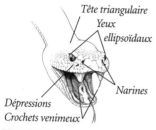

Tête triangulaire
Yeux ellipsoïdaux
Narines
Dépressions
Crochets venimeux

La plupart des serpents ne sont pas venimeux. Toutefois, puisque certains d'entre eux le sont (notamment le crotale, le serpent corail, le mocassin d'eau et le serpent à tête cuivrée), évitez de manipuler des serpents ou de vous amuser avec eux à moins d'avoir été correctement entraîné.

Si vous avez été mordu par un serpent, il est indispensable de savoir s'il s'agit d'un serpent venimeux. La plupart des serpents venimeux ont des yeux ellipsoïdaux (en amande) et présentent une dépression de chaque côté de la tête, à mi-chemin entre les yeux et les narines.

Autotraitement

- Si le serpent n'est pas venimeux, lavez la morsure à fond, appliquez une crème antibiotique et recouvrez d'un pansement. En général, en cas de morsure de serpent, il y a plus de peur que de mal.
- Vérifiez la date de votre dernier vaccin antitétanique. S'il remonte à plus de 5 ans et que la morsure a perforé l'épiderme, un rappel s'impose.

Soins médicaux

Si vous croyez avoir été mordu par un serpent venimeux, vous devez vous faire traiter de toute urgence. Autant que possible, appliquez de la glace sur la morsure, mais ne tardez pas à chercher du secours.

Les morsures et les piqûres d'insectes

Certaines morsures ou piqûres ne causent rien de plus qu'une démangeaison, une sensation désagréable de brûlure et une enflure légère qui disparaît en un jour ou deux. Toutefois, 15 p. 100 de la population est sensible au venin d'insecte. Abeilles, guêpes, frelons, guêpes jaunes et fourmis rouges causent le plus d'allergies. Les moustiques, les tiques, les brûlots et certaines espèces d'araignées entraînent aussi des réactions allergiques, mais celles-ci sont généralement moins sévères.

Les symptômes d'une réaction allergique se manifestent dans l'ensemble quelques minutes après la morsure ou la piqûre. Dans certains cas, il faut attendre plusieurs heures ou même quelques jours. Les personnes moyennement sensibles au venin souffrent surtout d'urticaire, d'irritation des yeux, de démangeaisons et d'une douleur vive sur le pourtour de la morsure ou de la piqûre. Lorsque la réaction se fait attendre, le sujet aura de la fièvre, des jointures douloureuses, de l'urticaire et une enflure des ganglions. Une morsure ou une piqûre pourrait entraîner successivement des symptômes précoces et des symptômes plus tardifs.

Les réactions allergiques les plus graves peuvent mettre la vie en danger. Si vous êtes hypersensible, attendez-vous à de l'urticaire grave, un œdème prononcé des paupières, des lèvres ou de la gorge ; l'enflure de la gorge peut se traduire par des difficultés respiratoires. Parfois, une réaction sévère s'accompagne d'étourdissements, de confusion, de crampes abdominales, de nausées, de vomissements ou d'évanouissement.

Autotraitement

- Retirez le dard à l'aide d'une pince à épiler à son point de jonction avec l'épiderme, ou encore grattez la peau à l'aide d'une carte de crédit. Appliquez un désinfectant.
- Pour diminuer la douleur et l'œdème, appliquez de la glace ou une compresse d'eau froide.
- Plusieurs fois par jour, et jusqu'à ce que vous ressentiez un soulagement, appliquez une crème d'hydrocortisone à 0,5 ou 1 p. 100, de la lotion calamine ou un cataplasme de bicarbonate de soude.
- Prenez un antihistaminique composé de diphénhydramine (Benadryl, Chlor-Trimeton).

Si vous avez déjà eu une réaction sévère :
- Ayez toujours une trousse d'épinéphrine à portée de la main.
- Procurez-vous un bracelet d'alerte médicale.
- Entraînez les membres de votre famille et vos amis aux soins d'urgence appropriés.

Le guide de la santé

Soins médicaux

En cas de réaction sévère (détresse respiratoire, œdème de la langue, urticaire), consultez votre médecin ou rendez-vous sur-le-champ aux urgences.

En cas de piqûre d'abeille, les réactions allergiques les plus sévères peuvent entraîner la mort. Si vous éprouvez de la difficulté à respirer, si vos lèvres ou votre gorge sont enflées, si vous êtes sur le point de vous évanouir, si vous ressentez de la confusion, si votre rythme cardiaque s'accélère ou si une crise d'urticaire se déclenche, faites-vous soigner de toute urgence. Les réactions un peu moins importantes sont causes de nausées, de crampes intestinales, de diarrhée ou d'une boursouflure de plus de 5 centimètres de diamètre à l'emplacement de la piqûre.

Votre médecin pourrait vous prescrire une série d'injections désensibilisantes, de même qu'une trousse de secours contenant des comprimés d'antihistaminique et une seringue d'épinéphrine (adrénaline) prête à utiliser. Ce médicament doit être toujours frais. Vérifiez-en régulièrement la date de péremption.

■ Les morsures d'araignées

Seules quelques araignées présentent un danger pour les humains, notamment la veuve noire *(Latrodectus mactans),* connue pour le motif de sablier qui figure à la face ventrale de l'abdomen, et la loxoscèles *(Loxosceles reclusa),* dont le dos s'orne d'un motif de violon.

Toutes deux préfèrent les climats chauds et les lieux sombres et secs où les mouches abondent. Elles vivent souvent dans les toilettes situées à l'extérieur. Leur morsure étant très fine, il se peut que vous ne la remarquiez pas. Mais quelques heures plus tard, vous pourriez éprouver des difficultés respiratoires et un œdème. La morsure de la veuve noire provoque parfois des crampes, des fourmillements ou une sensation de faiblesse musculaire.

Une intervention médicale immédiate s'impose. En attendant, appliquez une compresse d'eau froide ou de la glace. Si la morsure a eu lieu sur un membre, vous pouvez retarder la propagation du venin en plaçant un garrot juste au-dessus de la morsure et par une application de glace.

■ Les morsures de tiques

Dans l'ensemble, les tiques sont inoffensives, mais certaines d'entre elles constituent une menace pour la santé. Quelques-unes sont porteuses d'infections et leur morsure transmet des maladies infectieuses telles la maladie de Lyme (transmise par la tique du chevreuil) ou la fièvre des Montagnes Rocheuses. Le risque de contracter ces maladies dépend de la région où l'on se trouve, de la durée du séjour dans une région boisée et des mesures préventives que l'on aura su prendre.

Autotraitement

Taille réelle

Tique à chevreuil

Taille réelle

Tique de bois

- Lorsque vous faites une randonnée en forêt ou dans les champs, portez des chaussures, un pantalon long enfoncé dans vos chaussettes et des manches longues. Ne vous éloignez pas des sentiers battus et évitez les buissons et les herbes hautes.
- Protégez votre jardin des tiques en ramassant les feuilles et les branches mortes. Empilez le bois dans un endroit ensoleillé.
- Après une randonnée en forêt ou dans les champs, examinez-vous et examinez vos animaux de compagnie. Il est conseillé de prendre une douche dès votre retour à la maison, car les tiques peuvent rester sur la peau pendant plusieurs heures avant de mordre.
- Les insectifuges sont efficaces contre les tiques. Utilisez un produit contenant du diéthyltoluamide ou de la perméthrine et assurez-vous de bien suivre les instructions.
- Si vous découvrez une tique, retirez-la avec une pince à épiler en la saisissant près de la tête ou de la bouche. Sans presser trop fort pour éviter d'écraser la tique, tirez fermement et avec soin. Quand vous avez réussi à retirer toute la tique, appliquez un antiseptique sur la morsure.
- Pour jeter une tique, enterrez-la, brûlez-la ou jetez-la dans les toilettes.
- En cas d'éruption cutanée ou de malaise à la suite d'une morsure de tique, apportez la tique chez votre médecin.

Les brûlures

Les brûlures sont causées par le feu, le soleil, les produits chimiques, les liquides ou les objets très chauds, la vapeur, l'électricité, et ainsi de suite. Elles peuvent être légères, ou graves au point de mettre la vie en danger.

La classification des brûlures

Pour distinguer entre une brûlure légère et une brûlure grave, il faut déterminer le degré de dommages qu'ont subi les tissus. Les trois types de brûlures ci-dessous vous aideront à apprécier la gravité d'une brûlure.

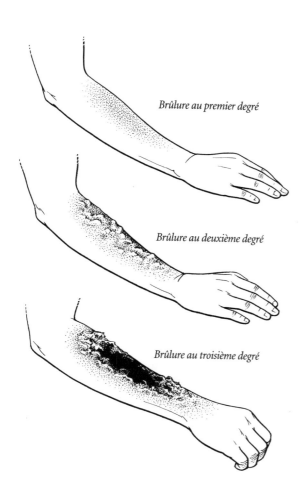

Brûlure au premier degré

Brûlure au deuxième degré

Brûlure au troisième degré

Brûlure au premier degré ou légère

Les brûlures les moins graves sont celles où seule la couche extérieure de la peau (épiderme) est affectée. La peau est rouge, parfois enflée et douloureuse. Mais la brûlure n'a pas pénétré l'épiderme. À moins qu'une telle brûlure couvre une partie importante des mains, des pieds, du visage, de l'aine ou des fesses, ou encore une articulation importante, les soins sont ceux qui s'appliquent à une brûlure mineure (voir page **28**). Les brûlures chimiques exigent le plus souvent un suivi. Pour les brûlures causées par le soleil, voir la section intitulée « Coups de soleil » en page **29**.

Brûlure au deuxième degré

Lorsque la brûlure pénètre l'épiderme et affecte aussi la couche inférieure de la peau (derme), il s'agit d'une brûlure au deuxième degré. Des cloques se forment, la peau est d'un rouge plus soutenu qui se présente par plaques. Le sujet ressent une vive douleur et l'œdème est prononcé.

Une brûlure au deuxième degré dont le diamètre n'excède pas 5 à 7 cm ne requiert que les soins d'urgence décrits à la page **28**. Mais si l'étendue de la brûlure est plus grande, ou si elle affecte les mains, les pieds, l'aine, les fesses ou une articulation majeure, un traitement médical immédiat s'impose.

Brûlure au troisième degré ou grave

Les brûlures les plus graves affectent l'ensemble des couches de la peau, parfois même les tissus adipeux, les nerfs, les muscles et les os. Certaines zones sont calcinées et noires ou d'un blanc sec. La douleur est insupportable, sauf dans le cas de dommages aux nerfs, elle est alors absente. Toutes les brûlures au troisième degré nécessitent des soins immédiats.

Autotraitement en cas de brûlure grave

Les brûlures graves nécessitent des soins immédiats. Faites le 911. En attendant les secours, observez les étapes ci-dessous :

- **Ne retirez pas les vêtements calcinés,** mais veillez à ce qu'aucune braise qui couve ne touche la victime.
- **Assurez-vous que la victime respire.**
- **Couvrez la brûlure** avec un pansement stérile humide ou un linge propre.

Autotraitement en cas de brûlure légère	En cas de brûlure légère, y compris les brûlures au deuxième degré dont le diamètre n'excède pas 5 à 7 cm, suivez les étapes ci-dessous : • **Rafraîchissez la zone affectée.** Rincez la brûlure à l'eau courante fraîche pendant 15 minutes. Si cela est impossible, immergez la zone affectée dans de l'eau froide ou appliquez des compresses froides. Cette étape réduit l'œdème en diminuant l'intensité de la chaleur. • **Appliquez une lotion pour les mains ou le corps.** Lorsque la brûlure est complètement rafraîchie, on obtient un certain soulagement en appliquant une lotion à base d'aloès ou une lotion hydratante. En cas de coup de soleil, appliquez une crème d'hydrocortisone à 1 p. 100 ou une crème anesthésique. • **Pansez la plaie.** Recouvrez la brûlure d'un pansement de gaze stérile. (Le coton hydrophile peut irriter la peau.) Ne serrez pas trop fort et ne comprimez pas indûment la zone affectée. Le pansement empêche le contact de l'air avec la blessure, réduit la douleur et protège la peau en cas de cloques. • **Prenez un analgésique en vente libre** (voir page **267**). • Les brûlures légères guérissent en 1 à 2 semaines sans autre traitement, mais surveillez les signes d'infection.
Mise en garde	**N'appliquez pas de glace sur une brûlure.** Vous pourriez provoquer une engelure et aggraver la situation. **Ne percez pas les cloques qui se forment.** Ces cloques remplies de liquide organique constituent une protection contre l'infection. Si elles éclatent d'elles-mêmes, lavez la zone affectée avec un savon doux, appliquez un onguent antibiotique et recouvrez d'un pansement stérile que vous changerez chaque jour.

■ Les brûlures chimiques

Autotraitement	• **Avant tout, débarrassez la peau du produit chimique.** Rincez la peau à l'eau claire pendant 20 minutes ou plus. (Si le produit chimique est une poudre telle que la chaux, époussetez la peau avant de la rincer.) • **Traitez la victime pour choc** (voir page **21**). Les symptômes de choc incluent l'évanouissement, la pâleur, une détresse respiratoire. • **Retirez toute pièce de vêtement ou tout bijou** qui aurait pu entrer en contact avec le produit chimique. • **Enveloppez la zone affectée** d'un pansement stérile (si possible) ou d'un linge propre. • **Rincez de nouveau la brûlure** pendant plusieurs minutes si, à la suite d'un premier rinçage, la victime éprouve une sensation de brûlure accrue. **Prévention** • Lorsque vous utilisez des produits chimiques, portez des vêtements et des lunettes de protection. • Apprenez à connaître les produits que vous utilisez. • Au travail, consultez les Fiches techniques santé-sécurité appropriées ou contactez le centre anti-poison de votre localité pour obtenir de plus amples renseignements.
Soins médicaux	Les brûlures chimiques légères ne requièrent en général aucun autre traitement. Mais demandez des secours (1) si le produit a pénétré jusqu'au derme, causant une brûlure au deuxième degré de plus de 5 à 7 cm de diamètre ou (2) si la brûlure a affecté les mains, les pieds, le visage, l'aine, les fesses ou une articulation majeure. Si vous ignorez s'il s'agit d'un produit toxique, contactez un centre anti-poison.
Mise en garde	Les produits de nettoyage domestique, surtout ceux qui contiennent de l'ammoniac ou de l'eau de Javel, de même que les produits de jardinage, peuvent causer des blessures graves aux yeux ou à la peau. Lisez attentivement les instructions d'utilisation et les traitements recommandés qui figurent sur l'étiquette.

■ Les coups de soleil

Le soleil est toujours le bienvenu après les mois gris d'hiver, mais il peut aussi endommager l'épiderme et accroître le risque de cancer de la peau. Les symptômes du coup de soleil apparaissent en général quelques heures après l'exposition : douleur, rougeur, enflure et, dans les cas graves, cloques. En raison de l'étendue des dommages, le coup de soleil s'accompagne aussi parfois de maux de tête, de fièvre et de lassitude.

Autotraitement

- Prenez un bain d'eau fraîche ou une douche. L'addition d'une demi-tasse de fécule de maïs ou de bicarbonate de soude à l'eau du bain vous soulagera.
- Pour favoriser la guérison et éviter l'infection, ne touchez pas aux cloques qui se forment. Si elles éclatent d'elles-mêmes, appliquez-y un onguent antibactérien.
- Prenez un analgésique en vente libre (voir page **267**).
- Évitez les produits qui contiennent de la benzocaïne (un anesthésique), car ils peuvent provoquer des réactions allergiques chez certaines personnes.

Prévention

- Si vous prévoyez sortir, évitez de vous exposer au soleil entre 10 h et 15 h, quand les rayons ultraviolets (UV) atteignent leur point culminant. Portez des vêtements couvrants et un chapeau à large bord, et appliquez un écran solaire avec un facteur de protection (FPS) de 15 ou plus.
- Protégez vos yeux. Les lunettes de soleil qui filtrent jusqu'à 95 p. 100 des rayons UV sont adéquates. Mais vous pourriez avoir besoin d'une lentille qui filtre 99 p. 100 des rayons UV si vous devez rester de longues heures au soleil, si vous avez été opéré pour des cataractes ou si vous prenez un médicament qui augmente votre sensibilité aux rayons UV.

Soins médicaux

Si votre coup de soleil développe des cloques ou si vous ressentez un malaise, consultez votre médecin. La cortisone en prises orales telle la prednisone apporte parfois un soulagement.

Mise en garde

Un coup de soleil ne vous empêchera pas de vivre normalement, mais rappelez-vous qu'une exposition répétée aux rayons UV peut endommager l'épiderme et accroître les risques de cancer de la peau. Si vous avez un coup de soleil grave ou que celui-ci provoque des complications (éruption cutanée, prurit ou fièvre), consultez votre médecin.

■ L'électrocution

Toute brûlure due à une électrocution doit être évaluée par un médecin. Ce type de brûlure peut sembler léger et néanmoins affecter profondément les tissus sous-cutanés. Si le courant électrique qui a traversé le corps était important, il peut s'ensuivre une perturbation du rythme cardiaque, un arrêt cardiaque ou des lésions internes.

La secousse provoquée par l'électrocution occasionne parfois des mouvements violents ou des chutes pouvant causer des fractures ou d'autres blessures du même type.

Les problèmes dus au froid

◼ Les engelures

Si vous sentez les effets d'une engelure, couvrez votre visage.

Toutes les parties du corps sont sujettes aux engelures, mais les mains, les pieds, le nez et les oreilles sont les plus vulnérables en raison de leur petitesse et du fait qu'elles sont souvent exposées.

Lorsque la température chute sous zéro, les capillaires, en se contractant, limitent l'irrigation et l'oxygénation des tissus. Au bout de quelque temps, les cellules meurent.

Le premier indice d'engelure est une sensation de fourmillement légèrement douloureuse. Souvent, l'engourdissement s'ensuit. La peau est extrêmement pâle, dure au toucher, froide et engourdie.

Les engelures peuvent causer des dommages aux couches profondes des tissus. Lorsque les couches profondes des tissus gèlent, des cloques se forment, habituellement dans les 2 jours.

Les personnes souffrant d'athérosclérose et celles qui prennent des médicaments pour le cœur sont les plus sujettes aux engelures.

Autotraitement	• Réchauffez délicatement et graduellement les parties affectées. À l'extérieur, placez vos mains en contact direct avec la peau des parties plus chaudes du corps. Réchauffez vos mains sous vos aisselles. Si l'engelure affecte le nez, les oreilles ou le visage, recouvrez-les avec vos mains réchauffées mais autant que possible couvertes.
	• Si possible, immergez vos mains ou vos pieds dans une eau légèrement plus chaude que la température normale du corps (38 à 40 °C), ou qui semblera chaude à une autre personne.
	• Ne frottez pas la zone affectée. Ne frottez jamais une engelure avec de la neige.
	• Ne fumez pas. La nicotine contracte les vaisseaux sanguins et restreint la circulation du sang.
	• Si vos pieds sont gelés, réchauffez-les et surélevez-les.
	• N'appliquez jamais de chaleur directe (par exemple, un coussin chauffant).
	• Ne réchauffez pas une zone affectée si celle-ci risque de geler derechef.

Suivi	Les régions affectées rougissent et causent des élancements ; une douleur très vive accompagne leur réchauffement. Le sens du toucher ne se restaure pas toujours immédiatement, même dans le cas d'engelures légères. Lorsque l'engelure est grave, la région affectée pourrait demeurer insensible jusqu'à la guérison complète. Dans les cas extrêmes, la guérison se fait attendre pendant plusieurs mois, et les lésions à l'épiderme affectent parfois en permanence le sens du toucher. Lorsqu'il y a infection, la prise d'antibiotiques s'impose parfois après réchauffement de la région affectée. Le repos et la physiothérapie sont recommandés. Ne fumez pas pendant la durée du traitement. La personne qui a subi une engelure, même très légère, est très à risque d'en subir encore.

Soins d'urgence	Si l'engourdissement subsiste en dépit du réchauffement, consultez immédiatement un médecin. Les engelures aux extrémités s'accompagnent parfois d'hypothermie (voir page **31**).

Les enfants	Surveillez les signes de refroidissement et d'engelure lorsque votre enfant se trouve à l'extérieur. La peau qui entre en contact avec des mentonnières, des bonnets et des habits de neige mouillés gèle facilement. Apprenez aux enfants plus vieux à reconnaître les signes avant-coureurs d'engelure et à s'assurer que la peau des enfants plus jeunes ne change pas de couleur.
	Enseignez à vos enfants à ne jamais toucher du métal à mains nues et à ne jamais lécher d'objets en métal.

Comment prévenir les blessures dues au froid

- **Restez au sec.** Le corps perd davantage de chaleur lorsqu'il est humide de pluie, de neige ou de sueur.
- **Protégez-vous du vent.** Le vent vous vole plus de chaleur que le seul air froid. La peau exposée au vent est particulièrement vulnérable.
- **Portez des vêtements isolants,** qui vous protègent du vent et qui « respirent ». Plusieurs couches de vêtements amples et légers favorisent l'isolation. La couche extérieure des vêtements doit être imperméable et ne pas laisser passer le vent.
- **Couvrez-vous la tête, le cou et le visage.** Portez deux paires de chaussettes et des bottes qui couvrent les chevilles. Les mitaines (moufles) protègent mieux les mains que les gants.
- Si une partie du corps devient froide au point de s'engourdir, réchauffez-la avant de poursuivre vos activités.
- Planifiez vos randonnées et vos sorties, et ayez une trousse de secours à portée de la main (voir page **236**).

■ L'hypothermie

Dans la plupart des circonstances, le corps maintient une température suffisante. Mais lorsqu'il est exposé au froid ou à une fraîcheur humide pendant trop longtemps, il se peut que ses mécanismes de contrôle ne parviennent plus à régulariser sa température. Lorsque vous perdez plus de chaleur que le corps ne peut en produire, il y a risque d'hypothermie, et ce risque s'accroît si vous portez des vêtements mouillés ou humides.

La chute dans l'eau est l'une des causes les plus fréquentes d'hypothermie, avec l'absence de couvre-chef et de vêtements adéquats.

Il y a hypothermie lorsque la température du corps s'abaisse au-dessous de 34 °C. Cette baisse de température provoque des frissons, des difficultés d'élocution, un rythme respiratoire anormalement lent, une peau froide et pâle, une perte de coordination et une sensation de lassitude, de léthargie ou d'apathie. Les symptômes sont en général lents à se manifester ; la perte graduelle de l'acuité mentale et de la dextérité est plus que probable. La personne qui souffre d'hypothermie pourrait ne pas s'apercevoir qu'elle nécessite des soins médicaux immédiats.

Les personnes âgées, les jeunes enfants et les personnes très minces sont particulièrement à risque. La malnutrition, les maladies cardiaques, l'insuffisance thyroïdienne et l'abus d'alcool prédisposent également à l'hypothermie.

Soins d'urgence

- Faites entrer la victime au chaud et donnez-lui des vêtements chauds et secs. S'il est impossible d'amener le sujet à l'intérieur, placez-le à l'abri du vent, couvrez-lui la tête et isolez-le du sol.
- Appelez les secours. En attendant, monitorez le pouls et la respiration de la victime. S'il y a arrêt respiratoire ou cardiaque, ou si la respiration est anormalement faible et le pouls lent, procédez immédiatement à la RCR (voir page **12**).
- Dans les cas extrêmes, lorsque la victime est en milieu hospitalier, on restaure rapidement la température normale du corps par le réchauffement du sang au moyen d'un appareil similaire à celui que l'on utilise dans les cas de pontage coronarien.
- Si les secours ne sont pas disponibles, réchauffez la victime en lui faisant prendre un bain tiède (et non pas chaud). L'eau doit osciller entre 38 °C et 40 °C. Faites boire un liquide chaud à la victime.
- Partagez votre chaleur corporelle avec la victime en vous accolant à elle.

Mise en garde

Ne faites pas boire d'alcool à la victime. Donnez-lui une boisson chaude non alcoolisée (sauf si elle vomit).

Les coupures, les éraflures et les plaies mineures

Il ne sert à rien de se rendre aux urgences en cas de coupures ou d'éraflures et pour les plaies mineures, mais des soins s'imposent si l'on veut éviter les infections et les complications. Les directives ci-dessous vous indiquent comment traiter les blessures mineures. S'il y a perforation, vous pourriez devoir consulter votre médecin.

■ Les plaies mineures

Autotraitement

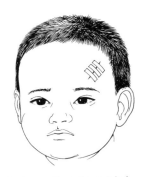

Quelques collants (steri-strips) adhésifs chirurgicaux favoriseront la cicatrisation d'une coupure légère, mais si les lèvres de la plaie ne se rejoignent pas complètement, consultez un médecin. Une fermeture correcte réduira également la formation de cicatrices disgracieuses.

- **Arrêtez le sang.** Les coupures et les éraflures cessent habituellement de saigner toutes seules. Dans le cas contraire, comprimez délicatement la plaie avec un linge propre ou un pansement.
- **Nettoyez la plaie.** Rincez à l'eau claire et nettoyez le pourtour de la plaie avec une débarbouillette (gant de toilette) et du savon. Empêchez le savon de pénétrer la plaie, car il pourrait l'irriter. Si la plaie présente encore de la saleté ou des débris après que vous l'avez nettoyée, délogez ces particules à l'aide d'une pince à épiler que vous aurez préalablement imbibée d'alcool à friction. Si un débris reste enfoncé profondément dans la plaie, contactez un professionnel de la santé. Ne tentez pas de le retirer vous-même. Un nettoyage consciencieux contribue à réduire le risque de tétanos (voir page **33**).
- On peut nettoyer le pourtour de la plaie avec une solution de peroxyde, de l'iode ou un antiseptique iodé. Mais ces substances irritent les cellules vivantes et ne doivent pas être appliquées directement sur la plaie.
- **Tenez compte de la cause de la blessure.** Les blessures perforantes ou toute autre blessure profonde, les morsures d'animaux et les blessures souillées peuvent causer le tétanos (voir page **33**). Si la blessure est grave, vous pourriez devoir recevoir un rappel de vaccin même si votre dernier rappel remonte à 10 ans ou moins. Lorsque la blessure est profonde ou très sale, un rappel s'impose si le précédent remonte à plus de 5 ans.
- **Prévenez les infections.** Après avoir nettoyé la plaie, appliquez une mince couche de crème ou d'onguent antibiotique (par exemple, Neosporin ou Polysporin) qui conservera à la peau son humidité. Ces produits n'accélèrent pas la cicatrisation, mais ils préviennent l'infection et stimulent les agents cicatrisants de l'organisme. Sachez que certains onguents contiennent des ingrédients qui pourraient causer une légère éruption cutanée chez certaines personnes. Dans un tel cas, interrompez leur utilisation.
- **Couvrez la blessure.** L'exposition à l'air favorise la cicatrisation, mais un pansement garde la blessure propre et empêche la pénétration de bactéries nocives. Les cloques (ampoules) qui suppurent sont vulnérables et devraient être recouvertes jusqu'à la formation d'une croûte.
- **Prévenez l'infection en changeant le pansement** au moins une fois par jour ou dès qu'il est mouillé ou sale. Si vous êtes allergique aux collants adhésifs utilisés dans la plupart des pansements, vous trouverez en pharmacie des pansements non adhésifs, des pansements de gaze et du galon de papier.

Soins médicaux

Si le saignement persiste à jaillir ou à couler après une compression de quelques minutes, des soins d'urgence s'imposent.

Des points de suture sont-ils nécessaires? Une plaie profonde (qui traverse toutes les couches de l'épiderme), béante ou dentelée devra sans doute être suturée pour guérir complètement. Quelques collants adhésifs chirurgicaux suffiront à refermer une coupure mineure, mais si les lèvres de la plaie ne se touchent pas, consultez un médecin. Une adhésion correcte des lèvres de la plaie préviendra en outre les cicatrices disgracieuses (voir page **33**).

Mise en garde

Surveillez les signes d'infection. Tant que la plaie n'est pas cicatrisée, le risque d'infection est présent. Voyez un professionnel de la santé si la plaie ne semble pas vouloir guérir ou si vous constatez des rougeurs, une suppuration, une sensation de chaleur ou une enflure.

Le vaccin antitétanique

Le tétanos peut contaminer une coupure, une lacération, une morsure ou tout autre type de plaie, même mineure. Il se manifeste quelques jours ou quelques semaines plus tard. Le tétanos produit une contracture des muscles faciaux qui bloquent les maxillaires. Plusieurs autres symptômes peuvent aussi se manifester, y compris des convulsions et des difficultés respiratoires. Le tétanos peut tuer.

La bactérie du tétanos loge dans la terre, mais on peut la trouver n'importe où. Si les spores pénètrent profondément dans une plaie, hors de portée de l'oxygène, ils se développent et produisent une toxine qui interfère avec les nerfs qui contrôlent les muscles. La vaccination préventive est indispensable. Les enfants reçoivent un vaccin antitétanique dans le cadre de l'association DCT. Pour les adultes, un rappel aux 10 ans s'impose. Si la plaie est profonde, le médecin conseillera sans doute un rappel même si le dernier remonte à moins de 10 ans. Un rappel s'impose en cas de plaie profonde et souillée si le dernier rappel remonte à 5 ans ou plus. Les rappels doivent être administrés dans les 2 jours suivant la blessure.

■ Les plaies perforantes

Une plaie perforante ne s'accompagne pas toujours de saignements abondants. Le plus souvent, le saignement est faible et la blessure se referme presque immédiatement. Cela ne signifie nullement que des soins ne sont pas nécessaires.

Une blessure perforante causée, par exemple, par la pénétration d'un clou ou d'une broquette peut être très dangereuse en raison du risque d'infection. L'objet responsable peut transporter des spores de tétanos ou une autre bactérie, en particulier s'il a été en contact avec de la terre. Suivez les indications données à la page **32** pour les plaies mineures, mais sachez qu'une plaie perforante profonde et contaminée devra sans doute être désinfectée par un médecin.

Que dire des cicatrices ?

Quoi qu'on fasse, la plupart des plaies profondes qui pénètrent toutes les couches de l'épiderme formeront une cicatrice. Même une plaie superficielle pourrait mal cicatriser si elle s'infecte ou si elle se rouvre. Les directives de la page **32** vous éviteront sans doute ces complications.

Lorsqu'on expose au soleil une plaie en voie de guérison, la peau fonce définitivement. On peut prévenir ce phénomène en portant des vêtements couvrants ou en appliquant un écran solaire ayant un facteur de protection supérieur à 15 pendant les 6 mois qui suivent l'apparition de la blessure.

Environ 2 mois après le début du processus de guérison, la cicatrice épaissit. Six mois ou un an plus tard, elle devient plus mince et pourrait même se trouver à égalité avec la surface de la peau. Une plaie étendue aux lèvres inégales qui continue de s'étendre est une chéloïde secondaire, c'est-à-dire une prolifération anormale de tissus cicatriciels. Des chéloïdes apparaissent parfois à la suite d'une incision chirurgicale, d'un vaccin, d'une brûlure, voire d'une simple égratignure. La prédisposition aux chéloïdes est souvent héréditaire. Les chéloïdes sont plus fréquentes chez les peaux foncées que chez les peaux pâles.

Les chéloïdes sont inoffensives. Mais un médecin pourra enlever les petites chéloïdes qui provoquent des démangeaisons ou qui sont disgracieuses par une application de nitrogène liquide suivie d'une injection de cortisone. Si on peut empêcher leur formation, on ne peut toutefois s'attendre qu'elles disparaissent spontanément.

Un dermatologue ou un chirurgien plasticien pourra évaluer votre cicatrice et vous conseiller un traitement approprié.

Les blessures aux yeux

Lorsqu'on ne les utilise pas correctement, certains objets domestiques tels que les trombones, les crayons, les outils et les jouets constituent une menace à cette fenêtre sur la vie que sont nos yeux.

La question des blessures aux yeux présente un double aspect. Ce sont des blessures fréquentes, dont certaines peuvent être graves. Heureusement, dans la grande majorité des cas, on peut les éviter en prenant quelques précautions (voir la page **86** pour les problèmes oculaires courants).

■ L'abrasion de la cornée (égratignure)

Les blessures aux yeux les plus fréquentes sont celles qui touchent la cornée, c'est-à-dire cette « fenêtre » protectrice transparente située sur le devant de l'œil. La poussière, la saleté, le sable, les copeaux de bois, les particules de métal et même le bord tranchant d'une feuille de papier peuvent égratigner ou couper la cornée. Cette égratignure est la plupart du temps superficielle : c'est l'abrasion de la cornée. Toutefois, certaines abrasions cornéennes, en s'infectant, produisent un ulcère de la cornée.

Nos activités quotidiennes sont parfois responsables d'une abrasion de la cornée : la pratique sportive, le bricolage ou le contact accidentel d'un ongle d'enfant. Les éclaboussures de produits chimiques allant des simples produits domestiques à l'antigel peuvent aussi blesser la cornée.

De telles abrasions sont très douloureuses, car la cornée est très sensible. Une égratignure de la cornée produit une sensation similaire à celle de la présence de grains de sable dans l'œil. Un œil qui larmoie, une vision trouble, une sensibilité ou une rougeur au pourtour de l'œil sont habituellement des symptômes d'abrasion de la cornée.

Autotraitement

En cas de blessure à la cornée, un traitement médical immédiat s'impose. En attendant, vous pouvez procéder comme suit :
- Rincez l'œil abondamment à l'eau tiède ou aspergez l'œil avec de l'eau claire. Dans de nombreux lieux de travail, des centres de rinçage sont mis à la disposition des employés précisément dans ce but. Le rinçage de l'œil peut en déloger un corps étranger. Cette technique est décrite à la page **35**.
- Clignez de l'œil plusieurs fois de suite pour en chasser les particules de poussière ou de sable.
- Tirez la paupière supérieure vers le bas jusqu'à ce qu'elle recouvre la paupière inférieure afin que les cils de la paupière inférieure balaient le corps étranger et le délogent.

Mise en garde

- Si l'abrasion est due à la présence d'un corps étranger, référez-vous à la page **35**.
- N'appliquez pas de bandeau ou de compresse froide. Si un objet pénètre dans le globe oculaire – ce qui se produit le plus souvent lorsqu'on frappe du métal contre du métal –, n'exercez aucune pression sur l'œil.
- Ne frottez pas un œil blessé. Ce geste pourrait aggraver l'abrasion de la cornée.

■ Les éclaboussures chimiques

Lorsqu'un produit chimique éclabousse les yeux, un rinçage à l'eau claire s'impose immédiatement. Toute forme d'eau potable peut faire l'affaire. Il est préférable de rincer les yeux immédiatement plutôt que de rechercher de l'eau stérilisée, car le rinçage peut suffire à diluer le produit chimique. Rincez les yeux pendant au moins 20 minutes, surtout s'ils ont été exposés à des produits de nettoyage contenant de l'ammoniac. Après un abondant rinçage, fermez les yeux et recouvrez-les d'un pansement humide, sans serrer. Consultez un médecin de toute urgence.

■ Les corps étrangers

Il peut arriver qu'un corps étranger pénètre dans l'œil d'un enfant ou même d'un adulte. Dans certains cas, il est possible de l'en déloger. Dans d'autres cas, il convient de consulter un professionnel de la santé.

Comment déloger un corps étranger

Pour retirer de l'œil un petit corps étranger, baignez l'œil à l'eau claire au moyen d'une œillère ou d'un petit verre à digestif.

Votre œil

Si personne n'est là pour vous aider, tentez de déloger le corps étranger en baignant l'œil à l'eau claire au moyen d'une œillère ou d'un petit verre à digestif. Positionnez le verre en en appuyant le rebord contre l'os de la cavité oculaire et baignez l'œil ouvert en renversant la tête vers l'arrière. Si vous ne parvenez pas à déloger le corps étranger, rendez-vous aux urgences.

L'œil de quelqu'un d'autre

- Demandez à la personne blessée de ne pas se frotter l'œil. Lavez vos mains avant de procéder à tout examen. Faites asseoir le sujet dans une zone abondamment éclairée.
- Localisez le corps étranger. Pour ce faire, tirez la paupière inférieure vers le bas et demandez au sujet de regarder vers le haut. Inversez cette procédure pour observer sous la paupière supérieure : tenez la paupière pendant que le sujet regarde vers le bas. Si le corps étranger a pénétré dans le globe oculaire, recouvrez l'œil d'un pansement stérile ou d'un linge propre. N'essayez pas de retirer le corps étranger.
- Si la taille du corps étranger empêche la fermeture de la paupière, recouvrez l'œil d'un verre en papier que vous fixerez au front et au visage au moyen de sparadrap. Rendez-vous immédiatement aux services d'urgence.
- Si le corps étranger flotte dans le film lacrymal ou à la surface de l'œil, il est parfois possible de l'en retirer manuellement ou par un bain oculaire. Tout en maintenant ouverte la paupière supérieure ou inférieure, touchez délicatement l'objet au moyen d'un coton-tige ou d'un linge propre préalablement humidifié. S'il vous est impossible de retirer le corps étranger, recouvrez les deux yeux d'un linge doux et consultez d'urgence un professionnel de la santé.
- Si vous parvenez à retirer le corps étranger, appliquez de l'eau ou un bain oculaire stérile à la surface de l'œil au moyen d'une œillère ou d'un petit verre à digestif.
- Si la douleur, les rougeurs ou la vision brouillée persistent, consultez les services d'urgence.

Le bon sens peut vous éviter la cécité

- **Portez des lunettes de protection** lorsque vous utilisez des produits chimiques industriels et des outils, électriques ou non. Les blessures aux yeux les plus graves surviennent souvent lorsqu'on se sert d'un marteau. Portez également un casque de sécurité si nécessaire.
- **Portez des lunettes protectrices** lors de la pratique de sports tels que le raquetball, le basket-ball, le squash ou le tennis. Assurez-vous aussi de bien protéger votre tête en portant un casque de frappeur pour jouer au baseball et un masque ou une visière pour jouer au hockey.
- **Suivez attentivement les instructions lorsque vous utilisez des détergents,** de l'ammoniac ou des produits de nettoyage. Lorsque vous utilisez un produit en aérosol, dirigez toujours l'embout loin des yeux. Entreposez de façon sécuritaire tous les produits chimiques domestiques hors de la portée des enfants.

- **Assurez-vous que les jouets de vos enfants sont sécuritaires.** Rangez tous les jouets susceptibles d'occasionner des blessures aux yeux, notamment les pistolets à bouchon, les épées en plastique ou les appareils à ressort pour le tir de fléchettes. Ne permettez pas aux enfants de jouer avec des pétards.
- **Ne vous penchez pas au-dessus d'une batterie de voiture** lorsque vous branchez des câbles aux bornes pour la recharger.
- **Ramassez les cailloux et les branches cassées** avant de tondre la pelouse. En tondant la pelouse, surveillez les branches basses des arbres.
- **Suivez attentivement les instructions de votre optométriste** lorsque vous mettez ou enlevez vos lentilles cornéennes. Faites examiner vos yeux en cas de douleur ou d'irritation dues au port des lentilles.

Les intoxications alimentaires

Les intoxications alimentaires sont de plus en plus fréquentes en Amérique du Nord et sont principalement dues à une plus grande fréquentation des restaurants et à la centralisation des méthodes de préparation des aliments.

À l'état naturel, tous les aliments contiennent une petite quantité de bactéries. Mais lorsque les aliments ne sont pas manipulés, cuits ou entreposés correctement, ces bactéries peuvent se développer au point de provoquer des intoxications. Les parasites, les virus et les produits chimiques peuvent également contaminer les aliments, mais sont rarement responsables d'intoxications alimentaires.

Si vous consommez des aliments contaminés, votre réaction dépendra de l'organisme en cause, de la quantité ingérée, de votre âge et de votre état de santé général. Avec l'âge, les cellules immunitaires ne réagissent pas aussi rapidement ou efficacement à la présence d'organismes infectieux. Les jeunes enfants sont plus vulnérables aux intoxications, car leur système immunitaire est insuffisamment développé. Le diabète, le sida et les différents traitements contre le cancer réduisent l'efficacité du système immunitaire et favorisent les intoxications.

Les intoxications alimentaires provoquent une variété de malaises. Si vous réagissez dans les 6 heures à la suite de l'ingestion d'aliments ou d'eau contaminés, vous souffrez vraisemblablement d'un empoisonnement de type commun. Les symptômes incluent de la nausée, des vomissements, de la diarrhée et des crampes d'estomac.

Autotraitement	• Reposez-vous et buvez beaucoup de liquides. • N'utilisez pas d'antidiarrhéiques, car ceux-ci peuvent retarder l'élimination des bactéries et des toxines. • Ces empoisonnements mineurs ou modérés guérissent spontanément dans les 12 heures.
Les soins médicaux	Si les symptômes persistent au-delà de 12 heures, s'ils sont sévères ou si vous faites partie des groupes à risque énumérés ci-dessus, consultez un médecin.
Mise en garde	Le botulisme, une forme d'intoxication potentiellement fatale, résulte de l'ingestion d'aliments contenant une toxine produite par certains spores présents dans les aliments. La toxine botulique se retrouve le plus souvent dans les conserves domestiques, en particulier les conserves de haricots verts et de tomates. Les symptômes apparaissent dans les 12 à 36 heures après l'ingestion et incluent des maux de tête, une vision brouillée ou double, une fatigue musculaire qui peut progresser vers la paralysie. Chez certaines personnes, on note aussi la présence de nausées, de vomissements, de constipation, de rétention urinaire et de salivation réduite. Ces symptômes nécessitent des soins médicaux immédiats.

Une manipulation sécuritaire des aliments

• **Planifiez.** Faites dégeler la viande et les autres aliments congelés au réfrigérateur et non pas à la température de la pièce.

• **N'achetez pas** de conserves bosselées ou bombées.

• **Lavez-vous les mains plusieurs fois** à l'eau savonneuse lorsque vous préparez les repas. Lavez les fruits et les légumes, pelez-les ou débarrassez-les de leurs feuilles externes. Lavez fréquemment les couteaux et les surfaces de travail, en particulier lorsque vous manipulez des viandes crues et avant de préparer des aliments devant être consommés crus. Lavez fréquemment les torchons à vaisselle et les essuie-mains.

• **Pour la cuisson,** servez-vous d'un thermomètre à viande. Faites cuire la viande à une température interne de 70 °C (160 °F) et la volaille à une température interne de 82 °C (180 °F). Faites cuire les œufs jusqu'à ce que le jaune soit ferme.

• **Lorsque vous entreposez des aliments,** vérifiez-en toujours la date de péremption. Utilisez la viande fraîche ou congelée de 3 à 5 jours après l'achat ; la volaille, le poisson et la viande hachée dans les 2 jours. Réfrigérez ou congelez les restes dans les 2 heures suivant leur préparation.

Comment empêcher la contamination bactérienne

Les aliments chauds doivent rester chauds; les aliments froids doivent rester froids; et tout — surtout vos mains — doit être propre. Si vous observez ces trois règles de base, vous serez moins sujet aux intoxications bactériennes énumérées ci-dessous.

Les bactéries	Leur propagation	Les symptômes	La prévention
Le campylobacter	Contamination due au contact de selles avec les viandes et les volailles en cours de préparation. Se retrouve aussi dans le lait non pasteurisé et l'eau non filtrée.	Diarrhée sévère (parfois sanglante), crampes abdominales, frissons, céphalée. Premiers symptômes : de 2 à 11 jours. Durée : de 1 à 2 semaines.	La viande et la volaille doivent être suffisamment cuites. Bien laver les couteaux et les surfaces de travail après qu'ils ont été en contact avec des viandes crues. S'abstenir de boire du lait non pasteurisé ou de l'eau non filtrée.
Le clostridium perfringens	Présent dans les viandes, les ragoûts et les sauces. Se propage lorsque les plats de services ne conservent pas suffisamment la chaleur des aliments ou lorsque ceux-ci sont refroidis trop lentement.	Diarrhée liquide, nausée, crampes abdominales. La fièvre est rare. Premiers symptômes : de 1 à 16 heures. Durée : de 1 à 2 jours.	Conserver la chaleur des aliments. Les viandes cuites doivent conserver une température interne supérieure à 60 °C (140 °F). Réchauffer jusqu'à une température d'au moins 74 °C (165 °F). Réfrigérer rapidement, dans de petits contenants.
Le colibacille (E-coli) 0157 : H7 (Escherichia coli)	Contamine le bœuf pendant l'abattage. Se retrouve surtout dans la viande hachée insuffisamment cuite. Autres sources : le lait et le cidre non pasteurisés, les excréments humains, l'eau contaminée.	Diarrhée liquide pouvant devenir sanglante dans les 24 heures. Crampes abdominales sévères, nausée, vomissements occasionnels. La fièvre est rare. Premiers symptômes : de 1 à 8 jours. Durée : 5 à 8 jours.	Cuire le bœuf jusqu'à une température interne de 71 °C (160 °F). S'abstenir de boire du lait ou du cidre de pomme non pasteurisés. Se laver les mains après avoir utilisé les toilettes.
La salmonelle	Présente dans la viande, la volaille et le lait crus ou contaminés; ou dans les jaunes d'œufs contaminés. Survit à une cuisson insuffisante. Se propage par les couteaux, les surfaces de travail ou par les individus qui ne respectent pas les règles d'hygiène personnelle.	Diarrhée sévère, selles liquides, nausée, vomissements, température de 38 °C (101 °F) ou plus. Premiers symptômes : de 6 à 72 heures. Durée : de 1 à 14 jours.	Les viandes et les volailles doivent être bien cuites. Ne pas boire de lait non pasteurisé. Ne pas consommer d'œufs crus ou insuffisamment cuits. Bien laver les surfaces de travail. Se laver les mains après avoir utilisé les toilettes.
Le staphylocoque doré (Aureus)	Se propage par le toucher, la toux et les éternuements. Contamine la viande et les salades préparées, les sauces à la crème et les pâtisseries à la crème.	Diarrhée brusque et liquide, nausée, vomissements, crampes abdominales, vertiges. Premiers symptômes : de 1 à 6 heures. Durée : de 1 à 2 jours.	Ne pas laisser d'aliments à la température de la pièce pendant plus de 2 heures. Se laver les mains et laver ses ustensiles avant la préparation des aliments.
Le vibrio vulnificus	Se retrouve dans les huîtres crues, les moules, les palourdes et les pétoncles crus ou insuffisamment cuits.	Frissons, fièvre, lésions cutanées. Premiers symptômes : de 1 heure à 1 semaine. Fatal dans 50 p. 100 des cas.	Ne pas consommer d'huîtres crues. S'assurer que les fruits de mer sont suffisamment cuits.

Les problèmes dus à la chaleur

En temps normal, les mécanismes de régulation de la chaleur du corps (épiderme et transpiration) s'ajustent automatiquement au degré de chaleur ambiante. Mais lorsqu'on s'expose trop longtemps à une chaleur élevée, ces mécanismes cessent parfois de fonctionner.

Les crampes dues à la chaleur

Les crampes dues à la chaleur sont des spasmes musculaires douloureux. Elles se produisent en général à la suite d'un exercice violent et d'une transpiration excessive. Les muscles affectés sont, le plus souvent, les abdominaux et les groupes musculaires les plus sollicités pendant l'exercice.

L'épuisement dû à la chaleur

Les symptômes de l'épuisement dû à la chaleur incluent une hausse de température, de la faiblesse, un pouls rapide, une chute de pression, de la pâleur, une peau froide et humide, et de la nausée. Les symptômes apparaissent soudainement, parfois à la suite d'une transpiration excessive et d'une hydratation insuffisante.

Le coup de chaleur

Les personnes âgées et les personnes obèses sont particulièrement vulnérables aux coups de chaleur. D'autres facteurs favorisants incluent la déshydratation, l'abus d'alcool, les maladies cardiaques, certains médicaments et l'exercice violent. Les personnes souffrant d'une incapacité de naissance à transpirer sont particulièrement à risque. Parmi les symptômes, on note un pouls accéléré, une respiration saccadée et superficielle, de la confusion, une hausse ou une baisse de la pression. Chez les personnes âgées, l'évanouissement constitue l'un des premiers symptômes. La victime pourrait cesser de transpirer, mais cela n'est pas un indice infaillible.

Autotraitement

Pour les crampes dues à la chaleur
- Reposez-vous quelques minutes ; rafraîchissez-vous.
- Consommez des aliments salés.
- Buvez de l'eau additionnée de sel (2 c. à thé par litre).

Pour les épuisements dus à la chaleur
- Si vous croyez qu'une personne souffre d'un épuisement dû à la chaleur, conduisez-la à l'ombre ou dans un lieu climatisé. Étendez le sujet à plat dos et soulevez légèrement ses pieds. Déshabillez-le ou donnez du jeu à ses vêtements.
- Donnez-lui à boire de l'eau froide (non pas glacée) et une boisson riche en électrolytes (par exemple, les boissons préférées des athlètes).

Soins médicaux

En cas de coup de chaleur, un traitement médical immédiat s'impose. En attendant l'arrivée des secours, étendez le sujet à l'ombre ou dans un lieu climatisé et donnez-lui un bain d'éponge.

Surveillez attentivement une personne qui souffre d'un épuisement dû à la chaleur. Bien que moins dangereux que le coup de chaleur, l'épuisement peut rapidement s'aggraver et présenter les symptômes du coup de chaleur.

Comment combattre la chaleur

- **Évitez le soleil.** Évitez de sortir pendant les heures les plus chaudes de la journée, soit de 12 h à 16 h.
- **Limitez vos activités.** Réservez les exercices vigoureux pour le matin ou la soirée.
- **Portez des vêtements appropriés.** Portez des vêtements légers et amples, de couleurs claires, taillés dans un tissu qui respire.
- **Buvez beaucoup de liquides** (évitez l'alcool et la caféine).
- **Évitez les repas copieux et épicés.**

Les plantes vénéneuses

Lorsqu'on n'est pas certain de reconnaître les différentes variétés de sumac vénéneux, il convient de s'abstenir de toucher toute plante à trois folioles.

Avec leurs trois feuilles groupées sur une seule tige, l'herbe à puce et le sumac à feuille de chêne sont les plantes qui occasionnent le plus souvent une réaction allergique cutanée dite dermite de contact.

Le contact avec ces plantes vénéneuses suffit à produire des rougeurs, de l'œdème, des cloques et des démangeaisons, en général dans les 2 jours, parfois même quelques heures à peine après le contact. La réaction culmine 5 jours plus tard et disparaît en 1 ou 2 semaines.

Cette réaction cutanée est due à une résine, une huile non volatile et incolore présente dans chacune des parties de la plante. Cette résine se propage facilement des vêtements à la peau ou par les poils d'un animal infecté. Il est dangereux de brûler cette plante, car la fumée qu'elle dégage peut provoquer, à l'inhalation, des réactions internes et externes.

Une quantité minime de résine suffit à susciter une réaction, mais celle-ci ne se produit que par un contact direct. On ne peut propager la dermite en lavant ou en grattant les cloques, car celles-ci ne contiennent pas de résine. Cependant, on peut transférer la résine à d'autres endroits du corps par le toucher avant de s'en être complètement débarrassé.

Outre l'herbe à puce et le sumac à feuille de chêne, plusieurs plantes peuvent provoquer des éruptions cutanées, entre autres le sumac vénéneux, l'héliotrope (qui vit dans les déserts du sud-ouest américain), l'ambroisie ou herbe à poux (tant les feuilles que le pollen), les marguerites, les chrysanthèmes, différentes espèces d'armoise, le céleri, les oranges, les limettes et les pommes de terre.

Herbe à puce

Sumac à feuille de chêne

Sumac vénéneux

Autotraitement

- Au plus tard de 5 à 10 minutes après le contact, bien laver la peau à l'eau et au savon pour éviter une éruption cutanée ou en diminuer la gravité.
- Ne pas prendre un bain pour se débarrasser de la résine, car celle-ci se propagerait alors à d'autres parties du corps.
- Bien laver les vêtements et les bijoux qui ont été en contact avec la plante, y compris les chaussures et les lacets de chaussures.
- Éviter de se gratter. Prendre des douches fraîches.
- Les préparations médicamenteuses en vente libre, telles que la lotion calamine ou la crème à l'hydrocortisone, peuvent soulager les démangeaisons. On peut également appliquer une pâte composée d'un mélange de bicarbonate de soude ou de sels d'Epsom et d'eau.
- Lorsque les cloques (ampoules) éclatent, les crèmes et les lotions ne sont pas d'un grand secours, mais on peut les appliquer de nouveau après la cicatrisation.
- Ne pas appliquer d'alcool à friction qui aggraverait la démangeaison. Recouvrir les cloques ouvertes d'un pansement stérile afin de prévenir tout risque d'infection.
- Le meilleur remède consiste à apprendre à reconnaître les plantes vénéneuses et à porter des vêtements couvrants. Les feuilles de l'herbe à puce sont ovales ou en forme de cuillère. Les feuilles du sumac à feuille de chêne ressemblent à celles du chêne. Leur couleur varie selon les saisons; elles sont vertes en été et orange ou rouges à l'automne.

Soins médicaux

En cas de réaction allergique grave, ou lorsque les yeux, le visage ou les organes génitaux sont affectés, consultez un professionnel de la santé qui prescrira un médicament à base de cortisone ou un antihistaminique sous forme de crème ou de comprimés.

Les problèmes dentaires

◼ Le mal de dent

Les caries dentaires occasionnent des maux de dents.

Chez la plupart des enfants et des adultes, la carie dentaire est le principal responsable du mal de dent. La carie est en général causée par des bactéries et des glucides. Les bactéries sont présentes dans une mince pellicule à peine visible qui se forme sur les dents : la plaque dentaire.

La carie dentaire est relativement lente à se former. Elle met environ un an ou deux à attaquer des dents adultes, mais moins longtemps à attaquer les dents de lait. L'acidification a lieu dans les 20 minutes qui suivent l'ingestion des aliments.

Le processus carieux est dû à un acide qui se forme dans la plaque dentaire et qui érode la surface de la dent. Cette érosion conduit à la formation de minuscules caries (ou ouvertures). Le premier indice de carie est sans doute la douleur ressentie lorsqu'on consomme des aliments très sucrés, très chauds ou très froids.

Autotraitement

En attendant de pouvoir consulter un dentiste, vous pouvez prendre les mesures suivantes :
- Avec une soie dentaire, efforcez-vous de retirer les particules de nourriture logées entre les dents.
- Placez un cube de glace sur la dent douloureuse.
- Prenez un analgésique en vente libre.
- Certains antiseptiques en vente libre, à base de benzocaïne, peuvent apporter un soulagement temporaire. L'huile de clou (eugénol) soulage la douleur. Elle est offerte en pharmacie.
- La prévention est encore le meilleur remède.

Mise en garde

Une enflure, une douleur à la mastication, une dent qui suppure et saigne, ou une rougeur à la gencive sont indicatrices d'infection. Consultez votre dentiste au plus tôt. Si la douleur s'accompagne de fièvre, une intervention d'urgence s'impose.

◼ La perte d'une dent

Lorsqu'on perd une dent accidentellement, des soins médicaux d'urgence sont indispensables. Il est possible de nos jours de réimplanter une dent tombée si l'on ne perd pas de temps. On ne peut cependant réimplanter une dent cassée.

Soins d'urgence

Si vous perdez une dent, conservez-la et consultez immédiatement votre dentiste. Si sa clinique est fermée, appelez-le chez lui. S'il n'est pas disponible, rendez-vous aux urgences.

Une réimplantation réussie dépend d'un certain nombre de facteurs : une insertion rapide (dans les 30 minutes, si possible, mais au plus tard dans les 2 heures de la chute de la dent) ; un rangement et un transport adéquat de la dent. Il importe de lui conserver son humidité.

Autotraitement

Pour préserver votre dent jusqu'à l'arrivée chez le dentiste, procédez comme suit :
- Ne la manipuler que par la couronne.
- Ne pas la brosser ou la gratter pour en enlever la saleté.
- Rincer la dent délicatement dans un verre d'eau, mais ne pas la maintenir sous le robinet.
- S'efforcer de réinsérer la dent dans son alvéole et la maintenir en place en mordant doucement dans une compresse de gaze ou un sachet de thé humide.
- Si on ne parvient pas à replacer la dent dans l'alvéole, la déposer immédiatement dans un peu de lait, dans sa propre salive ou dans une solution d'eau légèrement salée.

Les traumas

Un trauma est une blessure occasionnée par un choc physique violent. Un os brisé, un coup à la tête, une dent perdue sont des traumas.

Les fractures, les entorses graves, les dislocations et autres blessures aux os sont également des traumas qui requièrent une intervention médicale immédiate.

■ Les dislocations

La dislocation est un déplacement anormal des os d'une articulation, la plupart du temps par trauma ; par exemple, une chute ou un coup reçu.

On reconnaît une dislocation aux indices suivants :
- L'articulation est visiblement déplacée, déformée et bouge difficilement.
- L'articulation est très enflée et très douloureuse.

Il importe de traiter une dislocation au plus tôt, mais ne tentez pas de replacer l'articulation. Immobilisez l'articulation dans la position où elle se trouve, comme s'il s'agissait d'une fracture, au moyen d'une attelle. Consultez un médecin le plus tôt possible.

Pour de plus amples renseignements sur la dislocation, référez-vous à la page **103**.

■ Les fractures

Une fracture est un os brisé ; elle nécessite des soins immédiats. En cas de fracture, il faut veiller à ce que l'os ne subisse pas de dommages additionnels. Ne tentez pas de réduire la fracture, mais immobilisez la zone atteinte au moyen d'une attelle. Immobilisez aussi les articulations qui se trouvent au-dessus et au-dessous de la fracture.

Si vous observez un saignement le long de l'os brisé, comprimez la plaie et, si possible, élevez le membre blessé. Maintenez la compression jusqu'à l'arrêt du saignement.

Si le sujet est pâle et faible, et si sa respiration est laborieuse, appliquez la même méthode que dans les cas de choc : étendez le sujet, surélevez ses jambes et enveloppez-le dans une couverture ou un vêtement chaud.

Les indices de fracture sont les suivants :
- Enflure ou ecchymose au niveau de l'os.
- Déformation du membre affecté.
- Douleur localisée qui s'intensifie lorsqu'on bouge ou comprime le membre affecté.
- Perte de mobilité du membre blessé.
- L'os a perforé les tissus adjacents et la peau.

Pour de plus amples renseignements sur les fractures, référez-vous à la page **99**.

■ Les entorses

Lorsqu'un faux mouvement ou une distension violente occasionne un déboîtement de l'articulation et un étirement excessif des ligaments, on dit qu'il y a entorse. On constate aussi parfois un déchirement des ligaments. Les symptômes habituels de l'entorse sont les suivants :
- Sensibilité au toucher et douleur de la zone affectée.
- Enflure rapide et, parfois, décoloration de la peau.
- Diminution de la mobilité de l'articulation.

La plupart des entorses mineures se traitent à la maison. Mais si l'on perçoit un claquement et qu'il devient aussitôt difficile de se servir de l'articulation affectée, des soins médicaux immédiats s'imposent.

Pour de plus amples renseignements concernant les entorses, référez-vous à la page **98**.

■ Les blessures à la tête

La plupart des blessures à la tête sont sans gravité, car le crâne protège très efficacement le cerveau contre les traumas. Seulement 10 p. 100 des blessures à la tête nécessitent une hospitalisation. Dans le cas de coupures ou d'ecchymoses mineures, les premiers soins habituels sont suffisants.

Les blessures plus graves qui nécessitent des soins médicaux d'urgence sont énumérées ci-dessous. Dans tous les cas de blessures inquiétantes à la tête, il faut à tout prix immobiliser le cou de la victime, qui pourrait également avoir subi un trauma.

La commotion cérébrale. Le trauma crânien, qu'il soit dû à une chute ou à un coup reçu, peut entraîner une commotion cérébrale. L'impact ébranle le cerveau à l'intérieur du crâne. La commotion s'accompagne d'une perte de conscience. La victime a souvent l'air hagard. On note parfois un certain degré d'amnésie, des étourdissements et des vomissements. La paralysie partielle et le choc peuvent aussi se produire.

L'hématome. L'hématome se produit lorsqu'il y a rupture d'un vaisseau sanguin entre la boîte crânienne et le cerveau. Le sang qui se répand forme une accumulation circonscrite qui comprime le tissu cérébral. Les symptômes apparaissent de quelques heures à plusieurs semaines après que le sujet a reçu un coup sur la tête. La blessure peut ne pas être apparente, et le sujet ne présenter aucune ecchymose ou aucun signe extérieur de trauma. Les symptômes habituels sont la céphalée, la nausée, le vomissement, un état de conscience altéré et des pupilles d'inégale dimension. En l'absence de soins médicaux, le sujet pourrait entrer dans un état léthargique croissant, tomber dans le coma et même mourir.

La fracture du crâne. Ce type de blessure ne présente pas toujours des signes extérieurs. Recherchez les indices suivants :
- Une décoloration ou des ecchymoses à l'arrière des oreilles et autour des yeux.
- Un écoulement sanglant ou clair au nez ou aux oreilles.
- Des pupilles inégalement dilatées.
- Une déformation de la boîte crânienne, notamment de l'œdème ou des dépressions.

Soins d'urgence

Dans tous les cas suivants, des soins d'urgence s'imposent :
- Des saignements abondants à la tête ou au visage.
- Une perte de conscience, même brève.
- Une respiration irrégulière ou laborieuse.
- Des vomissements.

Mise en garde

- En attendant l'arrivée des secours, étendez le sujet dans une pièce calme et faiblement éclairée. Monitorez attentivement ses signes vitaux : respiration, pouls, vivacité. Comprimez toute blessure pour en enrayer le saignement.

Les symptômes généraux

- **Les étourdissements et les évanouissements**
- **La fatigue**
- **La fièvre**
- **La douleur**
- **Les troubles du sommeil**
- **La transpiration et les odeurs corporelles**
- **Les fluctuations de poids**

La fatigue, la fièvre, les étourdissements, la douleur, les troubles du sommeil, une transpiration excessive, un changement de poids inattendu... tous ces malaises font partie des « symptômes généraux », car ils affectent le corps tout entier plutôt qu'un organe ou un membre particuliers. Dans ce chapitre, nous énumérons les causes les plus courantes de ces malaises, nous décrivons les soins les plus appropriés dans chacun des cas et nous vous indiquons dans quelles circonstances il importe de consulter un médecin.

Les étourdissements et les évanouissements

Les étourdissements peuvent avoir plusieurs causes. Heureusement, ils sont la plupart du temps sans gravité, de courte durée et inoffensifs. Certains médicaments peuvent provoquer des étourdissements, de même que l'infection et le stress. Le mot « étourdissement » regroupe du reste plusieurs types de sensations.

Le vertige et le déséquilibre

Le vertige procure une sensation de rotation interne (la tête ou le corps semblent tourner) ou externe (la pièce tourne autour de nous). Le vertige est en général associé à un problème de l'oreille interne. L'oreille interne comporte un détecteur de mouvement extrêmement sensible. Une affection virale, un trauma ou quelque autre maladie peuvent faire que ce dispositif transmet un message erroné au cerveau.

Le déséquilibre nous donne l'impression de devoir agripper quelque chose pour éviter de tomber. Le déséquilibre grave rend difficile ou impossible la station debout.

L'étourdissement et la perte de conscience

L'étourdissement procure une sensation de confusion, de flottement ou d'évanouissement. L'évanouissement est une perte de conscience subite et brève. Il se produit lorsque le cerveau n'est pas suffisamment irrigué et oxygéné. Bien qu'impressionnant, l'évanouissement n'est habituellement pas grave. Il suffit d'étendre le sujet pour rétablir l'irrigation du cerveau. Le sujet reprend en général conscience dans la minute qui suit. L'évanouissement peut être dû à des causes médicales, notamment une maladie cardiovasculaire, une violente quinte de toux, un problème circulatoire. Dans d'autres cas, il est relié aux causes suivantes :

- Une transition trop rapide entre la position assise et la station debout.
- La prise de médicaments contre l'hypertension et un rythme cardiaque erratique.
- Une transpiration excessive entraînant une perte en sodium et une déshydratation.
- Une fatigue extrême.
- De mauvaises nouvelles ou un stress inhabituel et inattendu, par exemple, la vue du sang.

Une chute rapide de la pression, appelée *hypotension orthostatique*, se produit lorsqu'on se lève trop vite d'une position assise, couchée ou accroupie. Chacun a déjà fait l'expérience de ce malaise à des degrés divers. On se sent légèrement étourdi ou faible, mais tout se replace en quelques secondes. Cependant, lorsque ce malaise est suivi d'un évanouissement ou d'une syncope, il faut s'en inquiéter. Ce malaise est fréquent chez les personnes qui ont pris un bain trop chaud ou qui doivent prendre des médicaments pour l'hypertension.

Autotraitement

- Si votre vision s'obscurcit ou que vous avez l'impression de vous évanouir, baissez la tête. Étendez-vous sur le dos et surélevez légèrement les jambes pour rétablir l'irrigation du cœur. Si vous ne pouvez pas vous étendre, penchez-vous vers l'avant et inclinez la tête entre les jambes.

La prévention

- Changez de position plus lentement, surtout lorsque vous vous tournez d'un côté à l'autre ou que vous vous levez après avoir été couché ou assis. Le matin, restez assis quelques minutes au bord du lit avant de vous lever.
- Ralentissez. Faites quelques pauses lorsque vous devez vous activer par temps chaud et humide. Portez des vêtements appropriés aux conditions climatiques.
- Buvez suffisamment pour éviter la déshydratation et pour maintenir une bonne circulation.
- Évitez le tabac, l'alcool et les drogues.
- Ne conduisez pas la voiture et évitez d'actionner des équipements dangereux quand vous êtes étourdi.
- Évitez les escaliers.
- Vérifiez vos médicaments. Il se pourrait que vous deviez demander à votre médecin d'en ajuster la posologie ou de vous prescrire un substitut.

Les soins médicaux Des malaises légers qui perdurent pendant plusieurs semaines ou plusieurs mois sont peut-être l'indice d'un problème neurologique grave. Puisque les étourdissements et les pertes d'équilibre peuvent avoir plusieurs origines, le diagnostic commande un bilan médical complet et une série de tests.

Le traitement du vertige bénin consiste avant tout à éviter les positions ou les mouvements qui le provoquent. Le médecin pourra également prescrire un sédatif, un antinauséeux et des exercices simples.

Quand consulter?

- Lorsque le malaise est intense, de longue durée (plus de quelques jours ou quelques semaines) ou récurrent.
- Lorsque vous prenez des médicaments pour traiter l'hypertension.
- Lorsque vos selles sont noires ou sanglantes, ou que vous remarquez d'autres symptômes d'une perte de sang.

Quand des soins d'urgence s'imposent-ils?

- Lorsqu'une personne s'évanouit, lorsqu'elle tourne la tête ou lorsqu'elle penche la tête vers l'arrière ou si l'évanouissement s'accompagne de douleur à la poitrine, à la tête, de dyspnée, d'engourdissement ou de faiblesse, de battements cardiaques irréguliers, de vision embrouillée, de confusion ou de troubles d'élocution.
- Lorsque les symptômes ci-dessus se manifestent dès le réveil.
- Lorsqu'une personne s'évanouit soudainement sans présenter de signes avant-coureurs.
- Lorsqu'il s'agit d'un premier évanouissement sans raison apparente.
- Lorsque le sujet se blesse en s'évanouissant.

En attendant l'arrivée des secours, procédez comme suit : Si le sujet est couché, étendez-le à plat dos. Dégagez ses voies aériennes ; le vomissement secondaire à un évanouissement n'est pas rare. Si vous soupçonnez le sujet d'être sur le point de vomir, tournez-le sur le côté. Monitorez sa respiration et son pouls. (En cas de détresse respiratoire et d'absence de pouls, la situation est grave et il faut immédiatement pratiquer la réanimation cardiorespiratoire [RCR] — voir page **12**.) Surélevez ses jambes. Si une personne s'évanouit en position assise, étendez-la sur le dos et dégagez ses vêtements.

Comment le corps conserve son équilibre

Pour le maintien de l'équilibre, l'interaction complexe de différentes parties du corps est nécessaire. Le cerveau doit coordonner un afflux incessant d'information en provenance des yeux, des muscles, des tendons et de l'oreille interne. Toutes ces parties du corps, en agissant de concert, permettent la station debout et procurent une sensation de stabilité au cours d'un mouvement.

De nombreux étourdissements sont dus à un problème de l'oreille interne, mais chacune des parties du corps qui contribue au maintien de l'équilibre peut être responsable de vertiges et de pertes d'équilibre.

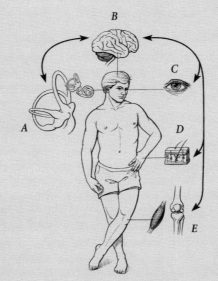

A. L'oreille interne est le siège de l'équilibre.
B. Le cerveau reçoit, interprète et transmet de l'information à toutes les parties du corps.
C. Les yeux enregistrent la position du corps et le milieu ambiant.
D. La peau contient des récepteurs qui nous renseignent sur notre environnement.
E. Les muscles et les articulations transmettent au cerveau des informations sur les mouvements du corps.

La fatigue

Chacun de nous éprouve de temps à autre une sensation de fatigue. La fatigue physique et psychologique ressentie à la suite d'un week-end passé à jardiner, d'une journée en compagnie des enfants ou au bureau est normale et le repos ou l'exercice suffisent en général à nous restaurer.

Une fatigue permanente ou une sensation d'épuisement sont peut-être l'indice d'un malaise plus sérieux. Toutefois, lorsque la fatigue ne s'accompagne pas d'autres symptômes spécifiques, il est parfois difficile d'en déterminer la cause. La fatigue chronique est souvent occasionnée par un manque d'exercice (déconditionnement). On peut remédier à ce problème par un accroissement graduel de l'activité physique et un programme d'exercices.

La fatigue est parfois due à un problème physique ou psychologique. La fatigue physique est plus prononcée en fin de journée et une bonne nuit de sommeil suffit à nous restaurer. La fatigue psychologique est habituellement plus aiguë au lever et décroît à mesure que la journée avance.

Les causes habituelles de la fatigue

Les causes habituelles de la fatigue sont les suivantes:
- De mauvaises habitudes alimentaires.
- Le manque de sommeil.
- La mauvaise forme physique.
- La chaleur ambiante.
- L'intoxication à l'oxyde de carbone (oxycarbonisme).
- Les médicaments en vente libre tels que les analgésiques, les antitussifs et les médicaments contre le rhume, les antihistaminiques et autres remèdes contre les allergies, les somnifères et les antinauséeux.
- Les médicaments d'ordonnance tels que les tranquillisants, les relaxants musculaires, les sédatifs, les anovulants et les régulateurs de tension artérielle.
- La déshydratation.

La fatigue peut aussi être un signe avant-coureur des affections suivantes:
- Une numération globulaire insuffisante (anémie).
- Une insuffisance thyroïdienne (hypothyroïdisme).
- Une infection aiguë ou chronique.
- Une maladie cardiovasculaire.
- Un trouble du sommeil.
- Un déséquilibre électrolytique (excès ou déficience de sodium, de potassium ou d'autres minéraux).
- Un cancer.
- Le diabète.
- L'alcoolisme.
- L'arthrite rhumatoïde.

Dans la plupart des cas, d'autres symptômes sont présents, par exemple les douleurs musculaires, la douleur, la nausée, la fièvre, la perte de poids, la sensibilité au froid ou la difficulté à respirer.

Les causes habituelles de la fatigue psychologique sont les suivantes:
- Le surmenage, en particulier quand vous ne savez pas dire «non».
- L'ennui ou le manque de stimuli familiaux, sociaux ou professionnels.
- Une crise majeure (perte du conjoint ou d'un emploi), un déménagement ou des difficultés familiales.
- La dépression.
- La solitude.
- Un problème psychologique non résolu.
- Un sentiment de colère refoulé.

Le guide de la santé

| **Autotraitement** | Avant de consulter, efforcez-vous de déterminer si votre fatigue a une cause connue à laquelle vous pouvez remédier en apportant les changements suivants à votre mode de vie :
- Offrez-vous une bonne nuit de sommeil (de 6 à 8 heures de sommeil ininterrompu).
- Faites une pause. Déléguez certaines tâches.
- Réorganisez votre emploi du temps par ordre de priorité.
- Reposez-vous, détendez-vous, amusez-vous.
- Faites davantage d'exercice en commençant graduellement. Faites une promenade au lieu de regarder la télévision. Si vous avez plus de 40 ans, consultez votre médecin avant d'entreprendre un programme d'exercices vigoureux.
- Assurez-vous que votre lieu de travail et votre domicile sont suffisamment aérés.
- Ayez une alimentation équilibrée et évitez les graisses.
- Perdez du poids si vous faites de l'embonpoint.
- Buvez beaucoup d'eau (1 litre ou plus par jour vous évitera la déshydratation).
- Inventoriez vos médicaments (en vente libre et d'ordonnance) afin de déterminer si la fatigue fait partie de leurs effets secondaires possibles.
- Cessez de fumer.
- Réduisez ou cessez votre consommation d'alcool.
- Si vous affrontez des problèmes à votre travail, efforcez-vous de leur apporter des solutions. (Consultez la page **234**, « Le contrôle du stress », et la page **249**, « Comment contrôler le stress ».) |

| **Soins médicaux** | Si la fatigue persiste en dépit d'un repos suffisant, ou si elle dure 2 semaines ou plus, vous pourriez avoir besoin des soins d'un médecin. Consultez un professionnel de la santé. |

| **Les enfants** | Les enfants et les jeunes adultes se plaignent rarement d'être fatigués. Leur fatigue est souvent due à une infection latente ou aiguë. Consultez votre médecin. |

En quoi consiste le syndrome de fatigue chronique ?

Le syndrome de fatigue chronique est encore assez mystérieux. Ses symptômes, qui ressemblent à ceux de la grippe, peuvent drainer un individu de toute son énergie et persister pendant plusieurs années. Des individus jusque-là énergiques ressentent une fatigue intense, des douleurs articulaires et musculaires, une sensibilité des ganglions lymphatiques et des céphalées.

Les spécialistes n'ont pas encore déterminé les causes précises du syndrome de fatigue chronique, qui sont vraisemblablement multiples. On parle d'infections, de déséquilibres hormonaux, de troubles psychologiques, immunitaires ou neurologiques. Une étude a démontré que, chez quelques personnes présentant ce syndrome, une certaine forme d'hypotension pouvait déclencher un réflexe d'évanouissement.

Le traitement du syndrome de fatigue chronique a pour but premier de soulager les symptômes. On prescrit souvent des anti-inflammatoires tels que l'ibuprofène, mais ceux-ci ne sont pas très efficaces. Des antidépresseurs à faible dose contribuent au soulagement de la douleur et de la dépression qui accompagnent souvent une affection chronique. Puisque, chez les personnes atteintes de ce syndrome, le manque d'exercice perpétue la fatigue en diminuant le tonus musculaire, un programme de physiothérapie est indispensable et contribue à prévenir la fonte musculaire due à de longues périodes d'inactivité. Une thérapie peut être bénéfique et aider l'individu à composer avec cette maladie et avec ses contraintes.

La fièvre

Il est tout à fait normal que la température du corps varie même lorsqu'on se sent bien. Une température de 37 °C (98,6 °F) respecte la norme. Mais la température « normale » d'un individu peut varier d'un degré ou plus.

    La température du corps est généralement plus basse le matin et plus élevée en fin de journée. Déterminez le degré « normal » de température des membres de votre famille lorsqu'ils sont en pleine forme.

L'origine de la fièvre

La fièvre n'est pas une maladie en soi, mais un symptôme. Elle vous dit que quelque chose ne va pas.

    Dans la plupart des cas, la fièvre indique que l'organisme combat une infection virale ou bactérienne. Elle peut parfois contribuer à combattre cette infection. Plus rarement, elle annonce une réaction négative à un médicament, une inflammation ou une chaleur ambiante trop élevée. Il peut arriver que l'on ignore les causes de la fièvre. Dans ce cas, il ne faut pas automatiquement tenter d'abaisser la température du corps, car une telle intervention pourrait masquer les symptômes de la maladie, prolonger celle-ci et en retarder le diagnostic.

    Un jour ou deux suffisent habituellement à déterminer l'origine d'une température plus élevée que la normale. Si vous croyez que la fièvre n'est pas due à un virus, consultez votre médecin. Certaines des causes les plus courantes de la fièvre sont les suivantes :

- Une infection, notamment une infection des voies urinaires (mictions fréquentes ou douloureuses), une infection de gorge (streptocoque), une amygdalite (souvent accompagnée de maux de gorge), une sinusite (douleur au-dessus ou au-dessous des yeux) ou un abcès dentaire (inflammation).
- Une mononucléose infectieuse assortie de fatigue.
- Un épuisement dû à la chaleur ou un coup de soleil grave.
- Une maladie contractée dans un pays étranger.

Mise en garde

Ne jamais traiter la fièvre d'un enfant ou d'un adolescent avec de l'aspirine, sauf sur avis du médecin. Administrée pendant une infection, l'aspirine peut parfois (rarement) entraîner une maladie grave, voire fatale : le syndrome de Reye.

Autotraitement

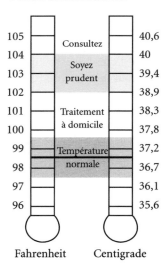

Buvez beaucoup d'eau pour éviter la déshydratation (le corps perd davantage de fluides lorsque sa température est plus élevée) et reposez-vous suffisamment.

- **Les enfants et les adultes dont la température est inférieure à 38,9 °C (102 °F) doivent :**
  – En temps normal, éviter la médication pour traiter une fièvre inhabituelle située dans cette zone de température.
  – Porter des vêtements légers et confortables, et ne se couvrir que d'un drap ou d'une couverture légère pour dormir.
- **Les enfants et les adultes dont la température se situe entre 38,9 °C (102 °F) et 40 °C (104 °F) doivent :**
  – Prendre de l'acétaminophène (Tylénol ou générique) ou de l'ibuprofène (Advil, Motrin ou générique) en respectant la posologie. L'aspirine convient à la plupart des adultes, mais ne doit pas être administrée aux enfants.
- **Pour les enfants et les adultes dont la température excède 40 °C (104 °F) :**
  – Prendre de l'acétaminophène (Tylénol ou générique) ou de l'ibuprofène (Advil, Motrin ou générique) en respectant la posologie. L'aspirine convient à la plupart des adultes.
  – Un bain d'éponge à l'eau tiède peut contribuer à abaisser la température.
  – Réévaluer la température toutes les demi-heures.

Soins médicaux

Consultez un professionnel de la santé dans n'importe laquelle des situations suivantes :
- La température du corps excède 40 °C (104 °F).
- Un bébé de moins de 3 mois a une température de 38 °C (100,5 °F) ou plus.
- La température excède 38,3 °C (101 °F) pendant plus de 3 jours.

La fièvre n'est qu'un symptôme de maladie parmi d'autres. Informez le médecin de toute maladie contagieuse qui affecte un membre de votre entourage, y compris la grippe, le rhume, la rubéole ou les oreillons.

Si l'un des symptômes suivants accompagne la fièvre, appelez votre médecin **sur-le-champ** :
- Un mal de tête violent.
- Un œdème grave de la gorge.
- Une sensibilité inhabituelle à la lumière vive.
- Une raideur importante au cou accompagnée de douleurs vives lorsque vous penchez la tête vers l'avant.
- Un état de confusion mentale.
- Des vomissements persistants.
- Une détresse respiratoire.
- Une léthargie ou une irritabilité extrêmes.
- Une bosse molle au toucher sur la tête du bébé.

Les enfants

La fièvre sans cause apparente est plus inquiétante lorsqu'elle se produit chez les enfants. Chez les enfants de moins de 4 ans, une hausse ou une baisse rapide de la température occasionnera des convulsions dans environ 1 cas sur 20. Ces convulsions durent en général moins de 10 minutes et n'entraînent pas de séquelles. Si votre enfant a des convulsions, tournez-le sur le côté et tenez-le pour empêcher qu'il ne se blesse. N'insérez rien dans sa bouche et ne tentez pas d'arrêter les convulsions.

Un bébé qui fait ses dents souffre beaucoup et il est parfois fiévreux. Lorsqu'un enfant fiévreux se frotte ou se tire l'oreille, on peut craindre une infection de l'oreille moyenne (otite). La vaccination peut provoquer une élévation de la température. Demandez à votre médecin qu'il vous renseigne sur les effets secondaires des différents vaccins.

Il est parfois plus facile d'administrer un médicament sous forme liquide. Pour donner un médicament à un jeune enfant, une seringue graduée munie d'une poire est très efficace. Il suffit d'injecter le liquide au fond de la bouche de l'enfant.

Incitez les enfants à boire beaucoup d'eau, de jus de fruit, de boissons gazeuses, ou encore à manger des sucettes glacées (popsicles).

Comment prend-on la température ?

Il existe plusieurs types de thermomètres : les thermomètres à mercure traditionnels, les thermomètres électroniques, les thermomètres auriculaires à infrarouge (qu'on insère dans l'oreille). Il faut se méfier des languettes thermosensibles jetables, dont l'exactitude laisse à désirer.

Les thermomètres les plus fiables sont les thermomètres à mercure, en verre. Apprenez à lire un thermomètre de la façon suivante :
- Nettoyez le thermomètre à l'eau fraîche savonneuse ou en le désinfectant à l'alcool.
- Tenez fermement le thermomètre entre le pouce et l'index. Par de petits coups secs du poignet, abaissez la colonne de mercure à moins de 37 °C (98,6 °F) et, idéalement, jusqu'à 33 °C (92 °F).

- **Thermomètre buccal.** Insérez le réservoir sous la langue et gardez la bouche fermée pendant 3 minutes. Retirez le thermomètre et faites-le tourner lentement jusqu'à ce que vous puissiez lire la température.
- Le thermomètre buccal peut aussi servir à prendre la température de l'aisselle : croisez les bras sur la poitrine et attendez 5 minutes. Ajoutez un degré à la température pour obtenir la température buccale équivalente.
- **Thermomètre rectal (pour les bébés).** Appliquez une petite quantité de gelée de pétrole sur le réservoir. Couchez le bébé à plat ventre et insérez délicatement le thermomètre dans l'anus à une profondeur de 1,5 à 2,5 cm. Maintenez le bébé immobile et assurez-vous que le thermomètre ne bougera pas. Attendez 3 minutes. Soustrayez un degré pour obtenir la température buccale équivalente.

La douleur

La douleur physique fait partie de la vie. Il arrive qu'on se coince les doigts dans une porte, qu'on se brûle en touchant la poignée d'une casserole ou qu'on se torde la cheville en s'adonnant à son sport favori. L'expérience est chaque fois douloureuse.

La douleur ressentie est souvent vive, mais elle est habituellement de courte durée : un bref instant, quelques jours ou quelques semaines. Tout dépend de la blessure subie et du délai de guérison. La plupart du temps, la douleur s'apaise tôt ou tard. Ce type de douleur temporaire porte le nom de **douleur aiguë.**

Lorsque la douleur perdure longtemps après la phase de guérison, ou lorsqu'elle ne peut être reliée à une blessure passée ou à un trauma persistant, il s'agit de **douleur chronique.** En général, pour qu'une douleur soit qualifiée de chronique, elle doit se prolonger au-delà de 3 mois. Un sondage effectué en 1996 auprès de travailleurs américains démontre que plus des deux tiers de la main-d'œuvre du pays, soit plus de 80 millions d'individus, souffrent de douleur chronique ou récurrente. Ce type de douleur résulte en un taux d'absentéisme élevé : quelque 50 millions de jours de maladie ont été consentis au cours de la seule année 1995.

La douleur chronique peut être débilitante, mais il est parfois possible de réorganiser son existence quotidienne de façon à s'assurer une meilleure qualité de vie. Notre attitude face à la douleur, une médication appropriée et des thérapies adéquates, tout cela contribue à aider à vivre avec la douleur. Pour ce faire, il importe de la comprendre sa douleur.

Pourquoi la douleur est-elle si persistante ?

Lorsque le corps subit une blessure ou une infection, certaines des terminaisons nerveuses de la peau, des articulations, des muscles ou des organes internes transmettent des messages au cerveau pour le prévenir d'un trauma ou d'un stimulus désagréable. Certaines fibres nerveuses indiquent aussitôt au cerveau l'emplacement de la douleur, son intensité et sa catégorie : douleur vive, sensation de brûlure, élancement, etc. Le cerveau «lit» ces signaux de douleur et vous somme immédiatement d'interrompre le mouvement ou l'action qui la cause. Par exemple, si vous touchez une surface brûlante, le cerveau dira à vos muscles de se contracter afin de retirer sur-le-champ votre main.

Le cerveau transmet également un message aux cellules nerveuses pour que celles-ci cessent de lui adresser des signaux de douleur dès que ce qui l'occasionne prend fin (par exemple, lorsqu'une blessure se cicatrise). Il arrive cependant à l'occasion que ce mécanisme s'enraye, comme une grille qu'on ne parvient plus à refermer. Dans ce cas, le cerveau continue de transmettre ses messages pendant des mois, voire même des années après la guérison, même en l'absence de trauma. La douleur chronique est le résultat de ce défaut de transmission.

3. *Le cerveau décode les signaux reçus : il reconnaît la douleur, son emplacement, son intensité et sa nature (brûlure, spasme, élancement).*

2. *Le signal de douleur se transmet au cerveau le long des nerfs de l'épine dorsale.*

1. *Origine de la douleur.*

**Le rôle
du psychisme
dans la douleur**

La définition et la perception de la douleur varient d'un individu à l'autre. La douleur est une expérience tant psychologique que physique. La façon dont chacun interprète la douleur et y réagit provient de son expérience personnelle et de son éducation.

Si l'on vous a enseigné à ignorer la douleur ou à la tolérer, il se pourrait qu'elle vous affecte moins que les personnes qui ont grandi au sein d'une famille où la douleur et son intensité étaient des sujets de conversation habituels.

Une douleur qui perdure longtemps peut abaisser le seuil de tolérance, accroître l'irritabilité et donner lieu à un état dépressif. Certaines personnes en viennent aussi à assumer un rôle de « victime » qui fait d'elles le centre d'attention et les dégage de certaines responsabilités, mais qui peut également se traduire par une activité réduite, un isolement accru et une plus grande sensibilité à la douleur. De tels comportements peuvent devenir habituels. Le stress et la tristesse contribuent aussi à amplifier la sensation de douleur et à abaisser le seuil de tolérance. Le fait d'apprendre à composer avec la douleur favorise le bien-être physique et psychologique.

■ Les formes les plus courantes de douleur chronique

La douleur chronique est débilitante, mais elle répond néanmoins aux nombreux traitements existants. La clé du contrôle de la douleur réside dans un inventaire de ses causes et une bonne gestion. Le traitement rapide et efficace de la douleur aiguë, notamment à la suite d'une intervention chirurgicale ou d'un zona, contribue à enrayer la douleur chronique. Mais si vous souffrez de douleur chronique, tout espoir n'est pas perdu. Voici, ci-dessous, quelques-unes des formes les plus courantes de douleur chronique.

Les lombalgies. Les lombalgies, ou douleurs au bas du dos, représentent la forme la plus fréquente de douleur chronique. Elles ont le plus souvent leur origine dans la tension musculaire ou dans une dégénération des disques intervertébraux due à l'usure, à un trauma ou à un problème mécanique. (Voir Le dos et la nuque, page **60**.)

Le cancer. La douleur ressentie lors d'un cancer provient la plupart du temps de la pression exercée par une tumeur qui augmente de volume ou de la prolifération des cellules cancéreuses dans les os, les tissus ou les autres organes du corps. Par conséquent, la douleur augmente avec la progression de la maladie. Si les traitements de radiothérapie et de chimiothérapie allègent parfois les douleurs, ils peuvent également les intensifier. L'anxiété ou la dépression contribuent aussi à l'aggraver. (Voir Le cancer, page **178**.)

Les céphalées. Le mal de tête le plus fréquent est la céphalée de tension, bien que les médecins ne soient pas absolument sûrs que la tension musculaire en soit la cause directe. Le début et la progression d'une céphalée de tension ne sont pas toujours associés au stress. La douleur pulsative de la migraine est sans doute déclenchée par une modification des vaisseaux sanguins qui irriguent le cerveau, mais elle peut avoir plusieurs causes allant des antécédents génétiques à la dépression, en passant par la médication, l'alcool, certains aliments, l'effort physique et l'anxiété. (Voir Les maux de tête, page **92**.)

L'arthrite. L'arthrite est l'appellation générale des différentes affections des articulations. L'arthrose touche plus particulièrement le cartilage du genou, des mains, de la hanche ou de la colonne vertébrale. La polyarthrite rhumatoïde est une maladie inflammatoire des articulations ; elle affecte plus spécifiquement les mains et les pieds. (Voir L'arthrite, page **171**.)

Le rhumatisme. Ce terme n'est plus en usage. Lorsqu'il est confiné aux articulations, il porte maintenant le nom d'arthrite.

La douleur neuropathique. Les douleurs neuropathiques sont causées par des lésions au système nerveux, le plus souvent secondaires à une thrombose ou au diabète. C'est sans doute la douleur qui résiste le plus au traitement. Certaines personnes ressentent des élancements violents dans les joues, les lèvres, les mâchoires et le menton. La douleur est habituellement concentrée sur une moitié du visage. Le zona, qui affecte surtout les adultes d'un certain âge, provoque une autre forme de douleur secondaire à des nerfs endommagés. Cette douleur intense se manifeste par une sensation violente de brûlure.

Le guide de la santé

Stimulez vos analgésiques naturels

Il a été démontré que les exercices aérobiques stimulent la production de l'endorphine, qui est un analgésique naturel sécrété par l'organisme. L'endorphine est aussi efficace que la morphine contre la douleur; elle transmet un signal aux cellules nerveuses qui a pour résultat d'interrompre la douleur. La durée de l'exercice semble plus importante que son intensité. De 30 à 45 minutes d'exercices aérobiques légers 5 ou 6 fois par semaine ont un effet bénéfique. Assurez-vous de procéder graduellement. De 3 à 4 séances hebdomadaires d'exercice peuvent également s'avérer profitables.

Si vous entreprenez un programme d'exercices plus énergiques que la marche, consultez votre médecin si:
- vous avez plus de 40 ans;
- vous êtes sédentaire;
- vous êtes à risque pour les maladies coronariennes (voir page **186**);
- vous souffrez d'une affection chronique.

Autotraitement

Une fois les affections graves exclues ou traitées, discutez des différentes options avec votre médecin:
- **Restez actif.** Limitez-vous à ce que vous êtes en mesure de faire. Faites l'essai de nouvelles activités de loisir. Faites de l'exercice chaque jour. Une activité douloureuse au début ne sera pas forcément dommageable et n'aggravera pas nécessairement la douleur chronique. Si vous souffrez d'arthrite, l'exercice favorise la mobilité des articulations. Un bon tonus des muscles lombaires et abdominaux soulagera ou enrayera les douleurs lombaires. Commencez doucement et progressez jusqu'à 20 ou 30 minutes d'exercices de 3 à 4 fois par semaine.
- **Pensez aux autres.** Lorsqu'on se soucie des autres, on pense moins à ses bobos. Faites du bénévolat.
- **Acceptez votre douleur.** Ne niez pas votre souffrance, mais ne l'exagérez pas non plus. Sachez reconnaître l'étendue véritable de vos possibilités et de vos limites. Demeurez pratique, n'abusez pas de vos forces et n'hésitez pas à le dire si l'on attend de vous plus que ce que vous pouvez donner.
- **Veillez sur votre santé.** Développez des habitudes alimentaires et de sommeil régulières.
- **Détendez-vous.** La tension musculaire augmente la sensibilité à la douleur. Les techniques traditionnelles, par exemple le massage et le bain tourbillon, favorisent la détente musculaire et le bien-être général. Développez votre aptitude à la relaxation, aux techniques de respiration et à la visualisation. (Voir « Le contrôle du stress », page **234**.)
- **Tenez un registre de vos douleurs.** Un registre de la douleur facilite la communication avec votre médecin.
  – Décrivez la douleur que vous ressentez, au moment où vous la ressentez.
  – Dites à quel endroit du corps elle se manifeste. Notez-en l'intensité et la fréquence, et décrivez ce qui la soulage ou l'aggrave.
  – Décrivez la nature de la douleur au moyen de termes tels que: piqûre, coup de poignard, tiraillement, pénétrante, lancinante, constante, sourde, etc.
  – Notez les moments où votre douleur s'atténue ou s'aggrave.

Soins médicaux

Il importe de consulter si la douleur ne s'atténue pas au bout de 4 à 6 semaines, si elle se transforme ou si de nouveaux symptômes apparaissent.

■ Le contrôle de la douleur chronique

Lorsque les traitements habituels contre la douleur chronique échouent, vous pouvez faire appel à une clinique spécialisée dans le contrôle de la douleur. Avant de participer à l'un des programmes offerts, vous devrez subir un examen complet qui exclura tout problème non diagnostiqué (par exemple, le diabète ou le cancer) pouvant être à l'origine de la douleur qui vous afflige. Les programmes de contrôle de la douleur chronique proposent différentes approches :

L'approche globale. Cette approche se fonde sur des thérapies physiques et occupationnelles, la modification du comportement, la thérapie de groupe, la formation, le biofeedback et le counseling. Cette approche s'efforce de promouvoir l'abandon de la médication et une plus grande activité physique afin de favoriser la prise en charge de la douleur par le sujet.

Le contrôle des symptômes. Cette approche se concentre sur une douleur particulière, par exemple la céphalée ou la lombalgie. Les cliniques qui favorisent cette approche emploient une variété de traitements pour le soulagement de douleurs spécifiques.

Les traitements médicaux. Ce type de programme préconise des traitements spécifiques tels que la neurochirurgie ou les blocs nerveux, qui se révèlent efficaces pour plusieurs types de douleur.

Les programmes de contrôle de la douleur chronique proposent des traitements nécessitant ou non une hospitalisation. Leur approche est le plus souvent pluridisciplinaire, c'est-à-dire que le patient bénéficie des soins de nombreux spécialistes. Renseignez-vous sur le degré de succès d'un programme qui vous intéresse, sur la couverture d'assurance offerte et sur le suivi.

Les troubles du sommeil

■ L'insomnie

Il existe une soixantaine de troubles du sommeil différents, dont l'insomnie est le plus fréquent. On parle d'insomnie lorsque le sujet éprouve de la difficulté à s'endormir, à rester endormi ou à se rendormir après s'être éveillé. L'insomnie peut être temporaire ou chronique. Ce n'est pas une maladie, mais un symptôme. Parmi les causes les plus fréquentes de l'insomnie, on note :

- le stress professionnel, scolaire ou familial et le stress dû à des ennuis de santé ;
- la dépression ;
- les stimulants (caféine ou nicotine), les plantes médicinales, les médicaments d'ordonnance ou en vente libre ;
- l'alcool ;
- un bouleversement du milieu de vie ou des horaires de travail ;
- l'accoutumance aux somnifères ;
- une affection chronique, y compris la fibromyalgie ou les maladies nerveuses et musculaires ;
- l'insomnie comportementale qui se produit, par exemple, lorsqu'on s'inquiète de ne pas pouvoir dormir ou que l'on s'obstine à vouloir dormir quand le sommeil ne vient pas. La plupart des gens qu'affecte ce type d'insomnie dorment mieux lorsqu'ils s'éloignent de leur lieu de sommeil habituel.

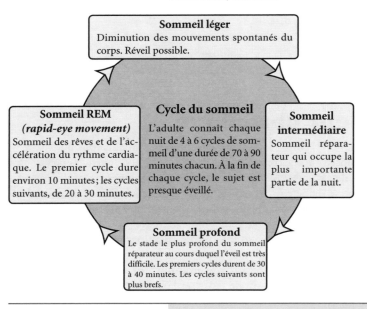

Sommeil léger
Diminution des mouvements spontanés du corps. Réveil possible.

Sommeil REM (rapid-eye movement)
Sommeil des rêves et de l'accélération du rythme cardiaque. Le premier cycle dure environ 10 minutes ; les cycles suivants, de 20 à 30 minutes.

Cycle du sommeil
L'adulte connaît chaque nuit de 4 à 6 cycles de sommeil d'une durée de 70 à 90 minutes chacun. À la fin de chaque cycle, le sujet est presque éveillé.

Sommeil intermédiaire
Sommeil réparateur qui occupe la plus importante partie de la nuit.

Sommeil profond
Le stade le plus profond du sommeil réparateur au cours duquel l'éveil est très difficile. Les premiers cycles durent de 30 à 40 minutes. Les cycles suivants sont plus brefs.

Autotraitement

- Instaurez une routine à l'heure du coucher et respectez-la.
- Évitez les siestes en après-midi ou en soirée.
- Évitez les exercices violents avant d'aller dormir. Quelques exercices modérés de 4 à 6 heures avant l'heure du coucher sont bénéfiques.
- Prévoyez un moment de la journée pour réfléchir à ce qui vous inquiète.
- N'emportez pas de travail au lit.
- Prenez un bain tiède de 1 à 2 heures avant le coucher.
- Buvez un verre de lait chaud ou froid. Une collation légère convient, mais évitez les collations ou les repas lourds et l'alcool avant d'aller au lit.
- Assurez-vous que votre chambre à coucher est sombre, calme et fraîche. Si nécessaire, portez un masque sur les yeux.
- Faites des exercices de relaxation (voir page **235**).
- Diminuez ou cessez votre consommation de stimulants. Évitez les boissons et les médicaments qui contiennent de la caféine.
- Ne fumez pas avant d'aller au lit.
- Si vous ne parvenez pas à vous endormir, levez-vous et restez debout jusqu'à ce que la somnolence vous gagne. Mais ne modifiez en rien l'heure de votre lever.
- Tenez un journal de sommeil. Si vous ne parvenez toujours pas à dormir au bout d'une semaine ou deux, consultez votre médecin. Certains tests pourraient isoler la cause de votre insomnie.

L'**énurésie** (incontinence urinaire) est la principale cause de réveil nocturne chez les enfants de 3 à 15 ans.

Les cauchemars sont parfois une réaction au stress ou à un traumatisme survenu pendant la journée. Rassurez calmement votre enfant s'il vit une expérience pénible.

Les terreurs nocturnes se produisent le plus souvent entre 3 et 5 ans et semblent héréditaires. L'enfant s'éveille en hurlant, mais il ne se souvient pas de son rêve. Les tensions psychologiques favorisent les terreurs nocturnes.

Le somnambulisme. Le somnambule ouvre des portes, se rend à la salle de bains, s'habille ou se déshabille, et ainsi de suite. Le somnambulisme tend à être héréditaire et touche plus fréquemment les enfants de 6 à 12 ans.

La sieste, oui ou non ?

L'envie de dormir au milieu de la journée est intégrée à notre horloge biologique. Elle se manifeste le plus souvent entre 13 h et 16 h et s'accompagne d'une légère baisse de la température corporelle.

La sieste ne saurait se substituer à une bonne nuit de sommeil. Ne faites pas la sieste si vous souffrez d'insomnies. Mais si une courte sieste vous régénère et ne nuit pas à votre sommeil nocturne, tenez compte de ce qui suit :

- **Une courte sieste est bénéfique.** Une sieste d'une demi-heure est l'idéal. Les siestes qui se prolongent au-delà de 1 ou 2 heures tendent à nuire au sommeil nocturne.
- **Faites la sieste au milieu de l'après-midi.** La sieste de l'après-midi est revigorante.
- **Si vous n'avez pas la possibilité de faire une sieste, détendez-vous.** Étendez-vous, fermez les yeux et oubliez vos soucis.

■ Les autres troubles du sommeil

Les arrêts périodiques de la respiration pendant le sommeil (apnée du sommeil). Les personnes qui souffrent d'apnée du sommeil ronflent et cessent de respirer pendant de brèves périodes, s'éveillent en sursaut et ont l'impression d'étouffer. L'apnée du sommeil peut se produire lorsque les voies respiratoires supérieures sont obstruées par le voile du palais, par l'augmentation de la végétation adénoïde ou par des polypes nasaux. En présence de tels symptômes, consultez votre médecin. Vous gagneriez également à perdre du poids, à dormir à plat ventre ou sur le côté, à éviter de consommer de l'alcool avant le coucher. Strictement sur avis du médecin, le recours à un décongestif nasal peut se révéler bénéfique.

Le serrement et le grincement de dents. Il est parfois associé au stress. Votre dentiste vérifiera l'équilibre de l'occlusion des dentures et, le cas échéant, vous conseillera le port d'un protège-dents pour prévenir les dommages aux dents et aux maxillaires. Efforcez-vous de diminuer votre stress, notamment par des exercices de détente (voir page **235**).

La somnolence excessive. Un sommeil nocturne suffisant, une sieste diurne, des repas légers ou une alimentation végétarienne, en particulier avant de s'adonner à des activités importantes, contribuent à soulager la somnolence. Le recours à des boissons caféinées (café, thé, boissons gazeuses) vous aidera à rester éveillé. Si ces solutions sont insuffisantes, votre médecin pourrait prescrire un stimulant après avoir effectué les tests appropriés.

Le syndrome des jambes sans repos (impatiences musculaires). Ce trouble se caractérise par une envie irrésistible de bouger les jambes. Il se produit peu de temps après que le sujet s'est couché ou tout au long de la nuit. Il nuit à l'endormissement et à la durée du sommeil, et il est aggravé par le stress. Levez-vous et marchez. Faites des exercices de détente musculaire et prenez un bain chaud. Si les symptômes sont intolérables, consultez votre médecin.

La transpiration et les odeurs corporelles

La transpiration est une réaction normale du corps à une température élevée. Elle varie d'individu à individu. De nombreuses femmes transpirent plus abondamment à la ménopause. Les boissons chaudes, l'alcool ou la caféine peuvent aggraver la transpiration.

Pour la plupart des gens, transpirer ne pose pas de problème. Mais chez certaines personnes, la transpiration des aisselles, des pieds et des mains constitue un handicap majeur. Normalement, la sueur est inodore. L'odeur désagréable qu'elle dégage parfois est due à la prolifération de bactéries qui transforment les sécrétions corporelles en sous-produits malodorants. La transpiration et les odeurs sont influencées par l'humeur, l'activité, les hormones, certains aliments (la caféine, par exemple).

Les « sueurs froides » accompagnent souvent une maladie grave, l'anxiété ou une douleur vive. En présence d'étourdissements ou de douleurs thoraciques ou abdominales, les sueurs froides nécessitent une intervention médicale immédiate.

Autotraitement

- **Portez des vêtements faits de fibres naturelles.** Le coton porté à même la peau est particulièrement efficace.
- **Prenez un bain quotidien.** Les savons antibactériens sont bénéfiques, mais ils irritent la peau.
- **Certains produits en vente libre,** tels que les antisudorifiques contenant du chlorure d'aluminium ou du sulfate d'aluminium tamponné, sont efficaces.
- **Les personnes qui transpirent des pieds** devraient éviter les chaussures en matériaux synthétiques et leur préférer le cuir. Portez des chaussettes appropriées. Le coton et la laine gardent les pieds au sec en absorbant l'humidité. L'acrylique, une fibre synthétique, garde les pieds secs. Changez de chaussettes ou de bas 1 ou 2 fois par jour en essuyant soigneusement vos pieds chaque fois. Asséchez complètement vos pieds après le bain : l'humidité entre les orteils favorise la multiplication des micro-organismes. Le talc et les poudres absorbantes pour les pieds sont efficaces contre l'humidité. Aérez vos pieds en marchant pieds nus partout où il est raisonnable de le faire. Si ce n'est pas possible, enlevez vos chaussures de temps à autre. Les femmes devraient porter des bas-culottes à semelles de coton.
- **Pour la sueur aux aisselles,** utilisez un antisudorifique. Si vous ne parvenez pas à contrôler l'irritation, appliquez une crème d'hydrocortisone à 0,5 p. 100 (en vente libre).
- **Appliquez chaque soir un antisudorifique** sur la paume des mains et la plante des pieds. Préférez les antisudorifiques non parfumés.
- **L'ionophorèse peut aider.** Cette procédure consiste à administrer à la partie affectée un courant électrique à faible densité au moyen d'un appareil à piles. Elle n'est cependant pas beaucoup plus efficace qu'un antisudorifique topique.
- **Éliminez de votre alimentation la caféine et les autres stimulants,** de même que les aliments à forte odeur tels que les oignons et l'ail.

Les soins médicaux

Votre médecin pourrait vous prescrire un antisudorifique d'ordonnance ou, dans certains cas, recommander l'ablation des glandes sudoripares. Cette chirurgie n'est cependant pas à conseiller sauf pour les personnes qui souffrent d'irritations continuelles dues à une sueur excessive ou aux antisudorifiques.

Consultez votre médecin si votre transpiration s'aggrave ou si vous avez des sueurs nocturnes sans cause apparente. Une transpiration anormale peut être attribuable à une infection, à un dérèglement de la glande thyroïde ou à certains cancers.

Une transpiration excessive associée à une détresse respiratoire pourrait signaler une crise cardiaque. Appelez immédiatement les secours.

Parfois, un changement dans l'odeur de la sueur est l'indice d'une maladie. Une odeur fruitée pourrait signaler le diabète tandis qu'une odeur d'ammoniac pourrait indiquer une maladie du foie.

Les fluctuations de poids

La plupart du temps, notre poids varie en raison d'un changement dans nos habitudes alimentaires ou dans nos activités quotidiennes. Mais la maladie peut aussi affecter notre poids. Une variation inattendue de 5 à 10 p. 100 du poids normal (3,4 kg à 6,8 kg chez une personne pesant 68 kg), en 6 mois ou moins, représente une fluctuation importante. Si vous perdez ou gagnez du poids sans raison apparente, ou si ces fluctuations se produisent très rapidement, consultez votre médecin.

■ Le gain de poids

Faites-vous de l'embonpoint? Pour le savoir, référez-vous au tableau de la page **216**.

Le gain de poids affecte un grand nombre d'adultes. Ce gain est le plus souvent progressif et se produit au rythme de quelques kilos chaque année. On peut l'enrayer par une alimentation adéquate et un programme d'exercices. Si vous avez pris du poids rapidement, envisagez les causes possibles de ce gain:

1. Un changement dans votre alimentation, avec une surconsommation d'alcool, de boissons gazeuses, de matières grasses (par exemple, la crème glacée), de brioches ou de fritures, une tendance à grignoter ou l'abus d'aliments vides ou préparés.
2. Une réduction de vos activités physiques due à une blessure, à un changement d'emploi (d'un travail actif à un travail sédentaire), à une modification de vos habitudes (vous prenez l'ascenseur au lieu d'emprunter l'escalier, vous conduisez la voiture au lieu d'aller à pied).
3. La prise de nouveaux médicaments. Certaines préparations favorisent le gain de poids, notamment les antidépresseurs et certaines hormones telles que l'œstrogène, la progestérone et la cortisone.
4. Un changement d'humeur. L'anxiété excessive, le stress ou la dépression affectent la vitalité et l'alimentation. (Voir La dépression et la déprime, page **208**.)
5. La rétention d'eau. Certaines affections telles que l'insuffisance cardiaque ou rénale, ou encore un déséquilibre thyroïdien, favorisent la rétention des fluides. Constatez-vous un œdème? Vos bagues ou vos chaussures vous semblent-elles trop serrées? Vos chevilles enflent-elles à mesure que la journée avance? Êtes-vous anormalement essoufflé? Devez-vous vous lever souvent la nuit pour uriner?

Autotraitement

Si les paragraphes 1 ou 2 s'appliquent à votre cas, modifiez votre alimentation et faites davantage d'exercice. (Voir Quel est votre poids santé? en page **215**.) Si vous ne constatez pas d'amélioration après 4 à 6 semaines, ou si les paragraphes 3, 4 ou 5 s'appliquent davantage à votre cas, consultez un médecin.

■ La perte de poids

Lorsque survient une perte de poids inexpliquée de 5 à 10 p. 100 de votre poids normal sur une période de 6 mois ou moins, il n'y a pas toujours lieu de s'inquiéter. Envisagez les causes possibles:

1. Un changement dans l'alimentation. L'habitude de sauter des repas, les repas pris à la hâte, une consommation de gras plus faible, un changement dans les méthodes de préparation des aliments, de nouvelles heures de repas, la solitude.
2. Un changement dans vos habitudes. Le passage d'un emploi sédentaire à un emploi actif, un nouveau programme d'exercice, un horaire trop chargé, l'influence des saisons.
3. La prise de nouveaux médicaments. Certains antidépresseurs, stimulants et préparations d'ordonnance ou en vente libre (caféine, plantes médicinales) peuvent affecter le poids.

Les symptômes généraux

4. Un changement d'humeur tel que l'anxiété, le stress et la dépression occasionnent parfois une perte de poids (voir page **208**).
5. D'autres conditions : des problèmes dentaires ; un diabète incontrôlé avec soif extrême et mictions fréquentes ; des ennuis gastriques tels un syndrome de malabsorption ou un ulcère avec douleurs abdominales ; des diarrhées ou des selles sanglantes dues à une maladie inflammatoire de l'intestin telle que la maladie de Crohn ou la colite ; des infections telles que le VIH, le sida ou la tuberculose ; plusieurs types de cancer.

Autotraitement	Si les paragraphes 1 ou 2 vous concernent à l'exclusion des autres, modifiez votre régime alimentaire. Faites 3 repas équilibrés par jour. En guise de collation, ou si vous n'avez pas le temps de vous offrir un bon repas, optez pour un succédané de repas liquide. Les petits-déjeuners instantanés sont faciles à préparer, relativement équilibrés et moins coûteux que les succédanés de repas déjà prêts. Si vous ne constatez aucune amélioration dans les 2 semaines, ou si les paragraphes 3, 4 ou 5 semblent s'appliquer à votre cas, consultez un médecin sans tarder.
Les enfants	La perte de poids ou l'interruption de la croissance chez les enfants est parfois attribuable à un problème digestif qui entrave l'absorption ou la digestion d'éléments nutritifs importants. Cette perte nutritive pourrait favoriser la décalcification des os ou d'autres problèmes. Votre enfant souffre peut-être d'un trouble alimentaire. S'il perd inexplicablement du poids, consultez un pédiatre.

Les troubles alimentaires : anorexie et boulimie

L'anorexie est un trouble alimentaire qui entraîne une perte de poids importante en raison d'une sous-alimentation volontaire. La personne boulimique maintient en général un poids normal, mais alterne entre le besoin irrépressible de manger et celui de se purger. Ces deux phénomènes sont fréquents chez les adolescentes et les jeunes femmes, mais les garçons et les jeunes hommes n'en sont pas exempts.

L'anorexie
Signes et symptômes :
- perception erronée de sa propre apparence : le sujet se voit plus gras qu'il ne l'est en réalité ;
- peur irréaliste de prendre du poids ;
- excès de régimes amaigrissants et d'exercices physiques ;
- perte importante de poids ou incapacité à prendre du poids en période de croissance ;
- refus de maintenir un poids santé ;
- absence de menstruations ;
- obsession de la nourriture, des calories et de la préparation des aliments.

Les causes de l'anorexie ne sont pas clairement connues, mais pourraient englober à la fois certains facteurs biologiques et des facteurs psychologiques. Un diagnostic précoce facilite la guérison totale, mais, laissée sans traitement, l'anorexie peut tuer. Dans la plupart des cas, l'approche thérapeutique de l'anorexie comprend la psychothérapie, les conseils diététiques, la thérapie familiale. Dans les cas graves, une hospitalisation peut s'avérer nécessaire.

Les cas d'anorexie et de boulimie sont en progression depuis que la société associe beauté et minceur. Nous pourrions enrayer cette progression si nous acceptions de transformer nos valeurs esthétiques et si nous n'encouragions pas les jeunes à nourrir des attentes irréalistes en ce qui a trait à leur apparence. Si vous croyez être anorexique ou si vous soupçonnez d'anorexie une personne de votre entourage, consultez votre médecin.

La boulimie
Signes et symptômes :
- désir récurrent et irrépressible de se gaver ;
- vomissements provoqués ou abus des laxatifs ;
- poids qui respecte la norme ;
- obsession de l'embonpoint.

La personne boulimique absorbe de vastes quantités de nourriture dont elle se purge aussitôt en provoquant le vomissement ou en abusant des laxatifs. La boulimie est une forme de jeûne. La purge déshydrate l'organisme et le prive de potassium. La mort peut s'ensuivre. Les personnes boulimiques sont souvent déprimées, car elles savent que leurs habitudes alimentaires ne sont pas normales. On traite habituellement la boulimie par la thérapie comportementale, la psychothérapie et, dans certains cas, la prise d'antidépresseurs. Si la boulimie ne peut être contrôlée ou s'il y a des complications médicales, l'hospitalisation est parfois requise.

Les problèmes courants

La plupart de nos bobos et malaises sont bénins. Souvent, des remèdes simples associés à un peu de patience en viennent à bout et nous évitent une visite chez le médecin. Bien entendu, si le problème persiste ou si les remèdes courants n'ont pas d'effet, il importe de consulter.

Cette section s'organise autour de chacun des systèmes de l'organisme. Chaque chapitre aborde une variété de symptômes ou de maladies, propose des solutions pratiques et indique à quel moment vous devez consulter le médecin. Les encadrés tramés traitent de questions reliées aux thèmes principaux ou abordent certains détails médicaux spécifiques. Nous apportons une attention toute particulière à la santé des enfants partout où le contexte le justifie.

- Le dos et le cou
- L'appareil digestif
- Les oreilles et l'ouïe
- Les yeux et la vue
- Les maux de tête
- Les membres, les muscles, les os et les articulations
- Les poumons, le thorax et la respiration
- Le nez et les sinus
- La peau, les cheveux et les ongles
- La gorge et la bouche
- La santé des hommes
- La santé des femmes

Le dos et le cou

Qui n'a pas déjà eu mal au dos? Chaque année, de nombreuses personnes consultent un médecin parce qu'elles souffrent de douleurs lombaires. Heureusement, il est possible de les prévenir, surtout lorsqu'on connaît le fonctionnement des os et des muscles dorsaux.

Le dos supporte le corps. Il enferme et protège la moelle épinière et les fibres nerveuses qui assurent la transmission des messages entre le cerveau et le reste du corps. La colonne vertébrale sert de point d'ancrage aux muscles et aux ligaments du dos.

Un peu d'anatomie

La colonne vertébrale ne se compose pas d'un seul os, mais bien de plusieurs. Si l'on observe une vue latérale d'une colonne vertébrale saine, on constate qu'elle est concave à la nuque et au bas du dos, et convexe à la hauteur des omoplates et du bassin.

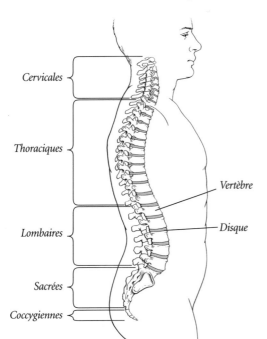

Cervicales

Thoraciques

Vertèbre

Lombaires

Disque

Sacrées

Coccygiennes

Les vertèbres. La colonne vertébrale est formée d'une série d'os appelés vertèbres, tenus ensemble par des bandes résistantes et fibreuses : les ligaments. La colonne vertébrale d'un adulte consiste en 7 vertèbres cervicales (cou), 12 vertèbres thoraciques ou dorsales (milieu du dos) et 5 grosses vertèbres lombaires (bas du dos). Les vertèbres lombaires sont les plus grosses, car elles doivent supporter presque tout le poids du corps. Les vertèbres sacrées, au nombre de 5, sont soudées ensemble et situées sous les vertèbres lombaires. Les 3 dernières vertèbres, également soudées, forment le coccyx.

La moelle épinière. La moelle épinière, un composant du système nerveux, s'étend de la nuque au bas du dos. Deux nerfs, les nerfs rachidiens, s'en écartent à chacun des ensembles de vertèbres. L'ensemble lombaire supérieur présente un faisceau de nerfs, la «queue de cheval», qui descendent le long du canal rachidien. De chaque côté des vertèbres, des ouvertures appelées «foramens» permettent l'extension des nerfs rachidiens aux deux côtés du corps. Il existe en tout 31 paires de nerfs rachidiens dans la nuque et le dos.

Les disques. Comme leur nom l'indique, les disques intervertébraux, sont situés entre les vertèbres, à proximité du point de sortie de chaque paire de nerfs rachidiens. Ces disques sont des coussins ayant pour fonction d'amortir les chocs et d'empêcher les vertèbres, osseuses et rigides, de s'entrechoquer lorsque nous marchons, courons ou sautons. Un disque est un anneau de tissu fibreux résistant dont le centre est rempli d'une substance gélatineuse. Lorsque le disque est endommagé, on peut constater un bombement ou une hernie discale (voir page 63). Cette anomalie est très douloureuse en raison de la pression exercée par le disque sur les nerfs ou les tissus environnants. (Il est impossible qu'un disque se déplace, car il est solidement fixé entre deux vertèbres.)

Les muscles. Les muscles sont l'équivalent de bandes élastiques qui parcourent le dos de haut en bas et supportent la colonne vertébrale. Ils se contractent ou se relâchent pour nous aider à nous lever, à nous tourner, à nous baisser ou à nous étirer. Les tendons rattachent les muscles à l'ossature. Les muscles abdominaux et du torse supportent et protègent la colonne vertébrale et en permettent le mouvement.

Avec l'âge, la colonne vertébrale acquiert une certaine raideur et perd de sa flexibilité. Les disques s'usent, produisant ainsi un rétrécissement de l'espace entre les vertèbres. Ces changements sont inhérents au processus de vieillissement, mais ils ne s'accompagnent pas forcément de douleur. Les vertèbres développent parfois des excroissances osseuses saillantes ou non. Avec l'usure du cartilage qui coussine l'articulation, les os en viennent à se toucher. La douleur ressentie rappelle celle de l'arthrite. Mais le dos est une mécanique complexe, et il est parfois laborieux de diagnostiquer la cause réelle d'un problème.

Les maux de dos les plus fréquents

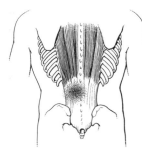

Le bas du dos, qui sert de pivot à la taille dans les mouvements de rotation, est vulnérable aux étirements musculaires.

La région lombaire supporte la majeure partie du poids du corps. C'est là que se concentrent la plupart des maux de dos chez les adultes de 20 à 50 ans, mais les distensions des muscles et des ligaments peuvent affecter n'importe quelle région du dos. Leurs causes les plus courantes sont les suivantes :

- Une mauvaise posture lors du soulèvement d'une charge (voir page **64**).
- Un effort physique soudain et violent ; un accident ; une chute ou une blessure sportive.
- Une perte de tonus musculaire.
- Un excès de poids, en particulier à la taille.
- Une mauvaise position couchée (notamment, à plat ventre).
- Un oreiller favorisant un mauvais positionnement du cou.
- Le fait de rester assis trop longtemps ; une mauvaise posture (assis ou debout).
- Le fait d'appuyer le combiné du téléphone entre le cou et l'épaule.
- Un porte-documents ou un sac à main trop lourd.
- S'asseoir quand on a un portefeuille épais dans la poche arrière du pantalon.
- Rester penché vers l'avant trop longtemps.
- La tension et le stress quotidiens.
- Un gain de poids normal ou excessif pendant la grossesse.

Il n'est pas nécessaire de souffrir

La douleur secondaire à une blessure musculaire peut être immédiatement ressentie ou apparaître après quelques heures. Un muscle blessé pourrait se contracter spontanément ou se nouer (spasme). Votre corps est en train de vous dire de ne pas surmener vos muscles. Un spasme musculaire violent dure parfois de 48 à 72 heures ; la douleur décroît progressivement pendant les jours ou les semaines qui suivent. Un surmenage du muscle blessé au cours des 3 à 6 semaines suivant la blessure ravivera la douleur. La plupart du temps, le mal a complètement disparu au bout de 6 semaines.

Avec l'âge, le tonus musculaire tend à décroître, les maux de dos et les blessures au dos sont davantage susceptibles de se produire. Le maintien de la souplesse et de la force musculaire ainsi que des muscles abdominaux bien exercés sont la clé d'un dos sain. Une séance quotidienne de 10 à 15 minutes d'exercices d'assouplissement est particulièrement bénéfique.

Autotraitement

La guérison surviendra plus rapidement si vous poursuivez avec modération vos activités en évitant le ou les mouvements responsables de la blessure. Évitez aussi de garder le lit trop longtemps, car l'immobilité intensifiera la douleur et diminuera votre tonus musculaire.

Si vous soignez adéquatement les muscles ou les ligaments distendus, vous devriez noter une amélioration au cours des 2 semaines suivantes. La plupart du temps, la douleur s'atténue en 6 semaines, mais les distensions et les lésions graves peuvent mettre jusqu'à 12 semaines à se rétablir complètement. Une première blessure au dos vous rendra vulnérable aux récidives.

Quelques conseils :

- Dans les heures qui suivent l'apparition de la blessure, des compresses glacées soulageront la douleur. Si vous n'avez pas de glace sous la main, un paquet de légumes surgelés enveloppé dans un linge fera l'affaire. Appliquez la compresse sur la zone affectée pendant 15 minutes, 4 fois par jour. N'appliquez jamais de glace directement sur la peau : vous pourriez occasionner des engelures.
- Étendez-vous par terre sur le dos en repliant légèrement les genoux et en maintenant les jambes surélevées. Reposez-vous, mais évitez de garder le lit plus d'un jour ou deux. Une activité modérée préservera la force et la souplesse de vos muscles. Évitez les mouvements responsables de la blessure. Évitez aussi de soulever des charges, de pousser ou de tirer, de vous pencher ou de faire des torsions répétées.
- Après 48 heures, des compresses chaudes contribueront à détendre les muscles endoloris ou contractés. Un bain tiède, une compresse, un coussin chauffant ou une lampe à infrarouge feront l'affaire. Évitez la chaleur trop prononcée qui entraînerait des risques de brûlures. Mais si le froid semble vous soulager davantage, continuez les compresses froides ou alternez entre le froid et le chaud.

Le guide de la santé

- Commencez à faire graduellement quelques exercices d'assouplissement. Évitez les mouvements brusques, les sauts ou tout autre mouvement qui aggrave la douleur ou force les muscles.
- Un analgésique en vente libre vous soulagera (voir page **267**).
- Les massages peuvent aussi apporter un soulagement, en particulier lors de spasmes musculaires, mais évitez les pressions directes à la colonne vertébrale.
- Si vous devez rester debout ou assis pendant de longues périodes, envisagez le port d'un corset orthopédique. Correctement utilisé, il apaisera la douleur en réchauffant et en soutenant les muscles endoloris. Le port du corset n'est pas recommandé à long terme, car il entrave le mouvement des muscles et favorise ainsi la perte de tonus.

Les soins médicaux

Si vous ne constatez pas d'amélioration en 72 heures, consultez un médecin. Consultez *immédiatement* dans les cas suivants :

- La douleur est intense, déchirante.
- La douleur est attribuable à une chute ou à un coup au dos. N'essayez pas de déplacer une personne qui ressent des douleurs intenses à la nuque, ou qui ne peut bouger les jambes à la suite d'un accident. Vous pourriez aggraver ses blessures.
- La douleur se traduit par un affaiblissement ou un engourdissement d'une ou des deux jambes.
- La douleur est inattendue et s'accompagne de fièvre sans raison apparente.
- La douleur est attribuable à une blessure et irradie de la nuque jusqu'aux bras et aux jambes.
- Vous devez aussi consulter *immédiatement* si vous souffrez de l'une ou l'autre des affections suivantes : hypertension, cancer, anévrisme aortique abdominal, perte de contrôle subite de l'intestin ou de la vessie.

Presque toutes les fibres nerveuses qui parcourent le corps passent par le dos. Parfois, les maux de dos ou de la nuque sont dus à un problème situé ailleurs. Votre médecin effectuera les tests nécessaires pour déterminer l'origine de la douleur.

Les enfants

Avant l'adolescence, les enfants souffrent rarement de lombalgies. La plupart du temps, leurs maux de dos sont associés à des blessures sportives ou à des chutes. Assurez-vous que, lors de leurs activités sportives, vos enfants :

- utilisent un équipement sécuritaire ;
- bénéficient des services d'un entraîneur compétent ;
- font précéder leurs activités sportives d'exercices de réchauffement adéquats.

Si l'enfant blessé n'a pas perdu conscience, s'il peut bouger librement, s'il ne ressent ni faiblesse ni engourdissement, référez-vous aux instructions de la page **61**. Évitez la chaleur ou le froid excessifs et vérifiez la posologie si vous lui donnez un analgésique en vente libre. N'administrez jamais de l'aspirine à un enfant.

Si la douleur n'est pas due à une blessure ou à une autre cause apparente, votre médecin examinera l'enfant pour savoir s'il souffre d'une infection (surtout si la douleur s'accompagne de fièvre) ou s'il s'agit d'un problème de croissance. Les menstruations provoquent parfois des douleurs lombaires chez les jeunes filles.

On doit soupçonner un problème grave quand un enfant de moins de 11 ans se plaint de douleurs incessantes au dos pendant plusieurs semaines ; quand la douleur apparaît brusquement en pleine nuit ; quand la douleur nuit à ses études, à ses jeux ou à ses activités sportives ; ou quand elle s'accompagne de raideur et de fièvre.

Les problèmes de dos moins fréquents

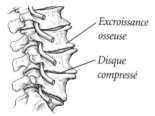

Excroissance osseuse

Disque compressé

Arthrose

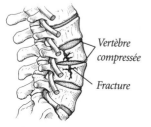

Vertèbre compressée

Fracture

Ostéoporose

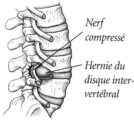

Nerf compressé

Hernie du disque inter-vertébral

Disque hernié

Souvent, les maux de dos et les douleurs au cou ne sont pas attribuables à un incident unique, mais à toute une vie de stress et de surmenage du cou et du dos. Si vous souffrez de maux de dos chroniques, votre médecin envisagera les causes qui suivent :

L'arthrose affecte presque tout individu de plus de 60 ans. Un déséquilibre enzymatique peut favoriser la détérioration du cartilage, c'est-à-dire de la membrane protectrice des articulations vertébrales. Les disques intervertébraux s'usent et l'espace entre les vertèbres rétrécit. Des excroissances osseuses (ostéophytes) se développent. Peu à peu, la colonne vertébrale perd de sa souplesse.

L'ostéoporose est une perte de la masse osseuse occasionnée par une diminution du calcium dans vos os. Les vertèbres s'affaiblissent, se tassent et se fracturent aisément. Les médicaments actuels et l'hormonothérapie de substitution peuvent ralentir ou enrayer ce processus qui a longtemps été un fardeau inévitable pour toutes les femmes de 50 ans ou plus.

La hernie discale est la rupture d'un disque intervertébral à la suite de l'usure normale ou d'un trauma. Un bombement discal est fréquent et le plus souvent indolore. La douleur apparaît lorsque le bombement est trop prononcé ou que des sections du disque font saillie ou se rupturent et compriment les nerfs voisins. Cela peut occasionner des douleurs aux jambes (sciatalgie), ainsi nommées en raison du nerf sciatique qui s'étend de la fesse au talon. Les symptômes de la hernie discale disparaissent souvent au bout de quelques semaines.

La fibromyalgie est un syndrome chronique accompagné de douleurs lancinantes, de sensibilité et de raideur des muscles et des articulations, au site d'attachement des ligaments sur les os. L'inactivité intensifie la douleur, tandis que le mouvement l'atténue.

Certains problèmes de dos et du cou sont fort complexes, et la chirurgie est rarement indiquée. On recourt à la chirurgie lorsqu'un nerf est gravement compressé, qu'il donne lieu à une faiblesse permanente ou qu'il affecte le contrôle des intestins et de la vessie. Lorsque les nerfs ne sont pas atteints, la chirurgie est rarement indiquée.

Les blessures au dos en milieu de travail

Vous vous éviterez de nombreux problèmes de dos au travail si vous suivez les conseils ci-dessous (voir aussi « L'exercice au bureau », page **242**, et « La technologie », page **253**) :

- Changez souvent de position.
- Évitez de porter des talons hauts. Si vous devez rester debout pendant de longues périodes, posez de temps à autre l'un de vos pieds sur une boîte ou un tabouret.
- Procurez-vous des meubles et un équipement ajustables. Trouvez une position confortable et évitez les extrêmes.
- Ne vous penchez pas continuellement sur votre travail. Pour lire, tenez le livre ou la feuille de papier à la hauteur des yeux.
- Évitez les mouvements répétitifs. Faites des pauses fréquentes pour vous étirer ou vous détendre : 30 secondes toutes les 10 ou 15 minutes suffisent.
- Évitez de vous pencher inutilement, de faire des mouvements de torsion ou de tendre les bras à l'excès.
- Pour répondre au téléphone, levez-vous. Si vous devez souvent répondre au téléphone, procurez-vous un casque d'écoute.
- Ajustez votre chaise de façon que vos pieds soient posés à plat sur le sol. Changez souvent la position de vos jambes.
- Utilisez une chaise qui supporte la cambrure du dos, ou appuyez le dos à un coussin ou à une serviette roulée. Le siège de votre chaise ne doit pas comprimer l'arrière de la cuisse ou du genou.
- Sachez soulever correctement des charges (voir page **64**).
- Transportez des charges en les tenant contre le corps à la hauteur de la taille.

■ La prévention des maux de dos

Un programme d'exercices régulier est encore la meilleure prévention. En faisant régulièrement de l'exercice, vous pourrez :

- préserver ou accroître la souplesse des muscles, des tendons et des ligaments ;
- renforcer les muscles dorsaux ;
- accroître la force musculaire de vos bras, de vos jambes et du bas du corps afin de réduire le risque de chute ou d'autres blessures et de permettre un positionnement optimal pour le soulèvement et le transport de charges lourdes ;
- améliorer votre posture ;
- augmenter votre densité osseuse ;
- perdre l'excédent de poids qui surmène le dos.

Les personnes de plus de 40 ans, les personnes malades ou celles qui ont subi une blessure doivent consulter leur médecin avant d'entreprendre un programme d'exercices. Si vous n'êtes pas en forme, augmentez graduellement la durée et l'intensité des exercices. Voici quelques-uns des exercices les plus bénéfiques pour le dos.

- Les exercices destinés à renforcer les muscles abdominaux et les muscles des jambes.
- Les exercices doux : bicyclette d'exercice, tapis roulant, ski de fond d'exercice. Faire du vélo est aussi excellent, mais assurez-vous que l'ajustement de la selle et du guidon favorise une position confortable.
- Si vous avez mal au dos ou si vous n'êtes pas en bonne forme physique, évitez toute activité qui requiert des arrêts et des départs brusques et des torsions fréquentes. Les exercices intenses sur des surfaces dures – le jogging, le tennis, le raquetball ou le basket-ball – peuvent surmener le dos. Évitez les sports de contact.

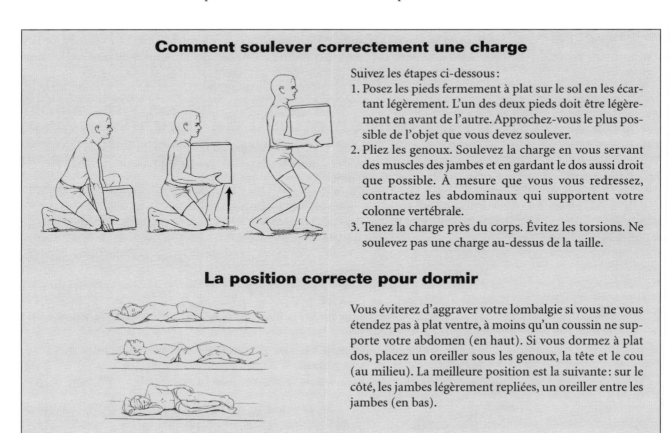

Comment soulever correctement une charge

Suivez les étapes ci-dessous :

1. Posez les pieds fermement à plat sur le sol en les écartant légèrement. L'un des deux pieds doit être légèrement en avant de l'autre. Approchez-vous le plus possible de l'objet que vous devez soulever.
2. Pliez les genoux. Soulevez la charge en vous servant des muscles des jambes et en gardant le dos aussi droit que possible. À mesure que vous vous redressez, contractez les abdominaux qui supportent votre colonne vertébrale.
3. Tenez la charge près du corps. Évitez les torsions. Ne soulevez pas une charge au-dessus de la taille.

La position correcte pour dormir

Vous éviterez d'aggraver votre lombalgie si vous ne vous étendez pas à plat ventre, à moins qu'un coussin ne supporte votre abdomen (en haut). Si vous dormez à plat dos, placez un oreiller sous les genoux, la tête et le cou (au milieu). La meilleure position est la suivante : sur le côté, les jambes légèrement repliées, un oreiller entre les jambes (en bas).

Un programme d'exercices quotidiens pour renforcer le dos

Voici une série d'exercices de base pour l'assouplissement et le renforcement du dos et des muscles associés. Efforcez-vous d'inclure 15 minutes d'exercices à votre programme de la journée. (Si vous vous êtes blessé au dos ou si vous souffrez d'ostéoporose, consultez votre médecin avant d'entreprendre ces exercices.)

Assouplissement genou-épaule. *Étendez-vous sur le dos sur une surface ferme, pieds posés à plat et genoux repliés. Avec vos deux mains, attirez la jambe gauche vers la poitrine. Maintenez cette position de 15 à 30 secondes. Revenez à la position initiale. Refaites l'exercice avec la jambe droite. Répétez 3 ou 4 fois.*

Assouplissement en position assise. *Asseyez-vous sur une chaise. Penchez-vous lentement vers le sol jusqu'à ce que vous ressentiez une légère tension au dos. Maintenez cette position de 15 à 30 secondes. Répétez 3 ou 4 fois.*

Étirement du chat. Étape 1. *Placez-vous à quatre pattes. Creusez lentement le dos et l'abdomen.*

Étirement du chat. Étape 2. *Arquez progressivement le dos. Répétez plusieurs fois ces deux étapes.*

Contraction des omoplates. *Asseyez-vous sur une chaise. Rentrez le menton et baissez les épaules. Rapprochez vos omoplates l'une de l'autre et redressez le dos. Maintenez cette position pendant quelques secondes. Répétez plusieurs fois.*

Demi-redressement abdominal. *Étendez-vous sur le dos sur une surface ferme, pieds bien à plat et genoux repliés. Tendez les bras vers les genoux jusqu'à ce que vos omoplates se détachent du sol. Ne vous agrippez pas aux genoux. Maintenez cette position pendant quelques secondes et revenez lentement à la position initiale. Répétez plusieurs fois.*

Soulèvement de la jambe. Étape 1. *Couchez-vous à plat ventre sur une surface ferme en appuyant vos hanches et le bas de l'abdomen sur un coussin. Pliez un genou et soulevez légèrement la jambe en gardant le genou plié. Maintenez cette position pendant 5 secondes. Répétez plusieurs fois.*

Soulèvement de la jambe. Étape 2. *Refaites le même exercice, cette fois jambe tendue. Soulevez légèrement la jambe et gardez cette position pendant 5 secondes. Répétez plusieurs fois.*

L'appareil digestif

L'appareil gastro-intestinal

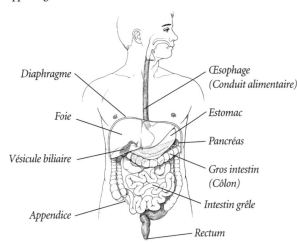

Diaphragme

Foie

Vésicule biliaire

Appendice

Œsophage
(Conduit alimentaire)

Estomac

Pancréas

Gros intestin
(Côlon)

Intestin grêle

Rectum

L'appareil digestif est un système extrêmement complexe ; toutes sortes de problèmes peuvent bouleverser son fragile équilibre. Pour cette raison, il importe de ne pas diagnostiquer soi-même un malaise inattendu tel un saignement ou une douleur sans cause apparente. La digestion commence par la mastication des aliments. Les dents sectionnent la nourriture en fragments plus petits en même temps que ceux-ci se mêlent à la salive sécrétée par les glandes salivaires. La salive contient une enzyme qui transforme en sucres les amidons (glucides).

Les contractions musculaires poussent ensuite les aliments dans l'œsophage, l'estomac et les intestins. Ce processus, la digestion, est secondé par les acides, la bile et les enzymes sécrétés par l'estomac, le pancréas et la vésicule biliaire. Ces fluides décomposent les aliments et permettent l'assimilation des nutriments. Enfin, les aliments indigestes et les bactéries sont éliminés dans les selles par le rectum.

■ Les douleurs abdominales

La douleur abdominale peut être attribuable à un problème situé n'importe où le long de l'appareil digestif, c'est-à-dire de la bouche et la gorge jusqu'au bassin ou au rectum. Dans certains cas, la douleur est bénigne et consécutive à un excès de nourriture. Dans d'autres cas, elle pourrait être l'indice d'une maladie grave nécessitant un traitement médical.

Un grand nombre de ces malaises sont heureusement faciles à traiter par une médication administrée sous supervision médicale. Consultez les passages indiqués entre parenthèses si la douleur que vous ressentez à l'abdomen est causée par de la constipation (page **68**), de la diarrhée (page **69**), de la flatulence (page **70**), une gastrite (page **71**) ou des hémorroïdes (page **72**).

Mise en garde

La plupart du temps, les douleurs abdominales sont sans gravité, mais il importe de ne pas tenter de poser soi-même un diagnostic en présence d'un malaise inattendu ou inexpliqué. Consultez votre médecin dans les cas suivants : si vous ressentez une douleur intense qui dure plus d'une minute ou si cette douleur gagne en intensité ; si la douleur s'accompagne de difficulté à respirer ou d'étourdissements ; si la douleur est associée à une température de 38 °C (101 °F) ou plus.

Qu'est-ce que l'appendicite ?

L'appendice est le prolongement vermiforme du cæcum (première partie du gros intestin). Ce prolongement peut s'enflammer, enfler et se remplir de pus. C'est la crise d'appendicite.

L'appendicite s'accompagne de douleurs aiguës qui débutent dans la région du nombril pour ensuite migrer vers le côté droit de l'abdomen. Leur progression s'étend sur 12 à 24 heures. Le sujet peut aussi éprouver une perte d'appétit, des nausées, des vomissements, des diarrhées et de la flatulence.

Bien que l'appendicite puisse affecter des personnes de tout âge, elle se produit surtout entre 10 et 30 ans.

La rupture d'un appendice enflammé peut entraîner une infection majeure. Consultez sans délai si vous croyez faire une crise d'appendicite.

Le guide de la santé

◼ Les coliques

Beaucoup de parents doivent composer avec un enfant qui souffre de coliques. Cette affection frustrante et dans la plupart des cas inexplicable touche des bébés par ailleurs en bonne santé. La colique atteint son paroxysme à 6 semaines et disparaît lorsque le bébé entre dans son troisième ou quatrième mois.

Les coliques affectent tant les parents que le bébé, puisque, selon un médecin, elles « font pleurer bébé et… maman ».

On dit souvent à tort d'un bébé capricieux qu'il a des coliques. En réalité, les symptômes de la véritable colique sont les suivants :

- **Le bébé pleure régulièrement.** Un bébé qui a des coliques pleure à la même heure chaque jour, la plupart du temps en soirée. Une crise de coliques peut durer de quelques minutes à 2 heures ou plus.
- **Le bébé est agité.** Il presse ses jambes contre sa poitrine, ou encore, il s'époumone en agitant bras et jambes au cours des crises de pleurs comme s'il avait mal.
- **Les pleurs du bébé sont extrêmes ; il est inconsolable.** Le bébé qui a des coliques pleure plus que d'habitude et il est très difficile, voire impossible, de le réconforter.

La colique entraîne un « diagnostic d'exclusion », c'est-à-dire que le médecin devra éliminer toutes les autres causes possibles avant de déterminer s'il s'agit réellement de coliques. Par conséquent, les parents de bébés qui ont des coliques peuvent se rassurer ; le problème n'est sans doute pas grave.

De nombreux facteurs ont été mis en cause dans la colique : les allergies, un appareil digestif insuffisamment développé, la flatulence, un déséquilibre hormonal, les anxiétés et l'attitude de la mère. Mais on ne sait pas encore trop bien pourquoi certains bébés ont des coliques et d'autres non.

Autotraitement

Si votre médecin a conclu que votre bébé a des coliques, les mesures ci-dessous vous aideront à lui apporter un certain soulagement :

- Couchez le bébé à plat ventre sur vos genoux ou dans vos bras et bercez-le lentement.
- Prenez le bébé dans vos bras, bercez-le ou promenez-le. Évitez les mouvements brusques ou rapides.
- Faites-lui écouter une cassette de bruits blancs, par exemple, le ronron du moteur d'un séchoir à linge.
- Couchez-le dans une balançoire pour bébés.
- Donnez-lui un bain d'eau tiède ou couchez-le à plat ventre sur une bouillotte tiède.
- Tout en le promenant ou en le berçant, chantez-lui une berceuse. Les berceuses calment tant les parents que les enfants.
- Emmenez-le faire un tour de voiture.
- Confiez-le à quelqu'un d'autre pendant une dizaine de minutes et allez faire une promenade en solitaire.

Les soins médicaux

Il n'existe pas encore de médication qui puisse calmer les coliques de manière sûre et efficace. Vous devez toujours consulter votre médecin avant d'administrer au bébé quelque médicament que ce soit.

Si vous appréhendez que votre bébé soit malade ou si vous, ou les personnes qui s'en occupent, n'en pouvez plus de l'entendre pleurer, consultez votre médecin ou emmenez l'enfant aux services d'urgence.

■ La constipation

La constipation est un problème courant, mais elle est le plus souvent mal comprise et inadéquatement traitée. En termes techniques, on est constipé quand l'intestin évacue des selles dures moins de 3 fois la semaine. La constipation s'accompagne parfois de ballonnements et de crampes. La fréquence normale des évacuations varie beaucoup d'une personne à l'autre : de 3 fois par jour à 3 fois la semaine.

La constipation n'est pas une maladie mais un symptôme. Tout comme la fièvre, elle peut se produire lorsque le transit des aliments dans le côlon est ralenti pour diverses raisons, notamment une hydratation insuffisante, une alimentation déficiente, des évacuations irrégulières, l'âge, un manque d'activité, la grossesse ou la maladie. Certains médicaments provoquent aussi de la constipation.

Certes, la constipation est gênante, mais elle est rarement grave. Toutefois, si elle persiste, elle peut se traduire par la formation d'hémorroïdes ou de fissures anales.

Autotraitement

Pour diminuer les risques de constipation :
- prenez vos repas à des heures régulières et consommez beaucoup de fibres, notamment des fruits et des légumes frais, des céréales et du pain de grains entiers ;
- buvez chaque jour de 8 à 10 verres d'eau ou d'un autre liquide ;
- faites davantage d'exercice ;
- ne résistez pas au besoin d'évacuer vos selles ;
- recourez à un supplément de fibres (Metamucil, Konsyl, Fiberall ou Citrucel) ;
- n'abusez pas des laxatifs (voir ci-dessous).

Les soins médicaux

Consultez un médecin si vous êtes constipé pendant plus de 3 semaines ou si la constipation est sévère. Dans certains cas, heureusement rares, la constipation signale un problème plus grave tel que le cancer, un déséquilibre hormonal, une maladie cardiaque ou une insuffisance rénale.

Les enfants

La constipation affecte rarement les bébés, en particulier ceux qui sont nourris au sein. Un bébé nourri au sein et en santé pourrait n'évacuer ses selles qu'une fois la semaine.

Chez les enfants un peu plus âgés, la constipation est parfois due à la peur des toilettes au cours de l'apprentissage de la propreté ; l'enfant évite d'utiliser les toilettes. Mais souvenez-vous qu'une évacuation hebdomadaire est sans doute normale pour votre enfant.

Si la constipation de l'enfant est problématique, faites-lui boire beaucoup de liquides ; ceux-ci amolliront les selles. Des bains tièdes contribueront à détendre l'enfant et à l'encourager à évacuer.

Évitez les laxatifs, sauf sur avis du médecin.

L'abus de laxatifs peut être néfaste

L'habitude des laxatifs ou l'abus est néfaste et peut même aggraver la constipation :
- Cet abus peut favoriser l'élimination de vitamines et d'autres nutriments essentiels avant leur absorption par l'organisme ; ce processus bouleverse l'équilibre normal des sels minéraux et des nutriments.

- Il peut enrayer les bienfaits de vos autres médicaments.
- Il favorise également le syndrome de l'intestin paresseux : l'intestin cesse de fonctionner normalement, car il dépend des laxatifs pour stimuler l'évacuation. L'arrêt des laxatifs aggrave alors la constipation.

■ La diarrhée

Ce problème désagréable affecte les adultes environ 4 fois l'an. La diarrhée produit des selles molles ou liquides, et s'accompagne souvent de crampes abdominales.

La diarrhée a plusieurs causes, dont la plupart sont sans gravité. La plus courante est l'infection virale de l'appareil digestif. Les bactéries et les parasites peuvent également être à l'origine de la diarrhée. La diarrhée causée par ces organismes entraîne une perte de fluides et de sels minéraux.

Une diarrhée due à une infection est souvent précédée de nausées et de vomissements, parfois même de crampes, de douleurs abdominales et d'autres symptômes similaires à ceux de la grippe, notamment une légère élévation de la température, des muscles endoloris et des maux de tête. Les infestations bactériennes ou parasitiques entraînent parfois des selles sanglantes ou une forte fièvre.

La diarrhée infectieuse est extrêmement contagieuse. Le contact direct avec une personne atteinte suffit à la transmission, mais l'eau et les aliments contaminés peuvent également la propager.

La diarrhée peut en outre constituer l'un des effets secondaires de plusieurs médicaments, en particulier les antibiotiques. Qui plus est, certains édulcorants artificiels tels que le sorbitol et le mannitol présents dans la gomme à mâcher et d'autres produits sans sucre peuvent provoquer la diarrhée. De 40 à 50 p. 100 des personnes en santé éprouvent de la difficulté à digérer ces édulcorants.

Une diarrhée chronique ou récurrente peut être le signe d'une maladie plus grave, notamment une infection chronique ou une maladie inflammatoire de l'intestin.

Autotraitement

Bien que désagréable, la diarrhée due à une infection se résorbe d'elle-même sans le secours d'antibiotiques. Les antidiarrhéiques en vente libre, par exemple l'Imodium, le Pepto-Bismol ou le Kaopectate, soulagent quelque peu la diarrhée, mais ils n'accélèrent pas sa guérison. Pour prévenir la déshydratation due à la diarrhée et pour réduire vos symptômes :

- buvez au moins de 8 à 16 verres (de 60 à 120 ml) de liquides clairs : eau, boissons gazeuses, bouillons et thé faible ;
- à mesure que l'intestin recommence à fonctionner normalement, ajoutez progressivement des aliments semi-solides et faibles en fibres : biscuits au soda, pain grillé, œufs, riz, poulet ;
- évitez les produits laitiers, les matières grasses ou les aliments épicés pendant quelques jours ;
- évitez la nicotine et la caféine.

Soins médicaux

Contactez votre médecin si la diarrhée persiste au-delà d'une semaine ou si vous devenez déshydraté (soif excessive, bouche sèche, peu ou pas de mictions, grande faiblesse, étourdissements ou vertiges). Vous devriez également consulter un médecin si vous souffrez de violentes douleurs abdominales ou rectales, si vos selles sont sanglantes, si votre température est supérieure à 38 °C (101 °F) ou si les symptômes de déshydratation persistent en dépit des liquides que vous absorbez.

Votre médecin pourrait prescrire un antibiotique dans le but de réduire la durée d'une diarrhée bactérienne ou parasitaire. Mais toutes les diarrhées dues à des bactéries ne nécessitent pas forcément un traitement aux antibiotiques. Par ailleurs, ceux-ci ne peuvent rien contre la diarrhée virale, qui est la plus commune de toutes.

Les enfants

Les enfants qui souffrent de diarrhée deviennent facilement déshydratés. Contactez votre médecin si la diarrhée persiste plus de 12 heures ou si votre bébé :

- n'a pas mouillé sa couche depuis 8 heures ;
- a une température supérieure à 38,8 °C (102 °F) ;
- a du sang dans ses selles ;
- a la bouche sèche ou pleure sans verser de larmes ;
- est inhabituellement somnolent, léthargique ou s'il ne réagit pas à la stimulation.

Le guide de la santé

■ Les gaz

L'éructation

L'éructation et les rots sont des phénomènes normaux. Ils aident à nous libérer de l'excédent d'air que nous avalons quand nous mangeons et buvons. L'éructation propulse vers l'œsophage et la bouche les gaz accumulés dans l'estomac. L'excédent d'air peut provoquer des ballonnements et des éructations fréquentes. Si vous éructez souvent quand vous n'avez pas mangé, il se peut que la nervosité vous porte à avaler de l'air.

Les flatulences

La plupart des gaz intestinaux (flatulences) sont produits dans le côlon et sont expulsés au moment de l'évacuation. Tout individu expulse des gaz (flatulence), mais certaines personnes en produisent une quantité plus grande que la normale, et cette flatulence les accable tout au long de la journée. Les flatulences se composent en général de cinq substances : l'oxygène, l'azote, l'hydrogène, le gaz carbonique et le méthane. L'odeur désagréable provient le plus souvent d'autres gaz en très faible quantité, notamment l'hydrogène sulfuré et l'ammoniac. L'air que l'on avale ne compte que pour une faible partie des gaz intestinaux. Les boissons gazeuses, qui libèrent du gaz carbonique dans l'estomac, peuvent favoriser les flatulences.

Les douleurs dues aux gaz

Des crampes ou des douleurs aiguës et pénétrantes au niveau de l'abdomen sont parfois dues à une accumulation de gaz. Bien qu'intenses, elles sont de courte durée (moins d'une minute). Localisées dans la partie supérieure droite ou gauche de l'abdomen, elles changent rapidement d'emplacement. Le sujet a parfois l'impression d'avoir l'abdomen noué. L'expulsion des gaz suffit parfois à atténuer cette sensation douloureuse.

Tout ce qui contribue à la formation des flatulences et à la diarrhée peut occasionner des ballonnements douloureux. Ceux-ci se produisent lorsque l'intestin éprouve de la difficulté à décomposer certains aliments, de même que dans les cas d'infection gastro-intestinale ou de diarrhée.

Autotraitement

Pour réduire les éructations et les ballonnements, procédez comme suit :
- Mangez lentement ; évitez d'ingurgiter. Limitez les aliments à forte teneur en gras.
- Évitez la gomme à mâcher et les bonbons durs.
- Évitez de boire à la paille ou à même la bouteille.
- Limitez votre consommation de boissons gazeuses et de bière.
- Évitez la cigarette, la pipe et le cigare.
- Efforcez-vous de diminuer votre stress, car celui-ci peut vous porter à avaler de l'air.
- Ne vous forcez pas à éructer.
- Évitez de vous étendre sitôt après avoir mangé.

Quelques recommandations pour réduire la flatulence :
- Sachez identifier les aliments responsables. Éliminez l'un des aliments suivants de votre alimentation pendant quelques semaines et voyez s'il y a amélioration : fèves, pois, lentilles, choux, radis, oignons, choux de Bruxelles, choucroute, abricots, bananes, pruneaux et jus de pruneaux, raisins, pain de blé entier, céréales ou muffin au son, bretzels, germe de blé, lait, crème et crème glacée.
- Réduisez provisoirement votre consommation d'aliments à haute teneur en fibres, et réintroduisez-les dans votre alimentation sur une période de quelques semaines.
- Limitez votre consommation de produits laitiers. Essayez le Lactaid ou le Dairy Ease pour réduire les effets de l'intolérance au lactose.
- Ajoutez du Beano aux aliments à haute teneur en fibres pour réduire la quantité de gaz que ceux-ci produisent.
- Le recours occasionnel à certaines préparations en vente libre contenant de la siméthicone (Mylanta, Riopan Plus, Mylicon) peut procurer un certain soulagement, de même que le charbon activé.

Le guide de la santé

■ Les calculs biliaires

Environ 1 Nord-Américain sur 10 souffre un jour ou l'autre de calculs biliaires. La plupart du temps, ces calculs ne s'accompagnent d'aucun symptôme. Mais lorsque des calculs obstruent les conduits qui relient la vésicule biliaire au foie et à l'intestin grêle, le sujet ressent une douleur extrême. Cette obstruction peut même mettre la vie en danger.

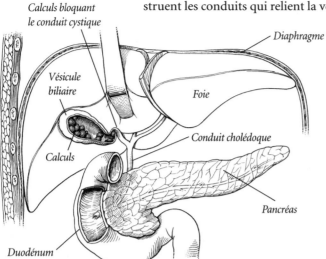

Les calculs biliaires peuvent se former dans la vésicule biliaire. Si un calcul obstrue le conduit cystique, une crise pourrait s'ensuivre.

La vésicule biliaire est un réceptacle qui contient la bile, un suc digestif sécrété par le foie. En se rendant de la vésicule biliaire à l'intestin grêle, la bile contribue à la digestion des graisses. Une vésicule biliaire saine contient des quantités équilibrées de bile et de cholestérol, mais un cholestérol trop élevé se traduit par la formation de calculs. Ceux-ci peuvent être aussi fins que des grains de sable ou aussi gros qu'une balle de golf.

Les calculs biliaires provoquent une douleur intense et soudaine qui peut durer des heures. Elle débute habituellement après le repas, au côté supérieur droit de l'abdomen, et peut irradier vers le dos ou l'omoplate droite. Parfois, la douleur s'accompagne de fièvre ou de nausée. Lorsque la douleur s'atténue, le côté supérieur droit de l'abdomen est parfois sensible au toucher. Lorsqu'un calcul obstrue le conduit cholédoque, il arrive que la peau et le blanc des yeux prennent une coloration jaunâtre (jaunisse). Une température plus élevée est possible, de même que l'évacuation de selles pâles, couleur de glaise.

Le risque de calculs biliaires semble plus élevé pour les personnes âgées et les femmes, surtout les femmes enceintes et celles qui prennent des œstrogènes ou des anovulants. Les personnes suivantes sont également à risque.
- Les personnes qui font de l'embonpoint ou qui ont récemment perdu du poids.
- Les personnes ayant un antécédent familial de calculs biliaires ou de troubles de l'intestin grêle.

Autotraitement	Évitez les aliments riches en gras et consommez de plus petites portions pour réduire la fréquence des crises.
Soins médicaux	Contactez votre médecin en cas de crises récurrentes et de douleur intense. Une peau jaunâtre ou une élévation de la température nécessitent des soins d'urgence.

■ La gastrite (brûlures d'estomac)

La gastrite est une inflammation de la paroi de l'estomac. Une sensation inconfortable dans la partie supérieure de l'abdomen, des nausées et des vomissements en sont les principaux symptômes. La gastrite s'accompagne parfois de vomissements sanglants ou de selles noires. La plupart du temps, la gastrite est légère et ne présente aucun danger. Elle se produit lorsque des sucs acides endommagent la paroi de l'estomac. L'abus de la nicotine, l'alcool et certains médicaments tels que l'aspirine peuvent également provoquer une gastrite.

Autotraitement	• Évitez de fumer, évitez l'alcool et les aliments irritants. • Recourez aux antiacides en vente libre tels que Pepcid, Tagamet et Zantac. (**Mise en garde :** l'abus des antiacides contenant du magnésium peut causer de la diarrhée. Les antiacides à base de calcium ou d'aluminium peuvent entraîner de la constipation.) • Prenez un analgésique contenant de l'acétaminophène (voir page **267**). Évitez l'aspirine, l'ibuprofène, le kétoprofène et le naproxène sodique qui pourraient provoquer une gastrite ou même l'aggraver.
Soins médicaux	Si votre malaise dure plus d'une semaine, consultez votre médecin.

Le guide de la santé

■ Les hémorroïdes et le saignement rectal

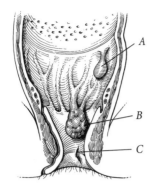

Coupe de l'anus et du rectum montrant 3 causes fréquentes de saignement rectal : A) polype, B) hémorroïdes, C) fissure anale.

Plus de 75 p. 100 des Nord-Américains souffrent un jour ou l'autre d'hémorroïdes. Des démangeaisons, une sensation de brûlure et des douleurs à l'anus signalent leur présence. On note aussi parfois un peu de sang clair sur le papier hygiénique ou dans la cuvette des toilettes.

Les hémorroïdes apparaissent lorsqu'il y a dilatation des veines du rectum. L'effort pour évacuer des selles dures cause leur formation, qui prend toutefois un certain temps. Les hémorroïdes peuvent se développer à l'intérieur de l'anus ou faire protusion à l'extérieur de celui-ci. Le fait de soulever des charges, l'obésité, la grossesse, l'accouchement, le stress et la diarrhée peuvent faire que ces vaisseaux subissent une compression anormale, ce qui entraîne la formation d'hémorroïdes. Cette affection semble avoir des facteurs familiaux.

Les saignements à l'anus ne sont pas tous attribuables aux hémorroïdes et certains sont parfois très graves. L'évacuation de selles dures et sèches irrite la paroi anale. Une infection de la paroi du rectum, de minuscules fissures dans la paroi de l'anus (fissures anales) occasionnent aussi des saignements. La présence de telles fissures se remarque aussi par de fines gouttelettes de sang rouge vif dans les selles, sur le papier hygiénique ou dans la cuvette des toilettes.

Des selles noires et goudronneuses, ainsi que des selles d'un brun rougeâtre ou contenant du sang rouge vif sont l'indice de saignements plus importants en d'autres points de l'appareil digestif. Les petites protubérances du côlon (diverticulite), les ulcères, les polypes, le cancer et certaines affections chroniques de l'intestin peuvent tous occasionner des saignements.

Autotraitement

Quoique gênantes, les hémorroïdes ne sont pas graves et peuvent facilement être traitées :
- Buvez au moins de 8 à 10 verres d'eau chaque jour ; consommez des aliments à haute teneur en fibres tels que les céréales de son de blé, le pain de blé entier, les fruits et les légumes frais.
- Prenez chaque jour un bain ou une douche pour bien nettoyer la zone de l'anus à l'eau tiède. Le savon est inutile et pourrait aggraver le problème.
- Demeurez actif. Faites de l'exercice. Si vous devez rester debout pendant de longues périodes au travail ou à la maison, allez faire une promenade en marchant à un bon rythme ou faites une pause-détente.
- Évitez les efforts pendant l'évacuation des selles et ne restez pas assis trop longtemps sur la cuvette des toilettes.
- Prenez des bains chauds.
- Appliquez des compresses glacées sur la région affectée.
- Quand la douleur se manifeste ou que vous notez une irritation, appliquez une crème, un onguent ou une compresse à l'eau d'hamamélis, ou encore un analgésique topique. Ne perdez pas de vue que ces produits en vente libre ne peuvent soulager que les démangeaisons et les irritations mineures.
- Les suppléments de fibres (Metamucil, Citrucel) peuvent apporter un certain soulagement en amollissant les selles et en régularisant leur évacuation.

Soins médicaux

Les hémorroïdes sont plus douloureuses lorsqu'un caillot se forme dans la veine dilatée. Si vos hémorroïdes vous font beaucoup souffrir, votre médecin pourra vous prescrire une crème ou des suppositoires contenant de l'hydrocortisone dans le but de réduire l'inflammation. Certaines hémorroïdes nécessitent une intervention chirurgicale ou une autre procédure visant à les éliminer ou à les réduire.

Il n'est pas toujours facile de déterminer les causes d'un saignement rectal. Faites-vous examiner par votre médecin. Si vous saignez à profusion, si vous ressentez des vertiges, des faiblesses ou si votre rythme cardiaque excède 100 battements/minute, consultez de toute urgence.

■ La hernie

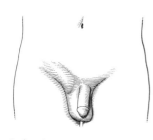

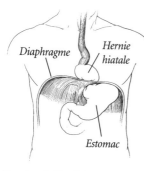

La hernie inguinale occasionne un gonflement à la jonction de la cuisse et de l'aine. Ce gonflement peut être rond ou ovale.

Diaphragme — Hernie hiatale

Estomac

Il y a hernie hiatale lorsqu'une partie de l'estomac saille par le diaphragme dans la cavité thoracique.

Lorsqu'un organe, profitant d'un orifice naturel ou accidentel, pénètre dans un organe voisin, on dit qu'il y a hernie. Certaines hernies ne causent ni douleur ni symptômes apparents.

Les diverses hernies

La *hernie inguinale* est une hernie de la région de l'aine. Les hommes en souffrent beaucoup plus souvent que les femmes. Les hernies de ce type comptent pour 80 p. 100 de toutes les hernies chez les hommes. Elle affecte le *conduit inguinal,* un orifice localisé dans les muscles abdominaux. Chez les hommes, ce conduit abrite le cordon spermatique dans son trajet de la cavité abdominale au scrotum. Chez les femmes, il abrite un ligament qui maintient l'utérus en place. La hernie inguinale est palpable et visible, car elle produit une tuméfaction des tissus ou de l'intestin. Elle est le plus souvent localisée à la jonction de la cuisse et de l'aine. Chez les hommes, la saillie intestinale se loge dans le scrotum. La douleur qui en résulte est vive et le scrotum est enflé. Le premier indice d'une hernie inguinale est une tuméfaction ou un gonflement à l'aine, gênant ou douloureux lorsqu'on se penche, qu'on tousse ou qu'on soulève une charge. La sensation ressentie ressemble à une lourdeur ou à un étirement.

La *hernie étranglée* se produit lorsque les tissus qui font protusion à travers la paroi abdominale sont comprimés et par conséquent privés de sang. Les tissus affectés meurent puis enflent, occasionnant une violente douleur. Cet état de choses peut mettre la vie du sujet en danger. Si vous croyez souffrir d'une hernie étranglée, consultez le médecin de toute urgence.

La *hernie hiatale* affecte le *hiatus,* soit l'ouverture du diaphragme, en forme de goulot, par laquelle l'œsophage s'engage dans l'estomac. Si cette ouverture est trop large, une partie de l'estomac peut s'y glisser et s'engager dans la paroi thoracique : c'est la hernie hiatale. Elle occasionne des brûlures d'estomac, des éructations, des douleurs thoraciques et des régurgitations. Les hernies hiatales sont fréquentes ; elles se produisent chez environ 25 p. 100 des personnes de plus de 50 ans. La plupart du temps, cependant, elles sont mineures et asymptomatiques. Une hernie hiatale n'est pas douloureuse en soi, mais elle force la nourriture et les sucs gastriques à refluer vers l'œsophage, ce qui occasionne parfois des brûlures d'estomac, de l'indigestion et des douleurs thoraciques. L'obésité aggrave ces symptômes.

Autotraitement

Pour la hernie inguinale

On ne peut ni prévenir ni guérir soi-même la hernie inguinale. Si votre médecin diagnostique une hernie inguinale qui n'est cependant pas incommodante, il n'y a aucune précaution particulière à prendre. Le port d'un corset ou d'un bandage herniaire peut apporter quelque soulagement, mais il ne réduira pas le volume d'une hernie et ne la guérira pas.

Pour la hernie hiatale

- Perdez du poids si vous faites de l'embonpoint.
- Suivez les instructions de la page **74** pour prévenir les brûlures d'estomac.

Soins médicaux

Si votre hernie est douloureuse ou si elle vous incommode, consultez votre médecin ; il vous dira si une intervention chirurgicale est recommandée.

Mise en garde

Si vous ne pouvez pas remédier à la situation en repoussant l'intumescence vers l'intérieur, le sang pourrait ne pas irriguer cette partie de l'intestin. Les symptômes de cette complication incluent la nausée, le vomissement et de violentes douleurs. Laissée sans traitement, cette hernie pourrait occasionner une occlusion intestinale et, dans de rares cas, une dangereuse infection. Si vous ressentez l'un ou l'autre de ces symptômes, consultez votre médecin.

Problèmes courants

L'indigestion et les brûlures d'estomac

« Indigestion » est un terme générique qui sert à désigner tout type d'inconfort gastrique à la suite d'un repas. L'indigestion n'est pas une maladie, mais un ensemble de symptômes allant de l'inconfort pur et simple à une sensation de brûlure dans la partie supérieure de l'estomac, à des nausées, des ballonnements ou une impression de satiété que l'éructation parvient dans certains cas à soulager.

Il est parfois difficile de déterminer la cause exacte d'une indigestion. Chez certaines personnes, la consommation d'alcool ou d'aliments particuliers suffit à la déclencher. D'autres éprouvent quotidiennement des ennuis gastriques.

La forme la plus fréquente d'indigestion est la brûlure d'estomac. Chaque jour, quelque 10 p. 100 des adultes ressentent des brûlures d'estomac, dont l'appellation technique est « reflux gastro-œsophagien ». Ce malaise survient lorsque les sucs gastriques refluent vers l'œsophage. Un goût acide et l'impression que la nourriture remonte dans la gorge accompagnent parfois la sensation de brûlure localisée derrière le sternum.

Pourquoi ce reflux se produit-il? En temps normal, lorsque nous mangeons, une ceinture musculaire appelée « sphincter », située à l'extrémité inférieure de l'œsophage, ferme l'estomac tout en permettant à la nourriture d'y pénétrer au moment de la déglutition. Quand le sphincter se relâche trop ou qu'il manque de tonus, les sucs gastriques peuvent refluer dans l'œsophage et occasionner des irritations.

Plusieurs facteurs sont à l'origine de ce reflux. Chez une personne qui fait de l'embonpoint, l'excès de tissus adipeux opère une trop forte pression sur l'abdomen. Certains médicaments, certains aliments ou boissons peuvent détendre le sphincter œsophagien ou irriter l'œsophage. Les excès de table ou l'habitude de s'étendre immédiatement après les repas peuvent également favoriser le reflux.

Autotraitement

Pour prévenir les brûlures d'estomac, rien ne vaut un changement dans nos habitudes alimentaires.

- Maintenez un poids santé. Si vous faites de l'embonpoint, perdez du poids.
- Préférez les repas plus légers et plus fréquents.
- Évitez les aliments et les boissons qui détendent le sphincter œsophagien ou qui irritent l'œsophage (aliments à haute teneur en gras, alcool, boissons caféinées ou gazeuses, café décaféiné, menthe poivrée, menthe verte, ail, oignon, cannelle, chocolat, agrumes et jus d'agrumes, tomates et dérivés).
- Ne mangez pas pendant au moins 2 ou 3 heures avant de vous étendre ou d'aller dormir.
- Cessez de fumer.
- Portez des vêtements lâches et évitez les ceintures trop serrées.
- Évitez de vous accroupir ou de vous pencher trop souvent, et évitez les exercices violents pendant 1 heure après avoir mangé.
- Les antiacides en vente libre apportent quelque soulagement en neutralisant provisoirement les sucs gastriques. Toutefois, l'abus ou l'utilisation prolongée d'antiacides contenant du magnésium peut causer de la diarrhée. Les produits à base de calcium ou d'aluminium sont causes de constipation.

Les médicaments tels que Pepcid, Tagamet ou Zantac soulagent efficacement ou aident à prévenir les brûlures d'estomac en diminuant la sécrétion des acides gastriques. Ces médicaments sont offerts en vente libre ou sur ordonnance.

Soins médicaux

La plupart des ennuis gastriques et des brûlures d'estomac sont occasionnels et sans gravité. Mais si le malaise persiste ou revient quotidiennement, vous ne devez pas en ignorer les symptômes. Laissées sans soins, les brûlures d'estomac chroniques peuvent causer des lésions dans la région inférieure de l'œsophage et compliquer la déglutition. Dans de rares cas, les brûlures d'estomac graves peuvent évoluer vers le syndrome de Barrett, qui accroît les risques de cancer.

Les symptômes de brûlures d'estomac et d'indigestion sont parfois l'indice d'une affection latente plus grave. Consultez votre médecin si vos symptômes sont sévères ou persistants, ou si vous éprouvez de la difficulté à avaler.

■ Le côlon irritable

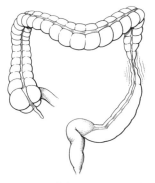

Un spasme de la paroi intestinale peut causer des douleurs abdominales et d'autres symptômes incommodants associés au syndrome du côlon irritable.

Le côlon irritable est une affection médicale encore mal comprise. Elle est désagréable, douloureuse et parfois embarrassante, mais elle ne menace pas la vie du sujet. Aux dires de certains médecins, le côlon irritable entraîne le même taux d'absentéisme que le rhume.

Les adolescents, les jeunes enfants et les femmes sont plus sujets à ce problème que les hommes. Environ 1 Nord-Américain sur 5 présente des symptômes de côlon irritable, mais moins de la moitié d'entre eux consultent.

Les spécialistes ne parviennent pas à déterminer la cause exacte du côlon irritable, mais ils croient que cette affection est associée à des spasmes musculaires anormaux de l'estomac ou de l'intestin. Si un grand nombre de personnes l'attribuent au stress et à la dépression, ces émotions ne contribuent en fait qu'à l'aggraver.

Les symptômes incluent des douleurs abdominales, de la diarrhée, de la constipation, des ballonnements, de l'indigestion et de la flatulence. Bien que l'évacuation des selles apporte un certain soulagement au sujet, celui-ci a souvent l'impression de ne pas parvenir à vider complètement ses intestins. Les selles sont soit en forme de rubans et imprégnées de mucus, soit petites, rondes et dures. On note souvent une alternance de diarrhée et de constipation.

Autotraitement

Bien qu'aucun traitement ne puisse venir à bout du côlon irritable, on peut en soulager les symptômes par une diète appropriée et de bonnes habitudes de vie :

- Surveillez votre alimentation. Évitez les aliments qui aggravent vos symptômes ou ne les consommez qu'en petites quantités. Les irritants les plus connus sont le tabac et l'alcool, de même que les aliments, les boissons et les médicaments contenant de la caféine, le café décaféiné, les mets épicés, les jus de fruits concentrés, les fruits et les légumes crus, les aliments à haute teneur en gras et les édulcorants tels que le sorbitol et le mannitol.
- Augmentez votre apport en fibres en consommant des fruits frais, des légumes et des aliments à grains entiers. Augmentez graduellement la proportion de fibres dans votre alimentation afin d'éviter la flatulence et les ballonnements.
- Buvez beaucoup de liquides — au moins 8 à 10 verres par jour.
- Pour réduire les diarrhées et la constipation, recourez à des suppléments de fibres contenant du psyllium (Metamucil ou Konsyl).
- Pour réduire le stress, faites de l'exercice ou du sport, ou pratiquez des activités de détente.
- L'Imodium ou le Kaopectate, disponibles en vente libre, réduiront la diarrhée.

Soins médicaux

Si ces mesures ne suffisent pas à soulager vos symptômes, consultez un médecin qui vous prescrira un antispasmodique. Si la dépression est partiellement responsable de vos malaises, un traitement contre la dépression pourrait vous soulager.

Puisque les symptômes du côlon irritable ressemblent à ceux d'affections plus graves telles que le cancer, les maladies de la vésicule biliaire et les ulcères, vous devriez consulter votre médecin si vous ne constatez pas d'amélioration de votre état deux semaines après le début d'un autotraitement.

Problèmes courants

La nausée et les vomissements

La nausée et les vomissements sont des symptômes courants et désagréables de toute une gamme de problèmes le plus souvent bénins.

La nausée accompagnée de vomissements est habituellement l'indice d'une infection virale : la gastroentérite. Ce malaise s'accompagne souvent de diarrhée, de crampes abdominales, de ballonnements et de fièvre. Parmi les autres causes de la nausée et des vomissements, notons l'intoxication alimentaire, la grossesse, certains médicaments et la gastrite (voir page **71**).

Autotraitement

Dans les cas de gastroentérite, la nausée et les vomissements durent en général de quelques heures à 2 ou 3 jours. La diarrhée et les crampes abdominales sont parfois présentes. Pour obtenir un soulagement et pour éviter la déshydratation, suivre les instructions ci-dessous.

- Jeûnez pendant quelques heures pour donner à l'estomac le temps de se replacer.
- Sucez des glaçons ou sirotez un thé faible, une boisson gazeuse (Seven-Up ou Sprite), un bouillon ou une boisson sans caféine (genre Gatorade) pour prévenir la déshydratation. Buvez de 1 à 2 litres (8 à 16 verres) de liquides par jour, en prenant fréquemment de petites gorgées.
- Ajoutez graduellement des aliments semi-solides et à faible teneur en fibres (biscuits au soda, Jell-O, pain grillé, œufs, riz ou poulet). Cessez de manger si la nausée revient.
- Pendant quelques jours, évitez les produits laitiers, la caféine, l'alcool, la nicotine et les mets épicés ou riches en gras.

Soins médicaux

Des vomissements persistants peuvent entraîner la déshydratation, l'aspiration d'aliments dans les bronches ou, en de rares circonstances, une rupture de l'œsophage. Les bébés, les personnes âgées et les personnes dont le système immunitaire est affaibli sont particulièrement susceptibles de connaître de telles complications. Contactez un professionnel de la santé si vous ne pouvez rien boire pendant 24 heures, si les vomissements persistent plus de 2 ou 3 jours, si vous êtes déshydraté ou si vous vomissez du sang. On reconnaît la déshydratation à une soif extrême, une bouche sèche, peu ou pas de mictions, une grande faiblesse, des étourdissements ou des vertiges. Les vomissements sont parfois le symptôme d'une affection plus grave, notamment un problème de vésicule biliaire, un ulcère ou une occlusion intestinale.

Les enfants

Tous les bébés régurgitent, sans en être incommodés pour autant. Mais le vomissement est épuisant ; il peut entraîner la déshydratation et une perte de poids.

Pour prévenir la déshydratation, couchez le bébé à plat ventre de 30 à 60 minutes ; ensuite, offrez-lui de petites quantités de liquide. Si vous l'allaitez, donnez-lui le sein. Si le bébé boit à la bouteille, donnez-lui un peu de lait maternisé ou une solution d'électrolyte (Pedialyte, Gastrolyte ou Infalyte).

Si les vomissements cessent, continuez de le faire boire modérément ou donnez-lui le sein toutes les 15 ou 30 minutes. Contactez un professionnel de la santé si les vomissements persistent plus de 12 heures ou si l'enfant :

- n'a pas mouillé sa couche depuis 8 heures ;
- a la diarrhée ou présente des selles sanglantes ;
- a la bouche sèche ou pleure sans verser de larmes ;
- est inhabituellement somnolent, léthargique ou indifférent à la stimulation.

Certains nouveau-nés souffrent d'un trouble appelé sténose pylorique, qui peut occasionner des vomissements répétés et explosifs. Cette affection apparaît dans la deuxième ou troisième semaine de vie et nécessite une intervention médicale.

■ Les ulcères

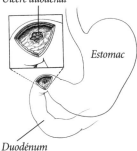

Ulcère duodénal

Estomac

Duodénum

L'ulcère duodénal est la forme la plus courante de l'ulcère. Il affecte le duodénum.

Les ulcères sont des perforations ou des fissures de la paroi de l'œsophage, de l'estomac ou de l'extrémité supérieure de l'intestin (duodénum).

On ne sait pas encore très bien à quoi attribuer l'ulcère. Des découvertes récentes permettent de supposer que la bactérie Hélicobacter pylori *(H. pylori)* y joue un rôle important. Il semble aussi y avoir des facteurs familiaux. Mais l'idée reçue selon laquelle le stress psychologique provoquerait des ulcères est sans fondement.

Les ulcères peuvent être très douloureux. Les symptômes incluent une sensation de brûlure à la base du sternum, des crampes similaires à celles qu'occasionne la faim, une douleur agaçante et des nausées. L'ulcère peut parfois provoquer des éructations ou des ballonnements, en particulier lorsque l'estomac est vide. Si le fait de manger soulage temporairement les symptômes, ceux-ci reviennent 1 ou 2 heures plus tard.

Dans les cas graves, l'ulcère peut saigner. On note alors la présence de sang dans le vomi ou des selles noires et goudronneuses. Dans de très rares cas, l'ulcère perfore la paroi stomacale et occasionne de violentes douleurs abdominales.

Autotraitement

L'alimentation et un usage judicieux des médicaments peuvent prévenir ou soulager les ulcères.
- Si vous recourez à des analgésiques, préférez l'acétaminophène à l'aspirine, à l'ibuprofène, au kétoprofène et au naproxène sodique, qui favorisent la formation des ulcères.
- Évitez l'alcool, les aliments, les boissons et les médicaments contenant de la caféine de même que le café décafeiné.
- Cessez de fumer.
- Mangez de petites portions et ne restez pas l'estomac vide pendant de longues périodes.
- Évitez les aliments épicés ou gras s'ils semblent aggraver vos symptômes.
- Recourez à des antiacides en vente libre pour neutraliser les acides gastriques ou à des médicaments inhibiteurs d'acides gastriques tels que Pepcid, Tagamet ou Zantac.

Soins médicaux

Certains ulcères guérissent facilement grâce à une alimentation judicieuse et à des médicaments en vente libre. Si vous ne constatez aucune amélioration au bout d'une semaine ou si vos ulcères sont récurrents et douloureux, consultez un professionnel de la santé ; il procédera à des examens plus approfondis et vous prescrira une médication appropriée.

Le diagnostic nécessite une visualisation de l'ulcère, soit par radiographie (repas baryté) ou par gastroscopie, mais le médecin pourrait aussi vous traiter uniquement sur la base des symptômes présents.

Un ulcère perforé peut occasionner une importante perte de sang. Si vous vomissez du sang, si vous évacuez des selles noires et goudronneuses ou si la douleur est intense, consultez immédiatement.

Un nouveau traitement pour l'ulcère gastro-duodénal

Une association de deux médicaments est la thérapeutique la plus récente dans le traitement d'une affection longtemps mal comprise. La Food and Drug Administration (FDA) des États-Unis autorise maintenant la prise de Losec, un inhibiteur d'acides gastriques, en association avec un antibiotique appelé Biaxin dans le traitement de l'ulcère gastro-duodénal. Le traitement consiste en la prise combinée des deux médicaments pendant 14 jours, suivie de la prise de l'inhibiteur d'acides gastriques pendant 13 jours. Cette approche nouvelle se révèle efficace dans le traitement d'une affection qui a longtemps été considérée incurable.

Problèmes courants

Les oreilles et l'ouïe

Toute l'oreille n'est pas visible. L'oreille externe — que l'on peut voir — est reliée à l'intérieur de la tête par l'oreille moyenne et l'oreille interne. Ce réseau est ce qui nous permet d'entendre et de conserver notre équilibre.

Le fonctionnement de l'oreille

L'oreille est un organe délicat conçu spécialement pour transmettre des signaux sonores au cerveau. Lorsque les ondes sonores parcourent le conduit auditif, le tympan et les trois osselets qui lui sont rattachés vibrent. Cette vibration rejoint l'oreille moyenne et l'oreille interne, et produit des impulsions sonores qui sont transmises au cerveau sous forme de sons.

L'air pénètre dans l'oreille moyenne par la trompe d'Eustache. Pour que le tympan et les osselets puissent vibrer et transmettre des ondes sonores, la pression de l'air dans l'oreille moyenne doit être égale à celle de l'air ambiant. Lorsque du liquide s'accumule dans l'oreille moyenne, le tympan et les osselets ne peuvent pas vibrer correctement. C'est pourquoi une infection de l'oreille peut occasionner une surdité temporaire.

Dans ce chapitre, nous décrivons certains problèmes courants qui affectent l'oreille.

Tympan

Oreille interne

Oreille moyenne

Oreille externe

Trompe d'Eustache

■ L'otite barotraumatique (otite des aviateurs)

L'otite barotraumatique est une affection due aux fluctuations de la pression barométrique. Elle est fréquente chez les personnes qui prennent l'avion ou qui font de la plongée sous-marine tout en souffrant de congestion nasale, d'allergies, d'un rhume ou d'une infection de la gorge. L'otite barotraumatique peut n'affecter qu'une seule oreille, occasionner de la douleur une surdité légère ou une sensation de congestion. Cela est dû au fait que le tympan augmente de volume sous l'effet d'une fluctuation de la pression barométrique. Il n'est pas nécessaire de modifier ou de retarder un départ en avion si l'on souffre d'une infection de l'oreille ou d'un rhume.

Autotraitement	• Prendre un décongestionnant nasal une heure avant le décollage et une heure avant l'atterrissage pour prévenir l'occlusion de la trompe d'Eustache. • Pendant le vol, sucer des bonbons durs ou mâcher de la gomme pour encourager la déglutition. La déglutition tend à dégager la trompe d'Eustache. • Si les oreilles se bouchent à la descente, inhaler, puis exhaler doucement en pinçant les narines et en gardant la bouche fermée. Il est préférable de déglutir en même temps. • N'oubliez pas qu'il est préférable de prévenir la douleur que de s'efforcer de l'enrayer quand elle est déjà installée.
Soins médicaux	Si vos symptômes ne disparaissent pas au bout de quelques heures, consultez votre médecin.
Les enfants	Assurez-vous que les bébés et les jeunes enfants boivent (déglutissent) pendant le décollage et l'atterrissage. Donnez-leur un biberon ou une tétine pour encourager la déglutition. Trente minutes avant le décollage, une prise d'acétaminophène réduira le malaise qu'ils pourraient ressentir. Les décongestifs ne sont pas indiqués.

Présence d'un corps étranger dans l'oreille

La présence d'un corps étranger dans l'oreille peut être douloureuse et même entraîner la surdité. En général, un corps étranger dans le conduit auditif ne passe pas inaperçu, mais les jeunes enfants pourraient ne pas en être conscients.

Autotraitement

Voici les étapes à suivre advenant la présence d'un corps étranger dans l'oreille :
- Ne tentez pas de l'en déloger avec un coton-tige, une allumette ou un autre instrument, car vous risqueriez de le pousser plus profondément dans le conduit auditif et d'endommager la structure fragile de l'oreille moyenne.
- Si l'objet est visible, flexible et qu'il peut aisément être saisi avec une pince à épiler, retirez-le délicatement.
- Faites jouer la gravité : penchez la tête du côté affecté. Ne donnez pas de coups sur la tête du sujet, mais secouez-la délicatement vers le bas pour déloger l'objet.
- S'il s'agit d'un insecte, tournez la tête du sujet pour orienter son oreille vers le haut. Tentez de noyer l'insecte en versant dans l'oreille de l'huile minérale, de l'huile d'olive ou de l'huile pour bébé. L'huile devrait être tiède, et non pas chaude. Il vous sera plus facile de verser l'huile si vous redressez le canal auditif en tirant le lobe vers l'arrière et vers le haut. En se noyant, l'insecte devrait flotter à la surface.
- N'utilisez pas d'huile pour déloger un objet autre qu'un insecte, ni si vous soupçonnez une perforation du tympan (douleur, sang ou pus).

Soins médicaux

Si ces méthodes échouent ou si le sujet éprouve des douleurs à l'oreille, une perte auditive ou l'impression qu'un objet est toujours logé dans son oreille, consultez un médecin.

La perforation du tympan

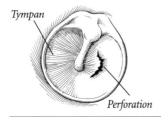

Tympan

Perforation

Le tympan peut se perforer en raison d'une infection ou d'un trauma. Les symptômes en sont les suivants : douleur à l'oreille, surdité partielle, léger saignement ou écoulement de pus. Lorsqu'une infection est présente, la douleur s'estompe souvent quand le tympan se perfore et laisse s'écouler un fluide ou du pus. Habituellement, la perforation guérit spontanément en ne causant que peu ou pas de surdité. Les perforations plus étendues peuvent causer des infections récurrentes. Si vous soupçonnez une perforation du tympan, consultez votre médecin sans délai. Entre-temps, suivez les étapes ci-dessous.

Autotraitement

- L'aspirine, ou tout autre analgésique sécuritaire, soulagera quelque peu la douleur. Ne pas donner d'aspirine aux enfants.
- Appliquez un coussin chauffant tiède sur l'oreille.
- Ne vous rincez pas l'oreille.

Soins médicaux

Votre médecin pourrait prescrire un antibiotique afin de prévenir l'infection de l'oreille moyenne. Parfois, on place un timbre de plastique ou de papier sur le tympan pour obturer la perforation jusqu'à la cicatrisation. Le tympan guérit en 2 mois environ. Si la guérison tarde au-delà de 2 mois, une légère intervention chirurgicale s'imposera sans doute pour réparer la perforation.

■ Les infections de l'oreille (otites)

De nombreux parents doivent composer avec les infections de l'oreille de leurs jeunes enfants. C'est là une occurrence presque aussi fréquente que le changement des couches. Sept enfants sur 10 souffrent au moins une fois d'une infection de l'oreille (otite moyenne) avant l'âge de 3 ans, et un tiers d'entre eux souffrent d'otites à répétition.

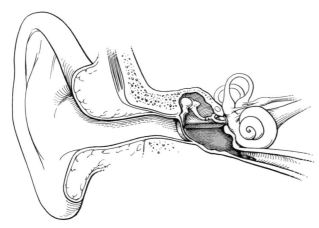

L'accumulation de fluides dans l'oreille moyenne favorise la multiplication des bactéries.

Une recherche effectuée en 1996 par la Clinique Mayo signale une hausse des cas d'otite. Selon ce rapport de recherche, de 1975 à 1990, les consultations médicales pour cause d'infections de l'oreille chez les enfants nord-américains de moins de 2 ans ont triplé, tandis qu'elles ont doublé pour les enfants de 2 à 5 ans.

La plupart du temps, l'otite ne provoque pas de surdité permanente. Mais certaines infections non traitées peuvent se propager à d'autres régions de l'oreille, notamment à l'oreille interne. Les infections de l'oreille moyenne peuvent endommager le tympan, les osselets et la structure de l'oreille interne, et provoquer la surdité. Une otite débute le plus souvent par une infection respiratoire telle que le rhume. Le rhume provoque l'enflure et l'inflammation des sinus et des trompes d'Eustache. Puisque les trompes d'Eustache sont plus courtes et plus étroites chez l'enfant que chez l'adulte, il est plus probable que l'inflammation obstrue complètement la trompe et que des fluides s'accumulent dans l'oreille moyenne de l'enfant. Cette accumulation de fluides est douloureuse et favorise la multiplication des bactéries. Il s'ensuit une otite moyenne.

Autotraitement

- Les analgésiques en vente libre tels que l'ibuprofène ou l'acétaminophène sont efficaces (si votre enfant est âgé de moins de 2 ans, consultez un professionnel de la santé).
- Les gouttes anesthésiques soulageront quelque peu la douleur, mais elles ne préviendront ni n'enrayeront l'infection. Elles **ne doivent pas** être utilisées si l'on constate une suppuration.
- Pour administrer des gouttes : réchauffer d'abord la bouteille à l'eau tiède et étendre l'enfant sur une surface plane (ne pas le tenir dans vos bras ou l'étendre sur vos genoux), orienter l'oreille vers le haut et insérer la préparation médicamenteuse à l'aide d'un compte-gouttes.
- Appliquer sur l'oreille une compresse humide tiède (non pas chaude) ou un coussin chauffant (réglé au plus bas).

Soins médicaux

Si la douleur persiste plus d'une journée ou si elle s'accompagne de fièvre, consultez votre médecin. On traite en général les otites par la prise d'antibiotiques. Même si l'enfant se sent mieux au bout de quelques jours, n'interrompez pas le traitement. Un traitement aux antibiotiques dure en général 10 jours.

Le pour et le contre de l'insertion d'un drain

Les otites à répétition nécessitent parfois une intervention chirurgicale. Le chirurgien insère un petit tube de plastique dans le tympan afin de faciliter le drainage du pus.

Pour
- L'intervention réduit la fréquence des infections.
- L'ouïe redevient normale.
- La chirurgie permet une meilleure aération de l'oreille moyenne et réduit le risque de lésions permanentes à

la paroi de l'oreille moyenne que favoriserait une infection prolongée.

Contre
- Une légère anesthésie générale est requise.
- Il faut éviter tout contact avec l'eau tant que le drain est présent dans l'oreille.
- Dans des cas très rares, on constate une perforation permanente du tympan ou une scarification des tissus.

Questions fréquemment posées concernant les otites moyennes chez les enfants

Quels sont les facteurs de risque ?

Bien que tous les enfants soient susceptibles de souffrir d'infections de l'oreille, les enfants les plus à risque sont :
- les garçons ;
- les enfants dont les frères et sœurs sont sujets aux otites à répétition ;
- les enfants qui souffrent d'une première otite avant l'âge de 4 mois ;
- les enfants en garderie ;
- les enfants qui sont exposés à la fumée de cigarette ;
- les enfants d'origine amérindienne, alaskienne ou inuite ;
- les enfants qui souffrent fréquemment d'infections des voies respiratoires ;
- les enfants nourris au biberon plutôt qu'au sein.

Quels sont les symptômes de l'otite ?

En plus de la douleur et d'une sensation de pression et de congestion de l'oreille, on note chez certains enfants une surdité provisoire. Surveillez l'apparition d'autres symptômes de l'otite tels que l'irritabilité, une perte d'appétit soudaine, une élévation de la température quelques jours après le début d'un rhume, de la nausée, des vomissements ou l'envie de dormir en position assise. Vous pourriez aussi constater que l'oreille suppure et que l'enfant a tendance à la manipuler.

La prise d'antibiotiques est-elle recommandée ?

Puisque la plupart des otites se résorbent spontanément, votre médecin voudra sans doute attendre avant de prescrire un antibiotique, particulièrement si l'enfant présente peu de symptômes. Dans d'autres cas, il voudra enrayer l'infection sur-le-champ. Les symptômes s'atténuent en général dans les 2 ou 3 jours du début du traitement.

Respectez les instructions et n'interrompez pas le traitement. Si vous l'interrompez quand l'enfant montre des signes de guérison, vous permettrez aux bactéries les plus résistantes de se multiplier et de causer une infection secondaire. Les bactéries survivantes sont peut-être porteuses d'un gène qui les rend résistantes aux antibiotiques.

Si les symptômes ne s'atténuent pas ou si l'enfant a moins de 15 mois, le médecin recommandera un suivi. Si l'enfant est plus âgé et que ses symptômes ont disparu, le suivi ne sera sans doute pas nécessaire, en particulier si l'enfant ne souffre pas d'otites à répétition.

Autotraitement

L'otite ne nécessite pas des soins d'urgence, mais c'est dans les premières 24 heures que l'irritabilité et la douleur de l'enfant atteignent leur point culminant. Suivez les instructions de la page 80. Pour réconforter l'enfant, ne sous-estimez pas les bienfaits des caresses.

Qu'en est-il des otites à répétition ?

Le temps et un traitement aux antibiotiques suffisent en général à guérir l'otite. Mais il arrive que l'infection de l'oreille devienne chronique. Si c'est le cas, demandez à votre médecin si un traitement prophylactique (préventif) serait recommandé. L'accumulation récurrente de fluides dans l'oreille pourrait entraîner une surdité temporaire ou même permanente, et nuire à l'apprentissage du langage.

Peut-on prévenir l'otite ?

Il n'est pas facile de prévenir l'otite, mais vous pouvez prémunir l'enfant contre les infections en procédant comme suit :
- Allaitez le bébé au sein le plus longtemps possible plutôt que de lui donner le biberon.
- Tenez l'enfant à la verticale pour lui donner son biberon.
- Évitez d'exposer l'enfant à la fumée de cigarette.

L'enfant devient-il moins sujet à l'otite en vieillissant ?

À mesure que l'enfant vieillit, les trompes d'Eustache augmentent de volume et se redressent, facilitant ainsi un meilleur drainage des sécrétions et des fluides. Si des infections peuvent encore se produire, elles seront moins fréquentes qu'au cours des premières années de vie.

Où en sont les recherches dans le traitement des infections de l'oreille ?

En plus du traitement aux antibiotiques, certains traitements en cours d'évaluation font appel à des anti-inflammatoires du type de la cortisone, tels que la prednisone, mais on n'a pas encore pu déterminer les cas où cette médication est la plus efficace. On envisage aussi la possibilité d'administrer un antibiotique par injection unique quand la prise de comprimés se révèle peu pratique. Enfin, on évalue également l'efficacité des vaccins antigrippaux dans le traitement de l'otite.

■ Les acouphènes

Un tintement de cloche, un bourdonnement ou un sifflement dans l'oreille en l'absence de sons ambiants peut avoir plusieurs causes, dont la présence de cérumen ou d'un corps étranger, une infection ou l'exposition à des bruits excessifs. Ces acouphènes peuvent aussi être causés par de fortes doses d'aspirine ou de caféine. Les acouphènes sont rarement le symptôme d'un problème d'oreille plus grave ; ils sont alors associés à d'autres symptômes tels que la surdité ou le vertige.

Autotraitement
- Si l'on vous a prescrit de fortes doses d'aspirine (plus de 12 par jour), demandez un substitut à votre médecin. Si vous prenez de l'aspirine sans avis du médecin, diminuez la dose ou changez pour un médicament équivalent en vente libre.
- Évitez la nicotine, la caféine et l'alcool, qui peuvent aggraver la situation.
- Efforcez-vous de déterminer la cause des acouphènes (par exemple, un bruit excessif) et évitez de vous y exposer.
- Portez des bouchons dans les oreilles ou une autre forme de protection si vous devez vous exposer à des bruits excessifs, par exemple, lorsque vous travaillez dans le jardin (tondeuse, souffleuse à feuilles, etc.).
- Certaines personnes obtiennent un soulagement en masquant les acouphènes par des sonorités plus agréables (par exemple, en écoutant de la musique ou la radio au moment de s'endormir).
- D'autres personnes gagneraient à porter un masqueur d'acouphènes, c'est-à-dire un appareil que l'on insère dans l'oreille et qui produit des bruits blancs.

Soins médicaux
Si la situation empire, persiste ou s'accompagne de surdité ou de vertiges, faites-vous examiner par votre médecin ; un examen plus approfondi s'impose peut-être. Bien que les acouphènes soient la plupart du temps dus à des causes bénignes, ils sont difficiles à traiter.

■ L'otite des piscines

L'otite des piscines est une infection du conduit auditif externe. En plus des douleurs et de la démangeaison, on constate un écoulement de liquide clair ou une suppuration jaunâtre et une surdité temporaire. L'otite des piscines est due à la présence constante d'humidité dans l'oreille ou, parfois, à la nage en milieu pollué. D'autres inflammations ou infections similaires se produisent lorsqu'on nettoie le conduit auditif ou lorsque de la laque ou de la teinture pour les cheveux y pénètrent. Certaines personnes sont sujettes aux infections bactériennes ou fongiques.

Autotraitement
Si la douleur est supportable et que l'oreille ne suppure pas, faites ce qui suit :
- Appliquez un coussin chauffant tiède (non pas chaud) sur l'oreille.
- Prenez de l'aspirine ou un autre analgésique (respectez la posologie).
- Pour prévenir l'otite des piscines, gardez autant que possible les conduits auditifs secs, évitez les irritants et ne nettoyez pas les conduits auditifs, sauf sur avis du médecin.

Les soins médicaux
En cas de douleur vive, d'enflure, de fièvre, de suppuration ou d'une affection latente, consultez. Votre médecin voudra sans doute nettoyer le conduit auditif à l'aide d'une sonde douce ou d'une poire de succion. Il prescrira aussi des gouttes ou des médicaments contre l'infection et la douleur. Gardez l'oreille au sec jusqu'à guérison complète.

■ Les bouchons de cérumen

Le cérumen est une substance qui fait partie du système de défense de l'organisme. Il capture la poussière et les autres corps étrangers, protège le conduit auditif et inhibe la prolifération des bactéries. Chez certains individus, l'oreille sécrète trop de cérumen et celui-ci obstrue le conduit auditif, ce qui se traduit par des maux d'oreilles ou des tintements. L'accumulation de cérumen peut aussi entraîner une surdité temporaire.

Autotraitement

- Quelques gouttes d'huile de bébé, d'huile minérale ou de glycérine appliquées deux fois par jour dans l'oreille pendant plusieurs jours ramolliront la cire.
- Lorsque la cire a ramolli, remplissez un bol d'eau à la température du corps (plus chaude ou plus froide, elle risque de provoquer des étourdissements).
- En gardant la tête droite, tirez l'oreille vers le haut. De l'autre main, insérez doucement l'eau tiède dans le conduit auditif externe à l'aide d'une seringue à bulbe de 90 ml (3 oz). Penchez ensuite la tête pour vider l'oreille.
- Vous devrez sans doute répéter l'opération plusieurs fois de suite pour déloger le bouchon de cérumen.
- Asséchez l'oreille externe avec une serviette ou un séchoir à cheveux.
- Il existe en pharmacie des céruminolytiques très efficaces pour déloger le cérumen.
- Si l'accumulation de cérumen est problématique, vous pouvez faire appel à d'autres remèdes maison, mais consultez votre médecin avant de les essayer. Par exemple, de 5 à 10 gouttes de Colace (un médicament en vente libre pour le traitement de la constipation des bébés) peuvent vous soulager ; mais ce produit nécessite un rinçage et doit être maintenu dans l'oreille pendant 30 minutes. Vous pouvez également rincer l'oreille avec un Water-Pik. Quelques gouttes de vinaigre dilué (moitié eau, moitié vinaigre) administrées en dernier rinçage restaurent le degré d'acidité du conduit auditif. Ce degré d'acidité contribue à enrayer la prolifération des bactéries quand l'oreille est humide. On trouve également sur le marché une préparation d'alcool et d'acide borique qui produit le même effet.

Mise en garde

Le conduit auditif et le tympan sont très délicats et sont aisément endommagés. N'y insérez aucun objet tel que des cotons-tiges, des trombones ou des épingles à cheveux.

On doit éviter d'en déloger le cérumen si le tympan a déjà subi une perforation ou une chirurgie, sauf sur avis du médecin. Si le danger d'infection vous inquiète, évitez les bains d'oreilles.

Soins médicaux

En dépit des conseils ci-dessus, bon nombre de personnes ont de la difficulté à déloger la cire de leurs oreilles. Il est sans doute préférable de confier ce soin à un professionnel de la santé. L'excès de cérumen est alors délogé à l'aide d'une sonde douce ou d'une poire de succion. Si le problème persiste, votre médecin pourrait vous conseiller d'utiliser un produit amollisseur toutes les 4 à 8 semaines.

Problèmes courants

■ La surdité due au bruit excessif

L'intensité du bruit se mesure en décibels. Une conversation normale équivaut à 60 décibels. Une conversation en milieu bruyant équivaut à 70 décibels. Une exposition prolongée à des bruits équivalant à 90 décibels ou plus endommage l'ouïe.

Autotraitement

Si vous êtes exposé au bruit qui provient d'outils à moteur, de moteurs vrombissants, de musique trop forte, d'armes à feu ou de tout appareil bruyant, vous devriez prendre les précautions suivantes :

- Portez un casque ou des protège-tympans qui répondent aux normes de sécurité en vigueur (la ouate est inefficace et pourrait se loger dans le conduit auditif). Ceux-ci amortissent les bruits jusqu'à un niveau acceptable. Vous pouvez aussi vous procurer des protège-tympans en plastique ou en caoutchouc moulé pour une protection plus efficace encore.
- Faites évaluer votre audition. Le dépistage précoce de surdité peut prévenir des dommages plus grands et irréversibles.
- Ne protégez pas vos oreilles qu'au travail, mais amortissez les bruits excessifs associés à vos activités de loisir (musique forte, concerts de rock, tir au pigeon d'argile, motoneige, etc.).
- Méfiez-vous des dangers du bruit associé aux loisirs. La surdité de perception, ou surdité neurosensorielle, secondaire aux loisirs est de plus en plus fréquente. Les activités les plus risquées sont le tir au pigeon d'argile, la conduite de véhicules de loisirs tels que la motoneige et, plus particulièrement, l'écoute de musique forte. Si votre fils ou votre fille écoute de la musique à plein volume au moyen d'un casque, le petit test suivant vous aidera à déterminer si le volume est trop élevé : si vous pouvez identifier la pièce qu'écoute votre enfant à travers son casque d'écoute, le volume est trop élevé. Apprenez à vos enfants à protéger leur ouïe afin de jouir de la musique le plus longtemps possible.

Exposition maximale aux bruits ambiants en milieu de travail selon la loi

Durée quotidienne (en heures)	Niveau de bruit (en décibels)
8	90
6	92
4	95
3	97
2	100
1 ½	102
1	105
30 minutes	110
15 minutes	115

Niveau de bruit des sons courants

Décibels	Bruit
	Niveau sécuritaire
20	Tic-tac d'une montre; bruissement de feuilles
40	Faibles bruits de rue
60	Conversation normale ; chant d'oiseau
80	Circulation intense
	Niveau risqué
85-90	Motocyclette ; motoneige
80-100	Concert de musique rock
	Niveau dangereux
120	Marteau piqueur à 1 mètre
130	Moteur à réaction à 30 mètres
140	Coup de fusil

La surdité due au vieillissement

La diminution de l'acuité auditive est un facteur de vieillissement et porte le nom de presbyacousie. Si vous, ou l'un des membres de votre famille, soupçonnez une surdité plus grave, consultez votre médecin. On vous dirigera sans doute vers un spécialiste des maladies de l'oreille ou un audiologiste (spécialiste de l'évaluation de l'acuité auditive). On peut parfois remédier à la surdité par des traitements médicaux ou la chirurgie, en particulier si le problème est localisé dans l'oreille externe ou moyenne. Si le problème se situe dans l'oreille interne, il n'y a rien à faire. Une aide auditive apportera une certaine amélioration. Les conseils ci-dessous vous aideront à choisir une aide auditive appropriée.

Avant d'acheter une aide auditive, suivez ces conseils

Des quelque 25 millions de Nord-Américains atteints de surdité totale ou partielle, environ 5,8 millions ont recours à une aide auditive. Le coût d'un appareil de correction auditive peut être coûteux, mais s'il vous permet de mieux entendre et améliore votre qualité de vie, le coût en vaut la peine. Toutefois, selon la Food and Drug Administration (FDA) des États-Unis, le degré d'insatisfaction des utilisateurs est très élevé. Les plaintes touchent l'ajustement inadéquat, la pauvreté du service après-vente et une amélioration de l'ouïe qui ne correspond pas aux attentes.

Voici quelques conseils concernant l'acquisition d'une aide auditive :

- **Subissez un examen médical et un examen de l'ouïe.** Avant de vous procurer une aide auditive, faites-vous examiner par un médecin, de préférence un oto-rhino-laryngologiste. Il est préférable de subir cet examen 6 mois avant l'achat d'un appareil de correction auditive. L'examen déterminera si vous souffrez d'une affection qui vous empêche d'en porter un.
- **Faites affaire avec un audioprothésiste réputé.** Si vous ne subissez pas un audiogramme (test de l'ouïe) en clinique, l'audioprothésiste s'en chargera. Il prendra ensuite une empreinte de votre oreille, choisira le modèle d'aide le plus approprié et veillera à son ajustement. Ce sont là des tâches complexes, et le niveau d'aptitude des audioprothésistes varie. N'hésitez pas à consulter votre association locale de consommateurs pour savoir si l'audioprothésiste a fait l'objet de griefs ou de plaintes, et méfiez-vous des consultations gratuites et des audioprothésistes qui n'ont qu'une marque d'appareils de correction auditive à offrir.
- **Méfiez-vous des publicités trompeuses.** Pendant des années, un certain nombre de manufacturiers et de distributeurs ont prétendu que leurs appareils permettaient de mieux entendre la voix en éliminant les bruits de fond. Cette technologie n'existe pas encore. Certaines aides auditives plus récentes abaissent le niveau de bruit ambiant, ce qui rend le port de l'appareil en milieu bruyant légèrement plus confortable. Mais aucune aide auditive ne parvient à isoler du bruit ambiant la voix que l'on désire entendre.
- **Demandez une période d'essai.** Demandez à l'audioprothésiste d'évaluer par écrit le coût d'une période d'essai et assurez-vous que ce montant sera crédité du coût de l'achat.
- **Subissez un examen de rappel.** Pour vous assurer que votre appareil de correction auditive vous aide vraiment à mieux entendre, subissez un second examen pendant que vous le portez.
- **Lisez attentivement les conditions de la garantie.** L'aide auditive devrait être couverte par une garantie de 1 à 2 ans qui touche les défauts de fabrication et la main-d'œuvre.

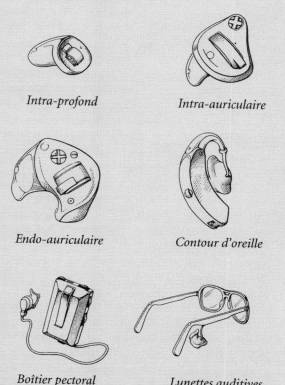

Intra-profond

Intra-auriculaire

Endo-auriculaire

Contour d'oreille

Boîtier pectoral

Lunettes auditives

Le guide de la santé

Les yeux et la vue

Nos yeux nous sont indispensables en tout temps. Pour cette raison, toute affection des yeux doit être traitée sur-le-champ. Heureusement, la plupart du temps, ces problèmes sont plus gênants que graves.

L'acuité visuelle décroît avec l'âge, en même temps que s'accroît le risque de contracter une maladie oculaire grave. Certains troubles visuels ne peuvent être prévenus, mais une médication appropriée ou la chirurgie peuvent ralentir ou enrayer leur progression. Dans cette section, nous abordons les troubles visuels les plus fréquents et nous examinons certains des aspects du déclin de l'acuité visuelle.

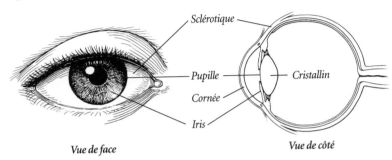

Vue de face — Vue de côté

Sclérotique — *Pupille* — *Cristallin* — *Cornée* — *Iris*

◼ L'œil au beurre noir

Ce que l'on nomme communément œil au beurre noir est un épanchement de sang au pourtour des yeux. Il arrive que l'œil au beurre noir soit l'indice d'une blessure grave, voire d'une fracture du crâne, surtout si les ecchymoses affectent les deux yeux ou s'il y a eu trauma crânien. Bien que la plupart des blessures soient sans gravité, une hémorragie oculaire, qui porte le nom d'hyphéma, est grave et peut entraîner une diminution de l'acuité visuelle ainsi que des lésions à la cornée. Dans certains cas, le glaucome s'ensuit (voir page **90**).

Autotraitement	• Appliquez une compresse glacée ou froide sur la région des yeux pendant 10 à 15 minutes en pressant délicatement. Assurez-vous de ne pas exercer de pression directe sur l'œil. Appliquez la compresse le plus tôt possible pour réduire l'œdème. • Assurez-vous que le blanc de l'œil et l'iris ne sont pas injectés de sang.
Soins médicaux	Consultez immédiatement un médecin dès qu'un problème se présente (double vue, vision embrouillée), que vous ressentez une douleur intense ou que vous notez un saignement de l'œil ou du nez.

Le soin des yeux

- Subissez régulièrement un examen de la vue.
- Ne négligez pas une affection chronique telle que le diabète ou l'hypertension.
- Sachez identifier les symptômes. La perte subite de vision dans un œil, la vue qui se brouille, des éclats lumineux, des points noirs, des halos ou un prisme entourant une source lumineuse peuvent être l'indice d'une affection sérieuse telle que le glaucome aigu ou la thrombose.
- Protégez vos yeux des dommages causés par le soleil. Portez des verres fumés qui bloquent les rayons UV.
- Consommez des aliments riches en vitamine A et en bêta-carotène : carottes, ignames (patates douces) et cantaloup.
- Optimisez votre vision en portant des verres appropriés.
- Soignez votre éclairage.
- Si votre vue est faible, n'hésitez pas à vous servir d'une loupe, à vous procurer des livres imprimés en gros caractères, etc.

La sécheresse des yeux

Si vos yeux brûlent, semblent irrités, ou si vous avez l'impression que du sable s'est logé sous vos paupières quand vous clignez des yeux, vos yeux sont trop secs. Peut-être constatez-vous également une rougeur. La sécrétion des larmes diminue avec l'âge. La sécheresse affecte les deux yeux, en particulier chez les femmes ménopausées. Certains médicaments (notamment les somnifères, les antihistaminiques et certains régulateurs de tension artérielle) peuvent déclencher ou aggraver la sécheresse des yeux. La sécheresse des yeux est parfois attribuable à quelques maladies rares.

Autotraitement

- Utilisez une préparation de larmes artificielles sans agents de conservation, par exemple, Cellufresh.
- N'utilisez pas de gouttes pour les yeux en vente libre pendant plus de 3 à 5 jours, car plusieurs de ces préparations assèchent les yeux.
- N'orientez pas vers vos yeux le jet d'air de votre séchoir à cheveux, de la chaufferette de la voiture ou d'un ventilateur.
- Portez des lunettes de protection lorsqu'il vente et lorsque vous faites de la natation.
- Maintenez chez vous une humidité ambiante de 30 à 50 p. 100.
- Si le malaise persiste, consultez un médecin.

Le larmoiement

Étonnamment, le larmoiement est souvent attribuable à la sécheresse et à l'irritation des yeux. Souvent, il est aussi une conséquence de la conjonctivite aiguë (voir page **88**). Les yeux larmoient en outre en réaction aux agents de conservation des gouttes pour les yeux ou des préparations nettoyantes pour lentilles cornéennes, et en raison d'une occlusion des conduits lacrymaux. Un larmoiement excessif risque d'aggraver l'irritation de l'œil et les lésions.

Autotraitement

- De 2 à 4 fois par jour, appliquez une compresse tiède sur les paupières pendant 10 minutes.
- Ne vous frottez pas les yeux.
- Remplacez votre tube de mascara tous les 3 mois. L'applicateur contamine aisément le mascara en lui transférant les bactéries présentes sur la peau.
- Si vous portez des lentilles cornéennes, suivez attentivement les instructions du fabricant pour les mettre et les enlever, les nettoyer et les désinfecter.

Les corps flottants du vitré (taches dans l'œil)

La substance gélatineuse située derrière le cristallin (vitré) est supportée et répartie également dans le globe oculaire par un réseau de fibres. Avec le vieillissement, ces fibres s'épaississent et se ramassent en faisceaux, occasionnant ainsi des images de taches, de filaments ou de ficelles qui flottent dans et hors du champ de vision. Les corps flottants qui apparaissent graduellement et s'estompent avec le temps sont en général sans gravité et ne nécessitent aucun traitement. Mais les corps flottants qui se manifestent avec soudaineté sont parfois l'indice d'une affection plus grave, par exemple, une hémorragie ou un décollement de la rétine. La rétine est une membrane sensible à la lumière, localisée à l'arrière de l'œil, qui transmet les signaux visuels au cerveau.

Soins médicaux

Si vous voyez un nuage de taches ou une toile d'araignée, en particulier si ce phénomène s'accompagne d'éclats lumineux, consultez un ophtalmologiste. Ces symptômes peuvent être le signe d'une lésion ou d'un décollement de la rétine. Ces affections nécessitent une intervention chirurgicale d'urgence pour prévenir tout risque de cécité.

Problèmes courants

■ La conjonctivite aiguë

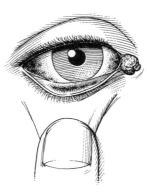

Vous avez des rougeurs et des démangeaisons dans un œil ou dans les deux. Votre vision est peut-être trouble, ou vous êtes sensible à la lumière. Vous avez l'impression d'avoir une poussière dans l'œil, ou votre œil suppure et une croûte se forme pendant la nuit.

Tous ces indices pointent vers une infection bactérienne ou virale communément appelée conjonctivite aiguë. C'est une inflammation de la conjonctive, c'est-à-dire la membrane qui recouvre la paupière et une partie du globe oculaire.

Cette inflammation est irritante, mais ne présente en général aucun danger pour la vue. Toutefois, en raison de son caractère hautement contagieux, il importe de poser rapidement un diagnostic et de procéder au traitement sans délai. Il peut arriver à l'occasion que la conjonctivite entraîne des complications.

Qu'elle soit virale ou bactérienne, la conjonctivite est fréquente chez les enfants et affecte aussi un grand nombre d'adultes. Cette inflammation est extrêmement contagieuse. La conjonctivite virale produit en général des écoulements de liquide clair, tandis que pour la conjonctivite bactérienne les sécrétions sont épaisses et jaunâtres.

La conjonctivite allergique affecte les deux yeux. Elle est une réaction à un agent allergène (par exemple, le pollen) plutôt qu'une infection. Outre la démangeaison intense, les fissures et l'inflammation, elle peut aussi occasionner des démangeaisons à la paroi nasale, des éternuements et un écoulement nasal aqueux.

Autotraitement

- Appliquer une compresse tiède sur la zone affectée. Mouiller un linge propre et sans peluches avec de l'eau tiède, bien essorer et appliquer doucement sur les paupières fermées.
- La conjonctivite allergique réagit bien aux compresses fraîches.

Prévention

Puisque la conjonctivite se propage rapidement et facilement, une bonne hygiène est indispensable. Une fois l'infection diagnostiquée chez vous ou chez un membre de votre famille, on peut la contenir en observant les précautions suivantes :

- Évitez le contact des yeux avec les mains.
- Lavez-vous les mains fréquemment.
- Remplacez quotidiennement votre serviette et votre linge de toilette (débarbouillette) et ne les partagez avec personne.
- Ne portez vos vêtements qu'une fois avant de les laver.
- Remplacez vos taies d'oreiller chaque soir.
- Remplacez vos produits de maquillage pour les yeux tous les 2 ou 3 mois, en particulier le mascara.
- N'empruntez à personne des produits de maquillage, des mouchoirs ou tout autre article de toilette.

Soins médicaux

Si vous présentez des symptômes de conjonctivite, consultez votre médecin. Il procédera sans doute à une culture des sécrétions afin de déterminer le type d'infection. S'il s'agit d'une infection bactérienne, il pourrait prescrire des gouttes ou un onguent antibiotique. La conjonctivite virale disparaît spontanément. Si vous souffrez d'une conjonctivite allergique, le médecin vous prescrira un antihistaminique.

Les enfants

En raison de la contagiosité élevée de la conjonctivite, il importe d'isoler l'enfant. Les directeurs d'école demandent souvent aux parents d'enfants atteints de conjonctivite de garder ceux-ci à la maison pour éviter tout risque de contagion.

■ La sensibilité à la lumière

Lorsque la lumière se disperse dans le globe oculaire, il peut en résulter un éblouissement. L'éblouissement est particulièrement gênant lorsque l'éclairage est faible et les pupilles dilatées (agrandies), car l'angle de la lumière que reçoit l'œil est plus grand. La sensibilité à la lumière est parfois un symptôme de cataractes (voir page **90**). Pour évaluer vos symptômes, votre professionnel de la santé mesurera votre acuité visuelle eu égard à une lumière faible, moyenne ou intense.

Autotraitement

- Le port de lunettes de soleil polarisées à montures suffisamment couvrantes qui longent les sourcils et offrent une protection latérale diminuera l'éblouissement diurne.
- Les lentilles cornéennes ou les lunettes de correction de la vision lointaine contribuent à minimiser la sensibilité à la lumière.

■ Autres affections oculaires

Les paupières tombantes

Votre paupière supérieure s'affaisse lorsque s'affaiblissent les muscles qui maintiennent les paupières ouvertes. Le vieillissement, un trauma ou une affection nerveuse ou musculaire peuvent provoquer l'affaissement des paupières. Si vos paupières tombantes nuisent à votre acuité visuelle, votre ophtalmologiste pourrait vous conseiller une chirurgie visant à renforcer les muscles releveurs. **Mise en garde :** Un affaissement subit des paupières nécessite un diagnostic et un traitement immédiats. Il peut signaler une thrombose ou une autre affection aiguë du système nerveux.

L'inflammation de la paupière (blépharite)

La blépharite est une inflammation chronique du bord libre de la paupière, parfois causée par la sécheresse des yeux. Chez certaines personnes, les glandes situées à proximité des cils sécrètent une trop grande quantité de mucosités qui favorisent la multiplication des bactéries et peuvent entraîner une irritation, des démangeaisons et des rougeurs de la peau. Des squames minuscules se forment alors sur le bord libre de la paupière et aggravent l'irritation.

Autotraitement : Appliquer une compresse tiède sur les paupières fermées pendant 10 minutes, de 2 à 4 fois par jour. Immédiatement après, laver les squames à l'eau tiède ou avec un peu de shampoing pour bébés dilué avec de l'eau. Si l'affection est causée par une infection oculaire, un professionnel de la santé pourrait prescrire un onguent médicamenteux ou un antibiotique oral.

Le tic de la paupière

Votre paupière se convulse à tout moment, ce qui vous agace au plus haut point. Le tremblement involontaire du muscle de la paupière ne dure en général pas plus d'une minute. Sa cause est inconnue, mais certaines personnes l'associent à une tension nerveuse ou à un excès de stress. Dans de rares cas, ce tic peut être le symptôme d'une maladie musculaire ou nerveuse. Il est habituellement anodin et ne nécessite aucun traitement.

Autotraitement : Un léger massage des paupières peut apporter un certain soulagement.

L'orgelet

L'orgelet, un petit furoncle rougeâtre et douloureux sur le bord de la paupière, est habituellement causé par une infection bactérienne logée dans un follicule à la base du cil. L'orgelet se remplit de pus et éclate environ une semaine plus tard. Une crème antibiotique d'ordonnance soulagera en général les infections persistantes.

Autotraitement : Appliquez une compresse propre et tiède sur la zone affectée, 4 fois par jour, pendant 10 minutes. Cela soulagera la douleur et fera mûrir le furoncle plus rapidement. Laissez l'orgelet éclater de lui-même, puis rincez l'œil abondamment.

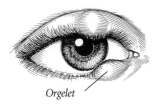

Orgelet

■ Les affections oculaires courantes

Les cataractes

Par cataracte, on entend l'opacification graduelle du cristallin de l'œil, qui entraîne une détérioration de l'acuité visuelle. Le vieillissement s'accompagne dans une certaine mesure de formation de cataractes, mais d'autres facteurs peuvent en accélérer le processus. L'exposition prolongée aux rayons ultraviolets (UV), le diabète, une blessure antérieure à l'œil, l'exposition aux rayons X et l'usage prolongé de corticostéroïdes accroissent le risque de formation des cataractes. Si la nicotine favorise la formation des cataractes, l'aspirine pourrait la réduire. Lorsque les cataractes nuisent aux activités quotidiennes, une chirurgie de remplacement du cristallin est parfois recommandée.

Autotraitement : Réduisez l'éblouissement. Prévenez ou ralentissez la progression des cataractes par le port de verres fumés anti-UV lorsque vous êtes au soleil. Assurez-vous de toujours avoir un éclairage adéquat.

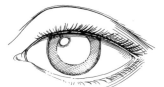 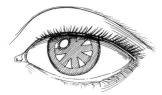

Il existe plusieurs types de cataractes. À gauche : la cataracte centrale. À droite : la cataracte zonulaire.

Le glaucome

Le glaucome est dû à une pression interne accrue de l'œil qui endommage ou détruit le nerf optique. Cette pression se produit lorsque les conduits microscopiques qui drainent les liquides aqueux à l'intérieur de l'œil sont obstrués. La destruction graduelle du nerf optique endommage la vision latérale et, laissée sans traitement, elle peut entraîner la cécité. **Mise en garde :** Les premiers symptômes sont parfois très subtils. Il importe donc de faire examiner ses yeux régulièrement pour un diagnostic et un traitement précoces. Détecté assez tôt, le glaucome réagit en général assez bien aux gouttes, aux médicaments oraux ou à la chirurgie. Si vous souffrez de violents maux de tête, de douleurs à l'œil ou au sourcil, si vous avez des nausées ou une vision trouble, ou si, à l'obscurité, les sources de lumière présentent des halos, consultez immédiatement. Une chirurgie d'urgence au laser s'impose peut-être.

La dégénérescence maculaire

La dégénérescence maculaire est une perte graduelle de la vision centrale et de l'aptitude à bien discerner les détails. Elle n'affecte pas la vision périphérique et, en général, elle n'entraîne pas la cécité. Lorsque la partie centrale de la rétine (la macula) se détériore, la perte d'acuité visuelle est irréversible. Mais un traitement au laser peut réduire ou ralentir la dégénérescence de la macula lorsqu'on la détecte assez tôt.

La perte d'acuité visuelle et les problèmes de transport

- Évitez de conduire dans des conditions difficiles : la nuit, dans une circulation intense, quand le temps est mauvais ou sur l'autoroute.
- La nuit, utilisez les transports publics ou demandez à un membre de la famille de vous servir de chauffeur.
- Votre CLSC ou la branche locale de votre association de l'âge d'or peut vous procurer des listes et des horaires de transport par minibus ou par navettes, ou les noms de chauffeurs volontaires ou de personnes disponibles pour le covoiturage.
- Optimisez votre vision actuelle par le port de lunettes appropriées. Ayez toujours une paire de lunettes de rechange dans votre voiture.

Les problèmes associés au port des lunettes ou des lentilles cornéennes

Chez la plupart des gens, l'acuité visuelle commence à diminuer vers l'âge de 40 ans. Les objets à proximité, jusque-là faciles à distinguer, deviennent flous. Les caractères des journaux et des livres semblent rapetisser. On tend instinctivement à éloigner des yeux le matériel de lecture : c'est la presbytie, c'est-à-dire la mauvaise vision de près. Celle-ci tend à se développer lorsque le cristallin de l'œil épaissit et perd de son élasticité. La tension oculaire est un autre symptôme. Elle se manifeste par la fatigue des yeux et la céphalée.

Si vous êtes déjà presbyte ou hypermétrope, vous noterez sans doute plus tôt l'apparition de ces symptômes et vous aurez besoin de lentilles correctives plus puissantes. Même si vous êtes myope, vous constaterez que vous retirez plus souvent vos lunettes pour lire de petits caractères et que vos yeux se fatiguent plus vite à la lecture.

Avant de vous procurer des lunettes de lecture en vente libre, consultez un spécialiste de la vue dans le but d'éliminer toute autre cause possible.

Soins médicaux

Si vous souffrez de maux de tête fréquents, consultez un ophtalmologiste ou un optométriste qui vous fera subir un examen de la vue et vous prescrira, le cas échéant, des lentilles appropriées.

Ne négligez aucun symptôme tels qu'une vue trouble, un jaunissement des couleurs, une sensibilité à la lumière ou une perte de vision périphérique : ces indices pourraient signaler un glaucome ou des cataractes.

Lunettes ou lentilles cornéennes ?

Bien que les lentilles cornéennes soient de plus en plus sophistiquées, elles ne conviennent pas à tous. Elles ne sont pas conseillées dans le cas de certaines affections de l'œil (sécheresse, ulcères de la cornée préalables, ou cornées qui ont perdu de leur sensibilité). La pose, le retrait et le soin des lentilles sont parfois difficiles pour les personnes qui souffrent d'arthrite des mains, de la maladie de Parkinson ou d'incapacités dues à d'autres affections médicales. Dans certains cas, cependant, les lentilles sont préférables aux lunettes. Par exemple, elles procurent une acuité visuelle nettement supérieure aux personnes atteintes d'une malformation native de la cornée. Elles sont aussi préférables aux lunettes si un cristallin artificiel n'a pas été implanté lors d'une chirurgie de la cataracte.

Autotraitement pour les personnes qui portent des lentilles cornéennes

- Assurez-vous que vos lentilles sont toujours propres.
- Lavez-vous les mains avant de manipuler des lentilles cornéennes.
- N'utilisez pas de solutions de nettoyage et de trempage maison.
- Ayez une paire de lunettes d'urgence au cas où un problème empêcherait provisoirement le port des lentilles.

Les lentilles à port prolongé et les lentilles jetables

Si vous optez pour des lentilles à port prolongé, retirez-les chaque soir et stérilisez-les. Si vous portez des lentilles jetables, ne les portez pas au-delà de la période recommandée par votre spécialiste de la vue. Le fait de porter trop longtemps des lentilles prive la cornée de l'oxygène dont elle a besoin et peut occasionner une vue trouble, des douleurs, des ulcérations, des rougeurs et une sensibilité à la lumière. Retirez immédiatement vos lentilles si vous constatez l'un ou l'autre de ces symptômes. Faites examiner vos yeux régulièrement pour éviter tout problème dû au port prolongé des lentilles cornéennes.

Les maux de tête

Les tissus cérébraux ne ressentent pas la douleur, car ils sont dépourvus de récepteurs, mais on a peine à y croire quand on a mal à la tête.

Plus de gens consultent pour des maux de tête que pour tout autre problème médical. Parfois, les céphalées sont le symptôme d'une affection plus grave, mais cela est assez rare.

Environ 95 p. 100 des maux de tête n'ont pas de cause identifiable. Ces maux de tête primaires varient énormément de l'un à l'autre. Les scientifiques ignorent ce qui se passe quand on a mal à la tête, mais leurs recherches vont bon train.

Les différents types de maux de tête

Il y a 3 catégories de maux de tête, mais il peut arriver que se présentent des symptômes appartenant à plus d'une catégorie.

La céphalée de tension
- Comprend 9 des 10 types de maux de tête primaires.
- Affecte également les hommes et les femmes.
- Se manifeste par une douleur sourde qui augmente graduellement, par un nœud ou une tension à la nuque, au front ou au cuir chevelu.

La migraine
- Totalise environ 6 p. 100 de tous les maux de tête primaires.
- Affecte trois fois plus de femmes que d'hommes.
- Peut commencer à l'adolescence, mais se manifeste rarement après 40 ans.
- Est parfois précédée d'une altération visuelle, d'une sensation de fourmillement d'un côté du visage ou du corps, ou d'une fringale particulière.

Le névralgisme facial
- Produit une douleur lancinante et persistante dans et autour d'un œil et se manifeste par épisodes récurrents qui commencent souvent à la même heure du jour ou de la nuit.
- Provoque une rougeur et un écoulement dans un œil, ainsi qu'une congestion nasale de ce même côté de la tête.
- Se manifeste parfois avec une régularité déconcertante et peut être associé aux changements de luminosité ou aux changements saisonniers.
- Affecte souvent les hommes, en particulier ceux qui fument et consomment de l'alcool à l'excès.
- Peut souvent être confondu avec une sinusite ou un problème dentaire.

Les théories les plus récentes à propos de la céphalée

Les scientifiques se penchent sur le rôle des circuits nerveux du nerf trijumeau et de la sérotonine dans la céphalée grave. La douleur provient peut-être d'un déséquilibre chimique du cerveau. Lors d'un mal de tête, le degré de sérotonine chute et, par conséquent, un signal se propage le long du nerf trijumeau jusqu'aux vaisseaux sanguins de la membrane extérieure du cerveau (les méninges). Les vaisseaux se dilatent, s'enflamment et enflent. Le cerveau reçoit un signal de douleur. Résultat: vous avez mal à la tête.

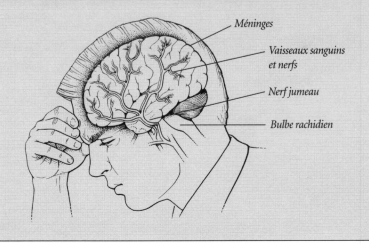

Méninges

Vaisseaux sanguins et nerfs

Nerf jumeau

Bulbe rachidien

Autotraitement

Céphalée de tension occasionnelle

Massages, compresses chaudes ou froides, douche tiède, repos et techniques de détente. Si ces méthodes s'avèrent inefficaces, une faible dose d'aspirine (adultes seulement), d'acétaminophène ou d'ibuprofène. Un exercice modéré peut aussi apporter un certain soulagement.

Maux de tête récurrents

* Tenez un journal qui tienne compte des facteurs suivants :
  – *Intensité du mal.* La douleur empêche-t-elle toute activité ou est-elle seulement gênante ?
  – *Fréquence et durée.* Quand le mal de tête commence-t-il ? La douleur s'installe-t-elle progressivement ou subitement ? Avez-vous mal à la tête à la même heure chaque jour ? Par cycles mensuels ou saisonniers ? Combien de temps dure votre mal de tête ? Qu'est-ce qui vous procure un soulagement ?
  – *Symptômes associés.* Pouvez-vous prévoir le début de la céphalée ? Avez-vous la nausée ou des étourdissements ? Voyez-vous des couleurs éclatantes ou des taches blanches ? Votre mal de tête est-il précédé d'une fringale particulière ?
  – *Localisation.* La douleur se concentre-t-elle d'un seul côté de la tête ? À la nuque ? Autour d'un œil ?
  – *Antécédents familiaux.* D'autres membres de votre famille souffrent-ils de maux de tête similaires ?
  – *Déclencheurs.* Pouvez-vous associer votre céphalée à un aliment spécifique, à une activité, au temps qu'il fait, à une période particulière ou à des facteurs environnementaux ? (Voir la section intitulée « Comment éviter les déclencheurs de céphalées », à la page **94**.)
* Évitez autant que possible ce qui déclenche votre mal de tête. Vous pourriez devoir modifier votre façon de vivre.
* Dormez suffisamment et faites de l'exercice.
* Soulagez la douleur avec de l'aspirine (adultes seulement), de l'acétaminophène ou de l'ibuprofène.

La migraine

Pour enrayer une migraine qui veut s'installer, le mieux est de la traiter dès l'apparition des premiers symptômes. Prendre de l'acétaminophène, de l'ibuprofène ou de l'AAS (adultes seulement) en respectant la posologie devrait vous procurer un soulagement. Certaines personnes peuvent enrayer une migraine en dormant dans une pièce sombre ou en buvant une boisson caféinée (café ou boisson gazeuse).

Soins médicaux

Si ces différentes méthodes ne produisent aucune amélioration dans les 2 jours, consultez un professionnel de la santé. Il déterminera la cause de votre céphalée et son type, il en éliminera les causes médicales et pourrait, pour ce faire, vous soumettre à certains tests. Votre médecin peut vous prescrire l'un des nombreux médicaments offerts pour soulager vos maux de tête. Différents types de céphalées réagissent à des préparations médicamenteuses différentes.

Si vous souffrez de migraines graves, votre médecin pourrait vous prescrire du sumatriptan (Imitrex) ou un autre médicament. Le sumatriptan imite les effets de la sérotonine, un produit chimique que sécrète le cerveau. Si vos migraines sont fréquentes, vous pourriez devoir prendre quotidiennement un médicament préventif.

Mise en garde

N'ignorez pas un mal de tête sans cause apparente. Consultez immédiatement si le mal de tête :
* frappe soudainement et est très intense ;
* s'accompagne de fièvre, de raideur à la nuque, d'éruption cutanée, de confusion mentale, de convulsions, de dédoublement de la vue, de faiblesse, d'engourdissement ou de difficultés d'élocution ;
* se produit à la suite d'un mal de gorge ou d'une infection respiratoire ;
* s'aggrave à la suite d'une blessure à la tête, d'un coup reçu ou d'une ecchymose ;
* est un phénomène nouveau et que vous êtes âgé de plus de 55 ans.

Problèmes courants

Le guide de la santé

Comment éviter les déclencheurs de céphalées

Se peut-il qu'un aliment ou une activité déclenche vos maux de tête? Il est parfois possible d'éliminer les maux de tête en en éliminant les agents déclencheurs. Ceux-ci varient beaucoup d'un individu à l'autre. Voici les plus courants.

- L'alcool et le vin rouge
- La cigarette
- Le stress ou la fatigue
- La tension aux yeux
- L'activité physique ou sexuelle
- Une mauvaise posture
- Un changement dans les habitudes de sommeil ou dans l'heure des repas

- Certains aliments, notamment:
  - les aliments fermentés ou les marinades
  - les bananes
  - la caféine, le chocolat
  - les fromages vieillis
  - les agrumes
  - les assaisonnements et les agents de conservation (le nitrate de sodium présent dans les saucisses à hot-dog ou les viandes préparées, ou le glutamate monosodique présent dans les mets chinois)
  - les noix ou le beurre d'arachide
  - la pizza
  - les raisins secs
  - le pain au levain
  - le sucre raffiné et ce qui en contient
- Les conditions climatiques, l'altitude, le décalage horaire
- Les changements hormonaux dus au cycle menstruel, à la ménopause, aux anovulants ou à l'hormonothérapie de substitution
- Les lumières vives ou clignotantes
- Les odeurs, les parfums (y compris celui des fleurs), le gaz naturel
- La pollution ou une mauvaise aération
- Le bruit excessif

Les enfants

Un grand nombre de préadolescents et d'adolescents souffrent de maux de tête récurrents qui sont le plus souvent sans gravité.

La céphalée résulte parfois d'une maladie virale. Toutefois, si votre enfant se plaint souvent de maux de tête, même lorsqu'il est par ailleurs en forme, consultez votre médecin.

Les enfants peuvent souffrir de migraines, en particulier en présence de facteurs familiaux prédisposants. Chez les enfants, ce type de mal de tête s'accompagne souvent de vomissements, de sensibilité à la lumière et de sommeil. Le soulagement survient au bout de quelques heures.

La céphalée peut signaler la présence d'un problème scolaire, social ou familial, ou encore une réaction à un médicament, notamment un décongestif.

Si vous croyez que votre enfant souffre de céphalées de tension, suivez les conseils énumérés à la page **93** avant de lui administrer un analgésique. Si elles sont fréquentes, aidez-le à tenir un journal. N'abusez pas de l'acétaminophène ou de l'ibuprofène, car ces médicaments pourraient masquer les symptômes d'un problème plus sérieux.

Si les maux de tête de votre enfant sont persistants, surviennent brusquement sans cause apparente ou s'ils s'aggravent, consultez. Mentionnez à votre médecin toute céphalée secondaire à une otite, à un mal de dent, au streptocoque ou à toute autre infection.

N'hésitez pas à informer votre médecin de toute prédisposition familiale à la migraine, car ce détail pourrait faciliter son diagnostic.

La caféine et les maux de tête

Votre mal de tête matinal n'a rien d'une fiction, surtout si vous consommez quotidiennement 4 tasses ou plus d'une boisson caféinée: il pourrait s'agir d'un symptôme de sevrage.

Dans certains cas, cependant, la caféine est un excellent remède. Certains types de céphalées occasionnent une dilatation des vaisseaux sanguins. La caféine favorise leur rétrécissement.

Pour les adultes: si l'aspirine ou l'acétaminophène ne vous apportent aucun soulagement, essayez une boisson caféinée, mais sans exagération: trop de caféine favorise la nervosité, l'accélération du rythme cardiaque, la sudation et, bien entendu, les maux de tête dus au sevrage.

Les membres, les muscles, les os et les articulations

Le corps est merveilleusement complexe. On n'y pense guère lorsqu'il fonctionne normalement : tout se tient et l'on se meut sans peine. Mais lorsqu'un problème surgit, on le remarque.

Dans ce chapitre, nous abordons les problèmes reliés aux membres. Certains problèmes peuvent affecter indifféremment plusieurs parties du corps, notamment les foulures, les entorses, les fractures, les bursites, les tendinites, la fibromyalgie et la goutte. Nous examinons ces problèmes de la page **97** à la page **102**. Le reste de cette section propose des informations additionnelles concernant les ennuis qui peuvent affecter des régions précises : l'épaule, le coude, le poignet, la main et les doigts ; la hanche, la jambe, le genou, la cheville et le pied. Pour commencer, voici quelques notions générales d'anatomie.

L'anatomie

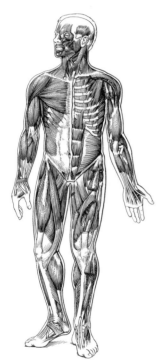

Plusieurs de nos muscles sont appariés pour permettre au corps de se déplacer. Les tendons rattachent ces muscles au squelette.

Les muscles et les tendons

Un grand nombre des 650 muscles du corps facilitent la motricité. Chacun des muscles squelettiques est fixé aux os par des structures fibreuses appelées tendons. Certains muscles s'apparient pour permettre à l'ossature de bouger : quand un muscle se relâche, l'autre se contracte.

Si vous êtes une personne active, vos muscles vous permettent de courir, de marcher, de nager, de sauter, de gravir les escaliers, de faire du vélo, de danser ou de tondre la pelouse. Mais vos muscles vous disent aussi quand ils sont surmenés : ils deviennent endoloris et raides.

La plupart des blessures musculaires sont accidentelles : entorses, mouvements brusques qui répartissent mal le poids du corps, surmenage, inflammation.

On peut prévenir les douleurs musculaires de la façon suivante :
- Par des exercices réguliers et modérés. Augmentez graduellement leur fréquence et leur intensité. Si vous ne courez pas régulièrement plus de quelques kilomètres, ne vous attaquez pas à un marathon.
- Faites des exercices d'assouplissement avant et après votre séance de conditionnement physique. Certaines personnes bénéficient également de massages ou d'applications de chaleur avant de s'adonner à leurs exercices habituels.
- Buvez beaucoup d'eau. De 6 à 8 verres d'eau par jour assurent une bonne hydratation. Mais si vous êtes très actif, une plus grande quantité d'eau sera nécessaire, surtout pendant les jours les plus chauds de l'été.
- Conditionnez vos muscles progressivement. Augmentez vos activités petit à petit.
- Renforcez vos muscles par des exercices de résistance.
- Protégez les muscles qui ont subi une blessure antérieure par des bandes élastiques ou orthopédiques.
- Évitez de surmener vos muscles quand vous êtes fatigué.

Les os : ils sont rigides, mais bien vivants

Les 206 os du corps se transforment sans cesse à notre insu. Les protéines sont le fondement de cette transformation. Les minéraux, en particulier le calcium et le phosphate, confèrent aux os leur force. Il importe par conséquent de consommer des aliments riches en minéraux : le lait et les légumes verts.

Les affections qui touchent plus particulièrement le système osseux sont les suivants :
- Fractures résultant d'un stress excessif.
- Contusions, habituellement secondaires à un trauma.
- Perte de la densité osseuse due à une carence en minéraux (ostéoporose).

Les os d'un enfant sont plus flexibles que ceux d'un adulte. Lorsqu'on les soumet à un stress ou à un surmenage excessifs, ils ont moins tendance à se briser. Mais avec l'âge, les os acquièrent plus de rigidité.

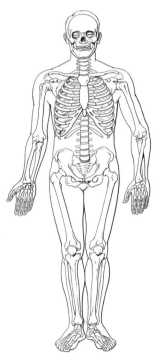

Les os sont des tissus vivants en constante transformation. Ils supportent le poids du corps et servent d'entrepôt aux minéraux indispensables au bon fonctionnement de l'organisme.

Les articulations : des chefs-d'œuvre de mécanique

Les os se rejoignent aux articulations. À son extrémité, chaque os est recouvert d'une couche de cartilage mobile qui agit comme un coussin. Des structures fibreuses très résistantes, les ligaments, maintiennent les articulations en place.

Le corps comporte plusieurs types d'articulations. Le présent ouvrage s'intéresse plus particulièrement aux suivantes :
- **Les articulations en charnière** — par exemple, celles des doigts ou des genoux. Elles permettent un mouvement de balancier.
- **Les articulations à rotule** — par exemple, l'épaule ou la hanche. La gamme des mouvements possibles est beaucoup plus étendue.

Voici les causes des douleurs articulaires que nous aborderons dans ce chapitre :
- Blessures ou luxations (déplacement forcé de l'articulation)
- Bursites
- Fibromyalgie
- Goutte
- Entorses

Si votre enfant souffre de douleurs articulaires spécifiques, consultez votre médecin, surtout si ces douleurs s'accompagnent :
- de fièvre et d'une éruption cutanée ;
- d'œdème, de raideur, de douleurs abdominales ou d'une perte de poids inexpliquée ;
- de gonflement et de sensibilité des ganglions du cou ;
- de boiterie ou de ralentissement des activités quotidiennes.

Les nerfs : les messagers du corps

Dans ce chapitre, nous nous intéressons plus particulièrement aux systèmes osseux et musculaire, et aux articulations. Mais tous nos membres sont parcourus de nerfs qui assurent la transmission des messages au cerveau. Ils ressentent la douleur et peuvent nous aider à en localiser la source. Ils régissent nos mouvements. Ils nous préviennent lorsque nos muscles sont fatigués ou blessés. Ils peuvent aussi nuire au fonctionnement normal d'un muscle.

Les nerfs aident à la coordination. Lorsque le corps fonctionne correctement, ils sont en contact constant avec le cerveau. Les nerfs nous protègent aussi des blessures accidentelles.

Vous faciliterez la tâche de votre médecin ou du professionnel de la santé que vous consulterez si vous lui décrivez votre douleur en tenant compte des catégories ci-dessous :
- un accident ;
- des mouvements répétitifs ou un surmenage des muscles ;
- une inflammation ;
- une affection ou une maladie grave.

Les foulures et les entorses musculaires : quand s'est-on surmené ?

On foule ou lacère un muscle lorsqu'on le distend à l'excès ou trop brusquement. Ce type de blessure se produit souvent lorsque les muscles se contractent violemment et soudainement, notamment lorsqu'on perd pied sur un terrain glissant ou qu'on soulève une charge sans adopter une posture adéquate.

Les foulures varient en gravité :

Mineure. Pendant quelques jours, tout mouvement du muscle s'accompagne de douleur et d'ankylose.

Modérée. Une légère lacération provoque une douleur conséquente, un œdème, une contusion. Le muscle est endolori pendant 1 à 3 semaines.

Sévère. Le muscle se déchire ou se rompt. Un saignement interne pourrait se produire, ainsi qu'un œdème et des contusions. Le muscle pourrait être inutilisable. Il importe de consulter un médecin sur-le-champ.

Autotraitement

- Suivez les conseils ci-dessous. Plus tôt on procède au traitement, plus rapide et plus complète sera la guérison.
- En cas d'œdème grave, des compresses froides appliquées chaque jour pendant la convalescence procureront un soulagement.
- N'appliquez pas de chaleur sur un muscle enflé.
- Évitez le mouvement qui a causé la blessure tant que le muscle n'est pas guéri.
- Des analgésiques en vente libre sont recommandés (voir page **267**), mais évitez l'aspirine pendant les quelques heures qui suivent la blessure, car l'aspirine pourrait aggraver les saignements. Ne jamais administrer d'aspirine aux enfants.

Soins médicaux

Consultez immédiatement si la zone atteinte enfle rapidement et si la douleur est intense. Contactez un professionnel de la santé si la douleur, l'œdème et l'ankylose ne s'apaisent pas dans les 2 ou 3 jours, ou si vous soupçonnez la présence d'une lacération ou d'une fracture.

Soins d'urgence en cas de blessure musculaire ou articulaire

Nous renvoyons souvent le lecteur aux conseils ci-dessous tout au long de cette section.

- **Protégez** la zone atteinte contre les blessures secondaires par une bande élastique, une écharpe, une attelle, une canne, des béquilles ou un cylindre de contention.
- **Reposez** le muscle endolori pour favoriser la régénération des tissus. Évitez toute activité qui provoque de la douleur, de l'œdème ou de l'inconfort.
- **Appliquez** immédiatement de la glace sur la région atteinte, même si vous consultez un médecin. Si possible, faites tremper le membre affecté dans un bain de glace concassée pendant 15 minutes, ou utilisez un sac à glace. Répétez toutes les 2 ou 3 heures, pendant la journée, pour 2 à 3 jours. Le froid engourdit la douleur, diminue l'œdème et l'inflammation des muscles atteints, des articulations et des tissus environnants, et peut enrayer ou ralentir le saignement en cas de lacération.
- **Comprimez** la région affectée au moyen d'une bande élastique jusqu'à la résorption de l'œdème, mais évitez de trop serrer afin de ne pas nuire à la circulation. Commencez l'enroulement au point le plus éloigné du cœur. Relâchez la bande si la douleur s'intensifie, si vous ressentez un engourdissement ou si l'œdème s'aggrave.
- **Surélevez** la zone atteinte. Celle-ci doit être plus élevée que le niveau du cœur, surtout pendant la nuit. La gravité contribue à résorber l'œdème en drainant l'excès de fluides.
- Si l'œdème s'est résorbé au bout de 48 heures, vous pouvez appliquer des compresses tièdes (humides ou sèches). La chaleur favorise la circulation sanguine et accélère la guérison.
- À la suite d'une séance d'exercice, appliquez une compresse froide sur les muscles endoloris même en l'absence de blessure, afin de prévenir l'inflammation et l'œdème.

■ Les entorses : déchirement des ligaments

Au sens strict, l'entorse est une lésion due à une distension violente ou à un arrachement des ligaments. Les ligaments sont des faisceaux de tissus fibreux, résistants et élastiques, reliés à l'ossature. Ils maintiennent les articulations en place.

On recourt parfois au terme entorse pour indiquer un déboîtement de l'articulation. L'entorse est souvent due à un faux mouvement et affecte surtout les chevilles, les genoux ou l'arche du pied. L'entorse s'accompagne d'une enflure immédiate. Dans l'ensemble, plus la douleur est vive, plus l'entorse est importante. Comme les foulures, les entorses varient en gravité :

- **Mineure.** Le ligament est distendu ou se lacère légèrement. L'articulation est quelque peu douloureuse, en particulier lorsqu'on s'efforce de la bouger, et sensible au toucher. L'œdème est mineur et l'articulation peut supporter un poids.
- **Modérée.** Les fibres du ligament se déchirent sans se rompre complètement. L'articulation est sensible au toucher et douloureuse, et son mouvement est restreint. La zone est enflée. Le saignement interne occasionne une décoloration de la peau.
- **Sévère.** Il y a rupture totale d'un ou de plusieurs ligaments. La zone est très douloureuse. Tout mouvement de l'articulation est impossible et celle-ci ne supporte aucun poids. L'œdème et la décoloration sont importants. On confond facilement l'entorse sévère et la fracture ou la luxation qui nécessitent des soins médicaux immédiats. Un plâtre ou un cylindre de contention sont parfois nécessaires pour stabiliser l'articulation, et parfois même une chirurgie si les ligaments déchirés ne soutiennent plus l'articulation.

Autotraitement

- Suivez les conseils de la page **97** (Soins d'urgence).
- Prenez un analgésique en vente libre (voir page **267**).
- Après 2 jours, tentez progressivement de mouvoir l'articulation. Les entorses mineures ou modérées deviennent habituellement tolérables en une semaine, mais il faut compter environ 6 semaines pour une guérison complète.
- Évitez toute activité qui surmène l'articulation. Des entorses mineures à répétition ne sauraient que l'affaiblir.

Soins médicaux

Consultez sur-le-champ dans les situations suivantes :

- Si vous percevez un bruit de rupture ou de déchirement au moment de la blessure et qu'il vous est impossible de bouger l'articulation. En vous rendant aux services d'urgence, appliquez une compresse glacée.
- Si vous avez de la fièvre et que la zone atteinte est rouge et chaude. Ce sont là des signes d'infection.
- Si l'entorse est sévère (voir la description ci-haut). Un retard dans le traitement ou un traitement inadéquat pourrait entraîner une instabilité ou une douleur chronique de l'articulation.

Consultez votre médecin si, au bout de 2 ou 3 jours, l'articulation blessée ne tolère aucun poids ou si vous ne constatez aucune amélioration sensible après une semaine d'autotraitement.

La prévention des blessures sportives

- Sachez choisir vos activités sportives. Renoncez au jogging si vous souffrez de maux de dos ou de douleurs aux genoux.
- Faites quelques minutes d'exercices de réchauffement et d'assouplissement, et augmentez progressivement la durée de 5 à 10 minutes.
- Si vous avez fréquemment des douleurs musculaires, appliquez des compresses chaudes avant de faire les exercices.
- Après votre séance d'exercice, refroidissez graduellement vos muscles par des exercices d'assouplissement.

- Entreprenez tout nouveau sport avec modération, et augmentez graduellement, sur plusieurs semaines, l'intensité et la durée de vos séances.
- N'abusez pas des analgésiques, car vous pourriez surmener vos muscles à votre insu.
- Cessez toute activité sportive sur-le-champ si vous croyez vous être blessé, si vous êtes désorienté ou étourdi, ou si vous perdez conscience même brièvement.
- Reprenez progressivement vos activités sportives, ou optez pour un sport différent, jusqu'à la guérison complète de la blessure.

■ Les fractures

Si vous croyez vous être fracturé un os, consultez un médecin immédiatement. L'os brisé peut, ou non, transpercer l'épiderme. Les fractures ouvertes percent l'épiderme, mais non pas les fractures fermées. La classification des fractures fermées dépend du type de fracture. L'illustration ci-dessous montre différents types de fractures fermées.

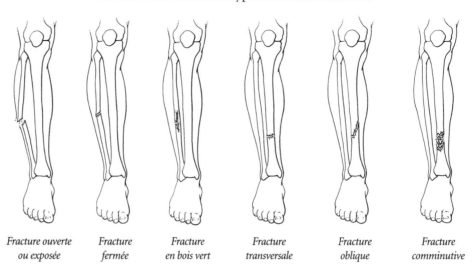

Fracture ouverte ou exposée *Fracture fermée* *Fracture en bois vert* *Fracture transversale* *Fracture oblique* *Fracture comminutive*

Soins d'urgence

À la suite d'une blessure ou d'un trauma, des soins d'urgence s'imposent dans les cas suivants:
- Si le sujet est inconscient ou ne peut être déplacé. Faites le 911.
- Si le sujet ne respire pas ou n'a pas de pouls. Procédez à la RCR (voir page **12**).
- Si le saignement est important.
- Si une pression légère de la zone atteinte ou son mouvement provoque une douleur vive.
- Si le membre ou l'articulation présente une déformation, ou que l'os a transpercé l'épiderme.
- Si la zone la plus éloignée du cœur est engourdie ou bleue.

Autotraitement

Suivez avant tout les instructions ci-après. Ensuite seulement, appelez les secours:
- Protégez la zone atteinte contre toute aggravation de la blessure.
- En cas de saignement, comprimez directement la blessure au moyen d'un pansement stérile, d'un morceau de tissu propre ou d'une pièce de vêtement. Si rien de cela n'est disponible, servez-vous de vos mains. Poursuivez la compression jusqu'à l'arrêt du saignement.
- Fabriquez une attelle ou une écharpe pour immobiliser la région atteinte. On peut fabriquer une attelle avec du bois, du plastique ou des journaux enroulés. Placez une planchette de chaque côté de l'os, en veillant à ce qu'elle soit légèrement plus longue que l'os lui-même. Maintenez l'attelle en place avec de la gaze, des bandes de tissu, du ruban adhésif ou de la ficelle. Ne serrez pas au point d'enrayer la circulation du sang.
- Ne réduisez pas la fracture par vous-même.
- Si vous avez de la glace à votre disposition, enveloppez-la dans un linge et appliquez cette compresse sur la fracture.
- Surélevez la zone atteinte pour réduire le saignement et l'enflure.
- Si le sujet semble sur le point de s'évanouir ou si sa respiration est rapide et superficielle, il souffre peut-être de choc. Étendez-le sur le dos, la tête légèrement plus basse que le reste du corps.

Les enfants

Chez les enfants, les extrémités des os des bras et des jambes comportent des cartilages de conjugaison qui permettent à l'os de s'allonger. Si ces cartilages sont endommagés, l'os pourrait ne pas croître normalement. Consultez le médecin dès que vous soupçonnez la présence d'une fracture.

Le guide de la santé

■ La bursite

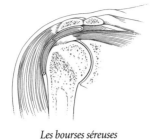

Les bourses séreuses

Le corps compte plus de 150 bourses séreuses, qui sont de petits sacs remplis de fluide lubrifiant. Ces bourses coussinent les points de pression des os, des tendons et des muscles articulaires, et permettent aux articulations de se mouvoir sans occasionner de douleurs. Lorsqu'il y a inflammation, toute pression et tout mouvement deviennent douloureux. C'est la bursite. La bursite est généralement due à un surmenage, à un trauma, à des coups répétés ou à une pression continue, par exemple, un agenouillement prolongé. Elle peut aussi être secondaire à une infection, ou être une conséquence de l'arthrite ou de la goutte. La plupart du temps, elle affecte l'épaule, le coude ou l'articulation de la hanche, mais on peut également souffrir d'une bursite au genou, au talon ou à la base du gros orteil.

Autotraitement

- Prenez un analgésique en vente libre (voir page **267**).
- Évitez toute pression sur l'articulation par une bande élastique, une écharpe ou un coussinet de mousse jusqu'à ce que l'enflure se résorbe.
- Une bursite bénigne guérit en général dans les 2 semaines. Reprenez progressivement vos activités.

La prévention
- Renforcez les muscles qui protègent l'articulation. Évitez de mouvoir l'articulation affectée jusqu'à ce que toute douleur et toute inflammation aient disparu.
- Interrompez fréquemment une tâche répétitive, ou alternez ces mouvements avec des phases de repos ou d'autres activités, même pour de brèves périodes.
- Coussinez l'articulation avant de la comprimer (notamment par des genouillères ou des coudières).

Soins médicaux

Consultez un médecin si la zone est rouge ou chaude, si vous n'éprouvez aucun soulagement ou si la bursite s'accompagne de fièvre ou d'une éruption cutanée.

■ La tendinite

Avec la tendinite, l'articulation est douloureuse et tendre au toucher, et cette douleur accompagne habituellement un mouvement spécifique, par exemple, un serrement ou une torsion. Cela dénote une inflammation ou une légère lacération du tendon. La tendinite est le plus souvent le résultat d'un surmenage ou d'une blessure mineure. Elle affecte en général les épaules, les coudes et les genoux.

En raison de la douleur, les mouvements sont limités. Le repos est important, mais il faut également préserver la mobilité de l'articulation. Une tendinite inadéquatement traitée peut entraîner en quelques semaines la rigidité des tendons et des ligaments articulaires, et entraver sensiblement la mobilité.

Autotraitement

- Suivre les instructions pour les soins d'urgence (voir page **97**).
- Faire bouger l'articulation dans toutes les directions possibles 4 fois par jour. Le reste du temps, laisser l'articulation au repos. Une écharpe ou un pansement élastique apportera un certain soulagement.
- Prendre un anti-inflammatoire (voir page **267**).
- Si on ne constate pas d'amélioration importante au bout de 2 semaines, consulter un médecin.

Prévention
- Les exercices de réchauffement, de renforcement et de refroidissement sont essentiels.
- L'application de compresses chaudes avant tout exercice et de compresses froides après est importante.
- La modération : au début d'un programme d'exercice, abstenez-vous-en un jour sur deux.

Soins médicaux

Consultez immédiatement si vous faites de la fièvre ou s'il y a inflammation.

L'injection de cortisone directement dans les tissus adjacents aux tendons réduit l'inflammation et procure un soulagement rapide. On ne doit pas en abuser, car des injections répétées affaiblissent les tissus sains et occasionnent des effets secondaires indésirables.

La fibromyalgie

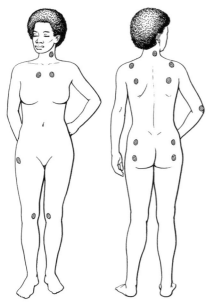

Localisations les plus fréquentes de la fibromyalgie.

Une douleur et une raideur musculaires persistantes peuvent être attribuables à plusieurs causes. Ces dernières années, la fibromyalgie semble être en progression.

Les symptômes les plus fréquents de la fibromyalgie sont des douleurs généralisées et une ankylose des articulations et des muscles. Le genre de douleur varie. Elle affecte souvent les points d'attache des muscles et des os. Parmi les symptômes les plus fréquents, on note :

- une douleur généralisée qui persiste au-delà de 3 mois ;
- de la fatigue et un sommeil non régénérateur ;
- des ankyloses matinales ;
- une sensibilité importante en différentes régions du corps, notamment aux points d'attache des muscles et des os (voir l'illustration) ;
- des problèmes associés, notamment des maux de tête (voir page **92**), le côlon irritable (voir page **75**) et des douleurs pelviennes.

Pour détecter la fibromyalgie, il faut poser un diagnostic d'exclusion. Il n'existe aucune analyse clinique qui puisse faciliter celui-ci. Votre médecin devra avant tout éliminer toutes les autres causes de votre malaise.

La tension et le stress peuvent augmenter le risque de fibromyalgie. Cette affection semble toucher plus de femmes que d'hommes, sans doute, en partie, parce que les hommes hésitent à consulter.

Autotraitement

- Ralentissez. Évitez le stress et les activités répétitives. Apprenez à alterner entre travail et repos.
- Développez un programme de conditionnement physique doux, par exemple, la marche, le vélo, la nage et les exercices d'assouplissement. Améliorez votre posture en renforçant les muscles qui soutiennent le dos et le ventre, et plus particulièrement les abdominaux (voir page **65**).
- Améliorez naturellement la qualité de votre sommeil par des activités physiques quotidiennes. N'abusez pas des somnifères, voire, évitez-les, afin de ne pas subir leurs effets secondaires.
- Si nécessaire, recourez occasionnellement à un analgésique en vente libre (voir page **267**).

Prévention

Pour éviter ou pour minimiser les effets de la fibromyalgie, rien ne vaut un bon conditionnement physique, une réduction du stress et un sommeil réparateur.

- Ne quittez pas votre emploi. La fibromyalgie semble s'aggraver chez les personnes peu actives ou qui cessent toute activité.
- Apprenez à vous détendre. Faites aussi l'essai de massages et de bains chauds.
- Joignez-vous à un groupe de soutien qui préconise un mode de vie sain.
- Demandez à vos amis et aux membres de votre famille de vous venir en aide.

Problèmes courants

■ La goutte

La goutte se manifeste par une douleur soudaine et aiguë dans une seule articulation, le plus souvent à la base du gros orteil, mais elle peut également affecter les articulations des pieds, des chevilles, des genoux, des mains et des poignets. L'articulation est enflée et douloureuse. La goutte touche plus particulièrement les hommes de plus de 40 ans. Un quart des personnes atteintes de goutte présentent des prédispositions familiales. La goutte est due à un dépôt de cristaux d'acide urique dans une articulation. L'obésité et l'hypertension sont des facteurs de risques importants. Les diurétiques destinés à régulariser la tension artérielle peuvent provoquer des crises de goutte. La prévention consiste à maintenir un poids santé, à boire beaucoup d'eau et à éviter les excès d'alcool. Consultez immédiatement si votre température est plus élevée que la normale et que l'articulation est chaude et enflammée. Pour plus de renseignements, voir la page **172**.

■ La douleur à l'épaule

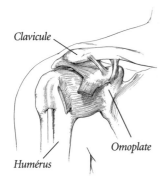

Clavicule

Humérus

Omoplate

Le traitement dépend de la cause. Les bursites et les tendinites sont les causes les plus fréquentes des douleurs à l'épaule (voir page **100**), de même que les traumas graves et les ruptures de la coiffe des rotateurs (voir page **103**). Prenez note de la nature du début de la douleur et des circonstances qui l'aggravent, car ces renseignements faciliteront le diagnostic et le traitement.

La plupart des douleurs à l'épaule sont sans gravité, mais il peut arriver qu'elles soient l'indice d'une crise cardiaque. Faites le 911 ou appelez votre service de secours local dans les cas suivants :

- Si la douleur débute par une sensation d'oppression ou une douleur thoracique. La douleur peut survenir brusquement ou graduellement et irradier vers l'épaule, le dos, les bras, la mâchoire et la nuque.
- Si la douleur s'accompagne d'une transpiration excessive, de détresse respiratoire, de faiblesse ou de nausées et de vomissements.
- Si la douleur ne s'est jamais produite auparavant et que vous souffrez d'une maladie coronarienne.

■ La douleur aiguë à l'épaule

La douleur aiguë se concentre dans le bras et le cou. Elle limite soudainement le mouvement du bras. Elle peut être secondaire à un surmenage ou à un trauma. L'épaule pourrait présenter de l'inflammation et de l'œdème. Le geste d'enfiler un manteau ou l'extension du bras sur le côté peuvent être très douloureux.

Autotraitement
- Un analgésique en vente libre peut apporter quelque soulagement (voir page **267**).
- S'il n'y a ni fracture ni luxation, il importe de faire bouger l'épaule dans toutes les directions possibles 4 fois par jour pour éviter l'ankylose ou la perte permanente de mobilité. Si nécessaire, demandez à une autre personne de vous aider.
- Quand la douleur s'est atténuée, maintenez la souplesse de l'épaule par des exercices quotidiens.

Soins médicaux
Consultez un médecin dans les cas suivants :
- Si une épaule semble plus basse que l'autre ou si vous ne parvenez pas à soulever le bras affecté.
- Si l'extrémité de la clavicule est très sensible.
- Si vous croyez vous être fracturé un os.
- Si l'épaule est rouge et enflée, et que votre température est plus élevée que la normale.
- Si vous ne constatez aucune amélioration après une semaine d'autotraitement.

La rupture de la coiffe des rotateurs

La coiffe des rotateurs est le point d'attache de plusieurs tendons à l'épaule. En raison de la mécanique complexe des os de l'épaule, plusieurs types de problèmes font partie des blessures générales à la coiffe. Il se peut que les tendons de l'épaule présentent de minuscules lacérations, des irritations, ou qu'ils subissent un frottement anormal contre un os (c'est ce qu'on appelle le syndrome de l'accrochage). La douleur est souvent plus vive pendant la nuit. Ce problème est causé par l'abus de mouvements répétitifs (peindre un plafond, nager, jouer au tennis ou au base-ball) ou par un trauma, par exemple, une chute.

Autotraitement	• Suivez les instructions pour les soins d'urgence (voir page **97**).
	• Prenez un médicament anti-inflammatoire (voir page **267**).
	• Faites des exercices d'assouplissement et faites bouger l'épaule dans toutes les directions possibles 4 fois par jour.
	• Attendez que la douleur disparaisse avant de reprendre graduellement les activités responsables de la douleur. Il faudra patienter de 3 à 6 semaines.
	• Améliorez votre technique de jeu au tennis, au base-ball ou au golf.

Soins médicaux

Consultez un médecin si la région est chaude, si elle présente de l'inflammation, si vous avez de la fièvre, si les deux épaules ne sont pas au même niveau ou si vous ne parvenez pas à bouger votre bras.

Si la douleur ne s'est pas apaisée au bout d'une semaine en dépit de ces pratiques, consultez un médecin.

La douleur au coude et à l'avant-bras

La bursite et la tendinite sont des causes fréquentes de douleur au coude (voir page **100**). En cas de bursite, l'extrémité du coude présente un petit sac ovale rempli de fluide. Si la douleur ne diminue pas après quelques jours de traitement et que la région est encore très sensible au toucher, consultez un médecin. Une radiographie permettra de déterminer s'il y a fracture.

Une luxation du coude peut se produire chez un enfant lorsqu'un adulte le tire ou le secoue brusquement par le bras, ce qu'on ne devrait d'ailleurs jamais faire. Le coude d'un enfant de moins de 6 ans ne peut tolérer ce stress. La luxation est très douloureuse et limite sensiblement la mobilité. Consultez un médecin immédiatement ; il replacera aussitôt l'articulation. Cette procédure suffit le plus souvent à soulager la douleur. Une radiographie éliminera les autres causes probables. Le port d'une écharpe pendant 2 semaines ou plus stabilisera l'articulation.

L'hyperextension du coude se produit lorsque le coude excède les limites de sa mobilité habituelle à l'occasion d'une chute ou d'un faux mouvement, notamment au tennis. Le coude et les tissus sous-jacents sont douloureux et présentent de l'œdème. Suivez les instructions pour les soins d'urgence (voir page **97**) et soutenez le coude par une attelle ou une écharpe jusqu'à ce que la douleur s'apaise. Si vous ne constatez aucune amélioration au bout d'une semaine, consultez un professionnel de la santé.

Soins médicaux

Consultez immédiatement si :
• le coude semble déformé ;
• le coude est rigide et son mouvement est limité à la suite d'une chute ;
• la douleur au bras est aiguë.

■ L'épicondylite

Cette affection récurrente est en fait une forme de tendinite qui touche la face interne ou externe de l'avant-bras, sous le coude. La douleur se propage parfois jusqu'au poignet et provient de multiples et minuscules lacérations des tendons qui relient au coude les muscles de l'avant-bras. Ses causes les plus fréquentes sont les élans du bras au tennis ou au lancer au base-ball et les gestes répétitifs qui requièrent un balancement ou une rotation du bras : peindre une maison, utiliser un tournevis ou un marteau, etc.

L'épicondylite occasionne des douleurs à la face interne ou externe de l'avant-bras, à proximité du coude (voir le cercle), lorsqu'on surmène l'articulation. La douleur est due à de minuscules lésions ou à une inflammation.

Autotraitement	• Suivez les instructions pour les soins d'urgence (voir page **97**). • Un massage de la zone atteinte accélère la guérison en favorisant la circulation sanguine. • Une attelle placée au coude et à l'avant-bras contribue à soulager la douleur. • Un anti-inflammatoire (voire page **267**) apporte aussi un soulagement. • La douleur met environ 6 à 12 semaines à disparaître complètement. **Prévention** • Sachez vous préparer à la pratique d'un sport par un conditionnement physique approprié. • Faites des exercices de renforcement : flexions et extensions du poignet en tenant un poids. • Portez des bandes de soutien aux avant-bras, juste sous le coude. • Faites des exercices de réchauffement et d'assouplissement des muscles de l'avant-bras avant et après une activité sportive. • Appliquez une compresse chaude à l'avant-bras 5 minutes avant une activité sportive et une compresse glacée après toute activité intense.

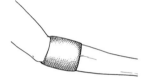

Soins médicaux

Consultez immédiatement dans les cas suivants :
- Si votre coude est chaud et présente une inflammation, et si votre température est plus élevée que la normale (fièvre).
- Si vous ne parvenez pas à plier le coude ou que celui-ci semble déformé.
- Si vous croyez vous être fracturé un os lors d'une chute ou d'une blessure.

Si vous ne constatez aucune amélioration au bout d'une semaine, consultez votre médecin afin d'éliminer les autres causes probables de la douleur.

■ Les douleurs à la main, au poignet et aux doigts

Songez aux nombreux mouvements qu'exécutent chaque jour les doigts, les mains et les poignets. On n'imagine pas la multitude de nerfs, de vaisseaux sanguins, de muscles et d'osselets qui, en travaillant de concert, nous permettent de tourner une clé dans la serrure tant que ce geste ne devient pas douloureux.

La douleur et l'œdème du poignet, de la main et des doigts peuvent avoir été causés par une blessure ou un surmenage, débuter brusquement ou s'installer progressivement. En voici les causes les plus fréquentes :
- Une foulure ou une entorse (voir pages **97** et **98**).
- Une fracture, une bursite, une tendinite ou la goutte (voir pages **99**, **100** et **102**).
- L'arthrite ou la fibromyalgie (voir pages **101** et **171**).

Autotraitement

- Suivez les instructions pour les soins d'urgence (voir page **97**).
- Prenez un analgésique en vente libre (voir page **267**).
- Si aucune fracture n'apparaît à la radiographie et qu'un délai d'une semaine ne suffit pas à soulager la douleur, demandez à votre professionnel de la santé de vous faire subir un examen plus approfondi. Certaines fractures ne deviennent visibles qu'après quelques jours ou nécessitent une prise de vue particulière.
- Si la douleur persiste, vous aurez sans doute besoin d'examens supplémentaires, ou encore d'une attelle, d'un plâtre ou de physiothérapie.

Prévention

- Retirez vos bagues avant d'effectuer un travail manuel. Si vous vous blessez, retirez vos bagues avant que l'œdème ne s'installe.
- Faites des pauses fréquentes pour restaurer les muscles que vous utilisez fréquemment et variez vos activités.
- Faites des exercices d'assouplissement et de renforcement.

Soins médicaux

Consultez immédiatement dans les cas suivants :
- Si vous soupçonnez la présence d'une fracture.
- Si la région enfle rapidement à la suite d'un accident ou d'une blessure et que tout mouvement est douloureux.
- Si votre température est plus élevée que la normale, si la zone affectée est chaude et s'il y a inflammation.
- Si vos doigts engourdissent et bleuissent soudainement.

■ Problèmes courants

Un kyste est une protubérance sous-cutanée : les tissus de l'articulation ou de la gaine synoviale, en faisant saillie, forment un abcès qui renferme du liquide.

Les kystes sont des sacs remplis de liquide synovial qui se forment sur le dessous ou le devant du poignet, le dessus de la main, la paume ou les jointures. Ils renferment une matière gélatineuse en provenance d'une articulation ou d'un tendon, mais semblent fermes ou solides au toucher. Ces kystes sont parfois douloureux ; s'ils vous gênent, un traitement s'impose. Consultez immédiatement si vous constatez une inflammation douloureuse ou si le kyste éclate et présente un écoulement (habituellement au bout des doigts).

Le blocage du doigt se produit le plus souvent lors d'une activité sportive. La douleur est parfois due à une entorse (distension d'un ligament) ou à une fracture superficielle de l'articulation. Suivez les instructions de la page **97** pour les soins d'urgence. Protégez le doigt atteint en le fixant au doigt adjacent au moyen d'une bande de sparadrap. Consultez immédiatement dans les cas suivants :
- Si vous constatez une déformation du doigt.
- Si vous ne parvenez pas à tendre le doigt.
- Si la région est chaude et enflammée, et si votre température est plus élevée que la normale.
- Si l'œdème et la douleur sont importants et persistants.

Le doigt à ressort est un doigt qui se bloque en crochet et ne se redresse qu'en émettant un bruit sec. Dans les cas graves, il devient impossible de le redresser complètement. Le crochet est plus prononcé le matin ou à la suite d'un mouvement de préhension. Le doigt à ressort est causé par la présence d'une nodosité dans la paume, qui empêche l'extension normale du tendon. Modifiez vos habitudes et évitez de surmener l'articulation. S'il y a inflammation, que le doigt est gonflé et que vous avez de la fièvre, consultez un médecin.

■ Le syndrome du canal carpien

Un étroit canal qui traverse le poignet (le canal carpien) protège le nerf médian qui procure aux doigts leur sensibilité. Lorsqu'un œdème affecte le canal carpien, la compression du nerf médian provoque une douleur.

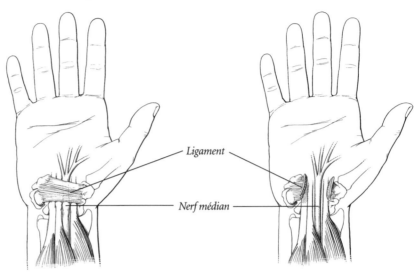

Ligament

Nerf médian

Les tendons fléchisseurs, qui permettent aux doigts de se replier, et un nerf important traversent, pour rejoindre la main, un passage étroit (le canal carpien). Une enflure du canal comprime le nerf médian, la plupart du temps sans raison précise. L'enflure est plus fréquente chez les femmes que chez les hommes et se produit plus souvent chez les personnes qui se servent beaucoup de leurs mains pour le travail ou les loisirs (tricot, clavier d'ordinateur, soulèvement de charges ou préhension répétitive). La grossesse, un déséquilibre thyroïdien, le diabète et l'arthrite sont aussi parfois en cause. Les enfants qui abusent des jeux vidéos éprouvent parfois des douleurs aux mains ou aux poignets.

Les symptômes de ce syndrome sont les suivants :
• Une sensation de fourmillement ou un engourdissement des doigts et de la main, à l'exception de l'auriculaire. La sensation se produit surtout pendant le sommeil, au volant de la voiture, quand vous parlez au téléphone ou que vous lisez le journal.
• Une douleur qui irradie du poignet à l'avant-bras ou du poignet à la paume et aux doigts.
• Une sensation de faiblesse ; la tendance à laisser tomber des objets.
• Dans les cas graves, une perte de sensation dans certains doigts.

Autotraitement	• Faites des pauses fréquentes, même de 1 ou 2 minutes. • Variez vos activités. Étirez vos poignets et vos mains au moins 1 fois par heure. • Portez une attelle au poignet pendant la nuit. Elle doit être bien maintenue en place, mais évitez de trop serrer le pansement. • Si vous travaillez beaucoup à l'ordinateur, consultez la page **253** pour des conseils supplémentaires. • Si les symptômes persistent ou s'aggravent, consultez un professionnel de la santé.

■ La douleur au pouce

Une douleur à la base du pouce est l'un des premiers symptômes de l'arthrose des mains (voir page **171**). Le simple fait d'écrire, de dévisser un couvercle, de tourner la clé dans la serrure ou de tenir un petit objet peut suffire à causer de la douleur et de l'œdème. Une seule articulation ou plusieurs peuvent être affectées. Ce problème touche surtout les femmes de 55 ans et plus. La douleur est parfois associée à une blessure préalable, à un geste répétitif (par exemple, le mouvement du tournevis) ou à des facteurs héréditaires.

Autotraitement

- Évitez les activités qui causent la douleur.
- Reposez votre pouce. Stabilisez le pouce et le poignet au moyen d'une attelle que vous retirerez 4 fois par jour pour assouplir et étirer l'articulation.
- La prise d'analgésiques en vente libre apportera un certain soulagement (voir page **267**).
- Exercez votre pouce chaque jour quand vos mains sont au chaud. Faites de larges rotations du pouce ; repliez-le pour qu'il touche chacun des autres doigts tour à tour.
- Servez-vous d'outils et d'ustensiles spécialement conçus pour les personnes arthritiques.

Soins médicaux

Consultez un médecin immédiatement si la douleur nuit à vos activités ou si elle est la plupart du temps intolérable. On peut atténuer la douleur par des injections de cortisone, des médicaments contre l'arthrite et, dans certains cas, une chirurgie.

■ La douleur à la hanche

La douleur à la hanche se manifeste le plus souvent à la suite d'une chute ou d'un accident, ou après une marche rapide ou un exercice aérobique. Ses causes les plus fréquentes sont la bursite, la tendinite et l'arthrose (voir pages **100** et **171**, respectivement), ou les foulures et les entorses (voir pages **97** et **98**). Plus rarement, la douleur à la hanche est due à une inégalité de la longueur des jambes. Une différence de 1 à 2 centimètres est courante et tout à fait normale.

Autotraitement

- Suivez les instructions de la page **97** pour les soins d'urgence.
- Évitez les activités qui causent de la douleur.
- Prenez un analgésique en vente libre (voir page **267**).
- Renforcez les muscles de la hanche (en particulier les abducteurs, qui permettent d'éloigner la jambe du corps) pour soulager la douleur et améliorer la mobilité de l'articulation.

Soins médicaux

Consultez un médecin immédiatement dans les cas suivants :
- Si vous avez fait une chute ou si vous avez subi un accident et que vous soupçonnez la présence d'une fracture de la hanche.
- Si vous avez suivi les instructions pour les soins d'urgence à la suite d'une chute ou d'un accident, mais que la douleur est plus intense le lendemain.
- Si vous souffrez d'arthrose et que vous avez subi un trauma à la hanche lors d'une chute.

Problèmes courants

■ La douleur à la jambe

La plupart des douleurs à la jambe sont dues à un ensemble de facteurs: surmenage, manque de tonus et de souplesse, embonpoint, trauma et problèmes de circulation. Un changement dans le mode de vie suffit le plus souvent à apporter un soulagement.

Les exercices suivants renforceront vos muscles et vous éviteront les blessures:
- La marche. Commencez par de petites enjambées et allongez le pas à mesure que les muscles se détendent.
- Le vélo. Augmentez progressivement la distance parcourue et la vitesse.
- La natation. Nager assouplit et tonifie les muscles.
- Les muscles appariés doivent être tonifiés également. Par exemple, exercez également les quadriceps (devant de la cuisse) et les ischio-jambiers (arrière de la cuisse).

■ Étirement du muscle ischio-jambier

Les sportifs souffrent souvent d'étirement ou d'entorses au muscle ischio-jambier, surtout lors d'activités telles que le football ou l'athlétisme. Vous pourriez subir une telle blessure à la suite d'un faux mouvement (glissade) ou d'une activité vigoureuse.

Autotraitement

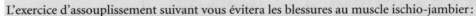

Suivre les indications de la page **97** pour les soins d'urgence. Si vous ne notez pas un début d'amélioration au bout d'une semaine, consultez un professionnel de la santé.

L'exercice d'assouplissement suivant vous évitera les blessures au muscle ischio-jambier:
- Étendez-vous à plat dos devant une porte ouverte; tendez la jambe gauche le long de la porte. Appuyez la jambe droite contre le cadrage et redressez-la. Maintenez cette position pendant 30 secondes. Répétez avec l'autre jambe. Veillez à ne pas bloquer le genou.
- Efforcez-vous graduellement de tendre la jambe perpendiculairement par rapport au reste du corps.

■ Les crampes

Une crampe est un spasme musculaire. Les athlètes surmenés et déshydratés, en particulier par temps chaud, sont souvent sujets aux crampes, mais la plupart des gens en font l'expérience tôt ou tard. Dans la plupart des cas, la crampe est gênante, sans plus.

Autotraitement

- Étirez et massez doucement le muscle contracté.
- Pour une crampe au mollet: concentrez votre poids sur la jambe affectée et pliez légèrement le genou, ou faites l'exercice d'assouplissement du mollet recommandé à la page **116**.
- Pour une crampe de la cuisse: redressez les jambes et inclinez-vous à partir de la taille en vous appuyant d'une main au dossier d'une chaise, ou faites l'exercice de prévention décrit plus haut.
- Une compresse chaude détendra les muscles contractés.
- Une compresse froide soulagera les muscles endoloris.
- Buvez beaucoup d'eau. Pour que les muscles fonctionnent normalement, il faut les hydrater.
- Si vos crampes sont très douloureuses et fréquentes, votre médecin pourra vous prescrire une médication appropriée.

Prévention

Étirez les muscles de la jambe à l'aide de l'exercice ci-dessous, conçu pour améliorer la souplesse du tendon d'Achille et du mollet (voir l'illustration de la page **116**) :

- Appuyez-vous à bout de bras à un mur. Penchez-vous vers l'avant en appuyant vos mains et vos avant-bras contre le mur.
- Pliez un genou et avancez la jambe en direction du mur tout en gardant l'autre jambe tendue. Maintenez les talons au sol et le dos droit, et poussez vos hanches vers l'avant. Gardez cette position pendant 30 secondes.
- Répétez l'exercice avec l'autre jambe. Faites 5 répétitions par jambe.
- Étirez doucement vos muscles et faites des exercices de réchauffement avant tout exercice vigoureux.
- Si une crampe survient, arrêtez l'exercice.

La périostose du tibia

Lorsque la douleur touche le devant de la jambe et la partie interne du tibia, il peut s'agir d'une périostose. Les fibres minuscules de la membrane qui rattache le muscle au tibia sont enflammées, irritées, douloureuses et parfois gonflées. Les coureurs, les joueurs de basket-ball et de tennis et les recrues de l'armée sont particulièrement vulnérables à la périostose.

Autotraitement

- Suivez les instructions de la page **97** pour les soins d'urgence.
- Massez la zone affectée avec de la glace.
- Prenez un analgésique en vente libre (voir page **267**).
- Attendez que la douleur s'estompe avant de reprendre l'activité qui l'a causée. Cette douleur pourrait persister plusieurs semaines ou même plusieurs mois. En attendant, le vélo ou la natation préserveront la souplesse et le tonus des jambes.

Prévention

- Faites des exercices d'assouplissement avant de faire de la course à pied pour détendre les muscles de la jambe et du pied. Tapez du pied de bas en haut et de gauche à droite.
- Une fausse semelle coussinera votre pied.
- Vous pourriez avoir besoin d'une fausse semelle orthopédique, surtout si vous avez les pieds plats.
- Un bon entraîneur évaluera et, éventuellement, corrigera votre façon de courir.

Soins médicaux

Consultez immédiatement dans les cas suivants :

- Si la douleur au tibia est intense et due à une chute ou à un accident.
- Si le tibia présente une inflammation.
- Si la douleur persiste au repos ou pendant la nuit.

Une radiographie spéciale permettra de détecter une éventuelle fracture (fracture de stress).

L'œdème des jambes

Il peut arriver à l'occasion que nos jambes enflent. Plusieurs facteurs peuvent occasionner cet œdème : l'embonpoint, rester debout ou assis trop longtemps, la rétention d'eau (fréquente chez les femmes enceintes ou menstruées), les varices, les allergies et une exposition prolongée au soleil.

L'œdème persistant et grave peut être dû à l'un des problèmes médicaux suivants et nécessite l'intervention d'un médecin.

Problèmes courants

- L'*inflammation d'une veine (phlébite)*. La phlébite est dangereuse s'il se forme un caillot qui se détache par la suite. La phlébite touche la partie inférieure de la jambe qui devient douloureuse, rouge et enflée. Elle se produit le plus souvent après une période d'inactivité prolongée (voyage en voiture ou en avion, convalescence à la suite d'une intervention chirurgicale, etc.). Consultez immédiatement votre médecin.
- Une *mauvaise circulation (claudication intermittente)*. Chaque fois que vous marchez, vous ressentez une crampe au même endroit. Celle-ci s'estompe après un arrêt et du repos. La crampe est due à un rétrécissement ou à un blocage d'une artère de la jambe. Consultez.
- L'*insuffisance cardiaque*. Si le cœur affaibli ne pompe pas assez de sang, la rétention d'eau dans les jambes est possible. Les deux jambes sont touchées en même temps, mais on ne ressent aucune douleur. Consultez immédiatement.
- Les *maladies du foie ou du rein*. Consultez votre médecin.

Autotraitement	**En cas d'enflure occasionnelle** - Perdez du poids et réduisez votre consommation de sel. - Surélevez les jambes au-dessus du niveau du cœur pendant 15 à 20 minutes chaque jour pour rétablir la circulation sanguine. - Si vous devez rester assis longtemps (par exemple, en avion), levez-vous souvent et marchez pour détendre vos jambes. **En cas de maladies qui provoquent de l'œdème** Vous ne pouvez pas traiter ces maladies par vous-même, mais vous pouvez réduire le risque de les contracter si vous suivez les conseils ci-dessous. - Cessez de fumer. - Contrôlez votre tension artérielle. - Faites modérément et régulièrement de l'exercice. - Maintenez un poids santé.
Soins médicaux	Consultez immédiatement un médecin si vos jambes sont très enflées sans raison apparente ou si une jambe rougit et présente de l'inflammation.

■ La douleur au genou

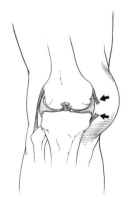

Les flèches indiquent un ligament lacéré. Cette blessure fréquente provoque de l'œdème et une instabilité de l'articulation.

L'articulation du genou est la plus volumineuse et la plus complexe de toutes. Sa mécanique nous soutient chaque fois que nous nous penchons, nous redressons et effectuons un mouvement de torsion.

Le genou, étant très exposé, est très fragile. Il n'est pas conçu pour supporter un effort latéral, et il doit porter un poids important.

Une blessure au genou est souvent complexe. La plupart du temps, elle est causée par une activité sportive ou un trauma. Parfois, la douleur est due à l'usure et au surmenage. L'œdème et la douleur ne suffisent pas, dans la plupart des cas, à renseigner sur la nature du mal. L'important est que le genou puisse supporter un poids normal, être stable et normalement mobile.

Les causes les plus fréquentes de la douleur au genou sont les suivantes:
- Les foulures et les entorses (voir pages **97** et **98**) subies lors d'un faux mouvement ou d'un coup reçu. L'entorse est localisée au côté opposé à celui de l'impact. L'œdème peut n'apparaître qu'au bout de quelques jours.
- La tendinite (voir page **100**) due à un excès de vélo ou d'escalier d'exercice. Le « genou du coureur » est une forme de tendinite due au surmenage, et qui provoque des douleurs sur le devant du genou. Il y a inflammation des tendons. Bouger le genou est douloureux.
- La bursite (voir page **100**).

- L'arthrose (voir page **171**). La douleur se fait sentir lorsqu'on bouge le genou ou soulève une charge.
- Une lacération du cartilage ou des ligaments en raison d'un choc ou d'une torsion. Elle frappe les skieurs et les joueurs de basket-ball qui trébuchent ou tombent.
- Des fragments flottants de rotule ou de cartilage. Ces éclisses peuvent se coincer dans l'articulation. Elles sont douloureuses et peuvent bloquer complètement le genou.
- Un kyste tendre et proéminent à l'arrière du genou (kyste poplité ou de Baker). Se pencher, s'accroupir ou s'agenouiller est douloureux.

Autotraitement	• Suivez les instructions de la page **97** pour les soins d'urgence.

- Suivez les instructions de la page **97** pour les soins d'urgence.
- Prenez un anti-inflammatoire en vente libre (voir page **173**). Mais n'oubliez pas que masquer la douleur masque aussi les symptômes d'une lésion probable.
- Faites des flexions et des extensions de jambe chaque jour. Si vous éprouvez de la difficulté à bouger le genou, faites-vous aider par quelqu'un d'autre.
- Efforcez-vous de tendre le genou et de garder cette position pendant quelques secondes.
- Si vous vous déplacez avec une canne, portez-la du côté opposé au genou atteint.
- Évitez toute activité vigoureuse jusqu'à la guérison du genou. Recommencez progressivement en faisant de la gymnastique douce.
- Évitez de vous accroupir, de vous agenouiller, de gravir ou de descendre des pentes.

Prévention

- Faites régulièrement de l'exercice pour renforcer les muscles du genou. Pendant l'exercice, ne pliez vos genoux qu'à 90 degrés, pas davantage.

Soins médicaux

Consultez immédiatement dans les cas suivants :
- Si la douleur est immédiate et vive, et que tout mouvement du genou est entravé.
- Si la douleur est vive même si le genou ne supporte aucun poids.
- Si la douleur est précédée d'un bruit sec ou d'une sensation d'éclatement. Les ligaments déchirés pourraient nécessiter une chirurgie et tout retard entraverait leur guérison.
- Si le genou bloque ou que la rotule est visiblement déformée (luxation).
- Si le genou est anormalement relâché et instable.
- Si vous constatez une enflure rapide et inexpliquée, et que vous êtes fiévreux.

Si vous ne constatez aucune amélioration après une semaine d'autotraitement, consultez.

Genouillères et orthèses

Dans les cas d'instabilité du genou, portez une genouillère ou une bande de soutien :
- Une gaine en néoprène qui enserre le genou mais laisse la rotule à découvert.
- Une genouillère peu coûteuse, en vente libre. Vous pouvez la porter du côté extérieur du genou seulement ou de chaque côté.

Mise en garde : Ces appareils semblent mieux supporter le genou qu'ils ne le font en réalité. Ils ne protègent pas le genou contre les blessures, mais procurent une sensation de chaleur et empêchent les éraflures. N'utilisez ces orthèses que sur l'avis du médecin ou du thérapeute.

Problèmes courants

■ Les douleurs à la cheville et au pied

L'entorse de la cheville se produit lorsque les ligaments qui maintiennent la cheville sont distendus ou déchirés.

L'articulation de la cheville est la plus souvent blessée. La cheville, point de rencontre de 3 os différents, permet une grande variété de mouvements et supporte tout le poids du corps. Les causes les plus fréquentes de la douleur aux chevilles sont les suivantes :

- Les foulures et les entorses (voir pages **97** et **98**).
- Les fractures (voir page **99**). Les exercices vigoureux qui sollicitent beaucoup la cheville, tels que le basket-ball ou la gymnastique aérobique, peuvent occasionner des fractures de stress. Ces fractures ne se présentent souvent que sous la forme de minuscules crevasses, invisibles à la radiographie jusqu'à 6 semaines après l'accident.
- La bursite ou la tendinite (voir page **100**).
- La tendinite achiléenne (une forme de tendinite) se produit lorsque le tendon d'Achille, qui relie les muscles de la jambe à l'os situé à l'arrière du talon, est enflammé. Les minuscules lacérations du tendon sont parfois dues à un exercice trop vigoureux. La douleur est sourde et se manifeste principalement lorsqu'on saute ou lorsqu'on court. Le tendon lui-même est parfois légèrement enflé et sensible au toucher.
- L'oignon est une déformation de l'articulation du gros orteil due le plus souvent au port de chaussures trop petites. Le gros orteil se replie et recouvre partiellement l'orteil adjacent. À sa base, il excède la largeur normale du pied. Le frottement de chaussures trop petites occasionne aussi des cors, des durillons et des douleurs articulaires.

Autotraitement

- Suivez les instructions de la page **97** pour les soins d'urgence.
- Le fait de se déplacer sur une articulation instable peut aggraver la situation. Stabilisez l'articulation par une chevillère, une attelle ou des bottines lacées.

Si vous croyez vous être **fracturé** la cheville, consultez votre médecin. Si vous avez une fracture de stress :
- patientez un mois, le plâtre est rarement nécessaire ;
- pendant 3 à 6 semaines, évitez les exercices vigoureux qui sollicitent trop la cheville.

En cas de **tendinite achiléenne** :
- portez des chaussures de tennis à semelle souple et évitez de gravir ou de descendre des pentes ;
- évitez de trop solliciter le talon pendant plusieurs jours ;
- faites quotidiennement des exercices d'assouplissement du mollet (voir pages **109** et **116**).

En cas d'**oignons** :
- portez des chaussures suffisamment larges et, l'été, optez pour des sandales ou pour marcher pieds nus ; une déformation excessive pourrait nécessiter le port de chaussures orthopédiques.

Prévention

- Choisissez des chaussures de qualité et suffisamment grandes. Les chaussures à bout arrondi ou carré compriment moins les orteils. Évitez les semelles trop minces et les talons hauts.
- Étirez le talon d'Achille et faites précéder cet exercice d'un étirement du mollet tel que décrit aux pages **109** et **116**.

Soins médicaux

Consultez sans délai dans les cas suivants :
- Si la douleur est intense et que la cheville enfle à la suite d'un accident ou d'un trauma.
- Si votre température est plus élevée que la normale (fièvre) ou que vous ressentez une impression d'inflammation et que le pied est chaud au toucher.
- S'il y a déformation du pied ou de la cheville, ou que leur position est anormale.
- Si la douleur vive empêche toute mobilité de l'articulation.
- Si, au bout de 72 heures, votre pied ne supporte toujours aucun poids.

■ Les pieds plats

Tous les bébés ont les pieds plats. À l'adolescence, l'arche du pied est complètement développée. L'arche, qui s'étend dans les deux directions, aide à distribuer uniformément sur les pieds le poids du corps.

Chez certaines personnes, l'arche ne se développe jamais. Chez d'autres, le pied s'aplatit à force de marcher. Mais cela n'est pas un problème ; les personnes qui ont les pieds plats souffrent en effet moins de maux de dos ou de jambes et de blessures aux pieds.

Les pieds plats posent problème dans les cas suivants :
* quand ils compriment les nerfs et les veines du pied ;
* quand ils favorisent l'instabilité et les blessures des articulations de la cheville, du genou, de la hanche et du bas du dos ;
* quand vous faites de l'embonpoint.

Autotraitement	• Le port d'arches de soutien dans les chaussures répartira mieux le poids du corps. • Si vos pieds plats vous font continuellement souffrir, consultez.

Les enfants

Tous les bébés ont l'air d'avoir les pieds plats en raison d'un surplus normal de graisse. Vers l'âge de 5 ans, l'arche commence à se développer. Chez 1 enfant sur 7, l'arche ne se développera jamais complètement.

Les pieds plats sont de deux types.
* *Les pieds plats flexibles :* le pied semble plat à la station debout uniquement. L'arche reparaît si l'enfant se tient sur la pointe des pieds ou sur un seul pied. Les pieds plats ne sont pas douloureux et semblent attribuables à des facteurs héréditaires. Il ne sert à rien de les traiter, sinon par le port d'arches de soutien pour accroître le confort des chaussures.
* *Les pieds plats fixes :* ceux-ci peuvent être problématiques. Si les pieds de l'enfant sont douloureux, rigides ou extrêmement plats, des chaussures spéciales ou une chirurgie apporteront un soulagement.

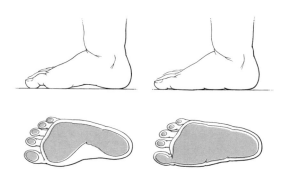

Les pieds plats ont une arche insuffisamment développée ou absente. L'illustration de gauche (haut et bas) montre un pied normalement arqué et l'empreinte qui lui correspond. Si le pied et l'empreinte de votre bébé ressemblent à ceux de l'illustration de droite, votre bébé a les pieds plats.

■ Les sensations de brûlure

La sensation de brûlure peut être légère ou vive, continuelle ou temporaire, et affecte principalement les personnes de 65 ans ou plus. Sa cause est difficile à établir et peut englober les facteurs suivants :

- un tissu qui irrite ;
- des chaussures mal ajustées ;
- le pied d'athlète (une infection fongique) (voir page **132**) ;
- l'exposition à une substance toxique (par exemple, l'herbe à puce).

Dans les cas suivants, la sensation de brûlure peut être l'indice d'une affection nerveuse ou circulatoire :

- Elle s'accompagne de fourmillements, de faiblesse ou d'un changement de sensibilité dans les jambes.
- Elle s'accompagne de nausées, de diarrhée, d'incontinence urinaire ou fécale, ou d'impuissance.
- Il y a des antécédents familiaux.
- La situation ne s'améliore pas.
- Vous souffrez de diabète mellitus.

Autotraitement

- Portez des bas de coton ou faits d'un mélange de coton et de fibres synthétiques, et des chaussures en matériau naturel. Une fausse semelle spécialement adaptée vous aidera, si elle est en bonne condition.
- Renoncez aux activités qui aggravent la situation.
- Baignez vos pieds dans de l'eau fraîche pendant 15 minutes, 2 fois par jour.
- Évitez le stress et dormez suffisamment.
- Prenez un analgésique en vente libre (voir page **267**).

■ L'orteil en marteau et l'orteil en maillet

Contrairement à l'oignon, qui affecte le gros orteil seulement, l'orteil en marteau peut affecter tous les orteils et plus particulièrement le deuxième. L'orteil se replie et devient douloureux. Ce problème touche les deux jointures, ce qui donne à l'orteil une apparence de crochet. Les chaussures trop courtes sont généralement en cause, mais cette difformité touche également les diabétiques chez qui la maladie a entraîné une dégénérescence nerveuse et tissulaire. Dans le cas de l'orteil en maillet, la difformité n'affecte que la dernière jointure.

Autotraitement

- Une pièce orthopédique à insérer dans la chaussure peur procurer un certain soulagement.
- Assurez-vous que vos chaussures sont parfaitement ajustées à la longueur et à la largeur de votre pied.

Quelques conseils pour un bon ajustement de vos chaussures

Une chaussure bien ajustée vous évitera des tas de problèmes de pieds, de talons et de chevilles :

- Recherchez une chaussure à bout suffisamment large. Évitez les souliers pointus.
- Portez des talons bas pour prévenir les maux de dos.
- Choisissez des chaussures lacées. Elles sont en général plus larges et plus faciles à ajuster.
- Recherchez des chaussures de sport confortables, des sandales avec courroies ou des mocassins souples à fausse semelle coussinée.

- Évitez le vinyle et le plastique qui ne respirent pas quand le pied transpire.
- Achetez vos chaussures vers midi. Le pied est plus petit le matin et enfle tout au long de la journée. Mesurez les deux pieds. Avec l'âge, notre pied change et, surtout, s'élargit.
- Demandez au marchand d'élargir vos chaussures neuves là où elles vous semblent trop étroites.

■ L'œdème

La plupart des gens ont les pieds qui enflent de temps à autre. Les causes en sont les mêmes que pour les jambes enflées (voir page **109**).

Autotraitement	• Faites de l'exercice. Élevez vos jambes au-dessus du niveau du cœur. • Éliminez le sel. **Prévention** • Portez des bas de soutien qui compriment également toute la jambe et réduisent ainsi l'enflure de la cheville et du pied. Mais n'oubliez pas que des bas trop serrés (par exemple, au mollet) peuvent provoquer de l'œdème. • Faites régulièrement de l'exercice.
Soins médicaux	Si l'un des pieds enfle rapidement, qu'il présente de l'inflammation et que votre température est plus élevée que la normale (fièvre), consultez immédiatement un médecin.

■ La métatarsalgie de Morton

Cette affection particulière occasionne une douleur vive et une sensation de brûlure à la plante du pied, des élancements et des engourdissements, comme si l'on marchait sur des pierres acérées. La métatarsalgie de Morton consiste en une excroissance de tissus tendres autour d'un nerf du pied (un névrome), souvent entre les troisième et quatrième orteils. La douleur est souvent absente tôt le matin et ne se fait sentir que lorsqu'on se tient debout ou lorsqu'on porte des chaussures trop étroites.

Autotraitement	• Portez des chaussures correctement ajustées et suffisamment larges, ou encore des sandales. • Portez un soutien orthopédique ou un coussin plantaire. • Évitez pendant quelques semaines les activités trop vigoureuses qui sollicitent le pied.
Soins médicaux	• Une injection de cortisone apportera un certain soulagement. • L'excroissance peut être enlevée par la chirurgie si la douleur est trop intense et chronique.

■ La douleur au talon

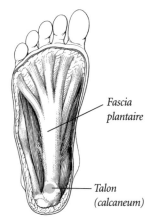

Fascia plantaire

Talon (calcaneum)

La douleur au talon est souvent attribuable à une tension du fascia plantaire.

La douleur au talon est gênante, mais rarement grave. Un nerf compressé en est parfois la cause, ou encore une affection chronique telle que l'arthrite ou la bursite, mais elle est le plus souvent due à une fasciite plantaire, soit une inflammation du fascia, une bande de tissu fibreux qui rattache l'os du talon *(calcaneum)* aux orteils.

La douleur s'installe d'habitude progressivement, mais elle peut survenir brusquement et avec beaucoup d'intensité. Elle est plus importante le matin au lever, quand le fascia n'a pas encore acquis de souplesse. La fasciite se produit en général dans les deux pieds, mais peut n'en affecter qu'un seul.

La douleur s'estompe à mesure que le pied se détend, mais revient parfois si l'on reste debout ou assis trop longtemps. Le fait de gravir des marches ou de se tenir sur la pointe des pieds peut la déclencher. Une épine osseuse (mais indolore) se forme parfois en raison de la tension que subit l'os du talon.

Les personnes de tout âge peuvent être affectées. L'embonpoint, des chaussures mal ajustées, des déformations du pied et les activités qui sollicitent le pied à l'excès en augmentent les risques.

La douleur et l'inflammation se traitent facilement, mais la guérison est lente : il faut compter environ 6 mois ou davantage pour que le talon retrouve son état normal.

Problèmes courants

Autotraitement

- Évitez le jogging et la marche. Optez plutôt pour la natation ou le vélo, qui sollicitent moins le talon.
- Appliquez de la glace sur la région affectée pendant 20 minutes au retour de l'activité physique.
- Les étirements favorisent la souplesse du fascia plantaire, du tendon d'Achille et du mollet. Les exercices d'assouplissement pratiqués le matin au réveil avant même de sortir du lit compensent pour la contraction nocturne du fascia.
- Les exercices de renforcement du pied renforcent aussi l'arche.
- Choisissez des chaussures à talon de hauteur moyenne (2,5 à 5 cm), qui supportent correctement l'arche du pied et qui absorbent bien les chocs.
- Les analgésiques en vente libre peuvent apporter un certain soulagement (voir page **267**).
- Si vous faites de l'embonpoint, perdez du poids.
- Essayez des coussins de talon qui amortiront les chocs et procureront un bon soutien au pied.

Les exercices illustrés ici renforcent et assouplissent le fascia plantaire, le tendon d'Achille et le mollet. Gardez chaque position de 20 à 30 secondes, et faites 1 ou 2 répétitions 3 fois par jour.

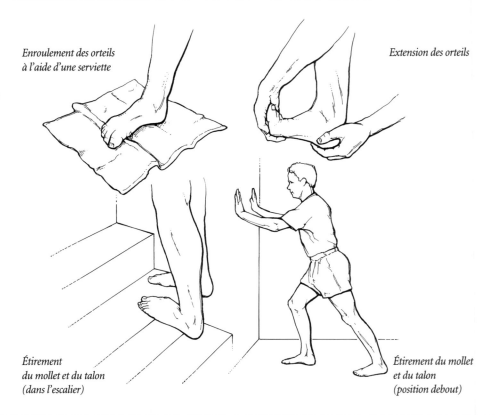

Enroulement des orteils à l'aide d'une serviette

Extension des orteils

Étirement du mollet et du talon (dans l'escalier)

Étirement du mollet et du talon (position debout)

Soins médicaux

Si ces mesures s'avèrent inefficaces, ou si vous croyez souffrir d'une déformation du pied, consultez votre médecin. Il pourrait vous proposer l'un ou l'autre des traitements suivants :
- Des orthèses adaptées.
- Des attelles à porter la nuit pour favoriser la guérison en maintenant les tissus tendus.
- L'application de chaleur, qui active la circulation et favorise la guérison.
- Une injection de cortisone au talon pour réduire l'inflammation si les autres méthodes n'ont pas de succès. Mais les injections répétées sont à déconseiller, car elles peuvent affaiblir et même provoquer la rupture du fascia plantaire tout en amincissant le coussin gras qui protège l'os du talon.
- Le médecin pourrait en outre détacher le fascia plantaire de l'os du talon, mais cette solution n'est conseillée que si tous les autres traitements ont échoué.

Les poumons, le thorax et la respiration

La respiration est un réflexe fondamental. Nous respirons des milliers de fois par jour. Lorsque nous inspirons, nous emmagasinons de l'oxygène dans nos poumons et notre système sanguin. Lorsque nous expirons, l'air que nous expulsons est chargé de gaz carbonique composé des déchets résultant de nos activités physiques. Nous respirons à notre insu, jusqu'à ce qu'un problème surgisse.

■ La toux : un réflexe normal

Tout comme la respiration, la toux est un réflexe. Elle protège nos poumons contre les irritants. Lorsque des sécrétions se logent dans les voies aériennes (les bronches), l'on tousse pour dégager celles-ci et faciliter la respiration. Une toux faible et occasionnelle est normale ; c'est un réflexe sain destiné à nettoyer les voies respiratoires.

Cependant, une toux violente et prolongée peut irriter les voies aériennes. La toux à répétition provoque une constriction des bronches qui irrite la membrane, soit la paroi intérieure des voies respiratoires.

Quelles sont les causes de la toux ?

La toux est souvent le symptôme d'une infection virale de l'appareil respiratoire supérieur, c'est-à-dire une infection du nez, des sinus et des voies aériennes due à un rhume ou à une grippe. Il peut y avoir inflammation du larynx (la laryngite) qui provoque un enrouement et modifie la voix. La toux peut aussi être causée par une irritation due à un écoulement de sécrétions dans la gorge (ou venant de la cavité nasale).

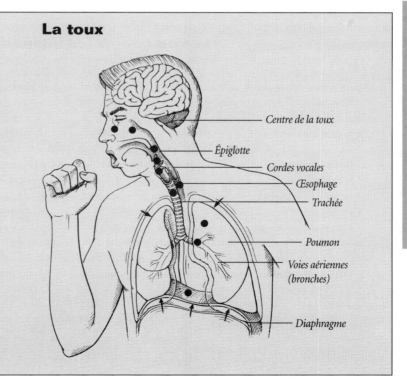

La toux

La toux se déclenche lorsqu'un irritant atteint les neurorécepteurs localisés dans le nez, la gorge ou le thorax (voir les pastilles sur l'illustration). Ces récepteurs transmettent un influx nerveux à la région du cerveau qui contrôle la toux. Lorsqu'on inspire, l'épiglotte et les cordes vocales se ferment et retiennent l'air dans les poumons, tandis que les muscles de l'abdomen et du thorax se contractent et exercent une pression sur le diaphragme. Enfin, en s'ouvrant brusquement, les cordes vocales et l'épiglotte expulsent l'air ainsi emmagasiné.

Centre de la toux
Épiglotte
Cordes vocales
Œsophage
Trachée
Poumon
Voies aériennes (bronches)
Diaphragme

La toux est également associée à certaines affections chroniques. Les asthmatiques et les personnes qui souffrent d'allergies ont des quintes de toux involontaires, de même que les fumeurs. Les irritants présents dans l'environnement, notamment le smog, la fumée des autres et l'air chaud ou froid, peuvent provoquer la toux.

Il arrive aussi que la toux soit due aux sucs gastriques qui remontent dans l'œsophage ou, dans de rares cas, dans les poumons. C'est le reflux gastro-œsophagien (voir page **74**). Chez certaines personnes, la toux est devenue un simple tic.

Autotraitement

- **Boire beaucoup.** Boire de l'eau ou des jus de fruits aide à dégager la gorge. Éviter le café et les boissons gazeuses.
- **Utiliser un humidificateur.** L'air ambiant est souvent très sec, en particulier pendant les mois d'hiver. Puisque la sécheresse de l'air irrite la gorge lorsqu'on a le rhume, un humidificateur facilite la respiration.
- **Le miel, les bonbons durs ou les pastilles médicamenteuses** soulagent quelque peu une irritation bénigne et peuvent prévenir la toux si la gorge est sèche ou douloureuse. Offrez-vous une tasse de thé avec un peu de miel.
- **Les expectorants** aident à se débarrasser des sécrétions de la gorge (expectorer signifie cracher). Les expectorants fluidifient les sécrétions et soulagent quelque peu la douleur.
- **Les antitussifs** se présentent sous forme de sirop ou de pastilles. Ils agissent sur la région du cerveau qui contrôle la toux. Des antitussifs doux sont disponibles en vente libre. Les antitussifs plus puissants ne s'achètent que sur ordonnance médicale.
- Si votre toux est due à un reflux des sucs gastriques, dormez en surélevant la tête de 10 à 15 cm, et évitez toute nourriture ou boisson de 2 à 3 heures avant le coucher.

Soins médicaux

Consultez un médecin si votre toux persiste plus de 2 ou 3 semaines, ou si elle s'accompagne de fièvre, de difficultés respiratoires ou de mucus sanglant. Le contrôle de la toux chronique nécessite un diagnostic médical soigné.

Pour ou contre les humidificateurs ?

Lorsque l'air ambiant vous porte à tousser, il convient d'en augmenter le degré d'humidité, mais il faut aussi veiller à ce que le remède ne soit pas pire que le mal. Un humidificateur mal entretenu est un terrain propice à la prolifération des bactéries et des champignons. Pour minimiser ce problème, la Consumer Product Safety Commission des États-Unis propose les critères suivants :

- **Changez l'eau de l'humidificateur chaque jour.** Videz le réservoir et essuyez-en les parois avec un linge doux. Remplissez-le d'eau propre.
- **Certains manufacturiers recommandent l'emploi d'eau distillée.** L'eau du robinet contient des minéraux dont les dépôts favorisent la prolifération des bactéries. Lorsqu'ils se répandent dans l'air ambiant, ces minéraux laissent une poussière blanche sur les meubles.

- **Désinfectez l'humidificateur chaque semaine ou aux 15 jours.** Videz le réservoir. Remplissez-le d'une solution composée d'une cuillère à thé de javellisant pour 4 litres d'eau. Laissez tremper pendant 20 minutes, puis videz le réservoir et rincez-le jusqu'à ce que l'odeur de javellisant ait complètement disparu.
- **Maintenez un degré d'humidité de 30 à 50 p. 100.** Un degré d'humidité supérieur à 60 p. 100 favorise la condensation et la prolifération des bactéries et des champignons. Vérifiez périodiquement le degré d'humidité au moyen d'un hygromètre (disponible dans les quincailleries).
- **Respectez les instructions du manufacturier** pour le nettoyage régulier de votre humidificateur afin d'éviter l'accumulation des bactéries.

La bronchite

La bronchite est fréquente, comme le rhume, et est causée par une infection virale qui se répand dans les bronches. Elle provoque une toux profonde et des sécrétions d'un gris jaunâtre en provenance des poumons. Les bronches sont les principales voies aériennes des poumons. La bronchite est une inflammation de la paroi des bronches.

Autotraitement

- Reposez-vous le plus possible, et buvez beaucoup. Placez un humidificateur dans votre chambre à coucher.
- Prenez un sirop ou des pastilles contre la toux (voir page **268**). En cas de fièvre, les adultes peuvent prendre de l'aspirine, un décongestif anti-inflammatoire non stéroïdien (AINS) ou de l'acétaminophène. Les enfants peuvent prendre de l'acétaminophène ou de l'ibuprofène.
- Évitez les irritants tels que la fumée de cigarette.

Soins médicaux

La bronchite aiguë guérit le plus souvent en quelques jours. Contactez votre médecin si vous éprouvez des difficultés respiratoires ou si vous avez de la fièvre pendant plus de 3 jours. Si la toux persiste au-delà de 10 jours et que les crachats développent une teinte jaunâtre, grise ou verte, le médecin prescrira sans doute un antibiotique.

Le croup

Le croup est causé par un virus qui infecte le larynx, la trachée et les conduits bronchiques. Il frappe surtout les enfants de 3 mois à 5 ans et touche les garçons plus souvent que les filles. En raison du rétrécissement des voies aériennes, le croup provoque une toux claironnante qui ressemble parfois au cri du phoque. La voix s'enroue et l'enfant éprouve des difficultés respiratoires. S'il s'agite et pleure, la respiration est encore plus entravée. Le croup dure en général de 5 à 6 jours et peut, pendant ce temps, fluctuer beaucoup en intensité. Les symptômes sont plus prononcés la nuit.

Autotraitement

- Rassurez l'enfant par des câlins, et distrayez-le avec des jeux ou de la lecture.
- Donnez-lui à boire des boissons claires pour aider à fluidifier les sécrétions.
- Éloignez-le de la fumée de cigarette (qui peut aggraver les symptômes).
- Exposez-le à de l'air humide et chaud. Essayez l'une des méthodes suivantes :
  – Posez une débarbouillette mouillée (gant de toilette) sur son nez et sa bouche, en vous assurant que l'air peut circuler facilement. (À proscrire si l'enfant est en détresse respiratoire.)
  – Remplissez un humidificateur d'eau chaude et placez l'enfant face au conduit pour qu'il puisse respirer profondément, par la bouche, l'humidité qui se dégage de l'appareil.
  – Installez l'enfant pendant 10 minutes dans la salle de bains où vous ferez couler la douche. Répétez aussi souvent que nécessaire. Si l'air du dehors est frais ou froid, sortez avec l'enfant pendant quelques minutes.
- Dormez dans la même pièce que l'enfant jusqu'à la fin de la crise afin de surveiller son état.

Soins médicaux

Parfois, le croup occasionne un blocage complet des voies aériennes. Si vous constatez l'un des symptômes suivants, appelez les secours : l'enfant bave ou éprouve de la difficulté à avaler ; il ne peut pencher le cou vers l'avant ; ses lèvres foncent ou bleuissent ; sa toux s'aggrave ; il éprouve de plus en plus de difficulté à respirer ; sa respiration est sifflante à l'inspiration.

Problèmes courants

La sibilance

Une respiration sibilante produit un sifflement aigu en provenance du thorax au moment de l'expiration. Cette sibilance est due au rétrécissement des voies aériennes des poumons et est l'indice d'une difficulté respiratoire. Le sujet éprouve aussi une sensation de compression à la poitrine.

La sibilance est un symptôme courant de l'asthme, de la bronchite, de la dépendance à la nicotine, de différentes allergies, de la pneumonie, de l'emphysème, du cancer du poumon et de l'insuffisance cardiaque. Elle peut également être due à des facteurs environnementaux tels que les produits chimiques et la pollution. La sibilance nécessite une attention médicale immédiate. Consultez si vous éprouvez des difficultés à respirer et si votre respiration est sibilante.

L'essoufflement (dyspnée)

En général, un essoufflement subit nécessite l'intervention d'un médecin. Il peut être dû à plusieurs facteurs, de la crise cardiaque à la présence d'un caillot dans les poumons, en passant par la pneumonie. La grossesse occasionne aussi des essoufflements.

L'essoufflement chronique est un symptôme de l'asthme, de l'emphysème, d'autres affections pulmonaires ou cardiaques. Toutes ces affections chroniques nécessitent également une intervention médicale. Certains exercices contribuent néanmoins à soulager l'essoufflement dû à une affection pulmonaire chronique (voir ci-dessous).

Quelques exercices pour améliorer la capacité respiratoire

Quelques exercices simples pourront soulager les symptômes de l'emphysème ou d'une autre affection pulmonaire chronique en vous aidant à vider vos poumons à l'aide des muscles abdominaux et à accroître leur efficacité. Faites ces exercices de 2 à 4 fois par jour, mais consultez votre médecin au préalable.

La respiration diaphragmatique

Étendez-vous sur le dos en supportant la tête et les genoux avec des oreillers. Inspirez et expirez lentement et rythmiquement. Détendez-vous.

Placez le bout des doigts sur l'abdomen, juste sous la cage thoracique. En inspirant lentement, vous sentirez le diaphragme qui se soulève.

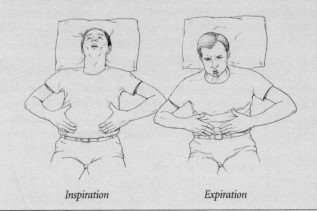

Inspiration   Expiration

Habituez-vous à pousser votre abdomen contre vos mains à mesure que vos poumons se remplissent. Assurez-vous de garder la poitrine immobile. Inspirez lentement par la bouche en comptant mentalement jusqu'à 3. Pincez les lèvres et expirez par la bouche en comptant mentalement jusqu'à 6.

Pratiquez la respiration diaphragmatique jusqu'à ce que vous puissiez faire de 10 à 15 répétitions consécutives sans vous fatiguer. Ensuite, refaites le même exercice en vous étendant sur un côté, puis sur l'autre. Plus tard, vous pourrez essayer ce type de respiration assis sur une chaise, debout, en marchant et, enfin, en montant un escalier.

Les lèvres pincées

Pratiquez la respiration diaphragmatique, mais en pinçant les lèvres en exhalant (l'air expulsé produira le son « sssss »). Inspirez profondément par la bouche, et expirez. Répétez 10 fois par séance.

La respiration profonde

Debout ou assis, repoussez les coudes vers l'arrière en inspirant profondément. Retenez votre souffle et bombez le thorax pendant 5 secondes, puis expulsez l'air de vos poumons en contractant les muscles abdominaux. Faites 10 répétitions.

■ Les douleurs thoraciques

Une douleur thoracique est parfois intense et difficile à interpréter. Une simple indigestion ou un problème médical très grave pourrait en être la cause.

Soins d'urgence

Si la douleur thoracique persiste, appelez immédiatement les secours!

Infarctus. En plus d'une douleur thoracique ou d'une sensation d'oppression à la poitrine, vous pourriez ressentir une douleur ou un engourdissement du visage, des bras, de la nuque ou du dos. Le souffle court, la sudation abondante, l'étourdissement, la nausée et les vomissements sont d'autres symptômes de l'infarctus. Si vous croyez être en train de faire un infarctus, appelez les secours sur-le-champ. Faites le 911. Si vous vous rendez à l'hôpital par vos propres moyens, *assurez-vous que quelqu'un d'autre prendra le volant!*

Les autres causes des douleurs thoraciques

Certains types de douleurs thoraciques ne nécessitent pas une intervention médicale d'urgence:

Les douleurs intercostales. C'est la forme la plus fréquente de douleurs sans gravité. Si la zone est sensible au toucher, il est peu probable qu'il s'agisse d'un problème grave tel que l'infarctus. Les douleurs intercostales s'estompent en quelques jours et réagissent bien à l'aspirine (adultes seulement). Les enfants prendront de l'ibuprofène ou de l'acétaminophène. Une application intermittente de chaleur à la région endolorie apportera un soulagement.

Les brûlures d'estomac. Vous éprouvez une sensation de brûlure dans la partie supérieure de l'abdomen et au niveau du sternum, et vous avez peut-être un goût sur ou acide dans la bouche. Les brûlures d'estomac sont parfois très douloureuses et sont faciles à confondre avec un début d'infarctus. En général, l'éructation ou la prise d'un médicament contre l'acidité gastrique suffit à soulager les brûlures d'estomac.

La douleur précordiale. Elle se produit le plus souvent chez les jeunes adultes. Elle se caractérise par un pincement vif et bref sous le sein gauche, qui entrave la respiration. Il n'y a rien à faire. Le soulagement survient presque tout de suite. La douleur précordiale n'a pas de cause connue, mais elle ne présente apparemment aucun danger.

L'angine. On désigne par le nom d'angine la douleur thoracique et le sentiment d'oppression associés aux maladies cardiaques. L'angine se produit lorsque le muscle cardiaque est privé d'oxygène et se développe lors d'un surmenage physique ou d'un stress psychologique. Si l'on a diagnostiqué chez vous un problème cardiaque, consultez votre médecin qui établira un plan de traitement.

- Ne poursuivez pas vos activités lors d'une crise d'angine. Arrêtez-vous et soignez-vous.
- L'angine se traite par le repos et par un médicament tel que la nitroglycérine.
- Si vous constatez un changement dans les symptômes habituels de votre angine (fréquence accrue, crises nocturnes), consultez votre médecin.
- Si les mesures que vous avez prises pour faire cesser une crise sont inefficaces et que celle-ci perdure au-delà de 15 minutes, ou si vous avez une sensation de vertige ou des palpitations, appelez immédiatement les secours.

■ Les palpitations

Lorsqu'on a des palpitations, on a l'impression que notre cœur ne bat pas régulièrement, qu'il escamote des battements. Tous les individus ont des palpitations de temps à autre. En général, cela n'a rien de dangereux, mais il convient de consulter quand même par mesure de précaution. Les palpitations sont dues au stress ou à des facteurs externes tels que l'excès de caféine ou d'alcool. Il suffit parfois de changer son mode de vie pour alléger ces symptômes.

Problèmes courants

Le nez et les sinus

Le nez est l'accès principal de l'appareil respiratoire. De 12 à 15 fois par minute, il filtre, humidifie et réchauffe l'air que nous respirons dans son trajet vers la gorge et les poumons.

À l'occasion, le nez est le site de saignements, d'un rhume, d'une allergie saisonnière ou d'une infection des sinus. Heureusement, la plupart des affections des sinus et du nez sont sans gravité et temporaires.

Dans les pages qui suivent, nous abordons les différents problèmes associés au nez et aux cavités adjacentes, les sinus. Pour plus de renseignements sur les allergies respiratoires, consulter la page **168**.

■ La présence d'un corps étranger dans le nez

Si un corps étranger est logé dans votre nez, faites ce qui suit :
- N'essayez pas de le déloger au moyen d'un coton-tige ou de tout autre instrument. N'essayez pas de l'inhaler en inspirant avec force. Respirez par la bouche tant que vous n'aurez pas réussi à déloger l'objet.
- Mouchez-vous délicatement, et non pas vigoureusement ou à répétition.
- Si l'objet fait saillie par la narine et qu'il est possible de le saisir, délogez-le doucement avec une pince à épiler.

Si ces méthodes échouent, consultez les services d'urgence.

■ La perte de l'odorat

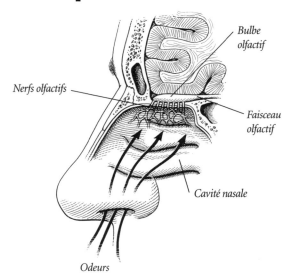

Bulbe olfactif

Nerfs olfactifs

Faisceau olfactif

Cavité nasale

Odeurs

Le sens de l'odorat et, dans une large mesure, le sens du goût, prennent leur source dans les terminaisons des nerfs olfactifs localisés dans la partie supérieure du nez. Les nerfs olfactifs comportent des fibres très fines et extrêmement sensibles qui transmettent les messages du bulbe olfactif au cerveau.

Un rhume de cerveau est la principale cause de la perte temporaire de l'odorat. L'odorat revient quand l'infection s'est résorbée.

Une perte d'odorat sans cause apparente porte le nom d'anosmie. L'anosmie est due soit à une occlusion, soit à une lésion nerveuse. L'occlusion empêche les odeurs de parvenir aux délicates extrémités nerveuses du nez qui transmettent des messages ou des signaux au cerveau. Des polypes, des tumeurs, une affection neurologique ou une inflammation des muqueuses peuvent occasionner une occlusion. Les infections virales, les infections nasales chroniques ou les allergies peuvent aussi endommager les nerfs responsables de l'odorat.

Soins médicaux

Si vous perdez le sens de l'odorat en l'absence d'un rhume, consultez votre médecin qui s'assurera que des polypes n'obstruent pas les cavités nasales. Quand le problème est dû à un virus, l'odorat se rétablit lorsque guérissent les tissus de la région olfactive.

■ Les saignements

Saigner du nez est un problème fréquent. La plupart du temps, ces saignements sont gênants mais sans gravité. Pourquoi saigne-t-on du nez, et comment remédier aux saignements ?

Chez les enfants et les jeunes adultes, les saignements débutent en général sur le septum, c'est-à-dire la cloison qui sépare les deux cavités nasales.

Chez les personnes d'âge mûr ou plus âgées, les saignements commencent sur le septum également, mais peuvent aussi être localisés plus en profondeur. Ce type de saignements est beaucoup moins commun et peut être dû au durcissement des artères ou à l'hypertension. De tels saignements sont violents et difficiles à enrayer. Ils nécessitent une intervention médicale.

Autotraitement

Avec le pouce et l'index, pressez la partie tendre du nez, entre l'aile et l'os propre.

- **Asseyez-vous ou levez-vous.** La station debout réduit la pression sanguine dans les vaisseaux sanguins et ralentit le saignement.
- **Pincez le nez** avec le pouce et l'index en respirant par la bouche pendant 5 à 10 minutes. Cette manœuvre crée une pression à l'endroit affecté du septum et souvent enraye le saignement.
- **N'appliquez pas de glace.** Cette méthode est peu ou pas efficace. Le froid contracte les vaisseaux superficiels, mais ne pénètre pas suffisamment en profondeur pour enrayer le saignement.
- **Pour prévenir les saignements de nez,** augmentez le degré d'humidité de l'air ambiant. Un humidificateur ou un nébuliseur conservera son humidité à la membrane nasale. Vous pouvez aussi lubrifier les fosses nasales avec de la gelée de pétrole (Vaseline).
- **Pour empêcher le retour du saignement quand vous avez réussi à l'enrayer,** ne vous mouchez pas pendant plusieurs heures et ne penchez pas la tête. Gardez la tête surélevée par rapport au niveau du cœur.
- **Si le saignement recommence,** reniflez avec force pour déloger les caillots et employez un décongestif nasal tel que Dristan ou Neosynéphrine. Pincez-vous le nez comme nous l'avons décrit plus haut et consultez votre médecin.

Soins médicaux

Consultez immédiatement dans les cas suivants :
- Si le saignement dure plus de 15 à 30 minutes.
- Si vous vous sentez faible ou sur le point de vous évanouir ; cela peut être dû à une perte de sang trop importante.
- Si le saignement est violent et abondant.
- Si le saignement débute par un écoulement de sang dans la gorge.

Si vous saignez souvent du nez, consultez votre médecin. Il se pourrait que le vaisseau responsable du problème doive être cautérisé. On cautérise un vaisseau sanguin en le brûlant avec un courant électrique, du nitrate d'argent ou un rayon laser.

Les enfants

Les saignements de nez fréquents chez l'enfant sont parfois l'indice d'une tumeur bénigne. Celle-ci se produit le plus souvent chez les garçons pubères, rarement chez les filles. Elle se résorbe parfois spontanément après la puberté, mais peut aussi croître rapidement et occasionner une occlusion du nez et des sinus accompagnée de saignements fréquents et abondants. Si la tumeur ne se résorbe pas d'elle-même, le médecin pourrait conseiller une ablation chirurgicale.

Problèmes courants

■ La congestion nasale

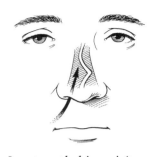

Le septum est la cloison qui sépare les fosses nasales. Une déviation du septum peut occasionner une occlusion.

La congestion nasale est un problème fréquent. La congestion ou l'obstruction nasale entrave la respiration. Dans la plupart des cas, elle est sans gravité. Des polypes, des tumeurs, une enflure des végétations adénoïdes et la présence d'un corps étranger peuvent également obstruer le nez.

Parmi les causes de l'obstruction et de la congestion nasales, on trouve les suivants :

- **Le rhume.** Voir l'encadré intitulé « Atchoum ! Est-ce le rhume ou la grippe ? » à la page **125**.
- **Une déviation** du nez et du septum (le cartilage osseux qui sépare les fosses nasales) est en général attribuable à un accident qui peut s'être produit plusieurs années auparavant, voire dans la plus tendre enfance. La déviation du septum est un problème très fréquent qui peut aussi occasionner des saignements ou une sinusite chronique. Pour la plupart des gens, cette déviation n'entraîne pas de conséquences majeures. Mais si la déviation entrave la respiration, une chirurgie pourrait remédier à la situation : la septoplastie redresse le septum.
- **Les allergies.** La rhinite allergique (inflammation nasale due à des allergies) est le nom médical du rhume des foins et des autres allergies saisonnières. L'allergie est une inflammation causée par un agent externe tel que le pollen, la poussière ou les moisissures.
- **La rhinite vasomotrice** est une inflammation souvent intermittente associée, entre autres, à la fumée, à l'air climatisé ou à l'exercice vigoureux.

Autotraitement

- En cas de rhume, voir « Atchoum ! Est-ce le rhume ou la grippe ? », page **125**.
- Mouchez-vous régulièrement et délicatement s'il y a présence de mucus ou de corps étranger.
- Respirer de l'air humide peut fluidifier les sécrétions et soulager la congestion.
- Prenez une douche chaude ou installez-vous dans la salle de bains pendant quelques minutes en faisant couler la douche.
- Buvez beaucoup.
- Recourez à un décongestif nasal en vaporisateur ou en gouttes, mais pas plus de 3 ou 4 jours. Les décongestifs oraux sous forme liquide ou en comprimés peuvent également apporter un soulagement.
- Essayez des gouttes de solution saline.

Soins médicaux

Si la congestion nasale persiste plus de 1 ou 2 semaines, consultez votre médecin. Celui-ci procédera à un examen du nez pour y déceler une occlusion due à des polypes ou à des tumeurs. Si le médecin diagnostique une allergie, il prescrira une médication à base d'antihistaminiques ou d'anti-inflammatoire en inhalateur.

Attention à la dépendance aux gouttes

L'usage fréquent de décongestifs en gouttes ou en vaporisateur nasal peut entraîner une dépendance. Il s'ensuit un cercle vicieux : vous avez de plus en plus souvent besoin d'un décongestif pour libérer les fosses nasales.

L'usage prolongé d'un décongestif peut causer une irritation des muqueuses, une sensation de brûlure ou de fourmillement et une inflammation chronique.

Le seul remède consiste à renoncer aux gouttes ou aux vaporisateurs et peut-être à opter pour un décongestif oral. Votre état empirera pendant quelque temps, mais la respiration devrait redevenir normale au bout de quelques semaines, quand les effets nocifs du décongestif auront été enrayés.

N'oubliez pas de ne pas utiliser de gouttes ou de vaporisateur pendant plus de 3 ou 4 jours.

■ L'écoulement nasal

L'écoulement nasal est un des premiers symptômes du rhume et de l'allergie. Il suffit la plupart du temps de se moucher délicatement pour remédier à la situation, mais si l'écoulement est persistant et très fluide, un antihistaminique en vente libre apportera un soulagement. Si l'écoulement est épais, voir les recommandations sur la congestion nasale à la page **124**.

Atchoum ! Est-ce le rhume ou la grippe ?
Deux infections virales de l'appareil respiratoire supérieur

	Le rhume	La grippe, l'influenza
Les symptômes habituels	• Écoulement nasal, éternuement, congestion nasale • Mal de gorge (irritation) • Toux • Peu ou pas de fièvre • Légère fatigue	• Écoulement nasal et éternuements • Mal de gorge et mal de tête • Toux • Fièvre (plus de 38 °C - 101 °F) et frissons • Fatigue modérée ou grande fatigue accompagnée de faiblesse • Douleurs musculaires
Les causes	Les adultes ont de 2 à 4 rhumes par an dus à l'un des quelque 200 virus différents qui existent. Chez les enfants, le rhume se produit de 4 à 8 fois par an.	La grippe est causée par un virus du groupe influenza A ou influenza B. Les adultes ont en moyenne moins de 1 infection par an.
La gravité	Le rhume est en général bénin, sauf chez les personnes souffrant de maladies pulmonaires ou d'une autre affection grave.	La grippe est parfois grave, surtout chez les personnes âgées et les personnes souffrant d'une affection chronique.
Puis-je travailler ?	D'habitude, le rhume n'empêche pas le travail, mais il faut éviter de contaminer son entourage. Lavez-vous souvent les mains.	Ne pas travailler tant que la fièvre, la fatigue et tous les symptômes, sauf les plus légers, n'auront pas disparu.
Et la prévention ?	Il est possible de prévenir l'apparition du rhume par une bonne alimentation, le repos et une hygiène adéquate : se laver les mains fréquemment, ne pas partager de nourriture, de linge de toilette, de serviettes ou de mouchoirs.	La vaccination est un mode de prévention efficace et doit être répétée chaque automne (voir page **233**).
Les antibiotiques sont-ils efficaces ?	Les antibiotiques ne sont efficaces que dans les cas d'infection bactérienne.	Les antibiotiques sont parfois efficaces. Il existe deux vaccins antiviraux, mais ils ne sont efficaces que dans le cas de l'influenza A.
Autotraitement	• Buvez beaucoup de boissons chaudes. La soupe au poulet maison contribue à fluidifier les mucosités. • Reposez-vous et dormez plus qu'à votre habitude. • Soyez prudent lorsque vous prenez des médicaments contre le rhume (voir page **268**). • Les pastilles au gluconate de zinc (13,3 mg aux 2 heures, sauf la nuit) peuvent apporter un soulagement aux adultes. À proscrire pendant la grossesse ou lorsque le système immunitaire est affaibli (cancer, sida, affection chronique).	• Buvez beaucoup de liquides pour éviter la déshydratation. • Reposez-vous et dormez plus qu'à votre habitude. • Prenez au besoin un analgésique en vente libre (voir page **267**), mais n'en abusez pas.
Quand consulter ?	• Consultez en cas de difficulté respiratoire, de grande faiblesse, de confusion, de mal de gorge intense, de toux produisant des expectorations abondantes (vertes ou jaunes), de névralgies faciales ou d'une affection chronique. • Si les symptômes n'ont pas disparu au bout de 10 jours.	

La pneumonie

La pneumonie peut se manifester par elle-même ou à la suite d'un rhume ou d'une grippe. Elle est causée par un virus, une bactérie ou un autre organisme. Elle occasionne une toux violente qui présente beaucoup de mucosités, une fièvre et, parfois, des douleurs intenses à l'inspiration (pleurésie). Si vous croyez souffrir d'une pneumonie, consultez votre professionnel de la santé qui recommandera sans doute une radiographie et un traitement aux antibiotiques.

■ La sinusite

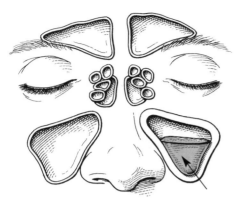

La sinusite affecte le plus souvent les sinus maxillaires (flèche).

Une douleur aux yeux ou aux joues, une fièvre et l'impossibilité de respirer par le nez sont des symptômes courants de la sinusite. Parfois, ces symptômes s'accompagnent de maux de dents ou d'une céphalée qui ressemble à la migraine.

Les sinus sont des cavités osseuses situées à proximité du nez. De petites ouvertures les relient aux fosses nasales. En temps normal, l'air circule dans les sinus et le mucus pénètre dans le nez par ces cavités.

La sinusite est une infection de la membrane d'un ou des sinus. Lorsque le sinus s'infecte, les parois nasales enflent également et une occlusion s'ensuit. L'enflure de la paroi nasale peut obstruer l'ouverture des sinus et empêcher le drainage du pus ou du mucus. La douleur est causée par l'inflammation ou par la pression due à l'accumulation de sécrétions dans les sinus.

L'infection est bactérienne, virale ou fongique et attribuable le plus souvent à un rhume ou à une allergie.

Autotraitement	• Restez à l'intérieur pour éviter les fluctuations de température. • Évitez de pencher la tête ; ce mouvement intensifie la douleur. • Appliquez des compresses chaudes ou inhalez délicatement la vapeur d'un bassin d'eau bouillante. • Buvez beaucoup de liquides pour fluidifier les sécrétions. • Mouchez-vous régulièrement et délicatement. • Prenez un analgésique. • Recourez à un décongestif en vente libre ou à un décongestif nasal en vaporisateur. • Essayez des gouttes de solution saline. • Si vous prenez des antihistaminiques, soyez prudent, car ils peuvent faire plus de tort que de bien en asséchant les parois nasales et en épaississant les sécrétions. Ne les utilisez que sur avis du médecin et respectez la posologie.
Soins médicaux	Si votre fièvre excède 38 °C (101 °F), si la douleur persiste au-delà de 24 heures ou si elle est récurrente, consultez votre médecin. Celui-ci conseillera sans doute une radiographie ou un autre examen plus approfondi en vue de déterminer l'importance de l'infection. Dans le cas d'une infection bactérienne, le médecin prescrira un traitement aux antibiotiques oraux d'une durée de 7 à 14 jours.

La peau, les cheveux et les ongles

Parce que la peau, les cheveux et les ongles font partie intégrante de notre apparence, tout changement ou problème qui les concerne peut être une cause de soucis. Les irritants, les infections, le vieillissement et même le stress peuvent les affecter de plusieurs façons. Une maladie ou une allergie alimentaire ou médicamenteuse peuvent aussi, mais rarement, entraîner des anomalies.

Heureusement, ces problèmes sont la plupart du temps sans gravité et on peut les traiter sans recours médical. Dans les pages qui suivent, nous faisons un survol des problèmes les plus courants et nous vous proposons quelques conseils pour en venir à bout. Mais voici avant tout quelques indications sur le soin général de la peau.

■ Les soins de la peau

Quels que soient la couleur de votre peau, son type et votre âge, limitez votre exposition au soleil et aux rayons ultraviolets. Vous éviterez ainsi d'endommager votre peau et vous diminuerez les risques de cancer.

Les peaux foncées tolèrent mieux le soleil que les peaux claires. Mais tous les types de peau peuvent présenter des plaques ou des rides, ou acquérir une apparence de cuir par excès de soleil. Le fait de porter des vêtements couvrants, de protéger la peau par un écran solaire et de l'hydrater quotidiennement lui conservera son élasticité.

Il importe de bien nettoyer sa peau pour la protéger. Les méthodes et les produits varient selon le type de peau : grasse, sèche, normale ou mixte.

Autotraitement

- Lavez-vous le visage à l'eau tiède (et non pas chaude) et utilisez une débarbouillette ou une éponge pour enlever les peaux mortes. Les peaux très sèches préféreront un savon hyperhydratant tel que Dove. Les peaux grasses devraient être nettoyées de 2 à 3 fois par jour.
- En général, évitez l'eau trop chaude ou les savons parfumés. Les bains trop fréquents assèchent la peau. Si votre peau est sèche, n'utilisez de savon que pour le visage, les aisselles, la région génitale, les mains et les pieds. Après le bain, n'essuyez pas vigoureusement la peau, mais tapotez-la délicatement avec une serviette éponge et faites suivre d'une application de crème ou de lotion hydratante. Préférez un produit hydratant à base d'huile plutôt qu'une crème évanescente qui contient surtout de l'eau, et évitez les crèmes ou les lotions à base d'alcool. Maintenez dans la maison une température fraîche et humide.
- Le rasage irrite la peau. Si vous utilisez un rasoir à lame, assurez-vous que la lame est toujours bien affûtée. Amollissez votre repousse de barbe en appliquant pendant quelques secondes une débarbouillette chaude sur le visage, et ne ménagez pas la crème à barbe. Ne passez la lame qu'une fois en direction de la repousse des poils, car se raser dans les deux sens irrite la peau. Les rasoirs électriques irritent également la peau. Il existe des produits en vente libre pour remédier à l'irritation.
- Assurez-vous que vos produits de maquillage correspondent à votre type de peau : un produit à base d'huile convient à une peau sèche ; un produit à base d'eau convient à une peau grasse.
- Les femmes doivent se démaquiller les yeux avant de se nettoyer le visage. Utilisez des boules de coton hydrophile afin de ne pas endommager les tissus fragiles du pourtour des yeux.

■ L'acné

L'acné est le cauchemar des adolescents, mais peut aussi toucher les adultes. L'acné est causé par une obstruction des pores et par la présence de bactéries. Une accumulation de sécrétions des glandes sébacées mélangées à la peau morte obstruent les pores, ou follicules. Ceux-ci enflent en formant des comédons ou d'autres lésions :

- Points blancs : pores obstrués dépourvus d'ouverture.
- Points noirs : pores obstrués, portant une ouverture et une surface sombre.
- Comédons : boutons rougeâtres, signes d'infection bactérienne dans les pores obstrués.
- Kystes : épaisses protubérances sous-cutanées causées par l'accumulation de sécrétions.

L'acné touche 3 adolescents sur 4. Elle est fréquente à l'adolescence en raison des changements hormonaux qui stimulent les glandes sébacées. Les glandes sébacées sécrètent une matière grasse appelée sébum qui lubrifie les cheveux et la peau. Les menstruations, les anovulants, la cortisone et le stress peuvent aggraver l'acné chez l'adulte.

Bien que chronique chez un grand nombre de jeunes, de l'adolescence au début de l'âge adulte, l'acné se résorbe dans la plupart des cas.

Autotraitement

- Identifiez les facteurs aggravants. Évitez les produits de beauté, les écrans solaires, les produits pour le soin des cheveux ou les produits masquants gras ou huileux. N'utilisez que des produits dits non comédogènes.
- Lavez-vous quotidiennement le visage avec un produit légèrement asséchant et exfoliant.
- Utilisez une lotion en vente libre contre l'acné, contenant du peroxyde de benzoyle, du résorcinol ou de l'acide salicylique, qui enlèvera l'excès de sébum et favorisera l'exfoliation.
- Une exposition modérée au soleil ou à une lampe solaire (soyez prudent !) peut contribuer à remédier à l'acné. Mais un excès de soleil peut provoquer des rides et accroître le risque de cancer de la peau quelques années plus tard.
- Ayez toujours le visage propre et évitez le contact des cheveux et de la peau.
- Soyez à l'affût des signes d'infection d'un comédon.
- À moins que certains aliments n'aggravent votre acné de façon sûre, il ne sert à rien de les éliminer de votre alimentation.
- Le chocolat et certains autres aliments, longtemps tenus pour responsables, ne sont pour rien dans la surproduction de sébum.
- Ne pincez pas les comédons, car cela pourrait infecter la peau et laisser des cicatrices.

Soins médicaux

Les comédons ou les kystes qui ne se résorbent pas nécessitent parfois l'intervention d'un médecin et un médicament sous ordonnance. Dans de rares cas, l'apparition soudaine de l'acné chez l'adulte est le symptôme d'une maladie sous-jacente qui requiert des soins médicaux.

Les cicatrices laissées par l'acné peuvent être atténuées par une technique chirurgicale telle que la dermabrasion ou par une exfoliation chimique (peeling). Mais si la peau a tendance à mal cicatriser, ces procédures sont à déconseiller.

L'exfoliation chimique élimine les cicatrices superficielles. La dermabrasion, habituellement réservée aux cicatrices importantes, consiste à abraser la peau au moyen d'une brosse métallique rotative. L'opération se fait sous anesthésie locale ou sous anesthésie locale par le froid. L'anesthésie générale et l'hospitalisation ne sont en général pas nécessaires.

■ Les furoncles

Les furoncles sont des nodules roses ou rouges sous-cutanées qui se déclarent lorsque des bactéries infectent un ou plusieurs follicules pileux. Ils mesurent en général plus d'un centimètre et demi, se développent rapidement, se remplissent de pus, puis éclatent, se drainent et cicatrisent. Certains furoncles éclatent à peine quelques jours après leur apparition, mais dans la plupart des cas, ils perdurent environ 2 semaines.

Les furoncles peuvent apparaître n'importe où, mais ils touchent le plus souvent le visage, le cou, les aisselles, les fesses ou les cuisses. Une santé défaillante, des vêtements trop serrés ou irritants, l'acné, les dermites, le diabète et l'anémie accroissent les risques d'infection.

Autotraitement

Pour empêcher la propagation de l'infection et pour soulager la douleur, suivez les conseils ci-dessous :

- Appliquez une compresse tiède, salée et humide pendant 30 minutes 2 ou 3 fois par jour pour favoriser la maturation du furoncle et son drainage. Une cuillère à thé de sel par litre d'eau suffit.
- Lavez la zone affectée 2 fois par jour avec un savon antibactérien et couvrez d'un pansement stérile.
- Appliquez un antibiotique topique en vente libre (par exemple, un onguent de bacitracine).
- Ne pincez ou ne percez jamais un furoncle. Vous propageriez l'infection.
- Lavez soigneusement les serviettes éponges, les vêtements et les compresses qui ont été en contact avec la région affectée.

Soins médicaux

Consultez un professionnel de la santé si l'infection touche le dos ou le visage, s'aggrave rapidement, dure plus de 2 semaines, s'accompagne de douleurs intenses ou de fièvre, ou présente un faisceau de lignes rouges émanant du furoncle. Dans certains cas, un traitement aux antibiotiques ou un drainage chirurgical seront nécessaires.

■ La cellulite

La cellulite se développe progressivement en 1 jour ou 2 ou très vite, en quelques heures. La région affectée devient rouge, chaude, endolorie et parfois enflée. Il peut arriver que le sujet soit fiévreux. Cette infection courante se produit lorsque des bactéries ou des champignons, en pénétrant dans une lésion, entraînent une infection des tissus sous-cutanés.

Une hygiène scrupuleuse de la peau et un soin adéquat apporté aux plaies peuvent prévenir ce type d'infection, mais les bactéries peuvent entrer sous la peau même par des coupures ou des lésions infimes telles que des gerçures ou des piqûres.

Autotraitement

Pour prévenir la cellulite et l'infection des plaies, observez ces recommandations :
- Nettoyez parfaitement une plaie.
- Appliquez un onguent ou une crème antibiotique. Si une éruption cutanée s'ensuit, cessez le traitement et consultez un médecin ou un pharmacien. Certains ingrédients contenus dans ces onguents provoquent parfois une légère éruption cutanée.
- Couvrez la région affectée d'un pansement stérile pour empêcher la saleté et les bactéries d'y pénétrer. Recouvrez toujours les cloques (ampoules) ouvertes jusqu'à ce qu'une croûte se soit formée.
- Changez quotidiennement le pansement, et chaque fois qu'il est sale ou mouillé.

Soins médicaux

Consultez votre médecin si vous croyez être atteint de cellulite. Un traitement aux antibiotiques est parfois nécessaire pour empêcher que l'infection ne se propage et n'entraîne des séquelles graves.

■ Les cors et les durillons

Ces couches de peau durcie apparaissent en général sur les mains et les pieds. Les cors sont des saillies de peau durcie mesurant environ 3 mm. La forme et la dimension des durillons varient. Il s'agit d'un phénomène d'autoprotection de la peau. S'ils ne sont guère esthétiques, ils ne nécessitent pas de traitement, sauf s'ils deviennent douloureux. La plupart du temps, l'élimination de la source de friction ou de pression suffit à les éliminer.

Autotraitement

- Portez des chaussures correctement ajustées et suffisamment larges du bout. Votre cordonnier pourra étirer vos chaussures là où elles frottent ou pincent le pied. Portez des coussinets au talon et procurez-vous un remède en vente libre pour amollir les cors.
- Portez des gants lorsque vous utilisez des outils ou recouvrez-en le manche avec du ruban gommé ou une gaine de tissu.
- Frottez vos pieds avec une pierre ponce ou une débarbouillette (gant de toilette) pendant ou après le bain pour amincir les cors et durillons. À déconseiller toutefois si vous souffrez de diabète ou d'une mauvaise circulation sanguine.
- Il existe des produits en vente libre à base d'acide salicylique pour dissoudre les cors (sous forme de pansements ou de solutions liquides contenant un agent épaississant appelé collodion).
- N'amincissez pas les cors et les durillons au moyen d'un instrument tranchant.

Soins médicaux

Si le cor ou le durillon est très douloureux ou enflammé, consultez votre médecin.

■ Les pellicules

Un certain degré de desquamation du cuir chevelu touche la plupart des gens. C'est un processus normal, par lequel le cuir chevelu se débarrasse des couches superficielles de peaux mortes. Si la desquamation est apparente sur les cheveux ou les vêtements, on dit qu'on a des pellicules. Le problème s'aggrave généralement en hiver, sans doute en raison de l'humidité réduite de l'air ambiant et de la faible intensité des rayons ultraviolets. Si environ 20 p. 100 des adultes ont des pellicules, celles-ci ne sont pas contagieuses. Le problème est rarement sérieux, mais rend le cuir chevelu plus sujet aux infections.

Autotraitement

- Lavez régulièrement vos cheveux avec un shampoing doux non médicamenteux. Massez délicatement le cuir chevelu pour en détacher les squames. Rincez abondamment.
- Pour des pellicules rebelles, recourez à un shampoing médicamenteux chaque fois que vous vous lavez les cheveux, si nécessaire. Optez pour un shampoing contenant du pyrithione de zinc, de l'acide salicylique, des sulfides de sélénium ou du goudron (Head & Shoulders, Denorex, Selsun Blue, Tegrin ou Neutrogena T/Gel et T/Sal).
- N'abusez pas des shampoings à l'huile de goudron, car ils peuvent tacher de brun les cheveux clairs ou gris et rendre le cuir chevelu plus sensible aux effets du soleil.
- Nourrissez régulièrement vos cheveux. Si vous avez peu de pellicules, alternez entre un shampoing spécial pour pellicules et un shampoing ordinaire.

Soins médicaux

Les pellicules rebelles ou le cuir chevelu irrité nécessitent un shampoing d'ordonnance. Une lotion à la cortisone enrayera la desquamation et une médication appropriée vous débarrassera plus facilement des squames.

■ La sécheresse de la peau

La sécheresse de la peau est la cause la plus fréquente de la démangeaison et de la desquamation. La sécheresse ne connaît pas de saison, mais l'air froid et le manque d'humidité affectent beaucoup la peau. La peau sèche due au climat dépend du lieu où l'on vit (prurit d'hiver du Minnesota, prurit d'été de l'Arizona).

Autotraitement

- Ne prenez qu'un bain ou une douche par jour. Ne restez pas trop longtemps dans ou sous l'eau, utilisez peu de savon et préférez l'eau tiède à l'eau chaude. Les savons doux et riches tels que Dove assèchent moins la peau. Additionnez l'eau du bain de farine d'avoine en poudre (Aveno) ou d'huile de bain.
- Essuyez-vous délicatement, en épongeant, et non pas en frottant, avec une serviette éponge.
- Dès la sortie du bain, hydratez votre peau avec un lait ou une crème. Optez pour un produit hydratant à base d'huile et non pas une crème évanescente qui contient surtout de l'eau.
- Évitez les crèmes ou les lotions contenant de l'alcool.
- Gardez la température ambiante fraîche à l'aide d'un humidificateur.

■ L'eczéma (dermite)

Emplacement fréquent des irritations dues à une dermite de contact, la forme la plus commune de dermite.

Les termes eczéma et dermite décrivent tous deux une irritation et une inflammation de la peau : la peau est rougie et enflée. Le principal symptôme consiste en plaques rouges et prurigineuses. Ces plaques peuvent épaissir, produire des cloques ou même des plaies ouvertes.

La dermite de contact résulte d'un contact direct avec l'un des nombreux irritants qui peuvent la déclencher, notamment l'herbe à puce (voir « Les plantes vénéneuses », page 39), les produits de lessive et de nettoyage, le caoutchouc, le métal, les bijoux, les parfums et les fards.

La neurodermite est déclenchée par des vêtements trop serrés qui frottent ou piquent ou vous poussent à vous frotter et à vous gratter la peau.

La dermite séborrhéique (voir « Les éruptions cutanées des bébés », page **134**) ressemblent à des pellicules rebelles et prurigineuses. On note la présence de squames graisseux et croûteux sur les ailes du nez, entre les sourcils, derrière les oreilles et au niveau du sternum.

La dermite de stase produit une décoloration (rouge ou brune), un épaississement et une démangeaison de la peau des chevilles. Elle se déclare lorsqu'un fluide organique s'accumule sous la peau (enflure, œdème).

La dermite atopique se caractérise par des fissures cutanées épaisses et prurigineuses, le plus souvent dans le pli du coude ou à l'arrière des genoux. Ce problème est souvent héréditaire et associé aux allergies.

Autotraitement

- Identifiez et évitez les agents irritants.
- Suivez les indications décrites précédemment pour le soulagement de la peau sèche.
- Prenez un bain de 20 à 30 minutes chaque jour.
- Après avoir hydraté votre peau, appliquez une crème contenant de 0,5 à 1 p. 100 de cortisone.
- Évitez le plus possible de vous gratter. Coupez vos ongles et portez des gants pour dormir.
- Si votre cuir chevelu est affecté, shampouinez vos cheveux avec un produit contre les pellicules.
- Les bas de soutien apportent un certain soulagement à la dermite de stase.
- Habillez-vous convenablement pour éviter de trop transpirer.
- Portez des vêtements de coton doux.
- Évitez les tapis, les couvertures et les vêtements de laine, de même que les savons irritants et les détergents.
- Le recours occasionnel à un antihistaminique en vente libre peut soulager les démangeaisons.

■ Les infections fongiques

Les infections fongiques sont attribuables à des micro-organismes parasitiques. Un fongus (champignon), appelé dermatophyte, est responsable du pied d'athlète, de l'eczéma marginé de Hébra et de la teigne. Ces micro-organismes vivent sur les cellules mortes des cheveux, des ongles et de la couche superficielle de l'épiderme. Une hygiène déficiente, une peau toujours humide et de minuscules lésions de la peau ou des ongles nous rendent particulièrement sujets aux infections fongiques.

Le pied d'athlète commence en général entre les orteils et cause une sensation de brûlure, des démangeaisons et des craquelures. Il peut arriver aussi que la plante et le côté des pieds soient affectés. On note alors un épaississement de l'épiderme qui acquiert une texture de cuir. Bien que l'on tienne les douches publiques et les vestiaires pour responsables du pied d'athlète, l'*intérieur* de la chaussure est sans doute le vrai coupable. La fréquence du pied d'athlète s'accroît avec l'âge.

L'eczéma marginé de Hébra (*tinea cruris*) procure une sensation de brûlure et des démangeaisons dans la région de l'aine. On note également des rougeurs cutanées qui peuvent se propager à l'intérieur de la cuisse, à la région anale et aux fesses. Cette infection est légèrement contagieuse et se transmet par contact direct ou par le partage du linge de toilette.

La teigne touche surtout les enfants. Elle se caractérise par une éruption en forme de cercles, rougeâtre, prurigineuse, squameuse et légèrement boursouflée sur le torse, le visage, l'aine ou le pli de la cuisse. À mesure que l'infection se propage, les cercles s'agrandissent et la peau située à l'intérieur de cette frontière retrouve peu à peu son aspect normal. L'infection se transmet par l'échange de vêtements, de peignes ou d'articles de rasage. Les animaux de compagnie peuvent également transmettre ce fongus aux humains.

Aspect typique du pied d'athlète

Autotraitement

Soins généraux
- La meilleure prévention consiste à pratiquer une hygiène scrupuleuse.
- Utilisez une crème ou un talc antifongique 2 à 3 fois par jour jusqu'à disparition de l'éruption. Optez pour des préparations à base de miconazole (Zeasorb-AF, Micatin), de clotrimazole (Lotrimin AF, Mycelex OTC) ou d'acide undécylénique (Desenex, Cruex).

En cas de pied d'athlète
- Gardez les pieds au sec, en particulier entre les orteils.
- Portez des chaussures qui respirent et évitez les matériaux synthétiques.
- Changez de chaussures chaque jour et ne les rangez pas dans du plastique.
- Changez de chaussettes (coton ou polypropylène) 2 fois par jour si vous transpirez beaucoup des pieds.
- Portez des sandales ou des chaussures à l'épreuve de l'eau à la piscine, aux douches et au vestiaire.

Pour l'eczéma marginé de Hébra
- Gardez l'aine propre et sèche.
- Prenez une douche et changez de vêtements après tout exercice physique.
- Évitez les vêtements irritants et lavez souvent vos supports athlétiques.

Pour la teigne
- Lavez parfaitement les brosses, peignes ou couvre-chefs qui ont été en contact avec une région infectée.
- Lavez-vous les mains avant d'examiner votre enfant et encore après.
- Ne rangez pas la literie de l'enfant avec celle du reste de la famille.

Soins médicaux

Consultez si les symptômes persistent plus de 4 semaines ou si vous notez un accroissement des rougeurs, des écoulements ou de la fièvre. Une médication sous ordonnance s'impose peut-être.

■ L'urticaire

L'urticaire se caractérise par des papules de dimensions variables, rosâtres et prurigineuses, qui apparaissent par intermittence. Elles sont plus fréquentes là où les vêtements irritent le corps. Elles apparaissent par groupes et peuvent durer de quelques minutes à plusieurs jours.

L'œdème de Quincke, ou urticaire géante, une éruption similaire, se caractérise par de grosses papules sous-cutanées surtout localisées à proximité des yeux et de la bouche, mais aussi sur les mains et les pieds, ainsi qu'à l'intérieur de la bouche.

L'urticaire et l'œdème de Quincke se produisent lorsque l'organisme libère sous la peau une substance naturelle, l'histamine. Les allergies alimentaires et saisonnières, certains médicaments, les piqûres d'insectes, les infections, la maladie, le froid, la chaleur et la dépression peuvent déclencher une réaction. Dans la plupart des cas, l'urticaire et l'œdème de Quincke sont sans gravité et ne laissent pas de cicatrices. Toutefois, lorsque l'œdème de Quincke est grave, l'enflure de la gorge ou de la langue peut obstruer les voies aériennes et entraîner une perte de conscience.

Autotraitement

- Évitez les substances qui provoquent les crises.
- Prenez des douches fraîches. Appliquez des compresses fraîches. Portez des vêtements légers. Limitez les activités énergiques.
- Pour soulager les démangeaisons, appliquez une lotion calamine ou optez pour un antihistaminique tel que la diphénhydramine (Benadryl) ou le maléate de chlorphéniramine (Chlor-Tripolon).

Soins médicaux

Si vous avez le vertige ou si vous êtes en détresse respiratoire, ou encore si l'urticaire ne disparaît pas après un jour ou deux, consultez un médecin.

■ L'impétigo

L'impétigo est une infection cutanée qui affecte habituellement le visage. Des bactéries (streptocoques) pénètrent sous l'épiderme par une coupure, une égratignure ou une piqûre d'insecte. L'impétigo est extrêmement contagieux et se transmet par contact direct.

L'infection débute par une lésion rougeâtre qui forme brièvement des vésicules, produit un écoulement pendant quelques jours et forme une croûte collante. On peut propager l'infection à d'autres parties du corps ou la transmettre à quelqu'un d'autre en grattant ou en touchant les lésions.

L'impétigo touche plus particulièrement les enfants. Chez les adultes, il est une conséquence d'autres problèmes cutanés, notamment la dermite.

Autotraitement

Une bonne hygiène est indispensable à la prévention de l'impétigo et pour empêcher sa propagation. Lorsque l'infection est limitée, mineure et circonscrite, observez les indications ci-dessous.

- Assurez-vous que les lésions et la zone environnante sont toujours propres.
- Faites tremper la région affectée pendant 20 minutes dans une solution composée d'une cuillère à table de javellisant liquide par litre d'eau, pour faciliter la suppression des croûtes.
- À la suite du trempage dans la solution javellisée, appliquez un onguent antibiotique de 3 à 4 fois par jour. Lavez la région affectée avant chaque application et asséchez-la délicatement.
- Évitez de gratter ou de toucher inutilement les lésions jusqu'à leur guérison complète. Lavez-vous les mains après tout contact. Coupez les ongles des enfants pour éviter qu'ils ne se grattent.
- Ne partagez pas votre linge de toilette, vos vêtements ou votre rasoir. Changez souvent la literie.

Soins médicaux

Si l'infection se propage, votre généraliste pourra prescrire un antibiotique oral tel que la pénicilline ou l'érythromycine, ou encore un onguent de mupirocine (Bactroban).

■ Le prurit et les éruptions cutanées

Le prurit et les éruptions cutanées sont attribuables à des causes si nombreuses qu'il est souvent difficile d'en déterminer l'origine précise. Pour plus de renseignements concernant les problèmes spécifiques qui peuvent entraîner un prurit ou une éruption cutanée, consultez les segments suivants du présent ouvrage: «Les réactions allergiques», page **22**; «Les poux», page **136**; «Morsures et piqûres d'insectes», page **25**; «Les éruptions cutanées des bébés», ci-dessous; «Les affections cutanées infantiles», page **135**; «L'urticaire», page **133**; «La sécheresse de la peau», page **131** et «L'eczéma (dermite)», page **131**.

■ Les éruptions cutanées des bébés

Les croûtes au cuir chevelu (chapeau). La peau du bébé est croûteuse et squameuse. Ne lavez les cheveux du bébé qu'une fois la semaine avec un shampoing doux et de l'eau tiède. Appliquez de l'huile pour bébé sur les régions affectées et, après le bain, enlevez délicatement les squames au moyen d'une brosse douce. Si l'éruption présente des rougeurs et une irritation, appliquez une crème à l'hydrocortisone 0,5 p. 100 une fois la semaine.

Le miliaire rouge (boutons de chaleur). Petites taches ou vésicules rougeâtres localisées le plus souvent au cou ou sur la partie supérieure du dos, du thorax ou des bras. Cette éruption très bénigne apparaît par temps chaud et humide, surtout si le bébé est trop chaudement vêtu ou s'il est fiévreux.

Le milium. Ces minuscules pustules blanches localisées sur le nez et les joues, habituellement présentes à la naissance, s'estompent spontanément au bout de quelques jours.

L'acné infantile. Des vésicules rougeâtres apparaissent au cours des quelques mois suivant la naissance. Lavez délicatement le visage du bébé à l'eau claire 1 fois par jour, et 1 ou 2 fois par semaine avec un savon doux. N'utilisez ni crèmes ni lotions contre l'acné.

L'érythème de salivation. Éruption rougeâtre intermittente localisée aux joues et au menton. Elle est causée par le contact de la peau avec les aliments et les régurgitations. Pour l'enrayer, il suffit le plus souvent de bien nettoyer le visage du bébé après qu'il a mangé ou régurgité.

L'érythème fessier du nourrisson. La région fessière est rougeâtre et enflée, particulièrement dans les plis. Cette irritation est due au contact de l'humidité, à l'acidité de l'urine et des selles et au frottement des couches. Certains bébés sont également sensibles aux détergents utilisés pour le lessivage des couches, aux culottes en plastique, aux élastiques et à certains types de couches jetables et de débarbouillettes jetables. Parfois, l'éruption est attribuable à des infections fongiques.

Autotraitement en cas d'érythème fessier rebelle	• Changez souvent la couche du bébé, sans trop serrer, et exposez la peau à l'air libre aussi souvent que possible. Évitez les culottes en plastique. • Utilisez des couches en tissu ou des couches jetables dépourvues de fronces. Lavez les couches en tissu avec un savon doux (Dreft ou Ivory) et ajoutez une tasse de vinaigre blanc à l'eau de rinçage pour favoriser l'élimination des bactéries. Évitez les assouplisseurs. • Chaque fois que vous changez la couche du bébé, lavez et asséchez délicatement la région affectée à l'eau claire ou avec un savon doux. • Appliquez une mince couche de crème protectrice ou d'onguent (Desitin ou Onguent A & D). • Essayez d'employer une autre marque de couches jetables. • Évitez les débarbouillettes jetables qui contiennent du parfum et de l'alcool. • Si l'éruption est particulièrement difficile à garder propre, placez le bébé dans un évier rempli d'eau tiède à laquelle vous aurez ajouté 60 ml de vinaigre blanc. • Renoncez au talc ou à la fécule de maïs, qui pourraient aggraver la situation.
Soins médicaux	Consultez le médecin si les conseils ci-haut n'ont pas aidé ou si l'irritation est bleutée telle une ecchymose, ou s'il y a des croûtes, des plaies ou de la fièvre.

Les affections cutanées infantiles les plus courantes

Symptômes	Autotraitement	Soins médicaux

La varicelle

L'éruption de la varicelle présente des taches rouges prurigineuses sur le visage et le thorax, qui s'étendent ensuite aux bras et aux jambes et se transforment bientôt en vésicules remplies de liquide organique, qui éclatent et forment des croûtes. Ces vésicules apparaissent par groupes pendant un intervalle de 4 à 5 jours. Une fièvre, des écoulements nasaux ou de la toux accompagnent souvent la varicelle. La maladie dure environ 2 semaines après l'apparition des premières rougeurs. La période d'incubation est de 14 à 21 jours et l'enfant est contagieux jusqu'à la formation de croûtes.

- Baignez l'enfant toutes les 3 ou 4 heures pour soulager les démangeaisons dans une eau additionnée de bicarbonate de soude.
- Faites une application de lotion calamine.
- Un régime doux, composé d'aliments mous, soulagera les lésions buccales. Évitez les agrumes.
- Coupez les ongles de l'enfant et faites-lui porter des gants pour dormir afin d'éviter qu'il ne se gratte.

- Consultez si l'éruption se propage aux yeux, si l'enfant développe de la toux ou une respiration saccadée.
- L'adulte dont le système immunitaire est affaibli, les femmes enceintes ou les personnes qui n'ont pas encore été exposées à la varicelle doivent consulter un médecin.
- Dans les cas graves, le médecin prescrira sans doute de l'acyclovir. Un vaccin contre la varicelle est disponible pour les enfants d'un an ou plus et pour les adultes qui n'ont pas encore été exposés au virus.

La roséole

La roséole débute souvent par une température élevée qui dure environ 3 jours. Par la suite, des plaques rouges se déclarent sur le thorax et le cou; elles peuvent persister de quelques heures à quelques jours. Le virus touche surtout les enfants de 6 mois à 3 ans.

L'éruption n'est pas indisposante et s'estompe spontanément sans traitement particulier. L'acétaminophène et des bains d'éponge à l'eau tiède soulageront l'enfant s'il est fiévreux.

- Si l'éruption dure plus de 3 jours, consultez un médecin. Une forte fièvre pourrait déclencher des convulsions chez les jeunes enfants.

La rougeole

La rougeole débute presque toujours par une élévation de la température pouvant atteindre 40 °C à 40,5 °C (104 °F à 105 °F), une toux, des éternuements, une inflammation douloureuse de la gorge et des larmoiements. De 2 à 4 jours plus tard, une éruption se manifeste par de petits papules rouges sur le visage, qui s'étendent au thorax, aux bras et aux jambes. Ces papules peuvent augmenter en dimension et ils persistent environ une semaine. De minuscules taches blanches apparaissent également à l'intérieur de la bouche.

- Le repos, l'acétaminophène et un sirop antitussif procureront un soulagement à l'enfant.
- Des bains tièdes, des applications de lotion calamine ou de Benadryl soulageront les démangeaisons.

- Consultez si vous croyez que vous ou un autre membre de la famille a la rougeole. Les complications sont rares, mais potentiellement graves : pneumonie, encéphalite ou infection bactérienne.
- Le vaccin contre la rougeole est administré aux enfants de 12 à 15 mois, avec rappel entre 4 et 12 ans.

La cinquième maladie

La cinquième maladie (ou grippe de type B) débute par des rougeurs aux joues. Au cours des jours suivants, une éruption rosâtre ressemblant à de la dentelle se développe sur les bras, le thorax, les cuisses et les fesses, et persiste par intermittence pendant environ 3 semaines. La plupart du temps, on ne note aucun autre symptôme, sinon une indisposition similaire au rhume.

Aucun traitement spécifique n'est recommandé, sauf la prise d'acétaminophène pour soulager la fièvre et l'indisposition.

- Si vous ne savez pas si l'éruption constatée est la cinquième maladie, si vous êtes enceinte et vous croyez avoir été exposée au virus, consultez un médecin sans tarder.

■ Les poux

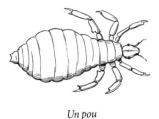

Un pou

Les poux sont de minuscules insectes parasites. Les *poux de la tête* se propagent entre les enfants par contact direct, par les vêtements ou les brosses à cheveux. Les *poux du corps* vivent dans les vêtements et la literie. Les *poux du pubis* (communément appelés morpions) se transmettent par contact sexuel, par les vêtements, la literie et même le siège des toilettes.

Le premier signe d'infestation est une démangeaison intense. Chez certaines personnes, les poux occasionnent de l'urticaire. Dans certains cas, le fait de se gratter provoque une abrasion de l'épiderme. Les poux de la tête vivent sur le cuir chevelu et sont facilement détectables sur la nuque et les oreilles. Les lentes (œufs), qui ressemblent à de minuscules chatons de saule, se déposent sur les cheveux. Les poux du corps sont difficiles à détecter, car ils vont se loger dans les plis de l'épiderme, mais on peut en général les trouver dans les coutures des sous-vêtements. Les poux du pubis logent sur la peau et les poils de la région pubienne. Les poux ne survivent que 3 jours ailleurs que sur le corps ; les lentes éclosent en une semaine environ.

Autotraitement

- On peut se procurer plusieurs types de lotions ou de shampoings d'ordonnance ou en vente libre. Appliquez le produit sur toutes les parties du corps et sur les régions pileuses affectées. On peut retirer les lentes restantes avec une pince à épiler ou un peigne fin. Répétez l'opération au bout de 7 ou 10 jours.
- Votre partenaire sexuel devrait aussi se faire examiner et traiter.
- Gardez les enfants à la maison jusqu'à la fin du premier traitement.
- Lavez la literie, les vêtements et les chapeaux à l'eau très chaude et savonneuse et faites-les sécher à la chaleur (élevée). Faites tremper les brosses et les peignes dans une eau savonneuse et très chaude pendant au moins 5 minutes.
- Passez l'aspirateur sur les tapis, les matelas, les oreillers, les meubles rembourrés et les sièges de voiture.

Soins médicaux

Consultez le médecin avant d'utiliser un produit si votre enfant a moins de 2 ans ou si vous êtes enceinte.

■ La gale

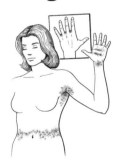

L'acarien responsable de la gale est pratiquement invisible à l'œil nu. En creusant des sillons sous l'épiderme, il provoque de vives démangeaisons qui s'intensifient pendant la nuit. Ces sillons ont l'aspect de vésicules rougeâtres et de fines lignes grisâtres et irrégulières. On les trouve le plus souvent entre les doigts, aux aisselles, autour de la taille, à l'intérieur des poignets, sur les coudes, les chevilles et la plante des pieds, autour des seins, sur les organes génitaux et sur les fesses. Mais presque toutes les parties du corps peuvent être affectées.

La gale se transmet par contact direct et, moins souvent, par le partage des vêtements et de la literie d'une personne infestée. Souvent, la gale se propage à tous les membres d'une même famille, à tous les élèves d'une même classe ou aux enfants qui fréquentent la même garderie.

Autotraitement

Les bains et les préparations en vente libre n'en viendront pas à bout. Consultez un professionnel de la santé si vous présentez les symptômes de la gale ou si vous croyez avoir été en contact avec une personne infestée.

Soins médicaux

Le médecin prescrira une crème ou une lotion qui doit être appliquée sur tout le corps et laissée en place toute la nuit. Tous les membres de la famille et les partenaires sexuels pourraient devoir être traités également. Les vêtements et la literie utilisés avant le traitement doivent être lavés à l'eau chaude savonneuse et séchés à l'air très chaud.

Le psoriasis

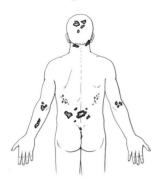

*Localisation habituelle
du psoriasis*

Chez certaines personnes, le psoriasis ne se manifeste que par d'occasionnels épisodes de prurit, mais chez d'autres, il représente une indisposition disgracieuse et ininterrompue.

Le psoriasis se caractérise par des plaques sèches et rougeâtres recouvertes de squames épais et argentés, parfois par petites taches disséminées, parfois couvrant de grandes zones de l'épiderme. Les genoux, les coudes, le torse et le cuir chevelu sont les régions les plus souvent affectées. Lorsque le psoriasis touche le cuir chevelu, la chute abondante des squames ressemble à un problème de pellicules grave.

Dans les cas graves, la peau présente des pustules, des fissures, des démangeaisons intenses, des saignements mineurs et des douleurs articulaires. Il peut également arriver que les ongles des doigts et des orteils perdent leur lustre et présentent des creux ou des rainures.

Ces éruptions sont dues à une prolifération désordonnée des cellules superficielles de l'épiderme. Le psoriasis est souvent héréditaire. La peau sèche, les blessures superficielles, les infections, certains médicaments, l'obésité, le stress et le manque de soleil sont des facteurs aggravants. Le psoriasis n'est pas contagieux : il ne se propage pas aux autres parties du corps et ne se transmet pas aux autres par simple toucher. La plupart du temps, il est cyclique : des épisodes de plusieurs semaines ou de plusieurs mois alternent avec des phases de repos.

Autotraitement

- Maintenez le plus possible une bonne santé par une alimentation équilibrée, du repos et de l'exercice.
- Maintenez un poids normal. Le psoriasis affecte souvent les creux ou les plis de la peau.
- Évitez de vous gratter, de frotter les lésions ou d'y toucher.
- Un bain quotidien humidifiera les squames. Évitez l'eau chaude et les savons parfumés.
- Gardez la peau humide (voir « La sécheresse de la peau », page **131**).
- Utilisez des savons, des shampoings, des laits démaquillants ou des onguents contenant de l'huile de goudron ou de l'acide salicylique.
- Exposez-vous modérément au soleil ; évitez les coups de soleil.
- Pendant quelques semaines, lorsque les symptômes sont particulièrement sévères, appliquez une crème à la cortisone à 0,5 p. 100 ou 1 p. 100.

Soins médicaux

Si ces méthodes échouent, le médecin prescrira sans doute une crème corticostéroïde plus puissante ou un traitement de photothérapie. La photothérapie combine la prise de médicaments et l'exposition aux rayons ultraviolets. Certains onguents contenant une forme de vitamine D (Dovonex) procurent parfois un soulagement. Dans les cas très graves, un médicament contre le cancer (méthotrexate) ou un produit destiné à prévenir le rejet lors de transplantations d'organes (cyclosporine) peut être indiqué.

Les nævi

On les appelle couramment « grains de beauté ». Ces grains sont habituellement inoffensifs et formés par une accumulation de cellules pigmentaires. Ils sont parfois pileux, parfois lisses, et il arrive qu'ils se soulèvent et même qu'ils tombent avec le vieillissement.

Dans de très rares cas, le nævus peut devenir cancéreux. Consultez si votre grain de beauté est douloureux, s'il saigne, s'il y a inflammation ou si vous constatez un changement dans son apparence (voir « Les symptômes du cancer de la peau », page **139**). Surveillez de près les grains de beauté situés autour des ongles ou à la région génitale, de même que les « taches de naissance ». Les nævi de grande dimension, présents à la naissance, peuvent devenir problématiques et devoir être retirés afin d'éviter tout risque de cancer.

Autotraitement

Un nævus normal ne requiert aucun soin particulier à moins qu'il ne devienne irrité ou qu'il présente une lésion. Les soins habituels de la peau suffisent.

■ Le zona

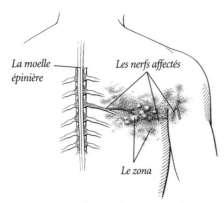

La moelle épinière — Les nerfs affectés

Le zona

Le zona est une inflammation sous-cutanée de certains nerfs sensitifs.

Le zona, également connu sous l'appellation de « herpès zoster », est une réactivation du virus de la varicelle après une longue période d'inactivité à l'intérieur des cellules nerveuses.

La réactivation du virus provoque une douleur ou une sensation de fourmillement localisées, habituellement sur un seul côté du corps ou du visage. La douleur suit le trajet de certains nerfs sensitifs du visage ou qui partent de la moelle épinière. La douleur peut persister plusieurs jours ou davantage.

Par la suite, des vésicules apparaissent et continuent de se propager pendant 3 à 5 jours, souvent par bandes qui affectent un côté du corps seulement. Les vésicules s'assèchent au bout de quelques jours en formant des croûtes qui tombent dans les 2 à 3 semaines suivantes. Ces vésicules sont porteuses d'un virus contagieux. Il faut donc éviter tout contact physique, en particulier avec les femmes enceintes. La varicelle est parfois mortelle pour le nouveau-né.

| **Autotraitement** | Voici quelques suggestions pour soulager les malaises causés par le zona : |

- Appliquez sur les vésicules des compresses fraîches et humides d'une solution d'acétate d'aluminium.
- Lavez délicatement les vésicules, mais n'appliquez pas de pansement.
- Une application de lotion calamine (Caladryl) peut procurer un certain soulagement.
- Prenez un analgésique en vente libre.
- Appliquez une crème analgésique en vente libre.

Soins médicaux

Contactez votre médecin dans les cas suivants :

- Si la douleur ou l'éruption est localisée à proximité des yeux. Laissée sans traitement, l'infection peut endommager les yeux de façon permanente.
- Si votre système immunitaire ou celui d'un membre de votre famille est affaibli par le cancer, certains médicaments ou une affection chronique.
- Si l'éruption est étendue et très douloureuse.
- Si vous avez plus de 60 ans.

L'acyclovir (Zovirax) et le fanciclovir (Famvir) accélèrent la guérison et réduisent le risque de certaines complications dues au zona.

Quand la douleur du zona persiste après la guérison

Les douleurs qui persistent pendant des mois, voire des années après un zona portent le nom d'algies postzostériennes. Cinquante pour cent des adultes de plus de 60 ans qui ont eu un zona en souffrent.

Ces algies varient selon l'individu et le traitement qui convient à l'un échouera pour un autre. De nouveaux traitements semblent toutefois prometteurs et les recherches récentes démontrent que le traitement rapide de l'infection précédant la névralgie est un facteur important.

Puisque la douleur associée aux algies postzostériennes s'estompe avec le temps, il est difficile de savoir si cette amélioration est due à la médication ou à l'atténuation normale de la douleur.

Plusieurs traitements peuvent apporter un certain soulagement : certains analgésiques, le recours à un neurostimulateur transcutané, les antidépresseurs tricycliques, certains anticonvulsivants et, dans les cas graves, la neurochirurgie peut aider.

Habituellement, la douleur s'estompe complètement après 5 ans.

■ Les symptômes du cancer de la peau

Chaque année, environ un million de cas de cancer de la peau sont diagnostiqués et environ 10 000 personnes meurent de cette maladie. Plus de 90 p. 100 des cancers de la peau affectent des régions du corps régulièrement exposées aux rayons ultraviolets (du soleil ou des salons de bronzage). Les rayons ultraviolets sont la principale cause de cancer de la peau. Les autres causes incluent la prédisposition génétique, la pollution chimique et l'exposition aux rayons X.

Voici les principaux symptômes des 3 types de cancer de la peau les plus courants.

Le carcinome basocellulaire. Ce type de cancer de la peau est le plus répandu. Il apparaît sous la forme d'une protubérance lisse, cireuse ou nacrée qui s'étend lentement, prolifère rarement et n'entraîne presque jamais la mort.

Le carcinome spinocellulaire. Ce type de cancer provoque une tumeur ferme, nodulaire ou aplatie, dont la surface est croûteuse, ulcérée ou squameuse, localisée au visage, sur les oreilles, le cou, les mains ou les bras.

Le mélanome. C'est le type de cancer le plus dangereux, mais aussi le moins répandu.

Les illustrations ci-dessous vous aideront à distinguer un nævus normal d'un mélanome : pensez ABCD. Un nævus qui bourgeonne ou saigne, ou une plaie qui ne cicatrise pas sont aussi des indices de cancer.

A	B	C	D

Asymétrie. Une moitié de la lésion présente une forme distincte de l'autre moitié.	*Bordure. La bordure est irrégulière (inégale, floue, crantée).*	*Couleur. La couleur possède différentes nuances de brun clair, de brun, de noir, de rouge, de blanc ou de bleu.*	*Diamètre. Le diamètre est plus grand que le bout d'un crayon : environ 6 mm.*

Autotraitement

- Évitez les expositions prolongées au soleil, de même que les coups de soleil et le bronzage trop prononcé qui endommagent la peau. Ces dommages sont cumulatifs. Portez des vêtements tissés serré qui ne laissent pas passer les rayons nocifs, et un chapeau à large bord. N'oubliez pas que la neige, l'eau et la glace constituent un facteur d'ensoleillement supplémentaire.
- Appliquez chaque jour un écran solaire ayant un facteur de protection d'au moins 15, qui protège à la fois contre les rayons UVA et UVB, sur toutes les parties du corps exposées au soleil, y compris les lèvres. Appliquez cet écran solaire environ 30 minutes avant l'exposition au soleil.
- Fuyez les salons de bronzage.
- Un auto-examen de la peau tous les 3 mois vous permettra de déceler toute anomalie : taches de rousseur, lésions ou tumeurs, changement d'apparence d'un grain de beauté existant ou d'une tache de naissance.

Soins médicaux

Si vous constatez une anomalie, un changement de couleur de la peau ou une lésion qui ne cicatrise pas au bout de 2 semaines, consultez un médecin. N'attendez pas qu'une douleur se manifeste : les cancers de la peau sont rarement douloureux. Le taux de guérison du cancer de la peau est élevé s'il est traité suffisamment tôt.

S'il y a des facteurs prédisposant au mélanome dans votre famille ou si vous avez de nombreux grains de beauté (surtout sur le torse), un examen régulier par un dermatologue serait approprié.

Les enfants

Les coups de soleil graves formant des cloques augmentent le risque de développement d'un mélanome à l'âge adulte. Ne permettez pas à votre enfant de s'exposer trop longtemps au soleil lorsqu'il se rend à la piscine ou à la plage. N'oubliez pas que l'intensité des rayons ultraviolets est la plus élevée entre 10 h et 15 h, et que les nuages ne les filtrent pas complètement.

Problèmes courants

■ Les verrues

Les verrues sont des excroissances rugueuses dues à un virus commun. Elles sont parfois douloureuses et peuvent se propager à d'autres personnes.

Il existe plus de 50 sortes de verrues. Elles peuvent apparaître en n'importe quelle région du corps, mais touchent le plus souvent les mains ou les pieds. Les verrues des pieds, dites verrues plantaires, sont douloureuses, car le simple fait de se tenir debout opère une pression sur elles en les repoussant vers l'intérieur.

On peut attraper des verrues par contact direct avec une personne atteinte ou avec une surface contaminée, par exemple, le parquet d'une douche. Le virus responsable des verrues stimule la croissance rapide des cellules de l'épiderme.

Le système immunitaire de chacun réagit différemment aux verrues. La plupart du temps, les verrues ne présentent aucun danger pour la santé et disparaissent spontanément sans traitement. Puisqu'elles affectent plus d'enfants que d'adultes, l'on croit que les adultes bénéficient d'une immunité acquise. Chez un grand nombre d'adultes, les verrues se résorbent en 2 ans.

Certaines verrues sont le premier symptôme ou le signe avant-coureur d'une affection médicale plus grave. Les verrues ano-génitales (voir page **194**) nécessitent un traitement pour freiner leur transmission par contact sexuel. Certaines souches du papillomavirus augmentent le risque de cancer de l'utérus chez la femme. Ce virus peut se transmettre au bébé pendant la naissance et entraîner des complications.

Autotraitement

- Des préparations topiques à l'acide salicylique peuvent détruire les verrues par desquamation de la peau infectée. On doit les appliquer chaque jour pendant quelques semaines. **Mise en garde :** l'acide est un irritant et peut endommager un épiderme sain.
- Pour éviter de propager les verrues à d'autres régions du corps, ne brossez pas, ne peignez pas et ne rasez pas les régions affectées.

Soins médicaux

Si vos verrues sont sensibles au toucher, si elles sont inesthétiques ou si elles nuisent à vos activités normales, consultez un professionnel de la santé. On peut traiter les verrues avec de l'azote liquide, de la neige carbonique, par électrodessication, par le laser ou par la chirurgie.

■ Les rides

Les rides

Nous avons beau souhaiter pouvoir cacher notre âge, les rides, ces témoins de notre expérience, font inévitablement partie du processus de vieillissement. Avec le temps, la peau s'amincit, se déshydrate et perd de son élasticité. L'affaissement des tissus et les rides s'installent progressivement en raison de la détérioration des tissus conjonctifs. Certaines personnes jouissent de facteurs héréditaires qui semblent ralentir les effets du vieillissement. Méfiez-vous des produits de beauté qui vantent leurs propriétés rajeunissantes ; ils sont coûteux et plus ou moins efficaces.

Autotraitement

- Il n'existe pas de remède contre les rides, mais on peut ralentir leur progression.
- Veillez à maintenir une bonne santé.
- Ne fumez pas.
- Évitez les expositions prolongées au soleil et utilisez un écran solaire.
- Évitez les savons desséchants et l'eau chaude.

Soins médicaux

Les préparations d'ordonnance telles que les crèmes au rétinol (vitamine A) peuvent être efficaces si on les utilise très longtemps. Les peelings chimiques, la dermabrasion ou les traitements au laser peuvent atténuer les effets du vieillissement de la peau si votre apparence vous attriste.

■ La perte de cheveux (alopécie)

Une chevelure saine et abondante est depuis toujours symbole de jeunesse et de beauté, si bien que les premiers indices de calvitie et de la perte de densité de la chevelure sont décourageants.

Si votre chevelure semble clairsemée, sachez qu'il est normal de perdre chaque jour de 50 à 100 cheveux. Tout comme les ongles et la peau, les cheveux traversent des phases de pousse et de repos. La perte de densité de la chevelure fait partie du processus de vieillissement.

L'alopécie androgénique (calvitie) compte pour 99 p. 100 des cas de perte des cheveux chez les hommes et les femmes. Elle est due à des facteurs génétiques. L'alopécie androgénique se manifeste par une récession graduelle de la ligne frontale et temporale, suivie d'une perte modérée à étendue des cheveux sur le dessus de la tête. Chez la femme, la perte des cheveux est plus généralisée : la chevelure est uniformément clairsemée. L'hérédité, un déséquilibre hormonal et l'âge ont tous un rôle à jouer dans ce type de calvitie. Pour savoir à quoi ressemblera votre chevelure dans quelques années, observez celle de vos parents.

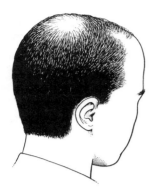

L'alopécie androgénique touche le front, les tempes et le dessus de la tête.

Une perte progressive des cheveux peut aussi se produire lors d'une perturbation de leur cycle de croissance. Les régimes amaigrissants, la médication, un déséquilibre hormonal, une grossesse, des soins des cheveux inadéquats, une mauvaise alimentation, une affection médicale latente et bon nombre d'autres facteurs peuvent faire qu'un trop grand nombre de follicules entrent en même temps en phase de repos, ce qui se traduit par des plaques chauves localisées ou une perte diffuse répartie sur l'ensemble du cuir chevelu.

La perte brusque des cheveux est habituellement due à la pelade. Lors de cette affection relativement rare, des plaques circulaires lisses et dépourvues de cheveux apparaissent : elles mesurent environ 7,5 cm de diamètre et se superposent parfois les unes aux autres. Le stress et une prédisposition génétique jouent un rôle dans cette affection, mais dans 90 p. 100 des cas, les cheveux repoussent dans un délai de 6 à 24 mois sans qu'un traitement soit nécessaire.

Autotraitement	Il n'y a pas de solution miracle qui puisse enrayer la chute des cheveux ou favoriser leur repousse. Mais il est possible de préserver la santé des cheveux. • Ayez une alimentation saine et équilibrée. • Manipulez vos cheveux délicatement. Si possible, laissez-les sécher à l'air libre. • Évitez d'exercer sur eux une traction par des nattes, des chignons ou des queues de cheval. • Évitez de vous tirer les cheveux, de les tordre ou de les frotter. • Trouvez une cosméticienne ou un bon coiffeur qui vous conseillera sur les techniques et les postiches pouvant gonfler une chevelure clairsemée. • Le minoxidil, une préparation en vente libre, favorise la repousse chez une minorité d'individus, mais cette médication perd de son efficacité avec le temps et peut s'avérer coûteuse. L'efficacité des autres produits qui prétendent favoriser la pousse des cheveux n'a pas été démontrée.
Soins médicaux	Il n'y a pas de remède à l'alopécie androgénique. Mais vous pouvez consulter un professionnel de la santé qui vous renseignera sur les traitements médicaux offerts et sur une éventuelle greffe de cheveux. La perte de cheveux soudaine est parfois le symptôme d'une affection médicale nécessitant un traitement : si elle se produit, consultez votre médecin.
Les enfants	Si le cuir chevelu ou les sourcils de votre enfant présentent des zones dépourvues de cheveux ou de poils, il se pourrait que l'enfant ait la manie de s'arracher les cheveux ou de tirer sur ses sourcils. La trichotillomanie est un trouble psychiatrique du comportement souvent dû au stress. Faites évaluer l'enfant par un psychiatre ou un psychologue.

■ Les infections fongiques des ongles

Infection fongique typique

Ce problème rebelle mais anodin débute souvent par une minuscule tache blanche ou jaune sur le dessus de l'ongle. Une infection fongique peut attaquer l'ongle lui-même ou l'intérieur de son pourtour lorsqu'on expose trop les pieds à la chaleur humide. Tout dépendant du type de champignon, l'ongle aura une coloration plus pâle que la normale avec épaississement de sa couche supérieure et un bord friable ou craquelé.

Les infections fongiques affectent plus souvent les ongles des orteils que ceux des doigts et sont plus fréquentes chez les personnes âgées. Si vos pieds transpirent beaucoup, ou si vous portez des chaussettes et des chaussures qui nuisent à une bonne aération du pied et n'absorbent pas la sueur, le risque d'infections fongiques augmente. On peut également contracter cette infection en marchant pieds nus dans des lieux publics. Les champignons sont parfois attribuables à un autre type d'infection.

Souvent, l'infection fongique est due à une surexposition à l'eau et aux détergents. L'humidité qui s'accumule sous les ongles artificiels (prothèses) favorise également la prolifération des champignons.

Autotraitement

Pour prévenir les infections fongiques, suivez les conseils ci-dessous :
- Gardez toujours vos ongles propres et secs. Essuyez parfaitement vos pieds après le bain.
- Changez souvent de chaussettes et portez des chaussures à semelles de cuir.
- Utilisez un vaporisateur ou un talc antifongique sur vos pieds et à l'intérieur de vos chaussures.
- N'arrachez pas les cuticules et les peaux mortes sur le pourtour de l'ongle.
- Évitez de marcher pieds nus autour des piscines publiques, dans les vestiaires et les douches.

Soins médicaux

Ces méthodes n'enrayent pas toujours l'infection. Des crèmes antifongiques ou des antifongiques par voie orale tels que la griséofulvine, l'itraconazole, la terbinafine et le fluconazole sont efficaces. Dans les cas graves, on peut enlever l'ongle chirurgicalement.

■ Les ongles incarnés

Lorsque l'orteil est douloureux et sensible au toucher, c'est souvent le symptôme d'un ongle incarné : le bord ou le coin de l'ongle a pénétré dans la chair. L'ongle du gros orteil est le plus souvent atteint, surtout si vos ongles sont recourbés, si vous portez des chaussures trop serrées ou si vous ne taillez pas vos ongles correctement.

Autotraitement

- Taillez vos ongles en ligne droite et non pas en demi-cercle, et évitez de les couper trop court.
- Portez des chaussettes et des chaussures correctement ajustées, et évitez de trop comprimer les orteils. S'il le faut, optez pour des chaussures à bout ouvert ou des sandales.
- Faites tremper vos pieds dans une solution d'eau salée (1 c. à thé par litre d'eau tiède) pendant 30 minutes, 4 fois par jour, pour diminuer l'enflure et soulager la douleur.
- Après le bain de pieds, appliquez un petit bout de coton hydrophile sous le coin de l'ongle pour aider l'ongle à repousser par-dessus. Changez le coton chaque jour jusqu'à ce que la douleur et l'inflammation se résorbent.
- Appliquez un onguent antibiotique sur la région douloureuse.
- En cas de douleur intense, appliquez une ouate saturée de solution analgésique pour ongles incarnés (disponible en vente libre) afin d'enrayer provisoirement la douleur.

Soins médicaux

Si la douleur est intense, si l'ongle suppure ou si l'inflammation semble s'étendre, consultez. Votre médecin pourrait devoir enlever chirurgicalement la partie atteinte de l'ongle et prescrire un antibiotique.

La gorge et la bouche

■ Le mal de gorge

La gorge est irritée et douloureuse : un rhume ou une grippe s'annonce. La plupart des maux de gorge guérissent en quelques jours, parfois à l'aide de gargarismes ou de pastilles que l'on peut se procurer en pharmacie.

La plupart des maux de gorge sont dus à une infection *virale* ou *bactérienne*, mais ils sont aussi attribuables à des allergies et à la sécheresse de l'air ambiant. Lorsque les amygdales sont douloureuses et enflées, c'est l'amygdalite.

Les infections virales sont le plus souvent responsables des maux de gorge caractéristiques du rhume et de la grippe. Un rhume guérit en général spontanément en une semaine, quand l'organisme a produit les anticorps capables de détruire le virus. Les antibiotiques *ne sont pas* efficaces contre les infections virales. Les symptômes habituels d'une infection virale sont les suivants :

- Une irritation de la gorge, accompagnée de sécheresse et de douleur.
- Une toux et des éternuements.
- Peu ou pas de fièvre.
- Un enrouement.
- Un écoulement nasal et un écoulement de sécrétions dans la gorge (venant de l'arrière du nez).

Les infections bactériennes ne sont pas aussi répandues que les infections virales, mais elles sont potentiellement plus graves. L'infection au streptocoque est la plus fréquente et est souvent due à un contact avec une personne infectée. La période d'incubation est de 2 à 7 jours. Les enfants de 5 à 15 ans sont les plus susceptibles d'attraper le streptocoque en raison de leur fréquentation scolaire et de leurs activités sociales. Le streptocoque se transmet par les sécrétions du nez ou de la gorge. Plus rarement, il provient d'aliments, de lait ou d'eau contaminés par le *streptococcus*. Le mal de gorge dû au streptocoque nécessite un traitement médical. Ses symptômes sont les suivants :

- Une enflure des amygdales et des ganglions du cou.
- Des rougeurs et des plaques blanches au fond de la gorge.
- Une température plus élevée que la normale, souvent de plus de 38 °C (101 °F), accompagnée de frissons.
- Une déglutition douloureuse.

La plupart des « microbes » responsables du mal de gorge se transmettent par contact direct. Le mucus et la salive d'une personne se transmettent par le toucher aux objets environnants, notamment aux poignées de portes. Si on touche ces objets, puis qu'on se touche le nez ou la bouche, on attrape le virus.

Problèmes courants

La mononucléose : une grande fatigue

La mononucléose infectieuse, aussi connue par l'expression « maladie du baiser » et le diminutif « mono », peut se transmettre par le baiser, certes, mais plus couramment par la toux, les éternuements ou le partage d'un verre ou d'une tasse.

La mononucléose est due au virus Epstein-Barr. Elle peut affecter n'importe qui : on estime que 50 p. 100 de la population en est touchée avant l'âge de 35 ans. La plupart des gens de 35 ans ou plus ont été exposés au virus Epstein-Barr et ont développé des anticorps qui les ont immunisés contre la maladie. La mononucléose infectieuse est très répandue chez les personnes de 7 à 35 ans, particulièrement chez les adolescents.

La mononucléose procure le plus souvent une sensation de fatigue intense et de faiblesse. Elle peut être accompagnée de maux de gorge, de fièvre, d'une hypertrophie des ganglions du cou et des aisselles, d'enflure des amygdales, de maux de tête, d'éruptions cutanées et d'inappétence. La plupart des symptômes disparaissent en une dizaine de jours, mais on ne doit pas reprendre ses activités normales ou sportives avant 3 semaines, car l'hypertrophie du foie ou de la rate rend ces organes sujets aux traumas. La vitalité ne revient qu'au terme de 2 ou 3 mois de repos et d'une alimentation saine. Il n'existe pas d'autre traitement.

Si les symptômes persistent plus de 1 ou 2 semaines, ou s'ils sont récurrents, consultez un médecin.

Autotraitement	<ul><li>Doublez votre consommation de liquides afin de fluidifier les sécrétions et de faciliter leur expectoration.</li><li>Gargarisez-vous à l'eau tiède salée (1 c. à thé de sel dans un verre d'eau) pour réduire le mal de gorge et faciliter l'expectoration.</li><li>Sucez une pastille ou un bonbon dur, ou mâchez de la gomme sans sucre, pour stimuler la production de la salive. La salive hydrate et nettoie la gorge.</li><li>Prenez un analgésique. L'acétaminophène, l'ibuprofène et l'aspirine soulagent les maux de gorge pendant 4 à 6 heures. Abstenez-vous de donner de l'aspirine aux enfants et aux adolescents (voir page **267**).</li><li>Reposez vos cordes vocales. En cas d'inflammation du larynx, parler peut aggraver l'irritation et occasionner une perte temporaire de la voix (laryngite).</li><li>Humidifiez l'air ambiant pour prévenir l'assèchement des muqueuses, car l'assèchement favorise l'irritation et nuit à une bonne qualité de sommeil. Les solutions salines en vaporisateur nasal sont également efficaces.</li><li>Évitez la fumée et les autres polluants. Fumer irrite la gorge. Cessez de fumer et évitez d'inhaler des produits de nettoyage domestiques, de la peinture ou des dissolvants. Éloignez les enfants de la fumée de cigarette.</li></ul>

Prévention
- Lavez-vous souvent les mains, surtout pendant la saison des rhumes et de la grippe.
- Évitez de vous toucher le visage avec les mains afin de ne pas permettre aux bactéries et aux virus de pénétrer dans le nez et la bouche.

Soins médicaux	Les infections graves de la gorge, notamment l'épiglottite, peuvent entraîner un œdème qui obstrue complètement les voies aériennes. Si votre mal de gorge s'accompagne de l'un ou l'autre des symptômes suivants, rendez-vous aux urgences :

- Écoulement de salive, difficulté à avaler, détresse respiratoire.
- Raideur à la nuque et céphalée sévère.
- Température de plus de 38,8 °C (102 °F) pour un adulte, de 39 °C (103 °F) pour un enfant, ou une fièvre qui perdure plus de 48 heures.
- Éruption cutanée.
- Enrouement persistant ou ulcères à l'intérieur de la bouche pendant 2 semaines ou plus.
- Exposition récente au streptocoque.

Si le médecin croit que vous avez une infection au streptocoque, il demandera certains tests spécifiques. Vous en connaîtrez les résultats rapidement, le plus souvent dans l'heure qui suit. Mais puisque 20 p. 100 des cas d'infection au streptocoque ne sont pas détectés par ce test rapide, une culture de 24 heures pourrait être demandée. Le test rapide est également peu fiable si vous avez subi récemment un traitement aux antibiotiques. Si les résultats sont positifs, le médecin prescrira un antibiotique, le plus souvent la pénicilline ou un médicament associé.

L'ablation des amygdales est rarement requise, sauf lorsque l'infection est récurrente et pourrait entraîner des complications sérieuses.

Mise en garde	Si votre médecin prescrit un antibiotique, ne mettez pas fin au traitement avant de l'avoir complété, car vous pourriez ainsi permettre à certaines bactéries de demeurer dans la gorge. Il s'ensuivrait une récurrence de l'infection et des complications graves telles qu'une fièvre rhumatismale ou une infection du sang.

Si l'enfant prend des antibiotiques depuis au moins 24 heures, qu'il n'est plus fiévreux et qu'il se sent bien, l'isolement n'est plus nécessaire.

■ La boule dans la gorge

Des expressions telles que «j'ai la gorge serrée» ou «les mots me sont restés dans la gorge» sont le reflet du rapport qui existe entre la gorge et notre état psychologique. La «boule» qui semble logée au fond de la gorge est due à la tension musculaire.

Lorsqu'on est anxieux, déprimé ou sous l'effet du stress, le petit muscle de la partie inférieure de la gorge (le pharynx) se tend et se resserre à notre insu. Lorsqu'il se resserre, il envoie un faux message au cerveau pour lui dire qu'un corps étranger obstrue la gorge, ce qui n'est pas le cas.

Ce phénomène très répandu porte le nom de «globe hystérique». En dépit de son nom et de l'inconfort qu'il entraîne, il est sans gravité et se résout spontanément en quelques jours.

Les effets secondaires associés à certains médicaments tels que les antihistaminiques ou les médicaments contre l'hypertension et la dépression peuvent provoquer cette sensation désagréable. Il en va de même d'une toux ou d'un rhume récents, d'une hernie hiatale, de l'embonpoint et de l'acidité gastrique (surtout si vous mangez trop avant de vous coucher).

Autotraitement

- Buvez beaucoup de liquides.
- Mâchez de la gomme ou sucez des pastilles pour stimuler la production de la salive. La salive apaise les irritations de la gorge.
- Évitez les brûlures d'estomac (les sucs gastriques refluent peut-être dans la gorge). Prenez un antiacide avant le coucher et ne vous couchez pas tout de suite après avoir mangé.
- Évitez le chocolat, les aliments riches en gras, l'alcool et les excès de table.

Soins médicaux

Si la boule dans la gorge ne disparaît pas en quelques jours, consultez votre médecin. Il effectuera une série de tests pour en déterminer la cause exacte et pourrait modifier votre médication afin de voir si ce changement résoudra votre problème.

■ La mauvaise haleine

Nous souhaitons tous avoir l'haleine fraîche. C'est la principale raison pour laquelle les fabricants de pastilles à la menthe et de gargarismes vendent pour des millions de dollars de produits chaque année. Mais ces produits n'apportent qu'une protection temporaire contre la mauvaise haleine et pourraient même se révéler moins efficaces qu'un simple rinçage de la bouche à l'eau claire et une hygiène dentaire adéquate.

La mauvaise haleine a plusieurs causes. La bouche elle-même est peut-être le plus grand responsable. La décomposition des bactéries alimentaires et les débris de nourriture qui se logent entre les dents provoquent de mauvaises odeurs. La sécheresse de la bouche pendant le sommeil ou comme conséquence de la prise de certains médicaments ou du tabagisme favorise l'accumulation des cellules mortes sur la langue, les gencives et l'intérieur des joues. Celles-ci, en se décomposant, produisent de mauvaises odeurs.

Les aliments qui contiennent des huiles naturelles très prenantes peuvent causer la mauvaise haleine. C'est le cas des oignons et de l'ail, mais aussi d'autres légumes et condiments.

Les affections pulmonaires sont aussi responsables de la mauvaise haleine. Une infection chronique des poumons produit une haleine particulièrement fétide et un excès de crachats. Certaines maladies sont associées à des odeurs particulières de l'haleine : l'haleine d'une personne qui souffre d'insuffisance rénale a une odeur d'urine, tandis que l'insuffisance hépatique produit une haleine à odeur de poisson. Les diabétiques ont souvent une haleine fruitée. Cette haleine est répandue également chez les enfants quelque peu sous-alimentés. Ce type de mauvaise haleine se corrige en traitant l'affection qui la provoque.

Problèmes courants

Autotraitement	Pour la plupart des gens, les conseils ci-dessous suffiront à assurer une haleine fraîche.

- Brossez-vous les dents après chaque repas.
- Brossez-vous la langue pour en retirer les cellules mortes.
- Une fois par jour, passez une soie dentaire entre vos dents pour en déloger les particules de nourriture.
- Buvez beaucoup d'eau pour hydrater la bouche (évitez le café, les boissons gazeuses et l'alcool).
- Évitez les aliments qui donnent mauvaise haleine. Le brossage des dents et les gargarismes n'enrayent pas complètement les odeurs d'ail ou d'oignon qui proviennent des poumons.
- Changez votre brosse à dents tous les 2 ou 3 mois.
- Rincez-vous la bouche après avoir utilisé un médicament en inhalateur-doseur.

■ L'enrouement ou l'extinction de voix

Lors d'un enrouement ou d'une extinction de voix due à la laryngite, l'enflure et l'inflammation des cordes vocales empêchent leur vibration normale. Elles produisent alors un son différent ou pas de son du tout.

L'émission de voix se produit lorsque le diaphragme (le muscle situé au-dessus de l'estomac) expulse l'air des poumons entre les cordes vocales. La pression de l'air expulsé force ainsi les cordes vocales à s'ouvrir et à se fermer, et cette expulsion contrôlée de l'air entraîne leur vibration : c'est votre voix.

En plus d'un enrouement, l'irritation de la gorge peut être douloureuse. Parfois, la voix est plus aiguë ou plus grave que la normale.

L'enrouement ou l'extinction de voix sont le plus souvent dus à des infections (notamment le rhume ou la grippe), à des allergies, à un surmenage des cordes vocales (trop parler ou trop crier), au tabagisme et au reflux gastro-œsophagien chronique. En refluant dans l'estomac, les sucs gastriques se déversent parfois aussi dans le larynx.

Autotraitement

- Parlez et murmurez moins. (Parler tout bas surmène autant les cordes vocales que parler à voix haute.)
- Buvez beaucoup de liquides chauds dépourvus de caféine pour bien irriguer la gorge.
- Évitez de vous racler la gorge.
- Cessez de fumer et évitez l'exposition à la fumée qui assèche la gorge et irrite les cordes vocales.
- Renoncez à l'alcool. L'alcool assèche la gorge et irrite les cordes vocales.
- Ayez un humidificateur. (Suivez les instructions du manufacturier pour le nettoyage et pour empêcher la prolifération des bactéries.)

Soins médicaux Si l'enrouement perdure au-delà de 2 semaines, consultez. Votre médecin prescrira sans doute un médicament pour combattre les infections ou les allergies. Respectez-en la posologie. L'enrouement est rarement causé par le cancer.

■ Les ulcérations de la bouche

Agaçantes, douloureuses et récurrentes. C'est ainsi que bon nombre de gens décrivent les ulcérations aphteuses et les lésions de l'herpès labial. L'herpès labial porte aussi les noms de « feu sauvage » ou « bouton de fièvre ». La cause, l'apparence, les symptômes et le traitement des ulcérations aphteuses et de l'herpès labial diffèrent grandement. Il existe aussi d'autres types de lésions buccales que l'on confond souvent avec les ulcérations aphteuses et l'herpès labial.

■ Les ulcérations aphteuses

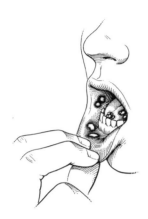

Une ulcération aphteuse attaque les tissus tendres de l'intérieur de la bouche, soit la langue, le palais et l'intérieur des joues. Elle est caractérisée par une sensation de brûlure et un point blanc entouré d'un halo rougeâtre. La douleur s'atténue en quelques jours.

En dépit de nombreuses recherches, l'origine de ces ulcérations demeure inconnue. On croit que le stress ou une lésion des tissus peuvent favoriser leur apparition. Certains scientifiques croient que les agrumes, les tomates et les noix, entre autres, peuvent les aggraver. Une blessure mineure, telle une morsure accidentelle de l'intérieur de la joue, peut provoquer une ulcération aphteuse.

Les ulcérations aphteuses sont de 2 types : simple et complexe. Les ulcérations simples ne se produisent que 3 ou 4 fois par an et durent de 4 à 7 jours. Elles apparaissent pour la première fois entre 10 et 20 ans, mais peuvent aussi affecter des enfants plus jeunes. À l'âge adulte, les ulcérations deviennent moins fréquentes et parfois cessent complètement. Les femmes sont plus sujettes que les hommes aux ulcérations aphteuses, et celles-ci semblent héréditaires.

Les ulcérations complexes sont moins répandues mais plus problématiques. Les personnes atteintes ont des ulcérations 50 p. 100 du temps : quand une ulcération guérit, une autre se déclare.

Autotraitement

Il n'existe pas de remède aux ulcérations aphteuses simples ou complexes, et les traitements sont limités. Mais les pratiques ci-dessous peuvent apporter un soulagement temporaire :
- Évitez les aliments abrasifs, acides ou épicés qui intensifient la douleur.
- Faites des applications de glace.
- Brossez-vous soigneusement les dents pour éviter d'irriter l'ulcération.
- Appliquez un onguent topique à base de phénol.
- Rincez-vous la bouche avec un gargarisme : une solution d'eau et de peroxyde ou un élixir de Benadryl.
- Prenez un analgésique en vente libre.

Soins médicaux

Lorsque l'ulcération est très douloureuse, votre médecin ou votre dentiste pourra prescrire un gargarisme d'ordonnance, une pommade à la cortisone ou une solution analgésique de lidocaïne.

Consultez si l'un ou l'autre des symptômes suivants est présent.
- Ulcérations aphteuses accompagnées de fièvre intense.
- Propagation des ulcérations ou de l'infection.
- Douleur que n'atténue aucune des méthodes décrites ci-dessus.
- Ulcérations qui ne guérissent pas complètement au bout d'une semaine.

Consultez votre dentiste si vos dents ou vos prothèses présentent des aspérités qui occasionnent des ulcérations.

■ L'herpès buccal

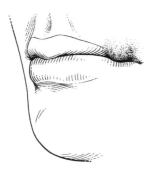

Ces « feux sauvages » ou « boutons de fièvre » sont très répandus. Ils touchent la bouche, les lèvres, le nez, les joues ou les doigts.

L'herpès buccal est dû au virus herpès simplex type 1, tandis que le virus herpès simplex type 2 est responsable de l'herpès génital, mais les 2 types de virus peuvent causer des lésions au visage ou à l'appareil génital. L'herpès buccal se transmet par contact avec une personne infectée. Les ustensiles, les rasoirs, le linge de toilette ou un contact direct de l'épiderme sont d'excellents agents de transmission du virus.

L'incubation peut durer jusqu'à 20 jours après l'exposition au virus. Des vésicules remplies de liquide organique font alors leur apparition, et la peau de la région affectée est rouge et endolorie. La douleur ou une sensation de fourmillement précède en général de 1 ou 2 jours l'apparition des vésicules. Les symptômes persistent de 7 à 10 jours.

Après une première infection, le virus est réactivé périodiquement, et touche la région préalablement affectée. Le risque de contagion est le plus grand entre le moment de l'apparition des vésicules et la formation d'une croûte. L'herpès buccal affecte principalement les adolescents et les jeunes adultes, mais peut se produire à n'importe quel âge. Les éruptions vont décroissant après l'âge de 35 ans.

Autotraitement

L'herpès buccal ne nécessite pas de traitement particulier, mais les suggestions suivantes peuvent vous procurer un soulagement :

- Le repos et la prise d'analgésiques en vente libre en cas de fièvre, ou de pommades analgésiques (elles n'accéléreront pas la guérison), vous soulageront. N'administrez pas d'aspirine aux enfants.
- Ne pincez pas et ne percez pas les vésicules.
- Évitez les baisers et le contact physique avec les personnes qui présentent des lésions.
- Lavez-vous soigneusement les mains avant de toucher une autre personne.
- Appliquez un écran solaire sur vos lèvres et votre visage avant de vous exposer au soleil autant en hiver qu'en été pour prévenir l'éclosion de l'herpès buccal.

Soins médicaux

Si vous êtes souvent sujet aux éruptions d'herpès buccal, un traitement à l'acyclovir pourrait résoudre votre problème. Ce médicament est vendu par ordonnance sous forme de comprimés ou d'onguent, et inhibe le virus de l'herpès. Des skieurs qui ont utilisé des écrans solaires avec et sans acyclovir ont démontré que la présence de ce médicament offrait une protection accrue.

L'apparition de l'herpès buccal est souvent précédée d'une sensation de fourmillement : c'est le prodrome. De nombreux médecins recommandent la prise ou l'application d'acyclovir dès l'apparition du prodrome.

Mise en garde

- En cas de lésion, évitez tout contact physique avec un nourrisson ou une personne souffrant d'eczéma (voir page **131**), car ils sont plus vulnérables aux infections. Évitez également de toucher une personne qui subit un traitement contre le cancer et contre le rejet d'organe à la suite d'une transplantation, car leur système immunitaire est déficient. Le virus, dans leur cas, est potentiellement mortel.
- Les femmes enceintes ou qui allaitent devraient éviter l'acyclovir, sauf sur avis spécifique de leur médecin.
- Les infections dues à l'herpès virus simplex peuvent entraîner de graves complications. Le virus peut se propager aux yeux. Il est la principale cause de cécité de la cornée aux États-Unis. Si vous éprouvez une sensation de brûlure à l'œil ou si vous constatez une éruption à proximité des yeux ou au nez, consultez immédiatement.

Les autres problèmes et infections de la bouche

La gingivostomatite. Infection de la bouche répandue chez les enfants. Elle est due à un virus et est souvent associée au rhume ou à la grippe. L'infection est plus ou moins grave et dure environ 2 semaines. Si l'enfant présente des lésions sur les gencives ou à l'intérieur des joues, s'il a mauvaise haleine, s'il est fiévreux et s'il ne se sent pas bien, consultez votre médecin ou votre dentiste. Le traitement de l'infection sous-jacente résoudra l'infection buccale. Un gargarisme médicamenteux apportera un certain soulagement et pourrait favoriser la guérison. Une bonne hygiène buccale et une saine alimentation composée d'aliments mous et de beaucoup de liquides sont efficaces, de même qu'un gargarisme d'eau salée (1 c. à thé de sel dans une tasse d'eau) ou de rince-bouche commercial.

Le muguet. Affection causée par un fongus (champignon). La bouche et la gorge présentent des plaques tendres d'un blanc crémeux. Les personnes dont l'organisme est affaibli par la maladie sont plus sujettes au muguet, de même que celles dont l'équilibre microbien de la bouche a été compromis par la prise de certains médicaments. Le muguet touche de très nombreuses personnes au moins une fois au cours de leur vie. Il est très répandu chez les bébés, les jeunes enfants et les personnes âgées. Douloureux, il est cependant sans gravité. Mais parce que manger devient douloureux, le muguet nuit à une bonne alimentation. Il n'existe pas d'auto-médication pour traiter le muguet, mais le dentiste ou le médecin pourra prescrire un médicament par voie orale à prendre pendant 7 à 10 jours. Le muguet tend à être récurrent.

La leucoplasie. Des plaques épaisses et blanches à l'intérieur de la joue ou sur la langue sont souvent des indices de leucoplasie. La leucoplasie est une réaction de la bouche à une irritation chronique causée par des prothèses mal ajustées ou par le frottement d'une dent rugueuse contre la peau tendre de la joue ou des gencives. Lorsque ces plaques se forment dans la bouche d'un fumeur, elles portent le nom de « kératose du fumeur ». Le tabac à priser et le tabac à chiquer provoquent également des irritations chroniques. La leucoplasie peut se déclarer à n'importe quel âge, mais elle est plus fréquente chez les personnes âgées. Le traitement consiste à éliminer la source de l'irritation. Cela fait, les plaques tendent à disparaître en quelques semaines ou quelques mois. Un dentiste ou un médecin devrait déterminer la nature des plaques blanches qui apparaissent dans la bouche. Le tabagisme peut entraîner un cancer des lèvres, de la langue ou des poumons.

Le cancer de la bouche. Ce cancer affecte le côté ou le dessous de la langue, ou le plancher de la bouche. Les tumeurs sont souvent indolores au début; elles sont fréquemment visibles ou palpables au toucher. Un examen de routine des tissus mous de la bouche assurera un diagnostic précoce. Si vous notez un changement persistant dans l'apparence ou la texture des tissus tendres de la bouche, consultez votre dentiste ou votre médecin. Une détection précoce augmente les chances de succès du traitement. Environ 25 p. 100 des personnes atteintes d'un cancer de la bouche meurent en raison d'un retard dans le diagnostic et le traitement.

Problèmes courants

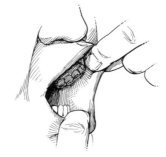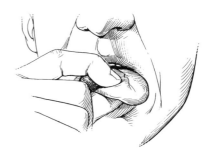

Un auto-examen de routine de la bouche et de la langue permet de voir et de sentir la présence d'une tumeur cancéreuse à ses débuts et favorise le succès du traitement.

La santé des hommes

■ Les douleurs testiculaires

Toute douleur vive et soudaine aux testicules doit être évaluée, car elle pourrait être le symptôme d'un problème médical grave. Consultez si vous ressentez une douleur soudaine aux testicules, qui ne s'atténue pas dans les 10 ou 15 minutes, ou si la douleur est récurrente. Nous examinons ci-dessous divers types de douleurs testiculaires.

La torsion du testicule se produit lorsque le *cordon spermatique* qui assure l'irrigation sanguine des testicules subit une torsion. Cette torsion interrompt le flot de sang, ce qui provoque une douleur instantanée et vive. La torsion du testicule est parfois due à une activité physique énergique, mais elle peut se produire sans raison apparente et même pendant le sommeil. Elle affecte les hommes de tout âge, mais plus particulièrement les jeunes garçons. La douleur, aiguë et intense, peut s'accompagner de fièvre, de nausée et de vomissements. On note aussi parfois une élévation d'un testicule dans le scrotum.

L'épididymite se produit lorsque l'*épididyme,* un canal pelotonné sur lui-même qui transporte le sperme des testicules au cordon spermatique, s'enflamme, le plus souvent en raison d'une infection bactérienne. Les symptômes incluent une douleur modérée à intense dans le scrotum, qui met plusieurs jours ou plusieurs heures à atteindre son paroxysme. On note parfois la présence d'œdème et le sujet peut être fiévreux. L'épididymite peut être due à la chlamydia, une MTS (voir page **193**). Dans ce cas, le partenaire sexuel pourrait être infecté et devrait subir un examen médical.

L'orchite est une inflammation douloureuse des testicules secondaire à une infection. Elle est souvent associée à l'épididymite (voir ci-dessus). Elle peut être une complication des oreillons ou d'une infection de la prostate. L'orchite est rare, mais laissée sans traitement, elle peut être cause de stérilité. Les symptômes incluent une douleur au scrotum, un œdème (habituellement, un seul côté du scrotum est affecté) et une sensation de lourdeur dans le scrotum.

L'auto-examen des testicules pour détecter le cancer

Le cancer des testicules est rare et touche surtout les hommes de 15 à 35 ans. Le principal symptôme est une induration, un œdème ou une sensation de lourdeur dans les testicules.

Un auto-examen simple et rapide (2 minutes) réalisé chaque mois est la meilleure façon de sauver la vie d'un homme qui présente les premiers symptômes du cancer des testicules. Procédez de préférence au bain ou sous la douche, quand le scrotum est détendu et souple. Palpez un seul testicule à la fois. Roulez-le délicatement entre le pouce et 3 doigts de la main afin de détecter la présence d'une protubérance à la surface du testicule. Notez aussi toute augmentation de volume, toute induration ou tout changement depuis votre dernier auto-examen. Si vous remarquez quelque chose d'inhabituel, il ne s'agit pas forcément d'un cancer, mais vous devriez consulter votre médecin.

Ne vous inquiétez pas indûment si vous remarquez une petite zone plus ferme à la jonction du testicule et du tube qui lui est rattaché : ces parties plus fermes sont *l'épididyme* et le *cordon spermatique,* qui emmagasinent et transportent le sperme.

■ L'hypertrophie de la prostate

La *prostate* est une glande de la taille d'une noix, située sous la vessie. Seuls les mâles ont une prostate. Elle sécrète le liquide nécessaire aux spermatozoïdes. La testostérone, l'hormone mâle, est responsable d'une augmentation progressive du volume de la prostate avec le vieillissement. En s'hypertrophiant, la prostate bloque le trajet de l'urine dans l'urètre (le tube qui assure le transport de l'urine depuis la vessie) et provoque des mictions lentes ou difficiles. Les symptômes sont parfois bénins et occasionnent peu de problèmes, ou alors très douloureux si l'obstruction est totale. Il peut arriver également que le sujet éprouve le besoin d'uriner très souvent pendant la nuit, que se produise une perte continuelle d'urine après la miction ou qu'il doive uriner 2 fois à intervalles de 10 ou 15 minutes.

L'hypertrophie de la prostate se manifeste souvent chez les hommes à la fin de la quarantaine. Quatre hommes sur 5 en sont atteints avant l'âge de 80 ans. De 25 à 30 p. 100 des hommes devront subir une chirurgie de la prostate au cours de leur vie.

Une prostate hypertrophiée est responsable de mictions difficiles en raison de l'obstruction du canal urinaire.

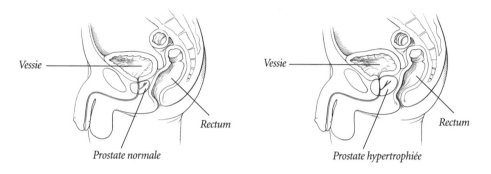

Vessie — Prostate normale — Rectum

Vessie — Prostate hypertrophiée — Rectum

Soins médicaux

Votre médecin vous posera des questions détaillées sur vos symptômes et effectuera des tests d'urine et des prises de sang. D'un doigt ganté et lubrifié, il palpera votre prostate pour détecter toute bosse ou induration. Cet examen rectal n'est pas douloureux.

Au début, on traite l'hypertrophie de la prostate par la prise de médicaments destinés à réduire la taille de la glande ou à faciliter la miction en détendant les tissus environnants. On peut également procéder à une réduction ou à une ablation totale de la prostate par la chirurgie.

Le dépistage du cancer de la prostate

Le cancer de la prostate est la deuxième cause de décès par le cancer chez les Nord-Américains. Il touche surtout les hommes de 60 ans et plus.

Les tests de dépistage du cancer de la prostate ne font pas l'unanimité. Certains médecins croient que ces tests conduiront de nombreux hommes à subir une chirurgie ou une radiothérapie inutiles. D'autres sont d'avis que le dépistage est indispensable. L'American Cancer Society recommande un test annuel pour les hommes de 50 ans et plus, pour les hommes qui ont une espérance de vie de 10 ans ou plus, ou pour les hommes plus jeunes dont le facteur de risque est élevé. Le test de dépistage comprend un examen rectal et une analyse sanguine pour la détection du PSA ou antigène spécifique de la prostate. On recourt également à l'échographie dans certains cas. Dépisté assez tôt, le cancer de la prostate présente un taux élevé de guérison. À moins que le cancer ne se soit propagé aux os, les symptômes du cancer de la prostate sont les mêmes que pour l'hypertrophie de la prostate.

■ Les mictions douloureuses

Les mictions douloureuses sont habituellement causées par une *infection du tractus urinaire.* Ces infections sont plus répandues chez les femmes, mais les hommes en souffrent également. Parmi les autres symptômes, notons le besoin d'uriner souvent ou un besoin pressant d'uriner, une miction au compte-gouttes immédiatement suivie du besoin pressant d'uriner de nouveau, et une sensation de brûlure à la miction.

Si le rein est infecté, on peut ressentir une douleur abdominale ou au dos, des frissons, de la fièvre ou des vomissements. Une infection du rein est grave et nécessite une intervention médicale immédiate.

Les causes

Le colibacille (E. coli). Le colibacille loge souvent dans l'intestin. S'il pénètre dans l'urètre (le conduit de l'urine) puis dans l'urine ou la vessie, il peut s'ensuivre une infection du tractus urinaire.

La chlamydia. L'un des nombreux organismes transmissibles sexuellement. La chlamydia peut infecter l'urètre et occasionner un écoulement du pénis et des mictions douloureuses.

Les problèmes de prostate. L'hypertrophie de la prostate peut réduire le flot urinaire et entraîner ainsi une rétention d'urine qui se traduit par une infection du tractus urinaire. De même, le vieillissement diminue la production de protéines de la prostate. Cette carence rend l'homme plus susceptible de contracter une infection du tractus urinaire (voir « L'hypertrophie de la prostate », page **151**).

Les procédures médicales. Les bactéries peuvent pénétrer dans l'urètre et la vessie par un cathéter ou par un instrument médical quelconque et ainsi favoriser le développement d'une infection du tractus urinaire.

Le rétrécissement de l'urètre. Une blessure ou une inflammation récurrente de l'urètre peuvent causer son rétrécissement. Celui-ci favorise l'apparition d'une infection du tractus urinaire en restreignant le flot d'urine.

La déshydratation. Une carence en liquides réduit les évacuations : l'urine stagne et devient un foyer propice à l'infection du tractus urinaire.

Soins médicaux

Consultez votre médecin qui demandera un échantillon d'urine et vérifiera la présence d'une infection du tractus urinaire. Ne vous forcez pas à boire avant de produire cet échantillon, afin de ne pas diluer l'urine et fausser les résultats de l'analyse. Dans la plupart des cas, les infections du tractus urinaire se traitent aux antibiotiques – qu'il faut prendre jusqu'à la fin du traitement même lorsque les symptômes ont disparu, à défaut de quoi il pourrait y avoir récurrence.

■ L'impuissance

Tout homme fait l'expérience d'épisodes occasionnels d'impuissance. Mais lorsque l'impuissance est récurrente, elle affecte l'image de soi et les relations affectives. Heureusement, ce problème est souvent facile à traiter. L'impuissance est l'inaptitude de l'homme à atteindre ou à maintenir une érection permettant un rapport sexuel complet.

Les causes de l'impuissance sont d'ordre psychologique ou physique. Le stress, l'anxiété, la dépression peuvent y conduire, de même que l'alcool et certains médicaments (notamment les médicaments contre l'hypertension). L'impuissance est parfois due à un problème médical tel que le diabète, la sclérose en plaques ou une autre affection chronique. Elle est également attribuable à un trauma de la région génitale, de l'épine dorsale ou du système nerveux. La radiothérapie, les chirurgies pelviennes majeures telles que celles que nécessite un cancer de la prostate, de la vessie ou du rectum, sont d'autres facteurs responsables de l'impuissance.

Si vous parvenez à obtenir une érection à certains moments de la journée, par exemple le matin, les conseils qui suivent vous seront utiles :

- Limitez votre consommation d'alcool, en particulier avant les rapports sexuels.
- Cessez de fumer.
- Faites régulièrement de l'exercice.
- Contrôlez votre stress.
- Avec votre partenaire, apprenez à créer une ambiance propice à l'amour.

Soins médicaux

La psychothérapie. Si le stress, l'anxiété ou la dépression sont responsables de votre impuissance, consultez un psychothérapeute ou un sexologue (seul ou en compagnie de votre partenaire).

La médication. Votre médecin pourrait vous prescrire des comprimés ou des injections de testostérone.

Les injections au pénis. Si l'impuissance est due à une diminution du flot sanguin au niveau du pénis, certains médicaments peuvent être prescrits. On les injecte directement dans le pénis et les injections peuvent être faites à la maison une fois qu'on a reçu les directives du médecin.

La pompe à vide. On place une gaine aspirante sur le pénis pour engorger celui-ci de sang et produire l'érection. Une bande de constriction en caoutchouc, placée à la base du pénis, prolonge l'érection. Cet appareil peu coûteux est disponible en pharmacie sur ordonnance médicale.

La chirurgie. Elle peut augmenter le flot sanguin au niveau du pénis ou servir à implanter un mécanisme qui aidera à l'érection.

La médication intra-urétrale. Un minuscule suppositoire (de la taille de la moitié d'un grain de riz) est inséré dans l'ouverture du gland.

■ La contraception masculine

La vasectomie consiste à sectionner et à sceller le *vas deferens,* c'est-à-dire le cordon spermatique. Cette procédure n'empêche ni l'érection ni l'orgasme, et n'interrompt pas la production d'hormones mâles ou de sperme. Le seul changement provient du fait que le sperme ne peut plus s'écouler à l'extérieur. Après une vasectomie, l'homme continue d'éjaculer à peu près le même volume de liquide séminal, car celui-ci ne comporte qu'une faible quantité de sperme.

Avant la vasectomie, on injecte un anesthésiant dans le scrotum pour l'engourdir. Lorsque le médecin a localisé le cordon spermatique, il pratique 2 minuscules incisions dans la peau des bourses. Chaque cordon est tiré hors du scrotum pour former une boucle et le médecin enlève environ 1 cm de chacun. Les 2 sections de chaque *vas deferens* sont ensuite refermées par des points de suture ou une cautérisation (ou les deux) et replacées dans le scrotum. Les incisions sont suturées.

L'opération dure environ 20 minutes. Après la vasectomie, abstenez-vous de toute activité vigoureuse, y compris les rapports sexuels, pendant au moins 2 semaines. Les sutures tombent d'elles-mêmes en 2 ou 3 semaines. Les bourses seront légèrement enflées et endolories pendant quelques semaines. Si la douleur devient insupportable ou si vous développez une fièvre, consultez votre médecin.

Le taux d'échec est inférieur à 1 p. 100. Tant que votre médecin n'aura pas confirmé que le liquide séminal ne contient plus de sperme, recourez à d'autres moyens de contraception. Pour une stérilité totale, il faut compter plusieurs mois et de nombreuses éjaculations.

La santé des femmes

■ La tumeur au sein

La plupart des tumeurs au sein ne sont pas cancéreuses, mais en raison du risque de cancer, toute anomalie doit être soigneusement évaluée. De nombreuses déformations ne sont que des kystes remplis de fluide organique qui augmentent de volume vers la fin du cycle menstruel. Ces kystes peuvent être douloureux ou non. Effectuez un auto-examen des seins chaque mois après vos menstruations pour détecter toute bosse, nodule ou anomalie (voir ci-dessous).

Autotraitement

- Un auto-examen mensuel de vos seins permet de déceler tout changement récent.
- Effectuez cet examen autant que possible le même jour de chaque mois si vous avez passé l'âge de la ménopause. Si vous êtes encore menstruée, procédez à l'examen de 7 à 10 jours après le début de vos dernières menstruations. Les tumeurs cancéreuses sont rarement douloureuses. Observez chaque sein des yeux et par la palpation pour détecter toute bosse, tout changement de texture ou toute augmentation de volume. Prévenez votre médecin si vous découvrez une anomalie.
- Consultez les illustrations ci-contre.
  – Placez-vous face au miroir, les bras de chaque côté du corps. Levez les bras et examinez la peau : notez-vous des plissements, des rétractations de la peau ou des changements de forme ou de volume ? Une asymétrie récente entre les deux seins ? Vérifiez si le mamelon est rétracté et s'il présente un écoulement. Reproduisez cette séquence 2 autres fois : en plaçant une main sur la hanche, puis à l'arrière de la tête.
  – Procédez à cet auto-examen sous la douche et étendue sur le dos. Placez une main à l'arrière de la tête et palpez le sein, les doigts à plat, dans un mouvement circulaire de tout le sein, y compris le mamelon et la région de l'aisselle. Répétez avec l'autre sein. Une peau savonneuse facilite la palpation.
  – Recherchez toute bosse qui ne disparaît pas ou ne change pas de forme. Une bosse anormale survient soudainement et ne se résorbe pas. La forme de l'anomalie peut varier en dimension et en fermeté ; souvent, la bosse est dure et de contour irrégulier ; parfois on ne sent qu'un changement de texture sans contour défini. Les tumeurs cancéreuses ne sont en général pas douloureuses.
- Si le nodule est douloureux, prenez un analgésique léger (voir page **267**) ou éliminez la caféine de votre alimentation.

Soins médicaux

Consultez votre médecin si une déformation persiste au terme de votre cycle menstruel. Le médecin peut drainer un kyste au moyen d'une aiguille sous anesthésie locale. S'il s'agit d'une infection, un antibiotique pourrait être prescrit. Une bosse ne contenant pas de fluide organique pourrait nécessiter une biopsie (ablation chirurgicale et examen au microscope) afin de détecter la présence de cellules cancéreuses.

Après la ménopause, il faut consulter si une bosse persiste plus de 1 semaine ou si elle présente une rougeur, une douleur ou une inflammation.

Quelles femmes devraient subir une mammographie?

La mammographie est une radiographie des seins qui permet de détecter des tumeurs trop petites pour être perceptibles à la palpation. La mammographie sauve des vies en localisant un cancer à ses débuts, quand les chances de guérison sont les meilleures. Mais ce test a ses limites. Il peut arriver qu'une tumeur ne soit pas détectée, ou encore que la mammographie décèle un faux problème. La mammographie est plus efficace lorsqu'on l'associe à un examen régulier des seins.

Les membres de la profession médicale ne s'entendent pas sur l'âge auquel une femme devrait subir régulièrement une mammographie. Les seins des jeunes femmes sont souvent trop denses pour que la radiographie produise des résultats limpides. Heureusement, le cancer du sein est relativement rare chez les jeunes femmes. Mais puisque le facteur de risque varie d'une femme à l'autre, et que l'attitude et les options de chacune diffèrent, la décision de subir ou non une mammographie demeure un choix personnel à faire en collaboration avec le médecin traitant. Voici néanmoins quelques lignes directrices:

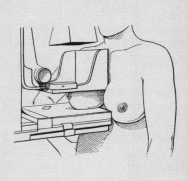 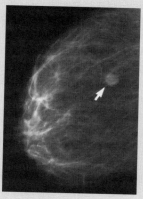

Les mammographies sont effectuées à l'aide d'appareils à rayons X qui peuvent détecter des tumeurs plus tôt que vous ou votre médecin.

L'âge	L'opinion des spécialistes	Autotraitement
Avant 40 ans	Les spécialistes s'entendent	Auto-examen mensuel Pas de mammographie
Avant 40 ans, mais à risque élevé (votre mère ou votre sœur a eu un cancer du sein dans son jeune âge)	Parlez à votre médecin pour développer un programme individuel	Auto-examen mensuel des seins Examen médical annuel Mammographie: à commencer de 5 à 10 ans avant l'âge où le cancer s'est déclaré chez la mère ou la sœur
De 40 à 49 ans, mais à faible risque	Les opinions diffèrent	Auto-examen mensuel Examen médical annuel ou aux 2 ans Mammographie: aucune ou annuelle
De 40 à 49 ans, à risque élevé	Les opinions diffèrent	Auto-examen mensuel Examen médical annuel Mammographie annuelle
De 50 à 74 ans, à risque normal ou élevé	Consensus	Auto-examen mensuel Examen médical annuel Mammographie annuelle
75 ans ou plus	Les opinions diffèrent	Auto-examen mensuel Examen médical annuel Mammographie annuelle

N.B. Les facteurs de risque incluent un cancer préalable; un cancer du sein de la mère ou de la sœur; aucune grossesse ou une première grossesse après 35 ans; menstruations précoces ou ménopause tardive. Votre médecin évaluera les autres facteurs de risque en ce qui vous concerne.

Problèmes courants

Les seins douloureux

La principale cause de douleur aux seins est la mastite, qui est attribuable à une infection ou à une inflammation. Elle ne touche en général qu'un seul sein, mais on note à la palpation une sensibilité généralisée dans les deux seins, en particulier au cours de la semaine qui précède les menstruations. Cette sensibilité est également un symptôme du syndrome prémenstruel (voir page **157**). L'exercice physique, notamment le jogging et la danse aérobique, peuvent sensibiliser le sein, mais la tendreté du sein est parfois due à l'inflammation d'un kyste. S'il y a rougeur ou fièvre, il peut s'agir d'une infection. L'infection est rare, mais peut se produire lors de l'allaitement.

Autotraitement

- Portez un soutien-gorge confortable qui procure un soutien suffisant.
- Prenez un analgésique en vente libre (voir page **267**).
- Limitez votre consommation de sel avant vos menstruations.
- Évitez la caféine.
- Si la douleur est due à un exercice vigoureux, optez pour une forme d'exercice plus doux tel que le vélo, la marche ou la natation, et portez un soutien-gorge spécialement conçu pour la pratique du sport.
- Consultez la section consacrée au syndrome prémenstruel (page **157**).

Soins médicaux

Si vous êtes fiévreuse, si vous constatez la présence d'une rougeur et que le sein est douloureux, consultez votre médecin. Vous devrez sans doute prendre un antibiotique. Si la douleur est associée à une bosse ou à un changement de texture du sein, consultez votre médecin.

Les menstruations douloureuses

La plupart des femmes savent ce que sont les crampes menstruelles. Pendant les menstruations, il est possible de ressentir une douleur à la base de l'abdomen, qui irradie vers les hanches, le bas du dos ou les cuisses. Chez certaines femmes, la nausée, les vomissements, la diarrhée et un malaise généralisé sont aussi un problème. Il est normal de ressentir de légères crampes abdominales pendant 1 ou 2 jours au début des règles (elles affligent plus de la moitié des femmes). Cependant, chez environ 10 p. 100 des femmes, ces douleurs sont si intenses que, sans médicaments, elles empêchent toute activité.

En l'absence d'un problème gynécologique, ce type de douleur porte le nom de dysménorrhée primaire. La dysménorrhée est attribuable à un taux élevé de prostaglandine (une hormone qui provoque la contraction des muscles utérins et la chute de l'endomètre [muqueuse de la paroi utérine]). Bien que douloureuse, elle est sans gravité et disparaît en général après un accouchement ou au milieu de la vingtaine.

La douleur attribuable à un problème gynécologique porte le nom de dysménorrhée secondaire. Elle peut être due à un fibrome (tumeur bénigne de la paroi utérine), à une maladie transmise sexuellement, à l'endométriose, à une maladie inflammatoire pelvienne, à un kyste ou à une tumeur de l'ovaire.

Autotraitement

- Un anti-inflammatoire non stéroïdien (AINS) ou de l'aspirine (voir page **267**) apporte un soulagement dans 80 p. 100 des cas.
- L'exercice physique modéré et un bain chaud sont aussi efficaces contre la douleur.

Soins médicaux

Le traitement de la cause sous-jacente soulagera la douleur. Si la douleur n'a pas de cause évidente, la prise d'anovulants peut apporter un soulagement.

Consultez votre professionnel de la santé si la douleur menstruelle est intense ou accompagnée de fièvre ; si vous avez des nausées, des vomissements ou de violentes crampes abdominales ; si la douleur persiste 3 jours après le début des menstruations.

■ Les menstruatôns irrégulières

L'irrégularité inexpliquée des menstruations est très répandue chez les femmes. Elle est attribuable aux variations du taux hormonal associées au stress, aux émotions, à un exercice aérobique plus intense ou à des changements importants de poids. Chez la femme très mince, l'exercice physique intense peut entraîner l'arrêt complet des menstruations.

Autotraitement

- Tenez un calendrier menstruel pendant au moins 3 cycles. Notez le début des menstruations, le jour où les règles sont les plus abondantes, le jour de l'arrêt des menstruations et la date de vos rapports sexuels.
- Si vos règles sont irrégulières pendant plus de 3 cycles, consultez votre médecin.
- Si vous sautez une menstruation après avoir eu des rapports sexuels, il se peut que vous soyez enceinte.

■ Les saignements intermenstruels

Chez un grand nombre de femmes, un saignement occasionnel se produit entre les menstruations, soit spontanément, soit à la suite d'un rapport sexuel. Ces saignements ne sont en général pas graves et sont dus à un changement du cycle hormonal habituel. Le stress, un nouvel anovulant, des polypes (excroissance fibreuse bénigne) et de nombreuses autres causes peuvent affecter les règles. Mais puisqu'un saignement anormal peut également signaler la présence d'un cancer, il convient de consulter son médecin sans tarder.

■ Le syndrome prémenstruel

Si, au cours des jours précédant vos menstruations, des changements prévisibles affectent votre humeur et votre bien-être physique, vous souffrez peut-être du syndrome prémenstruel (PMS). Le syndrome prémenstruel est étroitement lié au cycle hormonal normal; il se produit quand le taux d'hormones se situe dans la norme. L'un des facteurs déclencheurs est possiblement la réaction de la femme au taux de sérotonine de l'organisme. La sérotonine est une hormone associée à la dépression clinique et à d'autres troubles psychologiques. Il peut arriver qu'un problème psychologique existant, par exemple, une dépression, soit aggravé par les changements hormonaux qui précèdent les règles.

Les symptômes du syndrome prémenstruel

Changements physiologiques
- Rétention des fluides, ballonnements
- Gain de poids
- Mictions fréquentes
- Douleurs aux seins
- Œdème douloureux des mains et des pieds
- Fatigue, nausées, vomissements
- Diarrhée, constipation
- Malaise généralisé: maux de tête, de dos, d'estomac
- Problèmes de peau

Changements psychologiques
- Dépression et tristesse
- Irritabilité
- Anxiété
- Tension nerveuse
- Sautes d'humeur
- Manque de concentration
- Léthargie
- Fringales
- Étourderie

Problèmes courants

| **Autotraitement** | Il est possible de mieux supporter les symptômes du syndrome prémenstruel en étant bien informée et en apportant un ensemble de modifications à son mode de vie. |

- Maintenez un poids santé.
- Offrez-vous des repas moins copieux, plus souvent. Ne sautez pas de repas et efforcez-vous de prendre vos repas à la même heure chaque jour.
- Limitez votre consommation de sel pendant 1 semaine ou 2 avant vos règles pour diminuer les ballonnements et la rétention d'eau.
- Pour contrôler l'irritabilité, la tension nerveuse et les douleurs aux seins, évitez la caféine. À la page **221**, vous trouverez une liste des boissons les plus populaires et leur contenu en caféine.
- Évitez de boire de l'alcool pendant vos règles pour minimiser la dépression et les sautes d'humeur.
- Ayez une alimentation équilibrée (voir page **220**).
- Un apport suffisant en calcium est bénéfique. Buvez quotidiennement de 2 à 3 tasses de lait à faible teneur en gras et optez pour des aliments riches en calcium (voir page **159**). Si vous ne tolérez pas les aliments riches en calcium ou si vous ignorez si votre apport en calcium est suffisant, un supplément quotidien de 1 200 mg peut être bénéfique.
- Réduisez le stress (voir page **234**). Le stress aggrave le syndrome prémenstruel.
- Faites de la marche, du jogging, du vélo, de la natation, ou adonnez-vous au moins 3 fois la semaine à des exercices aérobiques.
- Tenez un registre de vos symptômes pendant quelques mois. Vous constaterez peut-être qu'ils sont plus faciles à tolérer si vous pouvez les prévoir et si vous savez qu'ils seront de courte durée.

Soins médicaux

Il n'existe pas d'examen physique ou d'analyses de laboratoire qui permettent le diagnostic du syndrome prémenstruel. En lieu et place, le médecin se fonde sur une évaluation attentive de votre historique médical. Pour faciliter le diagnostic, on demande aux femmes de noter le début, la durée, la nature et l'intensité des symptômes pendant au moins 2 cycles menstruels.

Si ce syndrome affecte très négativement votre vie et que les conseils énumérés ci-dessus ne vous sont d'aucun secours, votre médecin pourrait vous prescrire l'un ou l'autre des médicaments suivants :

- Un anti-inflammatoire non stéroïdien (AINS) pour soulager les crampes et les douleurs aux seins (voir page **267**).
- Un anovulant soulage souvent les symptômes en interrompant l'ovulation.
- Une injection d'acétate de médroxyprogestérone (Depo-Provera) interrompra provisoirement l'ovulation et les menstruations dans les cas graves.
- Les antidépresseurs viennent en aide à environ 60 p. 100 des femmes dont les symptômes psychologiques sont prononcés, notamment la fluoxétine (Prozac), la sertraline (Zoloft), la paroxétine (Paxil), la fluvoxamine (Luvox) et la venlafaxine (Effexor). La posologie de ces médicaments est inférieure à celles que l'on conseille pour traiter la dépression ; ils peuvent être efficaces si on les prend seulement 1 ou 2 semaines avant les menstruations.
- Si les antidépresseurs s'avèrent inefficaces, l'alprazolam (Xanax), un médicament contre l'anxiété, peut apporter un soulagement, mais ce produit peut créer une accoutumance et ne devrait pas être utilisé à long terme.

■ La ménopause

La ménopause est un phénomène naturel qui touche les femmes entre 40 et 55 ans. Les femmes entrent dans leur ménopause de plus en plus tardivement. L'âge moyen pour le début de la ménopause est maintenant 51 ans.

Pendant la ménopause, les ovaires cessent progressivement de produire de l'œstrogène. Les règles deviennent irrégulières. Ce processus peut durer de quelques mois à quelques années. Puis, les menstruations s'interrompent complètement et la possibilité de grossesse devient nulle.

Quand les ovaires produisent moins d'hormones, plusieurs changements ont lieu, bien que ceux-ci varient d'une femme à l'autre. L'utérus peut s'atrophier (rétrécir) et la paroi vaginale s'amincir. On note une sécheresse du vagin, ce qui se traduit parfois par des rapports sexuels douloureux. Les bouffées de chaleur provoquent une sudation excessive qui peut durer de quelques minutes à plus d'une heure, interrompre le sommeil et occasionner d'abondantes sueurs nocturnes.

Pendant et après la ménopause, les changements métaboliques occasionnent une redistribution des graisses corporelles. Les os perdent de leur force et de leur densité. Il y a risque d'ostéoporose (voir ci-dessous).

Les femmes sont souvent sujettes aux sautes d'humeur, probablement associées aux troubles du sommeil attribuables aux «chaleurs», au déséquilibre hormonal ou aux problèmes typiques qui affectent les hommes et les femmes de ce groupe d'âge. Pour de nombreuses femmes, la ménopause semble avoir un effet positif sur le bien-être physique et psychologique.

Autotraitement

- Acceptez ces changements. Ils sont normaux et sains.
- Ayez une alimentation équilibrée, faites régulièrement de l'exercice et portez des vêtements superposés faciles à enlever.
- En cas de rapports sexuels pénibles, recourez à un lubrifiant vaginal à base d'eau.

Soins médicaux

L'hormonothérapie substitutive peut alléger les chaleurs, freiner l'amincissement de la paroi vaginale, retarder l'apparition de l'ostéoporose et possiblement prémunir la femme contre les maladies cardiaques.

L'hormonothérapie de substitution n'améliore pas les sautes d'humeur et pourrait accroître le risque de cancer du sein ou de cancer de l'utérus. Si votre utérus est intact, l'œstrogène doit être combiné à la progestérone.

Une autre hormone, l'acétate de mégestrol, peut réduire la fréquence et l'intensité des chaleurs chez les femmes qui ne peuvent prendre d'œstrogène. L'hormonothérapie de substitution s'accompagne souvent d'un retour des menstruations.

La prévention de l'ostéoporose

La perte d'œstrogène secondaire à la ménopause augmente grandement le risque d'ostéoporose. L'ostéoporose est la diminution de la densité osseuse : les os deviennent poreux et friables. La meilleure prévention consiste à augmenter la densité osseuse dans le jeune âge.

- Un apport en calcium suffisant (1 000 à 1 200 mg par jour) pendant l'âge adulte contribue à prévenir l'ostéoporose. Les aliments riches en calcium sont le lait, le yogourt, le fromage, le saumon et le brocoli. Un verre de lait contient environ 300 mg de calcium.
- Si vous êtes particulièrement à risque, votre médecin pourrait vous conseiller de prendre un supplément de calcium. N'oubliez pas que le calcium peut aggraver certaines affections médicales. Consultez votre médecin avant de prendre de fortes doses de calcium.
- La marche, la danse et le jogging sont d'excellents exercices pour augmenter ou préserver la densité osseuse.

■ Les problèmes urinaires

Les infections du tractus urinaire sont très répandues chez les femmes. Avec le début de l'activité sexuelle, la fréquence de ces infections augmente. Les rapports sexuels, la grossesse et les obstructions urinaires contribuent à les favoriser. Les symptômes de l'infection du tractus urinaire incluent une sensation de brûlure à la miction, des mictions plus fréquentes et un sentiment d'urgence quand se manifeste le besoin d'uriner. Si vous souffrez d'une infection, le médecin prescrira un antibiotique.

L'incontinence urinaire est la perte involontaire de l'urine. On distingue entre l'incontinence « par instabilité » et l'incontinence « à l'effort ». Lorsqu'il y a perte involontaire d'urine quand se manifeste un besoin urgent d'uriner, on parle d'incontinence par instabilité. Elle est souvent attribuable à une légère infection ou à un excès de stimulants tels que la caféine. Lorsque la perte involontaire d'urine se produit lorsqu'on éternue ou tousse, que l'on rit, saute ou soulève une charge lourde, on parle d'incontinence à l'effort. Elle est le plus souvent attribuable à un manque de tonus du sphincter interne, c'est-à-dire le muscle de l'appareil urinaire. Un accouchement, l'embonpoint ou le vieillissement en sont parfois responsables.

Autotraitement

- Faites des exercices de renforcement des muscles pelviens (exercices Kegel) : contractez les muscles pelviens comme pour retenir l'évacuation des selles ou de l'urine. Relâchez. Répétez la contraction. Refaites cet exercice de 20 à 30 fois de suite en vous allouant quelques secondes de repos entre les contractions. Répétez l'exercice plusieurs fois par jour, mais ne le tentez pas pendant que vous urinez.
- Videz votre vessie plus souvent.
- Penchez-vous vers l'avant en urinant pour favoriser une meilleure évacuation de l'urine.
- Limitez votre consommation d'aliments et de boissons caféinés (voir page **221**).
- Portez une serviette sanitaire pour vous protéger des accidents. Changez-la aux 2 heures.
- Portez un tampon hygiénique lorsque vous faites du conditionnement physique.

■ Les pertes vaginales

Les pertes vaginales sont l'un des symptômes de la vaginite. La vaginite est une inflammation du vagin, habituellement due à une infection ou à une altération des bactéries vaginales normales. Vous pourriez également ressentir des démangeaisons, une irritation, des douleurs lors des rapports sexuels, un malaise à l'abdomen, avoir des pertes de sang et des pertes malodorantes.

Il existe 3 types de vaginite : la trichomonase, la vaginite à candida et la vaginose bactérienne. La trichomonase, due à un parasite, se traduit par un écoulement malodorant, d'un jaune verdâtre, parfois écumeux. Elle apparaît parfois à la suite d'un rapport sexuel. On la traite par la prise de comprimés de métronidazole. Votre partenaire devrait également subir un traitement. La vaginite à candida touche plus souvent les femmes enceintes ou diabétiques ; celles qui prennent des antibiotiques, de la cortisone ou des anovulants ; ou les femmes qui présentent une carence en fer. Le principal symptôme est le prurit, mais on note aussi parfois des pertes blanches. La vaginose bactérienne se caractérise par des pertes grises et malodorantes. Des comprimés de métronidazole ou d'un autre antibiotique en viendront à bout.

Autotraitement

- Recourez à une crème ou à des suppositoires antifongiques en vente libre si vous croyez qu'il s'agit d'une vaginite à candida.
- Abstenez-vous d'avoir des rapports sexuels ou demandez à votre partenaire de porter un condom pendant une semaine après le début du traitement.
- Consultez un médecin si le malaise persiste au-delà de 1 semaine.

Le dépistage du cancer

Pour le dépistage du cancer du sein, voir la page **155**. Le dépistage du cancer de l'utérus se fait au moyen d'une cytologie cervicale (test de Pap) et d'un examen pelvien. La cytologie permet de détecter plus de 90 p. 100 des cancers de l'utérus à leur début, quand le taux de guérison est très élevé.

Le cancer de l'utérus est un cancer à progression lente (10 à 20 ans). Il se manifeste d'abord par une altération des cellules superficielles de l'utérus. Ces cellules sont alors dites précancéreuses et pourraient devenir cancéreuses avec le temps.

Lorsque les cellules superficielles de l'utérus deviennent précancéreuses, on parle de dysplasie ou de lésions intra-épithéliales. Certaines de ces anomalies guérissent spontanément, tandis que d'autres évoluent. Les lésions précancéreuses sont rarement douloureuses et, en général, ne présentent pas de symptômes.

Les médecins ne s'entendent pas sur la fréquence idéale du test de Pap. Parlez-en à votre médecin. Les recommandations concernant le dépistage du cancer de l'utérus sont les suivantes.

- Un premier test à 18 ans ou dès le début de la vie sexuelle active.
- Par la suite, un test tous les 1 à 3 ans.
- À la suite de 3 tests consécutifs normaux, la femme peut, en accord avec son médecin, opter pour une diminution de leur fréquence.
- Pour les femmes qui ont subi une hystérectomie en raison d'une affection bénigne et dont aucun test préalable n'était positif, le test de Pap n'est plus nécessaire.

Les femmes à risque élevé devraient subir un test plus souvent. Les facteurs de risque sont les suivants :

- Vous êtes devenue active sexuellement dès l'adolescence et vous avez eu plusieurs partenaires sexuels.
- Vous avez actuellement plus d'un partenaire sexuel.
- Vous avez eu une maladie transmise sexuellement, y compris des verrues génitales.
- Un test précédent a révélé une anomalie ou vous avez eu un cancer de l'utérus.
- Vous fumez.

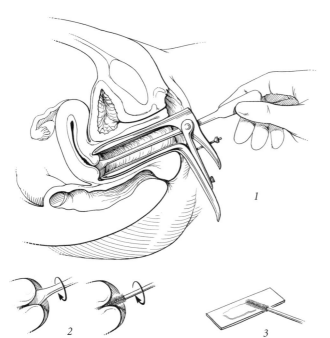

Le spéculum étant en place, le médecin tourne un bâtonnet de bois puis une cytobrosse pour prélever un échantillon cellulaire (1 et 2) Les cellules sont ensuite déposées sur une lame (3) pour être examinées au microscope.

Peut-on se fier à la cytologie cervicale (test de Pap) ?

Le test de Pap est un test de dépistage; il n'est pas parfait. Il pourrait ne pas détecter de cellules anormales et ainsi produire un résultat faux négatif. Il importe donc de subir régulièrement ce test. Les résultats pourraient être faussés pour plusieurs raisons :

- Les cellules anormales sont évacuées au cours d'un rapport sexuel ou d'une douche vaginale précédant l'examen.

- Le médecin n'a pas couvert toute la région utérine et certaines cellules anormales lui ont échappé; il n'a pas appliqué le frottis correctement sur la plaque; il n'a pas «fixé» immédiatement et correctement les cellules sur la plaque.

La contraception

Méthode	Sa nature	Efficacité*	Mises en garde
La méthode naturelle	Le cycle menstruel détermine les moments où la conception est impossible.	Peut être efficace à plus de 90 p. 100.	Convient mieux aux relations stables. Nécessite une formation.
Les contraceptifs oraux (pilule anovulante)	Des hormones synthétiques empêchent l'ovulation et freinent l'implantation. La pilule anovulante contient généralement de l'œstrogène et de la progestérone.	Plus de 99 p. 100.	Prenez la pilule à la même heure chaque jour. Ne fumez pas, surtout après 35 ans. Si vous sautez vos règles 2 fois de suite, consultez.
Les implants contraceptifs	Des implants hormonaux de la taille d'une allumette sont insérés sous l'épiderme du bras.	Plus de 95 p. 100.	Parfois difficiles à retirer.
Le stérilet	Le stérilet est introduit dans l'utérus. Il entrave la migration des spermatozoïdes et la fertilisation. Deux types de stérilets sont disponibles : l'un contient du cuivre, l'autre de la progestérone.	De 95 à 98 p. 100.	Risque accru de grossesse ectopique ; saignements menstruels plus abondants avec le stérilet de cuivre. Vérifiez périodiquement la cordelette pour vous assurer que le stérilet est bien en place.
Le diaphragme	Un préservatif féminin sous forme de dôme en caoutchouc est inséré dans le vagin et recouvre l'utérus. Un ajustement soigné est essentiel.	Environ 95 p. 100 si on y recourt régulièrement en association avec un spermicide.	Peut causer des irritations et augmenter le risque d'infections du tractus urinaire ; doit être inséré avant le rapport sexuel.
La cape cervicale	La cape cervicale doit être ajustée par le médecin afin de recouvrir parfaitement l'utérus.	85 p. 100.	Peut causer des irritations. Difficile à ajuster. La cytologie présente des anomalies. Doit être inséré avant le rapport sexuel.
Le condom féminin	Il en existe de plusieurs formes. Ils se prolongent à l'extérieur du vagin.	90 p. 100.	Certaines personnes le trouvent difficile à insérer.
Les injections de Depo-Provera	Une injection dans le bras ou la fesse tous les 2 ou 3 mois.	Plus de 95 p. 100.	Règles irrégulières, maux de tête, acné et gain de poids.
La ligature des trompes (stérilisation féminine)	Les trompes de Fallope sont ligaturées ou cautérisées. Ni l'ovule ni le sperme ne peuvent les emprunter.	Plus de 99 p. 100.	Nécessite une chirurgie, le plus souvent en clinique externe.

* Efficacité à prévenir la grossesse pendant une année d'usage normal.

■ La grossesse

La grossesse a beau être un état normal, pendant qu'elle se déroule vous devez bien veiller sur votre santé pour assurer à votre bébé un bon départ dans la vie. Vous gagneriez à subir un bilan de santé complet avant de devenir enceinte : on s'assurera que vous ne souffrez d'aucune affection asymptomatique qui pourrait compliquer votre grossesse : le diabète, l'hypertension, les tumeurs pelviennes ou l'anémie. Si le médecin décèle un problème, il voudra y remédier autant que possible avant votre grossesse. Si nécessaire, vous recevrez un vaccin contre la rubéole (une infection virale).

Autotraitement

En préparation à la grossesse

- Si vous faites de l'embonpoint, efforcez-vous de perdre du poids avant de devenir enceinte. Ne suivez pas de régime amaigrissant si vous êtes déjà enceinte.
- Si vous fumez, cessez. Si possible, évitez aussi la fumée des autres (voir page **203**).
- Ne buvez pas d'alcool si vous tentez de devenir enceinte. Prenez chaque jour une multi-vitamine en vous assurant qu'elle contient de l'acide folique, qui réduit le risque d'anomalies du tube neural (défauts de naissance à la colonne vertébrale).
- Consultez votre médecin avant de prendre des médicaments en vente libre.

Pendant la grossesse

Les meilleurs moyens d'assurer la bonne santé du bébé à la naissance sont les suivants :
- Procurez-vous un ouvrage sur la grossesse. Vous devez comprendre les changements qui surviennent dans votre organisme.
- Visitez régulièrement votre médecin.
- Ayez une alimentation saine. Acceptez de devoir prendre un peu de poids.
- Évitez tout ce qui pourrait vous nuire, notamment la cigarette, l'alcool, certains médicaments et produits chimiques.
- Prenez une vitamine contenant de l'acide folique, sur l'avis de votre médecin.
- **Mise en garde :** Les saignements vaginaux pendant la grossesse indiquent un problème. Consultez immédiatement. La perte de quelques gouttes de sang et des saignements un peu plus intenses sont possibles au début de la grossesse, mais votre médecin devra s'assurer qu'ils ne sont pas synonyme de fausse-couche, de grossesse ectopique ou de lésion utérine.

Les tests de grossesse à domicile

Les tests de grossesse à domicile vous permettent de découvrir dans votre intimité si oui ou non vous êtes enceinte. Dans la plupart des cas, il suffit d'uriner sur un bâtonnet ou d'insérer celui-ci dans un récipient qui contient de l'urine pour détecter la présence de hCG (une hormone : la gonadotrophine chorionique humaine). Le placenta commence à produire cette hormone peu après la conception. Lorsqu'on les exécute correctement, ces tests sont fiables à 95 p. 100 environ 10 jours après la date prévue des menstruations.

Les tests de grossesse à domicile vous incitent à vous alimenter correctement dès le début : prenez tout de suite un supplément vitaminique prénatal. Ils vous incitent aussi à supprimer les substances qui pourraient nuire au fœtus telles que l'alcool, la cigarette et certains médicaments, ainsi qu'à éviter les vapeurs de produits chimiques présents dans la maison ou au travail. Ces tests sont particulièrement conseillés aux femmes qui ont eu une grossesse ectopique ou une fausse-couche, car elles peuvent ainsi consulter leur médecin au tout début de la grossesse.

■ Les problèmes de la grossesse

La grossesse s'accompagne souvent de malaises gênants mais sans gravité tels que la nausée matinale, les brûlures d'estomac, les maux de dos et ainsi de suite. Ces ennuis sont désagréables, mais ils ne menacent ni votre santé ni celle du fœtus. S'ils deviennent difficiles à supporter en dépit des conseils ci-dessous, consultez votre médecin.

Les nausées matinales

Environ la moitié des femmes enceintes ont des nausées matinales au cours des 12 premières semaines de grossesse. Bien que ces nausées ne se produisent pas forcément le matin, l'expression sert à désigner la nausée de la grossesse et les vomissements. Ces problèmes sont en général bénins. Si les nausées matinales vous gênent, essayez ces quelques suggestions :

- Mangez quelques craquelins avant de vous lever le matin.
- Faites plusieurs petits repas par jour afin de ne jamais avoir l'estomac vide.
- Évitez les odeurs de cuisson et les aliments qui provoquent des nausées, de même que les aliments trop épicés et les fritures.
- Buvez beaucoup de liquides, surtout si vous vomissez. Si l'eau accentue les nausées, sucez des glaçons ou des sucettes glacées, ou optez pour des jus de fruits.
- L'acupression ou les bracelets contre le mal des transport apporteront aussi un soulagement.

L'anémie

L'anémie (taux insuffisant d'hémoglobine dans le sang) touche certaines femmes enceintes en raison d'une carence en fer ou d'un apport d'acide folique insuffisant. Les symptômes de l'anémie incluent la fatigue, l'essoufflement, les évanouissements, les palpitations et la pâleur. Ce problème peut se révéler dangereux pour la mère et pour le fœtus, mais il est facile à diagnostiquer au moyen d'une simple analyse sanguine. Si vous êtes anémique, veillez à bien vous alimenter :

- Ayez une alimentation riche en fer (viande, foie, œufs, fruits secs, céréales entières et céréales enrichies de fer).
- Consommez beaucoup de légumes verts feuillus, de foie, de lentilles, de doliques, de haricots secs et d'autres fèves, d'oranges et de pamplemousses.
- Suivez les recommandations de votre médecin.

L'œdème (enflure)

Chez la femme enceinte, parce que les tissus accumulent davantage de fluides, l'œdème est très répandu. La chaleur peut aggraver la situation. Si l'œdème vous gêne, lisez ce qui suit :

- Des compresses d'eau froide réduiront l'enflure.
- Limitez votre consommation de sel.
- Étendez-vous, les jambes surélevées, une demi-heure par jour.
- Si vous avez le visage enflé, surtout autour des yeux, il pourrait s'agir d'un symptôme de prééclampsie, qui est une affection grave. Consultez votre médecin.

Les varices

Environ 20 p. 100 des femmes enceintes ont des varices. La grossesse accroît le volume de sang de l'organisme et inhibe la circulation sanguine des jambes au bassin. Par conséquent, les veines de la jambe sont enflées et endolories.

- Ne restez pas debout plus que nécessaire et surélevez vos jambes aussi souvent que possible.
- Portez des vêtements qui ne compriment ni les jambes ni la taille.
- Portez des bas de soutien du lever au coucher.

La constipation

La grossesse aggrave la constipation. En pressant sur l'intestin, le bébé provoque un ralentissement du transit intestinal.

- Buvez beaucoup de liquides, soit au moins 8 à 10 verres par jour.
- Faites modérément de l'exercice chaque jour.
- Consommez plusieurs petites portions de fruits frais, de légumes et de céréales entières.
- Prenez un supplément de fibres contenant du psyllium (disponible en vente libre), mais évitez les laxatifs à moins d'en avoir discuté au préalable avec votre médecin.

Les brûlures d'estomac

L'expression le dit, les brûlures d'estomac se caractérisent par une sensation de brûlure au niveau de l'estomac ; elles s'accompagnent parfois d'un goût acide dans la bouche. Ce malaise est attribuable au reflux des acides gastriques dans l'œsophage. Au cours de la dernière phase de la grossesse, l'utérus est très distendu et compresse l'estomac, ce qui ralentit la digestion.

- Consommez de plus petites portions plus souvent, et mangez lentement.
- Évitez les matières grasses.
- Renoncez au café. Le café ordinaire ou décaféiné aggrave les brûlures d'estomac.
- Ne mangez pas de 2 à 3 heures avant d'aller dormir. Surélevez la tête du lit d'environ 15 cm. Le reflux est plus accentué lorsqu'on est étendu à plat dos.
- Si ces méthodes échouent, consultez votre médecin qui pourrait vous conseiller un antiacide (voir page **74**).

Les maux de dos

Les maux de dos affectent un grand nombre de femmes enceintes. Se pencher, trop marcher ou se fatiguer peut les aggraver. La douleur est circonscrite au bas du dos ou irradie vers les jambes. L'abdomen est parfois endolori également en raison de l'étirement des ligaments. Puisque les ligaments sont plus élastiques pendant la grossesse, les articulations sont plus sujettes aux foulures et aux traumas. N'oubliez pas que la grossesse modifie le centre de gravité, ce qui fatigue le dos.

- Ne prenez pas plus de poids que ne le conseille votre médecin.
- Évitez les efforts inutiles. Portez une gaine de maternité.
- Votre médecin pourra vous conseiller des exercices qui soulageront quelque peu la douleur.

Les hémorroïdes

Les hémorroïdes se caractérisent par une augmentation de volume des veines au niveau de l'anus due à une pression excessive. La grossesse les aggrave. Dans ce cas, elles s'accompagnent souvent de constipation.

- Évitez d'être constipée.
- Ne forcez pas vos muscles pendant l'évacuation des selles.
- Prenez fréquemment des bains chauds.
- Faites des applications de crème à l'hamamélis sur la région douloureuse.

L'insomnie

Les dernières semaines de la grossesse peuvent occasionner des troubles du sommeil dus au besoin fréquent d'uriner, aux mouvements du bébé et aux préoccupations qui vous tourmentent.

- Évitez la caféine.
- Évitez les repas copieux avant d'aller dormir ; prenez un bain chaud avant de vous mettre au lit.
- Faites davantage d'exercice pendant la journée.
- Si vous ne parvenez pas à dormir, levez-vous et occupez-vous pendant quelques minutes.
- Ne prenez pas de somnifères, sauf sur avis de votre médecin.

Le guide de la santé

■ Les autres affections médicales courantes

L'endométriose

L'endométriose est un problème de l'appareil reproducteur : de minuscules fragments de l'endomètre (paroi utérine) se détachent de l'utérus et pénètrent dans les trompes de Fallope, pour ensuite se déposer sur d'autres organes pelviens, sur la paroi pelvienne et à la surface des ovaires ou des trompes utérines. Pendant les menstruations, les organes environnants absorbent le sang que renferment ces fragments, ce qui provoque une inflammation. Ce processus favorise la formation d'adhérences (tissus cicatriciels qui font adhérer les organes les uns aux autres) aux ovaires et aux trompes, ce qui peut nuire à la fécondation. L'endométriose se caractérise par des menstruations douloureuses, des crampes abdominales intenses, des douleurs à l'abdomen lors des rapports sexuels, des évacuations et des mictions douloureuses. Chez certaines femmes, l'endométriose est asymptomatique, tandis que chez d'autres, elle est très douloureuse.

Pour établir un diagnostic, le médecin demandera une laparoscopie (insertion d'un tube optique dans la cavité péritonéale par une minuscule incision pratiquée près du nombril). L'hormonothérapie apporte un certain soulagement, enraye la progression de la maladie et empêche la stérilité. Parfois, une chirurgie plus importante est nécessaire.

L'hystérectomie

Un demi-million de femmes subissent chaque année une hystérectomie (ablation d'une partie ou de la totalité de l'utérus). Après une hystérectomie, les menstruations cessent. La grossesse est impossible.

L'*hystérectomie vaginale* (ou par voie basse) consiste en l'ablation de l'utérus par une incision pratiquée dans le vagin. L'*hystérectomie abdominale* (ou par voie haute) consiste en l'ablation de l'utérus par une incision pratiquée à l'abdomen. Ce dernier type d'hystérectomie est pratiqué en présence de cancer (confirmé ou soupçonné) de l'utérus ou des ovaires, d'une endométriose grave ou de tissus cicatriciels au bassin, d'infections pelviennes antérieures, ou encore lorsque l'utérus est trop gros pour être retiré par le vagin.

À quoi doit-on s'attendre après une hystérectomie ?
* Après une *hystérectomie vaginale,* l'on éprouve un tiraillement à l'aine ou des douleurs lombaires pendant 1 ou 2 jours. Pendant que les sutures au fond du vagin se dissolvent, on notera un écoulement vaginal (pendant environ 3 semaines). L'*hystérectomie abdominale* entraîne des malaises plus sérieux, car l'incision traverse la paroi abdominale.

Le choc toxique

Le choc toxique est une réaction aux poisons produits par des bactéries présentes dans le vagin. Il se produit en général pendant les menstruations et le plus souvent chez les femmes qui portent des tampons hygiéniques. Les symptômes du choc toxique se développent brusquement. Cette affection est grave. Elle peut entraîner une chute subite de la pression artérielle et placer le sujet en état de choc. L'insuffisance rénale peut s'ensuivre. Le choc toxique nécessite une intervention médicale d'urgence.

Les symptômes du choc toxique sont les suivants : une température de 38,8 °C (102 °F) ou davantage, des vomissements, de la diarrhée, de la faiblesse, des étourdissements, des évanouissements, de la désorientation, une éruption cutanée qui ressemble à un coup de soleil, en particulier sur les paumes et la plante des pieds.

Si vous utilisez des tampons hygiéniques, évitez les tampons superabsorbants. Remplacez le tampon au moins toutes les 8 heures. Si vous avez déjà souffert d'un choc toxique, renoncez aux tampons.

Les affections spécifiques

- Les allergies respiratoires
- L'arthrite
- L'asthme
- Le cancer
- Le diabète
- Les maladies cardiaques
- L'hépatite C
- L'hypertension
- Les maladies transmises sexuellement (MTS)

L'asthme, l'arthrite, les allergies respiratoires, le cancer, le diabète, l'hypertension, l'hépatite C et les maladies transmises sexuellement sont des maladies répandues et coûteuses pour lesquelles l'auto-évaluation n'est pas à conseiller. Un médecin doit établir un diagnostic précis et le faire suivre d'un traitement spécifique.

Dans cette section, nous examinons les différentes façons de prévenir et de réagir à ces maladies. Dans certains cas, nous mentionnons les derniers développements en matière de traitement dont vous devriez discuter avec votre médecin pour déterminer s'ils conviennent à votre cas.

Les allergies respiratoires

Vous avez les yeux qui piquent et qui pleurent, le nez congestionné et des écoulements nasaux à la même période tous les ans? Vous éternuez en présence d'animaux ou au travail? C'est donc que vous êtes l'un des 50 millions de Nord-Américains qui souffrent d'allergies (voir «Les réactions allergiques», page **22**, et «L'urticaire», page **133**).

Les réactions allergiques et le système immunitaire

Une allergie est une réaction excessive du système immunitaire à un agent normalement inoffensif, notamment le pollen ou les animaux de compagnie. Le contact avec ces facteurs favorisants, dits allergènes, stimule la production d'immunoglobuline E (IgE). L'IgE force les cellules immunitaires de la paroi interne des yeux et des voies aériennes à sécréter des substances anti-inflammatoires, notamment l'histamine.

Ces substances sont responsables des symptômes courants de l'allergie: l'irritation, la rougeur, la démangeaison et l'enflure des yeux, la congestion et les écoulements nasaux, les éternuements en série et la toux, l'urticaire et les éruptions cutanées. En outre, cette réaction allergique peut provoquer ou aggraver l'asthme (voir page **175**).

Certains facteurs présents dans l'air ambiant intérieur ou extérieur et dans les aliments peuvent déclencher des réactions allergiques. La plupart des allergènes pénètrent en nous par les voies respiratoires:
- **Le pollen.** Sous la plupart des climats, le printemps, l'été et l'automne sont les pires saisons pour le pollen. L'exposition au pollen en provenance des arbres, des plantes et des mauvaises herbes est inévitable.
- **Les acariens.** La poussière domestique abrite un grand nombre d'allergènes potentiels, y compris le pollen et les moisissures. Mais les acariens sont le facteur favorisant le plus répandu. Des milliers de ces organismes microscopiques qui ressemblent à de petites araignées vivent dans une pincée de poussière domestique. La poussière domestique est l'une des causes des allergies qui perdurent toute l'année.
- **Les animaux domestiques.** Les chiens, et surtout les chats, sont les animaux les plus souvent responsables des allergies. Les cellules mortes de leur épiderme, leur salive, leur urine et, plus rarement, leur poil, sont les principaux facteurs favorisants.
- **Les moisissures (spores).** De nombreuses personnes sont sensibles aux spores présents dans l'air ambiant. Les moisissures externes produisent des spores surtout l'été et au début de l'automne. Les moisissures internes produisent des spores à longueur d'année.

Découvrir la cause de l'allergie

On ne sait trop pourquoi certaines personnes développent une sensibilité à certains allergènes tels que le pollen. Toutefois, il semble que des facteurs héréditaires soient en cause.

Les membres d'une même famille ne souffriront pas nécessairement tous des mêmes allergies. On est moins susceptible d'hériter d'une sensibilité à une substance précise qu'une tendance générale aux allergies.

Si vos symptômes sont légers, les médicaments en vente libre (habituellement sous forme de combinaison d'un antihistaminique et d'un décongestif) suffiront sans doute à vous soulager. Mais si les symptômes sont persistants et très gênants, une visite médicale pourrait vous venir en aide.

Pour établir son diagnostic, le médecin voudra se renseigner sur:
- vos symptômes;
- vos antécédents médicaux;
- vos habitudes de vie passées et présentes;
- toute exposition probable à des allergènes;
- vos antécédents familiaux;
- votre alimentation et vos loisirs habituels.

Il poursuivra son enquête par un bilan de santé complet et des tests cutanés au cours desquels il déposera une quantité infime d'allergènes sur l'épiderme et pratiquera une minuscule piqûre à l'emplacement de l'agent allergène (test de la piqûre). Si votre réaction est positive, l'épiderme réagira dans les 20 minutes suivantes, environ, en produisant une boursouflure ou une papule semblable à une morsure de moustique ou à de l'urticaire (papule ou rougeur).

Un résultat positif indique que vous êtes vraisemblablement allergique à une substance spécifique. Mais pour établir son diagnostic, le médecin tiendra également compte de vos antécédents médicaux et des résultats de votre bilan de santé.

La différence entre le rhume et les allergies

Les allergies présentent souvent des symptômes similaires à ceux du rhume : congestion du nez et de la poitrine, congestion et écoulements nasaux, toux et éternuements. C'est pourquoi beaucoup de gens confondent les deux. Mais là où les symptômes du rhume s'estompent en quelques jours, ceux de l'allergie semblent durer éternellement ou devenir récurrents dans certaines circonstances bien précises.

Le rhume des foins, autrement dit la rhinite allergique, est une allergie respiratoire très répandue. Les symptômes se manifestent lorsqu'il y a abondance de pollen, soit au printemps, en été ou en automne. Le rhume des foins est donc une rhinite allergique saisonnière. Ce n'est pas un rhume et le foin n'a rien à y voir.

Chez certaines personnes, les allergies se déclarent surtout l'hiver, quand la ventilation de la maison est insuffisante, ce qui les expose davantage aux acariens et aux moisissures. D'autres réagissent à la présence d'un chat. D'autres encore ont des réactions allergiques imprévisibles tout au long de l'année.

Les symptômes du rhume des foins sont les suivants.
- Congestion et écoulement nasal.
- Irritation et démangeaison des yeux, du nez, de la gorge ou du palais.
- Éternuements en série.
- Toux.

Les mythes entourant les allergies

Les causes des allergies ne sont pas toujours claires et les réactions qu'elles provoquent sont souvent imprévisibles. On ne doit donc pas s'étonner si les allergies ont donné lieu à de nombreuses idées fausses quant à leur origine et à leur guérison. Voici quelques-uns des mythes entourant les allergies.
- **Les allergies sont psychosomatiques.** Bien que le rhume des foins affecte les yeux et le nez, il ne prend pas naissance « dans votre tête ». Une allergie est un problème médical très réel qui affecte le système immunitaire. Le stress ou les émotions peuvent déclencher ou aggraver les symptômes, mais les émotions ne provoquent pas les allergies.
- **Aller vivre en Arizona réglera le problème.** Certaines personnes qu'affecte plus particulièrement le pollen se disent que le climat sec du sud-ouest des États-Unis,

où la végétation et le climat sont différents, les soulagera. Si l'érable et l'ambroisie ne poussent pas dans le désert, on y trouve d'autres plantes qui produisent du pollen, notamment l'armoise d'Amérique, un arbre de la famille du peuplier, le frêne et l'olivier. Les personnes déjà sensibles à certains pollens ou à certaines moisissures peuvent développer une sensibilité aux pollens et aux moisissures présents dans un nouvel environnement.
- **Les animaux à poil court ne provoquent pas d'allergies.** Le poil des animaux, quelle que soit sa longueur, n'est pas le grand responsable. Ce qui provoque des allergies, ce sont les pellicules animales et, parfois, la salive et l'urine. Si vous êtes allergique aux animaux à poil, optez plutôt pour des poissons ou des reptiles.

Autotraitement	La prévention est encore le meilleur remède.

Le pollen
- Restez à l'intérieur quand le taux pollinique est le plus élevé, soit entre 5 h et 10 h. Utilisez un climatiseur pourvu d'un filtre adéquat que vous remplacerez souvent.
- Portez un masque filtreur lorsque vous devez sortir ou travailler dans le jardin.
- Quittez la région lorsque la saison pollinique est à son point culminant.

Les acariens et les moisissures
- Nettoyez la maison au moins une fois la semaine. Portez un masque quand vous faites le ménage ou engagez une femme de ménage.
- Recouvrez les matelas, les oreillers et les sommiers d'enveloppes protectrices contre les acariens.
- Envisagez de remplacer les meubles recouverts de tissus par des meubles en cuir ou en vinyle, les tapis par des parquets de bois, de vinyle ou de tuiles de céramique (surtout la chambre à coucher).
- Maintenez un taux d'humidité de 30 à 50 p. 100. Ayez des ventilateurs dans la salle de bains et la cuisine et un déshumidificateur dans le sous-sol.
- Remplacez régulièrement le filtre de la chaudière, selon les directives du fabricant. Envisagez d'installer dans votre système de chauffage un filtre HEPA (acronyme de *high-efficiency particulate-arresting*).
- Nettoyez fréquemment les humidificateurs pour enrayer la prolifération des moisissures et des bactéries (voir page **118**).

Les animaux de compagnie
- Évitez les animaux à fourrure ou à plumes. Si vous voulez garder un animal à fourrure, lavez-le une fois la semaine à l'eau savonneuse. Laissez-le dehors le plus possible et ne lui permettez pas d'entrer dans votre chambre à coucher.

Soins médicaux

Les antihistaminiques. Ils soulagent les éternuements, l'écoulement nasal et les irritations des yeux et de la gorge en inhibant l'action de l'histamine, l'un des irritants chimiques les plus favorisants. **Mise en garde :** Certains antihistaminiques provoquent de la somnolence.

Les décongestifs. Ils soulagent certains symptômes en réduisant la congestion nasale ou l'enflure des muqueuses du nez, ce qui facilite la respiration. De nombreux médicaments contre les allergies et le rhume combinent un décongestif et un antihistaminique.

Les vaporisateurs nasaux. En vente libre et vendus sur ordonnance, ils peuvent faire partie de votre arsenal. Il en existe de plusieurs sortes.
- *Les corticostéroïdes.* Ces médicaments d'ordonnance soulagent la congestion si on les utilise tous les jours, mais ils ne deviennent efficaces qu'après une semaine d'utilisation.
- *Le cromoglycate de sodium.* Les vaporisateurs nasaux contenant du cromoglycate de sodium préviennent les éternuements, les démangeaisons du nez et l'écoulement nasal dus à des allergies légères ou modérées.
- *Les solutions salines.* Les vaporisateurs nasaux contenant une solution saline soulagent la congestion légère, fluidifient les sécrétions et empêchent la formation de croûtes. On peut les utiliser sans danger jusqu'à ce que les symptômes s'estompent.
- *Les décongestifs.* Ces vaporisateurs ne sont pas destinés au traitement des allergies chroniques. Évitez-les ou limitez leur utilisation à 3 ou 4 jours.

Les injections (immunothérapie). L'allergologue injecte d'infimes quantités de l'allergène dans votre organisme. Une série d'injections, étalée sur plusieurs semaines, désensibilise certaines personnes à l'allergène responsable de leurs malaises. La plupart du temps, on doit ensuite recevoir une injection par mois pendant plusieurs années.

L'arthrite

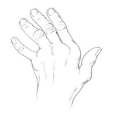

L'arthrite est le problème médical qui affecte le plus d'individus en Amérique du Nord : 1 personne sur 7. Il existe plus de 100 types d'arthrite. Leurs causes, leurs symptômes et leur traitement varient. Reportez-vous au tableau de la page **172** pour un résumé des symptômes des principales formes d'arthrite.

Les signes précurseurs de l'arthrite sont les suivants :

- Un œdème dans une ou plusieurs articulations.
- Une raideur matinale persistante.
- Une douleur ou une sensibilité récurrente dans une articulation.
- L'impossibilité de bouger normalement une articulation.
- Une rougeur évidente et une sensation de chaleur dans une articulation.
- Une fièvre inexpliquée, une perte de poids ou une sensation de faiblesse associée à des douleurs articulaires.

La polyarthrite rhumatoïde peut entraîner une déformation des articulations des doigts.

Les nodosités d'Heberden sont des excroissances osseuses localisées à l'extrémité des doigts. Elles apparaissent surtout chez les femmes et sont un signe précurseur d'arthrose.

Si l'un ou l'autre de ces symptômes est nouveau et perdure plus de 2 semaines, un traitement médical s'impose. Il importe de distinguer entre les douleurs d'arthrite et les simples douleurs rhumatismales pour que le médecin puisse prescrire un traitement efficace.

L'arthrite peut être due à l'usure normale de l'articulation (comme dans le cas de l'arthrose) ou être secondaire à un trauma, à une inflammation, à une infection, ou même être d'origine inconnue. La plupart des douleurs articulaires inflammatoires portent le nom d'arthrite, du grec *arthron,* qui signifie « articulation » et *itis,* qui signifie « inflammation ».

Dans ce chapitre, nous abordons la « question » de l'arthrose, qui est la forme d'arthrite la plus répandue. Certains conseils peuvent s'appliquer aux autres formes d'arthrite. Consultez votre médecin si vous souffrez d'un autre type d'arthrite.

■ L'exercice

Un bon conditionnement physique est encore le meilleur remède contre l'arthrite. Il importe de faire régulièrement de l'exercice pour ressentir quelque soulagement. N'oubliez pas de consulter votre médecin avant d'entreprendre tout programme d'exercice qui convienne à votre cas.

Il importe avant tout de se garder en forme. Optez pour des exercices qui maintiendront votre souplesse, votre force et votre résistance, car celles-ci protégeront vos articulations contre d'autres dommages, préserveront leur alignement, réduiront l'ankylose et atténueront la douleur.

Chaque exercice correspond à un objectif différent. Pour la souplesse, les exercices d'assouplissement permettent de faire bouger l'articulation dans tous les sens possibles. Dans les cas d'arthrose avancée, ces mouvements peuvent être douloureux. Interrompez tout exercice dès l'apparition d'une douleur et n'insistez pas pour le poursuivre sans d'abord consulter votre médecin.

De 15 à 20 minutes d'exercices qui englobent les principaux groupes musculaires accroîtront la capacité respiratoire, renforceront les muscles et développeront la résistance. Quelques-uns des exercices aérobiques qui ne forcent pas trop les articulations sont la marche, le vélo, la natation et la danse.

L'embonpoint entrave le mouvement et surmène le dos, les hanches et les pieds, c'est-à-dire les points du corps où l'arthrose se loge le plus volontiers. Rien ne démontre qu'un excès de poids puisse causer l'arthrose, mais il est clair que l'obésité en aggrave les symptômes.

Les différentes formes d'arthrite

Causes et fréquence	Principaux symptômes	Est-ce grave ?

Arthrose

Associée à l'usure normale des articulations. Peut être due à un déséquilibre enzymatique. Répandue chez les personnes de plus de 50 ans ; rare chez les jeunes, sauf en cas de trauma de l'articulation.	• Douleur articulaire au mouvement. • Malaise dans une articulation lors des fluctuations de température • Inflammation et perte de mobilité de l'articulation. • Protubérance osseuse aux jointures. • La douleur est fréquente. La rougeur et l'inflammation sont plus rares.	Habituellement sans gravité. Chronique, bien que la douleur soit intermittente. Les effets sont rarement débilitants. Les articulations de la hanche et du genou peuvent dégénérer au point de nécessiter une chirurgie de remplacement. L'âge est le principal facteur.

Polyarthrite rhumatoïde

La forme la plus répandue d'arthrite inflammatoire*. Apparaît le plus souvent entre 20 et 50 ans. Parfois due au fait que le système immunitaire attaque les cartilages des articulations.	• Douleur et enflure dans les petites articulations des mains et des pieds. • Ankylose ou douleur généralisée, surtout le matin au lever ou après une période de repos. • Les articulations affectées sont enflées, douloureuses et chaudes au début de la crise et lorsque la douleur s'intensifie.	La plus débilitante des formes d'arthrite. La maladie entraîne souvent une déformation des articulations. Certaines personnes éprouvent aussi des sueurs et de la fièvre, en plus d'une perte de tonus des muscles environnants. Chronique la plupart du temps, mais peut se manifester par intermittence.

Arthrite infectieuse

Due à une infection bactérienne, fongique ou virale. Peut être secondaire à une maladie transmise sexuellement. Peut toucher n'importe qui.	• Douleur et raideur dans une articulation, le plus souvent au genou, à l'épaule, à la hanche, à la cheville, au coude, au poignet ou dans un doigt. • Les tissus adjacents sont chauds et rouges. • Frissons, fièvre et faiblesse. • Peut s'accompagner d'une éruption cutanée.	Dans la plupart des cas, un diagnostic et un traitement rapides sont une garantie de guérison complète.

Goutte

Formation de cristaux d'acide urique dans l'articulation. La plupart des sujets atteints sont des hommes de plus de 40 ans.	• Douleur intense et subite dans une seule articulation, le plus souvent celle du gros orteil. • Œdème et rougeur.	Une crise aiguë peut être traitée avec succès. Après la crise, l'articulation redevient normale. Les attaques peuvent être récurrentes et, dans ce cas, nécessiter un traitement préventif pour réduire le taux d'acide urique du sang.

* Il existe d'autres formes d'arthrite inflammatoire : l'*arthrite psoriasique,* qui touche les personnes atteintes de psoriasis et se loge particulièrement aux jointures des doigts et des pieds ; le *syndrome de Reiter,* transmis le plus souvent par contact sexuel, se caractérise par des douleurs articulaires, un écoulement du pénis, une inflammation douloureuse des yeux et une éruption cutanée ; la *spondylite ankylosante,* qui affecte les articulations de la colonne vertébrale et qui, dans les cas avancés, peut entraîner une immobilité totale de la colonne.

■ Les médicaments contre la douleur

Les médicaments d'ordonnance ou en vente libre les plus souvent utilisés dans le traitement des douleurs arthritiques sont décrits ci-après. (Pour de plus amples renseignements, voir la page **267**).

- **L'aspirine :** Le résultat dépend de la posologie. Demandez à votre médecin de vous prescrire la dose qui convient le mieux à votre cas. Un ou deux comprimés aux 4 heures devraient vous apporter un soulagement. Il se peut que 1 ou 2 semaines de traitement soient nécessaires pour réduire l'inflammation.

- **L'acétaminophène.** Ce produit en vente libre est aussi efficace que l'aspirine et est moins susceptible d'irriter l'estomac. Il ne peut rien contre l'inflammation, mais puisque l'arthrose ne s'accompagne pas d'inflammation, l'acétaminophène constitue un bon choix la plupart du temps.

- **Les anti-inflammatoires non stéroïdiens (AINS).** Ils sont aussi efficaces que l'aspirine et produisent sans doute moins d'effets secondaires, mais ils sont plus coûteux. La posologie est en général inférieure à celle de l'aspirine.

- **Les corticostéroïdes.** Ces substances sont similaires à une hormone sécrétée par la glande surrénale. Elles contribuent à réduire l'inflammation. Il en existe quelque 20 variétés, dont la plus commune est la prednisone. Les médecins ne prescrivent pas de corticostéroïdes pour l'arthrose, mais peuvent injecter à l'occasion un médicament à la cortisone directement dans une articulation en cas d'inflammation aiguë. On ne doit pas administrer plus de 2 ou 3 injections par année, car un recours plus fréquent peut favoriser la détérioration de l'articulation.

Mise en garde

De nombreux analgésiques et anti-inflammatoires en vente libre peuvent irriter la paroi de l'estomac et des intestins et provoquer à long terme des ulcères ou des saignements importants. **Consultez votre médecin si vous prenez des anti-inflammatoires non stéroïdiens (AINS) ou de l'aspirine pendant plus de 2 semaines pour soulager les douleurs articulaires.** Un nouveau type de médicaments, les inhibiteurs de la COX-2, sont moins dommageables pour l'estomac.

■ D'autres moyens pour soulager la douleur

Renseignez-vous auprès de votre médecin ou d'un thérapeute des occupations et des distractions au sujet des thérapeutiques énumérées ci-dessous.

- **La chaleur** détend les muscles adjacents à l'articulation douloureuse. On peut l'appliquer en surface par un bain d'eau chaude, un bain de paraffine, un coussin chauffant, une compresse chaude ou une lampe solaire. Évitez de vous brûler. Pour une chaleur plus pénétrante, un physiothérapeute pourra recourir à la thermo-pénétration par ultrasons ou par ondes courtes.

- **Le froid** agit comme un anesthésique local et réduit les spasmes musculaires. Une compresse froide peut vous soulager si vos muscles sont endoloris par l'immobilité destinée à vous épargner la douleur.

- **Les attelles** soutiennent et protègent les articulations fragiles et douloureuses au cours des activités de tous les jours et favorisent le sommeil en assurant un positionnement correct de l'articulation pendant la nuit. Le recours constant aux attelles peut néanmoins affaiblir le muscle et réduire la souplesse de l'articulation.

- **Les techniques de détente,** y compris l'hypnose, la visualisation, la respiration profonde, la détente musculaire et ainsi de suite, peuvent contribuer à soulager la douleur.

- **D'autres techniques,** notamment la gymnastique douce, le contrôle du poids, les orthèses (par exemple, à insérer dans les chaussures) ou l'usage d'une canne, soulagent la douleur en renforçant les muscles et en réduisant la pression excessive sur les articulations.

Sachez protéger vos articulations

Une « mécanique corporelle » adéquate vous permettra de vous déplacer avec un minimum d'effort. Un physiothérapeute ou un ergothérapeute pourra vous suggérer des techniques et un équipement qui protégera vos articulations tout en réduisant la tension et en conservant votre énergie.

Voici quelques-unes des modifications que vous pouvez apporter à votre façon de vivre :

- Évitez les mouvements de préhension qui surmènent les jointures. Par exemple, au lieu d'un sac à main sans poignée, choisissez un sac à bandoulière. Desserrez les couvercles récalcitrants à l'eau chaude, appuyez dessus avec la paume ou utilisez un ouvre-bocal. Ne tordez ni ne forcez jamais vos jointures.
- Répartissez le poids d'un objet sur plusieurs jointures. Par exemple, servez-vous de vos 2 mains pour soulever une casserole lourde. Appuyez-vous sur une canne pour marcher.
- Faites une pause de temps en temps pour vous détendre et pour assouplir vos muscles.
- Une mauvaise posture répartit inégalement le poids du corps et peut surmener les ligaments et les muscles.
- Tout au long de la journée, servez-vous de préférence de vos muscles les plus forts et des plus grosses articulations. Ne poussez pas une porte lourde pour l'ouvrir, mais appuyez-vous dessus. Pour ramasser un objet, pliez les genoux et accroupissez-vous en gardant le dos droit.
- Certains instruments qui facilitent la préhension sont offerts pour faire la cuisine ou pour boutonner une chemise. Demandez à votre pharmacien ou à votre médecin où vous pouvez vous les procurer.

Ne croyez pas aux cures miracles

Une personne sur 10 qui a fait l'essai d'un remède dont l'efficacité n'a pas été démontrée fait état d'effets secondaires négatifs. En voici quelques-uns.

- **L'huile de foie de morue lubrifie les articulations ankylosées.** Cela peut paraître logique, pourtant l'organisme traite l'huile de foie de morue comme n'importe quelle autre matière grasse. Cette huile n'aide en rien les articulations. En outre, un excès d'huile de foie de morue, qui est très riche en vitamines A et D, peut s'avérer toxique.
- **Certains aliments causent une forme d'arthrite « allergique ».** Rien ne prouve que l'arthrite puisse être due à une allergie alimentaire. On ne peut non plus soulager les douleurs arthritiques en se privant de tomates ou de tout autre aliment.
- **Les huiles de poisson réduisent l'inflammation.** Les recherches en matière de polyarthrite rhumatoïde ont démontré que les acides gras omega-3 présents dans les huiles de poisson soulagent temporairement l'inflammation. Toutefois, nous ne conseillons pas la prise de suppléments d'huile de poisson. Il faudrait en prendre environ 15 capsules par jour, mais on ignore si une telle quantité est sécuritaire. Une dose plus réduite ne vous sera d'aucun secours.

L'asthme

L'asthme se produit lorsque les voies aériennes des poumons, que l'on appelle les bronches, sont irritées. Les muscles de la paroi bronchique se contractent et la quantité de sécrétions augmente. La circulation de l'air est réduite, ce qui provoque une respiration sifflante.

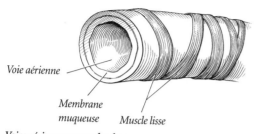

Voie aérienne

Membrane muqueuse   *Muscle lisse*

Voies aériennes normales des poumons

Les symptômes de l'asthme sont la sibilance (respiration sifflante), une difficulté respiratoire, une sensation d'oppression du thorax, et de la toux. Dans les cas graves, la respiration est très pénible, les lèvres et les ongles bleuissent, la respiration est très saccadée, le pouls est rapide, le sujet transpire et tousse abondamment.

L'asthme est une affection grave, mais on peut très bien le contrôler et mener une vie normale lorsqu'il est soigné correctement.

Aux États-Unis, environ 10 p. 100 des enfants et 5 p. 100 des adultes sont asthmatiques. La moitié environ des enfants asthmatiques le deviennent avant l'âge de 10 ans. Cette affection est le plus souvent héréditaire et elle n'est pas contagieuse.

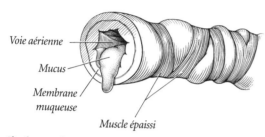

Voie aérienne

Mucus

Membrane muqueuse

Muscle épaissi

L'asthme est dû à une inflammation et à un œdème des voies aériennes des poumons.

Plusieurs facteurs peuvent déclencher une crise d'asthme : une réaction allergique aux acariens, aux blattes, à certains produits chimiques, au pollen, aux moisissures ou aux pellicules animales. La crise peut se déclencher lors d'une exposition à des substances favorisantes à la maison ou au travail ou même après une séance d'exercice, en particulier lorsque celle-ci a lieu au froid du dehors.

Les infections respiratoires associées au rhume et à la grippe peuvent aggraver l'asthme. (Les adultes asthmatiques devraient se faire vacciner chaque année contre la grippe. Les femmes enceintes et les enfants devraient toutefois consulter leur médecin avant de recevoir un vaccin antigrippal.) Parmi les autres déclencheurs de l'asthme, notons les sulfites que l'on vaporise sur les légumes et les fruits pour prévenir leur décoloration ; d'autres aliments ou boissons tel le vin peuvent contenir des sulfites, qui sont des agents de conservation. Chez certaines personnes, l'aspirine et les anti-inflammatoires non stéroïdiens (AINS) sont parfois responsables d'une crise d'asthme.

Une crise d'asthme peut être de légère à grave, ou grave au point de mettre la vie en danger. Elle peut durer de quelques minutes à plusieurs heures ou même plusieurs jours. Si vous êtes asthmatique, vous devriez consulter. Votre médecin déterminera les facteurs favorisants de votre asthme et développera avec vous une stratégie pour limiter votre exposition à ces agents, pour vous aider à vivre avec vos symptômes et pour s'assurer que votre respiration ne sera pas gravement entravée.

Quels sont les symptômes d'une crise aiguë ?

Prévenez les crises potentiellement fatales en traitant les symptômes dès qu'ils se manifestent. N'attendez pas que votre respiration deviennent sifflante. La sibilance peut disparaître quand le passage de l'air est très entravé. Rendez-vous aux urgences dans les cas suivants :

- Si votre respiration devient difficile et que le cou, la poitrine ou les côtes s'affaissent à chaque inspiration.
- Si vos narines s'écartent.
- Si marcher ou parler est pénible.
- Si vos lèvres ou vos ongles bleuissent.
- Si votre capacité respiratoire (mesurable à la maison au moyen d'un appareil spécial) atteint 50 p. 100 du volume normal ou continue de décroître après la prise de votre médicament.

Autotraitement	Les conseils suivants vous aideront à éliminer de votre environnement la plupart des facteurs favorisants.

Les conseils suivants vous aideront à éliminer de votre environnement la plupart des facteurs favorisants.

- Informez-vous. Plus vous connaissez les symptômes de l'asthme, plus il vous est facile de les contrôler.
- Évitez les allergènes. Si vous êtes allergique aux chats ou aux chiens, séparez-vous de vos animaux de compagnie et évitez tout contact avec ceux de votre entourage. Évitez d'acheter des vêtements, des fauteuils ou des tapis de fourrure.
- Si vous êtes allergique au pollen ou aux moisissures, assurez-vous que la maison, le bureau et la voiture sont climatisés. (Si les fluctuations de température vous irritent, vous pourriez devoir renoncer aux climatiseurs.) Fermez les portes et les fenêtres pour éviter toute exposition excessive au pollen et aux moisissures.
- Évitez les activités qui favorisent l'apparition des symptômes. Par exemple, les projets de rénovation pourraient vous mettre en contact avec des substances telles que les vapeurs de peinture, le bran de scie ou d'autres irritants.
- Vérifiez votre chaudière. Si vous avez un système de chauffage à pulsion d'air chaud et que vous êtes allergique à la poussière, utilisez un filtre. Remplacez ou nettoyez soigneusement le filtre de votre système de chauffage et de refroidissement fréquemment. (Le meilleur filtre est un filtre HEPA – voir page **170**.) Portez un masque lorsque vous manipulez un filtre engorgé.
- Installez un filtre électrostatique sur votre aspirateur, ou utilisez un sac filtreur à double épaisseur.
- Évitez les projets qui déplacent la poussière. Si vous ne pouvez pas les éviter, portez un masque. Ceux-ci sont disponibles dans les pharmacies et les quincailleries.
- Évaluez votre programme de conditionnement physique et modifiez votre routine en conséquence. Envisagez de faire vos exercices à l'intérieur de la maison pour éviter toute exposition excessive aux facteurs favorisants.
- Évitez tout type de fumée, même celle d'un feu de foyer ou d'un feu de feuilles sèches. La fumée irrite les yeux, le nez et les bronches. Si vous êtes asthmatique, vous ne devriez pas fumer et vous devriez interdire qu'on fume en votre présence.
- Limitez les occasions de stress et évitez de vous fatiguer.
- Lisez attentivement les étiquettes.
- Si vous êtes sensible à l'aspirine, évitez les anti-inflammatoires non stéroïdiens (AINS) (l'ibuprofène : Motrin, Advil, Nuprin ; le naproxène : Naprosyn, Anaprox, Aleve ; et le piroxicame : Feldene).

Planifiez vos séances d'exercice afin de demeurer actif

Il y a plusieurs années, les médecins déconseillaient l'exercice aux asthmatiques. Aujourd'hui, on croit que l'exercice régulier est bénéfique, surtout dans les cas d'asthme bénin ou modéré. Quand on est en forme, le cœur et les bronches déploient moins d'effort pour expulser l'air des poumons.

Toutefois, puisque l'exercice vigoureux peut être un facteur déclenchant, consultez votre médecin avant de commencer. En outre, observez les directives suivantes :

- **Sachez quand renoncer à faire de l'exercice.** Ne faites pas d'exercice quand vous souffrez d'une infection virale, quand le taux de pollen est supérieur à 100, quand le mercure chute sous zéro, ou lorsque le temps est très chaud et humide. Au froid, portez un masque de ski pour réchauffer l'air que vous inspirez.

- **Faites précéder tout effort physique de la prise de votre médicament.** Utilisez votre inhalateur doseur de 15 à 60 minutes avant d'entreprendre votre séance d'exercice.
- **Commencez doucement.** Faites de 5 à 10 minutes de réchauffement pour détendre les muscles du thorax et ouvrir les voies aériennes. Augmentez le rythme progressivement.
- **Sachez choisir le genre d'exercice qui vous convient.** Les sports d'hiver tels que le ski et les activités prolongées telles que le jogging favorisent la respiration sifflante. Les exercices qui nécessitent une brève dépense d'énergie, par exemple la marche, le golf et le vélo de loisir, sont mieux tolérés.

Soins médicaux

Les tests d'allergie. Votre médecin pourra faire un test cutané ou une prise de sang pour déterminer les facteurs qui déclenchent vos crises d'asthme. L'analyse sanguine est plus coûteuse et moins efficace que le test cutané, mais elle est parfois préférable, notamment quand le sujet est atteint d'une affection de la peau ou qu'il prend des médicaments qui pourraient fausser les résultats du test.

La médication. Votre médecin pourrait vous prescrire l'un des médicaments énumérés ci-dessous à titre préventif ou curatif. Respectez la durée du traitement, même lorsque les symptômes s'estompent. N'excédez pas la dose (ce pourrait être dangereux). Ces médicaments se présentent sous forme d'inhalateur doseur, de liquide, de capsules ou de comprimés.

Les médicaments préventifs (anti-inflammatoires). En réduisant l'inflammation des voies respiratoires et les sécrétions, ces médicaments diminuent les spasmes des voies aériennes. Respectez la dose quotidienne pour prévenir les crises. Ces médicaments préventifs incluent les stéroïdes en inhalateur doseur, le cromoglycate de sodium et le nédocromil sodique.

Les bronchodilatateurs. Contrairement aux médicaments préventifs, ces médicaments se prennent au moment de la crise. Ils aident à ouvrir les voies aériennes pour faciliter la respiration pendant une crise d'asthme. Ils incluent les bêta-agonistes et la théophylline.

La spirométrie à domicile. Vous avez peut-être l'habitude d'utiliser un spiromètre, ce tube qui mesure votre capacité respiratoire. Si la jauge indique un résultat faible, cela signifie que vos voies respiratoires sont étroites et peut être un avertissement d'une crise d'asthme prochaine.

Les dangers associés à une mauvaise utilisation des inhalateurs doseurs

L'inhalation d'un bronchodilatateur (voir « Soins médicaux », ci-dessus) aide à respirer plus facilement pendant une crise d'asthme, mais elle ne réduit pas l'inflammation.

La dose maximale quotidienne ne doit pas excéder 2 inhalations toutes les 4 à 6 heures. Si vous devez dépasser cette dose pour contrôler vos symptômes, vous avez sans doute besoin d'un médicament plus puissant.

Le soulagement rapide masque l'aggravation des symptômes. Quand l'effet de la médication s'est estompé, la sibilance peut revenir en force. Le sujet est alors tenté de reprendre une dose de bronchodilatateur et retarde ainsi la prise d'anti-inflammatoires.

L'abus des bronchodilatateurs entraîne aussi un risque de toxicité qui se manifeste par une irrégularité du rythme cardiaque, surtout chez les personnes souffrant d'une maladie cardiovasculaire.

Les inhalateurs en vente libre peuvent aussi soulager rapidement les symptômes de l'asthme, mais leur effet est temporaire. Lorsqu'on se fie trop aux inhalateurs, on risque de ne pas être conscient de la gravité de la crise et ainsi de retarder un traitement efficace aux anti-inflammatoires.

Le cancer

Le jour où vous recevez un diagnostic de cancer, votre vie se transforme. Vous prenez conscience de tout ce qu'entraîneront le diagnostic et le traitement. Vous êtes sous le choc. Cette réaction est normale.

Il existe de nombreux types de cancers. Chaque jour, la science découvre de nouvelles méthodes de dépistage et de traitement. Depuis quelque temps, le taux de survie est tel, pour certains cancers, que l'on parle plutôt de « vivre avec le cancer » et non plus de « mourir du cancer » ou « d'être victime du cancer ».

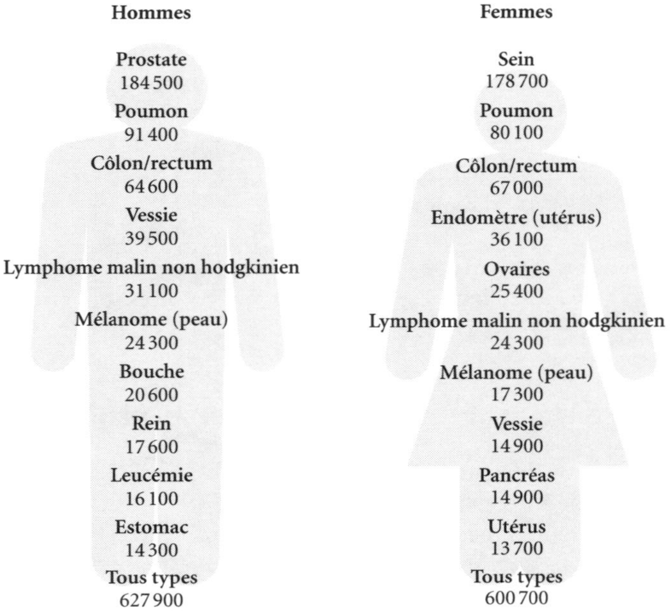

Nouveaux cas de cancer aux États-Unis selon le type et le sexe. Ces statistiques datent de 1998 et proviennent de l'American Cancer Society. Ces données exluent les carcinomes basocellulaires et spinocellulaires, de même que les cancers superficiels (in situ), sauf celui de la vessie. (Reproduit avec l'autorisation de l'American Cancer Society.)

Hommes

Prostate
184 500
Poumon
91 400
Côlon/rectum
64 600
Vessie
39 500
Lymphome malin non hodgkinien
31 100
Mélanome (peau)
24 300
Bouche
20 600
Rein
17 600
Leucémie
16 100
Estomac
14 300
Tous types
627 900

Femmes

Sein
178 700
Poumon
80 100
Côlon/rectum
67 000
Endomètre (utérus)
36 100
Ovaires
25 400
Lymphome malin non hodgkinien
24 300
Mélanome (peau)
17 300
Vessie
14 900
Pancréas
14 900
Utérus
13 700
Tous types
600 700

Le diagramme ci-dessus énumère les nouveaux cas de cancers en 1998, selon leur localisation dans l'organisme. Ce chapitre comporte des recommandations pour toute personne atteinte de cancer.

L'index de la page **279** vous renverra à des formes spécifiques de cancer.

■ La réaction au diagnostic

Chaque fois que nous faisons face à une situation de crise, il nous faut développer une stratégie efficace pour prendre la situation en main. Voici quelques suggestions :

1. **Informez-vous.** Efforcez-vous d'obtenir le plus de renseignements possible. Faites-vous accompagner d'un membre de la famille ou d'une personne de votre connaissance quand vous vous rendez chez le médecin. Notez par avance vos questions afin de vous aider à organiser vos idées, à obtenir les renseignements dont vous avez besoin, à comprendre parfaitement la situation et à participer au processus décisionnel. N'oubliez pas que les réponses que vous obtiendrez seront souvent approximatives, basées sur les données et les statistiques disponibles. Chaque cas est différent. Les questions les plus fréquemment posées sont les suivantes :
   – Mon cancer peut-il être guéri ?
   – Quelles sont mes options de traitement ?
   – À quoi puis-je m'attendre pendant le traitement ?
   – Ce traitement sera-t-il douloureux ?
   – Quand dois-je contacter mon médecin ?

– Que puis-je faire pour empêcher une récidive ?

– Quels sont les facteurs de risque pour les membres de ma famille (surtout les enfants) ?

2. **Développez un plan de réaction au cancer.** Tout comme le traitement, la stratégie doit correspondre à chacun. En voici quelques éléments possibles.

   – Développez des techniques de détente (voir page **235**).

   – Partagez vos préoccupations en toute honnêteté avec votre famille, vos amis, un prêtre ou un thérapeute.

   – Tenez un journal pour mieux organiser vos idées.

   – Lorsque vous devez prendre une décision difficile, pesez le pour et le contre de chacune de vos options.

   – Trouvez une source de courage dans la foi religieuse ou votre spiritualité.

   – Accordez-vous des moments de solitude.

   – Continuez le plus possible de travailler et de vous adonner à des activités de loisir.

3. **Sachez communiquer** avec vos êtres chers, votre médecin et votre entourage. Si l'on s'efforce de vous protéger en vous cachant les mauvaises nouvelles ou en faisant semblant que tout va bien, vous pourriez vous sentir très isolé. Mais si vous et votre entourage êtes en mesure d'exprimer ouvertement vos émotions et vos préoccupations, vous vous entraiderez.

4. **L'image de soi est importante.** Si les autres ne s'en rendent pas toujours compte, vous saurez que vous avez changé. Votre compagnie d'assurance peut peut-être vous rembourser pour l'achat d'une perruque, de prothèses ou de fournitures adaptées.

5. **De saines habitudes de vie** contribueront à rehausser votre vitalité et favoriseront la croissance des cellules saines. Reposez-vous, ayez une alimentation adéquate, faites de l'exercice et adonnez-vous à vos loisirs préférés.

6. **Permettez à votre famille et à vos amis de vous venir en aide.** Laissez aux autres le soin de faire les courses, de conduire la voiture, de préparer les repas et de faire le ménage. Apprenez à accepter l'aide qu'on vous offre. En plus de vous être bénéfique, cette acceptation fera que ceux qui vous aiment se sentiront utiles en cette période difficile.

7. **Révisez vos objectifs et vos priorités.** Décidez de ce qui est le plus important dans votre vie. Limitez les activités inutiles. Ouvrez-vous à vos proches. Faites-leur partager vos sentiments et vos préoccupations. Le cancer affecte toutes nos relations personnelles. Une bonne communication peut contribuer à réduire l'anxiété et la peur.

8. **Efforcez-vous d'avoir une vie normale.** Vivez un jour à la fois. Il est facile d'oublier cette stratégie toute simple dans les moments difficiles. Lorsque l'avenir est rempli d'incertitudes, planifier et organiser sa vie peut devenir une tâche au-dessus de nos forces.

9. **Demeurez positif.** Célébrez chaque journée. Si l'une d'elles a été particulièrement pénible, n'y pensez plus et persévérez. Ne permettez pas au cancer de dominer votre vie.

10. **Combattez les préjugés.** Les vieux préjugés entourant le cancer ont la vie dure. Vos amis pourraient penser que le cancer est contagieux. Vos collègues pourraient douter de votre capacité à assumer vos tâches et craindre que vous leur dérobiez leurs avantages sociaux. Dites-leur que les recherches démontrent que les personnes qui survivent au cancer sont aussi productives que les autres et que leur taux d'absentéisme n'est pas plus élevé. Rappelez à vos amis que, même si le cancer a bouleversé votre vie, ils n'ont aucune raison de vous fuir.

11. **Renseignez-vous sur votre couverture d'assurances.** Si vous êtes employé, vous pourriez vous sentir « pris au piège » et incapable de changer d'emploi de peur de perdre votre assurance-groupe. Si vous êtes à la retraite, vous pourriez éprouver de la difficulté à vous procurer une assurance supplémentaire. Renseignez-vous pour savoir s'il existe un programme gouvernemental qui vienne en aide aux personnes difficiles à assurer ou s'il existe des associations professionnelles, fraternelles ou politiques qui offrent des régimes collectifs aux personnes dans votre cas.

■ L'alimentation : un facteur très important

Rien ne prouve que l'élimination ou une consommation importante de certains aliments contribue à la guérison du cancer. Mais une saine alimentation est indispensable. Vos traitements pourraient entraver votre appétit et modifier le goût des aliments, ou encore enrayer l'absorption de certains nutriments essentiels. Les recherches démontrent qu'une alimentation saine :

- accroît votre tolérance aux traitements ;
- améliore votre bien-être ;
- stimule le système immunitaire et les cellules saines ;
- procure un apport calorique et protéinique important dans la reconstruction des tissus atteints.

Un nouveau médicament, l'acétate de mégestrol (offert sous forme de liquide ou de comprimés), pris plusieurs fois par jour, peut vous aider à prendre du poids ou à ne pas en perdre.

Autotraitement

Voici quelques conseils alimentaires :

- Si la viande vous dégoûte, optez pour des aliments à la saveur moins marquée : le fromage cottage ou le yogourt sont d'excellentes sources de protéines. Offrez-vous un sandwich au beurre d'arachide ou tartinez du beurre d'arachide sur des fruits frais. Les haricots secs, les pois chiches et les doliques sont également riches en protéines, surtout lorsqu'on les combine à du riz, à du maïs ou à du pain.
- Consommez le plus de calories possible. Réchauffez le pain et tartinez-le de beurre, de margarine, de confitures ou de miel. Parsemez vos aliments de noix hachées.
- Les plats peu épicés à base de produits laitiers, d'œufs, de volaille, de poisson et de pâtes alimentaires sont en général bien tolérés.
- Si vous ne parvenez pas à consommer une quantité adéquate de nourriture à chaque repas, mangez de plus petites portions plus souvent. Mastiquez lentement.
- Si les arômes de cuisson vous donnent la nausée, recourez au micro-ondes ou à des aliments qui cuisent en un rien de temps ou qui peuvent être réchauffés à basse température.
- Les repas liquides mais nourrissants peuvent augmenter l'apport en protéines et en calories : les soupes crémeuses, le lait, le lait au chocolat, les laits frappés ou les boissons maltées, de même que les suppléments alimentaires liquides constituent de bons choix.

■ Et la douleur ?

La douleur effraie les personnes atteintes de cancer, souvent sans raison. Plus de la moitié des personnes atteintes ressentent très peu de douleur. En fait, le cancer est souvent moins douloureux que l'arthrite ou que les affections du système nerveux. En outre, il est presque toujours possible de diminuer la douleur. Certains des médicaments contre la douleur sont énumérés ci-dessous :

- **Les analgésiques (autres que les narcotiques).** L'aspirine est extrêmement efficace et procure souvent un soulagement identique à ceux de médicaments plus puissants. L'acétaminophène et les anti-inflammatoires non stéroïdiens (AINS) sont eux aussi très efficaces et nécessitent souvent des doses quotidiennes moins importantes que l'aspirine (voir page **267**). Les antidépresseurs contribuent également à réduire la douleur.
- **Les narcotiques (morphine et codéine).** Dans les cas de douleurs sévères, ils peuvent être administrés sous forme orale (liquide ou comprimés), par injection, au moyen d'une pompe doseuse ou d'un timbre cutané à action continue.
- **Les tranquillisants ou anxiolytiques.** Ils aident aussi à contrôler la douleur lorsqu'on les administre conjointement à des médicaments contre la douleur.

D'autres formes de traitement contre la douleur incluent la radiothérapie qui diminue la douleur en réduisant le volume des tumeurs ; certaines injections ou chirurgies qui ont pour but d'enrayer l'activité de certains neurotransmetteurs ; le biofeedback ; la thérapie comportementale ; l'hypnose ; les techniques de respiration et de détente ; les massages ; les compresses chaudes ou froides et la neurostimulation transcutanée.

Le guide de la santé

Autotraitement	• N'attendez pas que la douleur s'installe avant d'y remédier. Prenez vos médicament à heures fixes. • Ne vous inquiétez pas de l'accoutumance possible. Utilisés correctement, les narcotiques entraînent rarement une dépendance. Quoi qu'il en soit, si vous devez prendre des stupéfiants sur une longue période pour soulager des douleurs intenses, votre bien-être immédiat doit l'emporter sur toute probabilité d'assuétude. • Apprenez à contrôler vos émotions, votre anxiété et vos états dépressifs. Ceux-ci peuvent intensifier la douleur physique.

■ Le cancer et les enfants

Les enfants souffrent rarement du cancer, mais lorsque cela se produit, les parents font face à des problèmes particuliers. Le traitement du cancer infantile a connu de vastes progrès. Aujourd'hui, plus de 70 p. 100 des enfants atteints de cancer survivent.

Autotraitement	Si votre enfant est atteint d'un cancer, il est important de savoir ce qui suit : • Choisissez soigneusement votre médecin traitant. Optez pour un centre de cancérologie qui dispose des dernières thérapeutiques en matière de cancer infantile et qui peut procurer un soutien à votre famille. • Efforcez-vous de maintenir un régime de vie familiale aussi normal que possible. Le maintien des horaires habituels et des règlements domestiques, de même que les projets d'avenir aideront votre enfant à faire face à son état et à envisager une vie normale. • Consultez les enseignants de votre enfant dans le but d'établir des attentes académiques et comportementales acceptables. • Efforcez-vous d'accepter l'idée du décès de votre enfant avec honnêteté. Les enfants doivent pouvoir entendre tout ce qu'ils sont en mesure de comprendre. Il n'existe pas de « bonne » façon pour parler de la mort à un enfant. Incitez-le à vous poser des questions et donnez-lui des réponses simples et claires. La peur peut l'empêcher de s'exprimer ; demandez-lui ce qu'il ressent. Ne lui mentez jamais, ne faites pas de promesses que vous ne pourrez tenir et n'ayez pas peur de lui dire : « Je ne sais pas. » • Encouragez les activités qui réduisent le stress (par exemple, le dessin) et favorisent l'expression des émotions (jeux de rôles ou marionnettes). • N'oubliez pas que vos autres enfants ont leurs propres besoins. La fratrie peut faire preuve d'une grande solidarité, mais ces enfants doivent se sentir en sécurité au sein de la famille.

Le diabète

Le diabète est un déséquilibre du métabolisme, c'est-à-dire de la manière dont le corps utilise les aliments digérés comme source d'énergie et de croissance cellulaire. En temps normal, l'appareil digestif transforme une partie des aliments que nous ingérons en glucose. Ce sucre pénètre ensuite dans le sang et nourrit nos cellules.

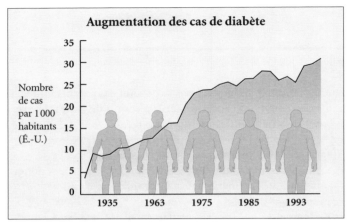

Augmentation des cas de diabète

Nombre de cas par 1 000 habitants (É.-U.)

Le nombre des cas de diabète aux États-Unis s'est dramatiquement accru en raison du problème croissant de l'obésité. Le pourcentage d'Américains diabétiques est passé de 3,7 par 1 000 en 1935 à 30,7 par 1 000 en 1993.

Pour que les cellules puissent recevoir ce sucre, l'insuline, une hormone sécrétée par le pancréas, doit « l'escorter ». En temps normal, le pancréas produit une quantité d'insuline suffisante pour tout le glucose présent dans le sang. Mais deux types de diabète viennent bouleverser ce processus.

Dans le diabète type 1, le pancréas ne produit pas suffisamment d'insuline. Dans le diabète type 2, l'organisme ne réagit pas de façon normale à l'insuline sécrétée. Dans les deux cas, le sucre pénètre dans les cellules en quantités limitées et est ensuite évacué avec l'urine sans avoir été utilisé.

À long terme, ces deux types de diabète peuvent entraîner des complications : maladies coronariennes, insuffisance rénale, lésions du système nerveux, cécité, détérioration des vaisseaux sanguins et des nerfs. Les dommages subis par les vaisseaux sanguins grands et petits sont à la source de la plupart de ces complications.

Le diabète type 1 et type 2 : quelles sont les différences ?

Le diabète type 1 affecte 1 diabétique sur 10. On le connaît, entre autres, sous les noms de mellitus, diabète insulino-dépendant ou diabète juvénile. Il se développe habituellement avant l'âge de 30 ans. Si vous êtes atteint de diabète type 1, vous devrez recevoir de l'insuline quotidiennement jusqu'à la fin de vos jours. Les symptômes peuvent apparaître brusquement et inclure ce qui suit :

- Une soif excessive
- Des mictions fréquentes
- Un appétit extrême
- Une perte de poids inexpliquée
- De la faiblesse et de la fatigue

Le diabète type 2 est le plus répandu. On l'appelle également diabète mellitus non-insulino-dépendant ou diabète adulte. Il se développe surtout après 40 ans et chez les gens obèses. Une alimentation équilibrée, une perte de poids modérée et un programme de conditionnement physique suffisent en général à le contrôler. Si l'alimentation et l'exercice s'avèrent inefficaces, on peut ajouter la prise de médicaments ou d'insuline par injections. Un grand nombre de personnes atteintes de diabète type 2 présentent peu ou pas de symptômes. Ces symptômes se développent lentement et peuvent inclure les suivants :

- Une soif excessive
- Des mictions fréquentes
- Une vision trouble
- Des infections urinaires, vaginales ou cutanées récurrentes
- Des lésions qui cicatrisent lentement
- Une certaine irritabilité

• Des fourmillements ou un engourdissement des mains ou des pieds

La gestion du diabète est un exercice d'équilibre. La maladie, les excès de table ou une alimentation insuffisante, un changement dans les activités physiques, les voyages et le stress affectent la teneur du sang en glucose (glycémie). Voici quelques suggestions pour vous aider à maintenir constant votre taux de glycémie.

L'alimentation

Une alimentation équilibrée est le fondement du contrôle du diabète. N'oubliez pas ce qui suit :

- **Mangez à des heures régulières.** Prenez 3 repas par jour, à des heures régulières et sans fluctuations de quantités. Si vous devez prendre de l'insuline ou des médicaments oraux, vous pourriez devoir prendre une collation à l'heure du coucher.
- **Consommez beaucoup de fibres.** Consommez des fruits frais, des légumes, des légumes secs et des céréales entières. Ces aliments ont une faible teneur en gras et sont des sources importantes de vitamines et de minéraux.
- **Limitez les matières grasses** à moins de 30 p. 100 de votre apport calorifique total. Optez pour des viandes maigres et des produits laitiers faibles en gras.
- **N'abusez pas des protéines.** L'abus de protéines surmène le rein. Ne consommez pas plus de 170 g de viande par jour. Cela vous aidera également à abaisser votre taux de cholestérol.
- **Évitez les aliments vides.** Les bonbons, les biscuits et les autres sucreries sont permis, mais puisque leur apport nutritionnel est presque nul, n'en abusez pas et tenez-en compte dans votre apport glucidique quotidien.
- **N'abusez pas de l'alcool.** Si votre médecin vous le permet, optez pour des boissons faibles en sucre et en alcool, par exemple, la bière légère ou les vins secs. Tenez compte de votre consommation d'alcool dans votre apport glucidique quotidien, et ne buvez jamais lorsque vous avez l'estomac vide.
- **Surveillez votre poids.** Si vous faites de l'embonpoint, perdre quelques kilos seulement contribuera à régulariser votre glycémie.

L'exercice

Une activité physique régulière contribue au maintien d'une bonne santé, renforce le cœur et l'appareil circulatoire et peut même améliorer la circulation du sang. L'exercice régularise la glycémie et peut prévenir le diabète type 2. Si vous êtes atteint de diabète type 2, un programme d'exercice régulier et une alimentation équilibrée vous permettront de réduire ou même d'éliminer votre besoin de médicaments oraux ou d'insuline en injections.

L'exercice seul ne suffit pas à régulariser la glycémie si vous souffrez de diabète type 1, mais il peut renforcer l'effet de l'insuline que vous devez prendre. Pour éviter les fluctuations subites de la teneur du sang en glucose, vous devrez sans doute prendre une collation avant une séance d'exercice. Quoi qu'il en soit, suivez les directives de votre médecin.

Le dosage de la glycémie

Le dosage régulier de la glycémie est indispensable au contrôle du diabète. La fréquence de ce dosage dépend du type de diabète, de la stabilité de la teneur du sang en glucose et d'autres facteurs. Votre équipe de soutien médical vous aidera à circonscrire des objectifs réalistes. En plus de maintenir un régime alimentaire équilibré et de respecter un programme adéquat d'exercice, vous devrez sans doute apprendre à ajuster la posologie de vos médicaments, en particulier l'insuline, pour maintenir un équilibre glycémique normal.

De nos jours, les analyses sanguines sont la méthode la plus fiable pour évaluer votre taux de glucose. Pour ce faire, vous déposez une goutte de sang sur une bandelette d'analyse chimiquement préparée. Cette bandelette d'analyse réagit à la quantité de glucose présente dans le sang en changeant de couleur. Il suffit de comparer cette bandelette à un registre de couleurs ou de la faire analyser par un indicateur électronique spécial. Un indicateur adéquat vous coûtera de 70 $ à 175 $.

La médication

Il se peut que vous deviez prendre des médicaments pour régulariser votre glycémie. Mais l'exercice et l'alimentation sont des éléments indispensables à ce contrôle.

Le diabète type 1 requiert des injections d'insuline. L'insuline ne convient pas à la prise orale, car elle se décompose dans le système digestif. Le nombre d'injections quotidiennes et le type d'insuline prescrite (à court terme, à moyen terme ou à long terme) dépendent de vos besoins particuliers. Si votre glycémie est difficile à régulariser, vous pourriez devoir recourir à des injections fréquentes ou à une pompe doseuse.

Si vous souffrez de diabète type 2 mais que vous éprouvez de la difficulté à régulariser votre glycémie par l'alimentation et l'exercice seuls, vous pourriez devoir prendre un ou plusieurs médicaments par voie orale. Ces médicaments stimulent le pancréas à produire davantage d'insuline ou aident au fonctionnement de l'insuline présente. Si la médication par voie orale s'avère peu efficace, vous devrez recourir aux injections d'insuline. La régularisation de la glycémie est la clef qui permet d'éviter les complications dues au diabète.

Mise en garde

Le diabète peut donner lieu à l'une ou l'autre des situations d'urgence suivantes :

La réaction insulinique. Aussi appelée hypoglycémie (baisse de la glycémie), elle peut se produire lorsqu'un excès d'insuline ou d'exercice, ou une ingestion insuffisante de nourriture, provoque une baisse de la teneur du sang en glucose. Les symptômes apparaissent habituellement plusieurs heures après que la personne a mangé et se caractérisent par des tremblements, une faiblesse et de la somnolence suivis de confusion, d'étourdissement et de vision double. Laissée sans traitement, l'hypoglycémie peut entraîner des convulsions ou une perte de conscience.

Si vous croyez faire une réaction insulinique, consommez quelque chose de sucré : jus de fruit, bonbon, boisson gazeuse sucrée, et vérifiez votre taux de glucose. Si vous venez en aide à quelqu'un dans une telle situation, appelez les secours si cette personne vomit ou ne peut coopérer, ou si ses symptômes persistent plus de 30 minutes après le traitement. Restez auprès d'elle pendant 1 heure après qu'elle s'est rétablie afin de vous assurer qu'elle ne souffre pas de confusion.

Le coma diabétique. Aussi appelée acidocétose diabétique, cette complication se développe plus lentement que l'hypoglycémie, souvent sur plusieurs heures ou plusieurs jours. Le coma diabétique se produit lorsque la teneur du sang en glucose est trop élevée (hyperglycémie). Une confusion progressive et la perte de conscience sont précédées de nausées, de vomissements, de douleurs abdominales, de faiblesse, de soif, d'une respiration de plus en plus profonde et saccadée. On note aussi une haleine à odeur sucrée. Cette réaction est susceptible de se produire chez les personnes souffrant de diabète type 1 qui sont également malades ou qui ont omis de prendre leur dose d'insuline. Il peut également s'agir des premiers symptômes d'un diabète jusque-là non diagnostiqué.

Prenez soin de vos pieds pour éviter les blessures et l'infection

Le diabète peut entraver la circulation et endommager l'innervation du pied. Une hygiène scrupuleuse des pieds est donc indispensable :

- Examinez quotidiennement vos pieds pour y déceler toute lésion, tout changement de couleur, toute modification de la sensation. Faites-vous aider ou servez-vous d'un miroir pour bien voir vos pieds sous tous les angles.
- Prenez chaque jour un bain de pieds à l'eau tiède savonneuse. Évitez l'eau chaude. Asséchez parfaitement vos pieds.

- Coupez vos ongles en ligne droite et limez leurs contours rugueux.
- N'utilisez pas de produits pour enlever les verrues, ne vous débarrassez pas vous-même des cors et des callosités. Consultez votre médecin ou un podiatre.
- Portez des chaussures parfaitement ajustées et coussinées. Vérifiez qu'elles ne présentent aucune surface intérieure rugueuse. Ne vous promenez pas pieds nus.
- Évitez les vêtements qui compriment la jambe ou la cheville. Ne fumez pas. Fumer peut nuire encore plus à une mauvaise circulation.

Les maladies cardiaques

Le cœur irrigue tous les tissus de l'organisme en empruntant un réseau de vaisseaux sanguins long de plus de 96 000 kilomètres. Le sang fournit aux tissus l'oxygène et les nutriments indispensables à une bonne santé.

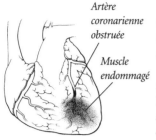

Artère coronarienne obstruée

Muscle endommagé

Lorsque les artères qui irriguent et oxygènent le cœur sont obstruées, c'est l'infarctus.

Des anomalies peuvent affecter le muscle et les valves du cœur, la conduction électrique, le péricarde (enveloppe du cœur) ou les artères coronariennes (qui irriguent le cœur). Ce chapitre se concentre sur les problèmes associés aux artères coronariennes, responsables des « crises cardiaques » qui tuent chaque année un demi-million de Nord-Américains.

Avec l'âge, des dépôts de cholestérol se forment dans les artères coronariennes, ce qui se traduit par une maladie coronarienne appelée athérosclérose ou « durcissement des artères ». L'athérosclérose peut également toucher des artères ailleurs dans l'organisme. En rétrécissant ou en s'obstruant, les artères réduisent ou entravent l'irrigation normale du muscle cardiaque.

Lorsque le cœur est ainsi privé de sang, le sujet éprouve une sensation de douleur thoracique ou d'oppression (angine). Si l'irrigation est entravée pendant un laps de temps important (de 30 minutes à 2 heures), la portion de muscle que l'artère concernée irrigue en temps normal en vient à se nécroser. C'est cette nécrose du muscle cardiaque qui porte le nom de crise cardiaque ou d'infarctus du myocarde.

L'infarctus est habituellement causé par l'obstruction soudaine d'une artère par un caillot de sang. Celui-ci se forme dans une artère rétrécie par une accumulation de dépôts de cholestérol.

La crise cardiaque : réagir promptement peut sauver une vie

Les douleurs de la crise cardiaque durent en général plus de 15 minutes. Mais il peut aussi s'agir d'un infarctus dit « silencieux » et asymptomatique. Environ la moitié des victimes éprouvent des symptômes quelques heures, quelques jours et même quelques semaines avant la crise.

Les signes avant-coureurs de la crise cardiaque sont les suivants (il est possible que ceux-ci ne se manifestent pas tous, ou qu'ils apparaissent par intermittence).

- Une sensation d'oppression intense, de serrement ou de plénitude au thorax qui dure plus de quelques minutes.

La douleur ressentie lors d'un infarctus varie énormément d'un individu à l'autre, mais elle se caractérise le plus souvent par une violente sensation d'oppression thoracique et des sueurs abondantes. La douleur peut irradier vers l'épaule et le bras gauche, vers le dos et même vers la mâchoire.

- Une douleur qui irradie à l'épaule, au cou ou au bras.
- Un léger vertige, un évanouissement, des nausées ou de la difficulté à respirer.

Plus il y a cumul de ces symptômes, plus le risque de crise cardiaque est élevé. Que vous croyiez à une indigestion ou à un infarctus, agissez sur-le-champ.

- Avant tout, faites le 911.
- Asseyez-vous ou étendez-vous si vous vous sentez faible. Respirez profondément et lentement.
- Croquez un comprimé d'aspirine, sauf si vous lui êtes allergique. L'aspirine éclaircit le sang et réduit considérablement le taux de mortalité.

Si vous êtes témoin de ce malaise chez une autre personne, suivez ces directives. Si le sujet s'évanouit, procédez immédiatement à la réanimation cardiorespiratoire (voir page **12**).

En arrivant à l'hôpital, la victime pourra recevoir un agent antiplaquettaire ou subira une angioplastie qui consiste à dilater l'artère obstruée pour rétablir son calibre et l'irrigation du cœur. Si l'administration d'un antiplaquettaire ou l'angioplastie tardent plus de 2 heures, les chances de guérison sont grandement réduites.

■ Quel est votre niveau de risque ?

Le tabagisme, l'hypertension et un taux élevé de cholestérol sont d'importants facteurs de risque pour l'infarctus. Avec chacun d'eux, la probabilité de subir une crise cardiaque ou d'en mourir au cours des 8 prochaines années augmente. Évaluez votre niveau de risque en répondant au questionnaire ci-dessous et en additionnant vos points.

Homme

1. Fumez-vous ? Non = 0 Oui = 3
2. Déterminez votre tension systolique (le premier chiffre à la lecture) et encerclez le nombre de points situés directement au-dessous.

Tension systolique

100	110	120	130	140	150	160	170	180	190	200
1	2	4	5	6	7	8	9	10	12	13

3. Encerclez le nombre situé à la jonction de votre âge approximatif et de votre taux de cholestérol.

Femme

1. Fumez-vous ? Non = 0 Oui = 1
2. Déterminez votre tension systolique (le premier chiffre à la lecture) et encerclez le nombre de points situés directement au-dessous.

Tension systolique

100	110	120	130	140	150	160	170	180	190	200
1	2	3	4	5	6	7	8	9	10	11

3. Encerclez le nombre situé à la jonction de votre âge approximatif et de votre taux de cholestérol.

4. Additionnez vos points

☐	tabagisme
☐	tension systolique
☐	âge/cholestérol total
☐	sexe Masculin = 5 Féminin = 0
☐	TOTAL DES POINTS

5. Estimez votre niveau de risque

Le total des points indique le risque que vous courez (sur 100) de subir un infarctus au cours des 8 prochaines années.

Homme

Cholestérol total	Âge 40	Âge 50	Âge 60	Âge 70
165	4	12	18	21
180	5	13	19	21
195	7	14	19	21
210	8	15	20	21
225	9	16	20	22
240	11	17	21	22
255	12	18	22	22
270	13	19	22	23
285	15	20	23	23
300	16	21	24	23
315	17	22	24	23

Femme

Cholestérol total	Âge 40	Âge 50	Âge 60	Âge 70
165	4	12	18	23
180	5	13	19	23
195	5	13	19	23
210	6	14	20	24
225	7	15	20	24
240	8	15	21	24
255	8	16	21	25
270	9	16	22	25
285	10	17	22	25
300	11	18	23	25
315	11	18	23	26

Total des points	Risque (sur 100)	Total des points	Risque (sur 100)
1-10	< 1	35	17
11-13	1	36	19
14-17	2	37	21
18-21	3	38	24
22-23	4	39	26
24	5	40	28
25-26	6	41	31
27	7	42	34
28	8	43	36
29	9	44	39
30	10	45	42
31	11	46	46
32	13	47	49
33	14	48	52
34	16	49	55

N.B. Dans ce tableau, l'effet du cholestérol sur le niveau de risque ne tient compte que du cholestérol total. Si cette évaluation reflétait également un niveau réduit de HDL cholestérol (lipoprotéine de haute densité), le niveau de risque serait supérieur. Cette évaluation omet également les effets du diabète, de même qu'un électrocardiogramme anormal indiquant une hypertrophie ventriculaire gauche (HVG). Les femmes diabétiques doivent ajouter 6 points au total et 4 points en cas d'hypertrophie ventriculaire gauche. Les hommes diabétiques doivent ajouter 3 points au total et 2 points en cas d'hypertrophie ventriculaire gauche. (Ce tableau se fonde sur les données de la Framingham Heart Study.)

■ Comment réduire les risques de maladies cardiaques

Plusieurs facteurs de risque pour les maladies coronariennes peuvent être réduits par des changements au mode de vie ou par la médication. Voici comment :

- Cessez de fumer. Les fumeurs encourent 2 fois plus de risques que les non-fumeurs. Pour de plus amples renseignements sur le tabagisme et les méthodes pour cesser de fumer, voir la page **200**.
- Abaissez votre tension artérielle, voir la page **191**.
- Réduisez votre taux de cholestérol, voir la page **222**.
- Contrôlez votre diabète, voir les pages **183** et **184**.
- Maintenez un poids santé, voir la page **216**.
- Faites de l'exercice, voir la page **225**.
- Évitez le stress, voir la page **235**.

Lorsqu'ils sont cumulés, ces facteurs de risque accroissent encore votre niveau de risque pour les maladies coronariennes. Plus vous cumulez de facteurs, plus votre niveau de risque est élevé.

La médication est parfois nécessaire pour parvenir à contrôler ces facteurs de risque. Mais dans certains cas, une bonne alimentation et un programme d'exercices suffisent.

En plus d'une alimentation équilibrée et d'un bon programme d'exercices, les éléments ci-dessous peuvent réduire les risques de crise cardiaque, ainsi que les recherches scientifiques l'ont démontré. Discutez-en avec votre médecin.

L'aspirine est souvent conseillée pour empêcher un infarctus de se produire. Elle enraye la formation de caillots en diminuant l'activité des plaquettes (petits fragments de cellules sanguines qui, en s'agglutinant, forment des caillots). Elle peut dissoudre un caillot ou l'empêcher de causer une crise cardiaque. L'aspirine est peu coûteuse, sécuritaire la plupart du temps et facile à absorber. Un comprimé d'aspirine pour enfants (un quart de la dose adulte) suffit à réduire considérablement le risque d'infarctus. Selon une étude, l'aspirine réduirait ce risque de moitié. Toutefois, l'aspirine augmente le risque d'hémorragie par rupture d'une artère du cerveau. Consultez votre médecin pour évaluer le pour et le contre de la prise régulière d'aspirine.

Les vitamines. Les spécialistes conseillent la prise quotidienne de 1 ou 2 capsules de vitamine E (400 IU chacune). La vitamine E est un antioxydant qui enraye l'accumulation de LDL cholestérol (voir page **222**) dans les artères. L'efficacité de la vitamine C n'a pas été clairement démontrée. Mais si vous êtes à risque pour subir un infarctus, votre médecin pourrait vous conseiller de prendre chaque jour au moins 400 microgrammes d'acide folique (une vitamine).

L'œstrogène. Après la ménopause, le risque de crise cardiaque augmente chez les femmes. Consultez votre médecin pour évaluer votre niveau de risque. Les recherches suggèrent que l'hormonothérapie substitutive réduit le risque de subir une crise cardiaque tout en contribuant à la prévention de l'ostéoporose.

Les médicaments d'ordonnance. Si vous avez subi un infarctus ou si votre médecin a diagnostiqué une maladie coronarienne, certains médicaments pourraient diminuer les risques de subir une crise cardiaque ou d'être victime d'une maladie cardiaque. Discutez avec votre médecin des avantages des médicaments destinés à abaisser votre taux de cholestérol, des bêta-bloquants et des inhibiteurs d'ACE (enzyme de conversion de l'angiotensine). Il a été démontré que ces médicaments, tout comme l'aspirine, peuvent réduire les risques de crise cardiaque. Ils pourraient vous être bénéfiques.

L'hépatite C

L'hépatite C est dite « silencieuse », car elle affecte, souvent à leur insu, près de 4 millions de Nord-Américains. Ses symptômes sont parfois très subtils.

Pourriez-vous être porteur du virus sans le savoir ? Devez-vous vous inquiéter d'« attraper » la maladie ?

Si vous faites partie d'un groupe à risque, vous devriez subir un test de dépistage. Les traitements sont limités, mais la modification de vos habitudes de vie vous permettra de vivre avec ce virus. Si vous n'en êtes pas atteint, sachez que le risque de contagion est peu élevé. Le virus de l'hépatite C se transmet surtout par le sang.

Qu'est-ce que l'hépatite C ?

L'hépatite C est une infection virale qui, comme l'hépatite A et l'hépatite B, entraîne une inflammation du foie. C'est la deuxième cause des maladies du foie, après l'alcoolisme, et la première cause de transplantation du foie aux États-Unis.

Le foie est l'un des plus gros organes du corps. Il fabrique de grandes quantités de nutriments indispensables à la santé et il neutralise les toxines.

En général, l'hépatite C se transmet par contact avec du sang contaminé par le virus et, dans de très rares cas, par contact sexuel. La plupart des personnes infectées le sont devenues lors d'une transfusion sanguine réalisée avant 1992, soit avant que les tests de dépistage du sang soient disponibles, ou par l'échange de seringues contaminées (toxicomanie). S'il existe des vaccins pour prévenir l'hépatite A et l'hépatite B, il n'en va pas de même pour l'hépatite C.

Si vous souffrez d'hépatite C, il se pourrait que vous n'en ayez jamais ressenti les symptômes. La plupart des victimes portent le virus à leur insu pendant des années, voire des décennies. Si vous avez ressenti quelques symptômes précoces, vous pourriez avoir cru souffrir d'un simple rhume. La plupart du temps, le virus est détecté lors d'une analyse sanguine de routine.

Le foie est attaqué

Environ 15 à 20 p. 100 des personnes infectées par le virus de l'hépatite C combattent celui-ci sans que leur foie n'en subisse de dommages. Chez les autres, la maladie s'installe et, peu à peu, attaque le foie. De 20 à 50 p. 100 des personnes souffrant d'hépatite chronique vont développer une cirrhose du foie dans les 20 ans après le début de l'infection. Au bout du compte, la moitié de ces cirrhoses entraîneront un cancer du foie ou une insuffisance hépatique.

Devriez-vous subir un test de dépistage ?

Puisque le virus de l'hépatite C peut mettre des années à se manifester, vous devriez subir un test de dépistage dans les cas suivants :

- Si vous avez reçu une transfusion sanguine avant 1992.
- Si vous avez utilisé des drogues par voie intraveineuse ou nasale (même une seule fois).
- Si vous avez subi une transplantation d'organe avant 1992.
- Si vous avez été en contact avec le sang d'une autre personne.

- Si vous avez été sous dialyse en raison d'une insuffisance rénale.
- Si vous avez reçu des facteurs de coagulation avant 1987.
- Si vous vous êtes fait percer les oreilles, que vous avez reçu un tatouage ou vous avez subi des traitements d'acupuncture au moyen d'aiguilles non stérilisées.

Si l'un ou l'autre de ces points s'applique à vous, un test de dépistage s'impose.

Si vous croyez être à risque, consultez votre médecin.

Autotraitement	Si votre médecin diagnostique le virus de l'hépatite C, il vous dirigera sans doute vers un spécialiste du foie. Certains changements pourraient devoir affecter vos habitudes de vie :

- **Vous devrez renoncer à l'alcool.** La consommation d'alcool stimule la détérioration du foie.
- **Vous devrez éviter tout médicament pouvant entraîner des lésions hépatiques.** Votre médecin vous indiquera lesquels.
- **Vous devrez développer de saines habitudes de vie.** Une alimentation équilibrée, un programme d'exercice, un repos suffisant.

Vous devrez également vous assurer que personne n'entrera en contact avec votre sang. Pansez vos plaies, ne partagez ni votre brosse à dents ni votre rasoir, et prévenez les professionnels de la santé du fait que vous êtes porteur du virus. Ne donnez pas de sang, d'organes, de tissus organiques ou de sperme. Une protection adéquate au cours des relations sexuelles est fortement recommandée.

Soins médicaux

Le meilleur remède contre l'hépatite C est l'interféron alpha, qui inhibe la réplication du virus. Son efficacité est meilleure lorsqu'il est administré dès l'apparition de la maladie. Mais il n'est bénéfique que dans 1 cas sur 5.

L'interféron est administré par injection 3 fois la semaine. Les recherches récentes démontrent que son efficacité est supérieure si on poursuit le traitement pendant au moins 1 an. Les effets secondaires incluent certains symptômes du rhume, de la dépression et une diminution du taux de globules blancs et de plaquettes.

Les scientifiques évaluent d'autres traitements possibles, y compris l'association de l'interféron avec des agents antiviraux tels que la ribavirine. Cette association a été approuvée par la Food and Drug Administration (FDA) des États-Unis. Elle semble plus efficace chez les patients qui ont déjà réagi favorablement à l'interféron avant une récidive.

L'hypertension

L'hypertension, ou élévation de la tension artérielle, est une affection sournoise qui peut tuer sans présenter de symptômes. Un tiers des 50 millions de Nord-Américains hypertendus le sont à leur insu. Mais ce problème peut occasionner à long terme des dommages graves au cœur, au cerveau, aux reins et aux yeux.

L'hypertension est plus répandue avec l'âge, et plus fréquente chez les personnes de race noire. Plus d'hommes que de femmes souffrent d'hypertension au début de l'âge adulte et de l'âge moyen, mais chez les personnes de 55 à 64 ans, ces différences s'estompent. Passé l'âge de 65 ans, plus de femmes que d'hommes souffrent d'hypertension.

Qu'est-ce que la tension artérielle ?

Vous est-il déjà arrivé de faire prendre votre pression et de ne pas comprendre ce que les résultats signifiaient ? Il est indispensable de bien connaître et comprendre ces résultats, puis de prendre les mesures qui s'imposent pour une gestion adéquate de sa tension artérielle. Là se situe toute la différence entre une bonne santé et une maladie coronarienne due à l'hypertension, un accident vasculaire cérébral ou un problème rénal.

Le niveau de tension artérielle dépend de la quantité de sang pompé par le cœur et du niveau d'encrassement des artères dont dépend la libre circulation du sang. Les artères rétrécies entravent la circulation. En général, plus le cœur doit travailler fort pour pomper la même quantité de sang tout en contrant les effets du rétrécissement des artères, plus la tension artérielle est élevée.

Une tension artérielle « normale » est de 120/80 mm Hg (millimètres de mercure). Le premier chiffre (120) représente la tension systolique, c'est-à-dire la pression produite par le cœur lorsqu'il pompe le sang dans les artères. Le second chiffre (80) représente la tension diastolique, c'est-à-dire la pression des artères lorsque le cœur est au repos (entre 2 battements).

La tension artérielle varie tout au long de la journée : elle s'élève quand nous sommes actifs, et elle s'abaisse quand nous nous reposons.

En général, on parle d'hypertension lorsque la tension au repos est régulièrement de 140/90 mm Hg ou davantage. On ne sait pas toujours pourquoi elle atteint ou excède ce niveau. En réalité, 1 seul cas sur 20 peut être attribuable à une cause ou à une affection spécifiques. Lorsque la cause de l'hypertension ne peut être identifiée, on parle d'hypertension **essentielle** ou **primaire.**

Lorsque sa cause peut être identifiée, on parle d'**hypertension secondaire,** car elle est consécutive à une autre maladie. Ces origines précises incluent certains médicaments tels que les anovulants oraux, ou encore les affections des reins, dont l'insuffisance rénale, la glomérulonéphrite, de même que certains troubles de la glande surrénale.

L'hypotension (baisse de la tension artérielle)

L'hypotension résulte d'une baisse de la tension artérielle. Une pression sanguine nettement trop basse (choc) peut mettre la vie en danger. Le choc peut être dû à une perte importante de fluides organiques ou de sang ; rarement est-il attribuable à une infection grave.

L'hypotension orthostatique est une manifestation potentiellement dangereuse de la tension basse. Le sujet est étourdi et peut s'évanouir s'il se lève trop rapidement d'une position assise (voir « Les étourdissements et les évanouissements », page **44**). Certains médicaments, la grossesse ou une maladie peuvent en être la cause.

La classification de la tension artérielle

Voici la plus récente méthode de classification de la tension artérielle chez les adultes de plus de 18 ans.

État	Systolique (1er chiffre)	Diastolique (2e chiffre)	Autotraitement
Optimal	Inférieur à 120	Inférieur à 80	
Normal	Inférieur à 130	Inférieur à 85	Réévaluer dans 2 ans
Normal-élevé	130-139	85-89	Réévaluer dans 1 an
Hypertension			
Stade 1	140-159	90-99	Confirmer avant 2 mois
Stade 2	160-179	100-109	Consulter avant 1 mois
Stade 3	180 ou plus	110 ou plus	Consulter immédiatement ou dans une semaine

N.B. On évalue la tension artérielle sur la base de 2 lectures ou plus effectuées lors de visites médicales consécutives à la première consultation. (Source : National Institutes of Health. *The Sixth Report of the Joint National Committee on Prevention, Detection, Evaluation, and Treatment of High Blood Pressure, 1997.*)

Autotraitement

La meilleure stratégie consiste à modifier ses habitudes de vie en perdant du poids, en ayant une alimentation équilibrée et en s'adonnant à un programme d'exercices. Si, au bout de 3 à 6 mois, la tension artérielle n'a pas décru, un médicament pourrait être prescrit. Voici ce que vous pouvez faire pour vous aider vous-même :

- **Alimentation.** Ayez une alimentation équilibrée riche en fruits, en légumes et en produits laitiers à faible teneur en gras.
- **Limitez le sel.** Le sel favorise la rétention des liquides et, par conséquent, l'hypertension. Ne salez pas vos aliments. Évitez aussi les aliments contenant du sodium, notamment les viandes préparées, les aliments vides, les plats préparés ou les conserves.
- **Perdez du poids.** Si votre indice de masse corporelle est de 25 ou plus, perdez du poids. Une perte d'aussi peu que 4,5 kg peut favoriser une baisse importante de la tension artérielle. Chez certaines personnes, la perte de poids suffit à éviter la prise de médicaments contre l'hypertension (voir « L'indice de masse corporelle », page **216**).
- **Faites de l'exercice.** La pratique régulière d'exercices aérobiques contribue à abaisser la tension artérielle chez certaines personnes, même en l'absence d'une perte de poids.
- **Cessez de fumer.** Le tabagisme accélère le développement de l'athérosclérose (rétrécissement des artères) chez les personnes hypertendues. L'association tabac/hypertension augmente sensiblement le risque de dommages artériels.
- **Limitez votre consommation d'alcool.** Le fait de boire plus de 45 ml d'alcool à 80°, plus de 235 ml de vin ou plus de 700 ml de bière par jour peut élever la tension artérielle.

La médication

Votre médecin évaluera le ou les médicaments les mieux adaptés à vos besoins. Certains produits sont plus efficaces que d'autres selon l'âge du sujet ou ses origines ethniques. Votre médecin tiendra également compte du coût des médicaments, de leurs effets secondaires, de leurs interactions possibles et de leur incidence sur d'autres maladies dont vous pourriez souffrir. Le choix d'une médication appropriée pourrait devoir comporter plusieurs étapes dans le cas où un premier produit n'abaisserait pas suffisamment votre tension artérielle. Un deuxième, un troisième ou même un quatrième médicament pourrait être substitué ou associé au premier.

Affections spécifiques

Les maladies transmises sexuellement

Les cas de maladies transmises sexuellement (MTS) sont de plus en plus répandus. La plupart sont curables, mais il n'y a pas encore de cure pour le virus d'immunodéficience humaine (VIH), cause du syndrome immunodéficitaire acquis (sida) ; le décès survient tôt ou tard dans la plupart des cas.

Bien que le VIH puisse être transmis par le partage de seringues contaminées ou, plus rarement, par transfusion sanguine, son mode de transmission le plus fréquent est le contact sexuel. Le virus est présent dans le liquide spermatique et dans les sécrétions vaginales, et pénètre dans l'organisme par de minuscules lésions des tissus vaginaux ou rectaux au cours des rapports sexuels. La transmission du virus n'a lieu qu'à la suite d'un contact avec du sang, du liquide séminal ou des sécrétions vaginales contaminés. Certains cas de transmissions ont été notés chez des professionnels de la santé par la manipulation de matériel contaminé (notamment des aiguilles).

Les MTS telles que la chlamydia, la gonorrhée, l'herpès, les verrues génitales et la syphilis sont extrêmement contagieuses. Les micro-organismes responsables des MTS, incluant le VIH, ne survivent que quelques heures à l'extérieur de l'organisme. Mais aucune de ces infections ne se transmet par contact ordinaire tel qu'une poignée de main ou la cuvette des toilettes.

La seule protection efficace contre les MTS ou le sida est l'abstinence sexuelle ou l'exclusivité de la relation entre 2 individus sains. Si vous avez plusieurs partenaires sexuels, ou si vous avez des rapports sexuels avec une personne infectée, vous risquez de contracter la maladie.

Les condoms

Le port régulier d'un condom de latex et le fait de s'abstenir de certaines pratiques sexuelles peuvent diminuer les risques du sida ou des autres MTS, bien que les condoms ne soient pas à 100 p. 100 efficaces. Les préservatifs faits de membranes animales présentent des pores permettant le passage du virus du sida. On conseille fortement d'opter pour des préservatifs en latex.

Pour une efficacité maximale, le condom ne doit pas être endommagé. On doit l'enfiler avant tout contact génital et le garder en place jusqu'à la conclusion du rapport sexuel. L'ajout d'un lubrifiant (même avec les condoms pré-lubrifiés) peut empêcher que le préservatif ne se déchire. N'utilisez que des lubrifiants à base d'eau. Les lubrifiants à base d'huile peuvent occasionner une rupture du latex.

Un nouveau préservatif féminin peut réduire le risque de contracter une MTS. La plupart des méthodes contraceptives féminines (par exemple, la pilule) ne protègent pas contre les MTS, bien que certaines recherches démontrent que le spermicide nonoxynol-9 réduit la fréquence de la gonorrhée et de la chlamydia. Le diaphragme utilisé en association avec un spermicide peut aussi contribuer à la destruction des bactéries.

Les comportements risqués

Le risque de contracter une infection au VIH dépend de la pratique sexuelle adoptée. La relation anale passive (réceptive) est la plus risquée, car les lésions qu'elle peut causer à la paroi anale et rectale facilitent la pénétration du VIH dans le système sanguin. Le partenaire passif est plus à risque de contracter le VIH que le partenaire actif, bien que la gonorrhée et la syphilis puissent se transmettre par le rectum du partenaire passif.

Le rapport hétérosexuel vaginal, surtout lorsque l'on a plusieurs partenaires, favorise aussi la transmission du VIH. Le virus semble se transmettre plus facilement de l'homme à la femme que l'inverse.

Le rapport bucco-génital permet aussi la transmission du VIH, de la gonorrhée, de l'herpès, de la syphilis et des autres MTS.

Les maladies transmises sexuellement

Si vous croyez avoir contracté une MTS, consultez votre médecin sur-le-champ. Si le médecin diagnostique une MTS, il importe que vous en fassiez part à votre (vos) partenaire (s) sexuel (s). Dans tous les cas de MTS, l'abstinence sexuelle est indispensable jusqu'à la guérison complète de l'infection.

Les symptômes	La maladie	Est-ce grave?	Le traitement médical

Sida

Les symptômes	La maladie	Est-ce grave?	Le traitement médical
• Fatigue inexpliquée et persistante. • Sueurs nocturnes abondantes. • Frissons violents ou température de plus de 37,7 °C pendant plusieurs semaines. • Hypertrophie des ganglions lymphatiques pendant plus de 3 mois. • Diarrhée chronique. • Céphalées persistantes. • Toux sèche et souffle court.	Le sida est causé par le VIH. Malheureusement, le test de dépistage n'est pas efficace immédiatement après l'exposition au virus, car l'organisme doit d'abord produire des anticorps. Pour détecter la présence d'anticorps, un laps de temps qui peut aller jusqu'à 6 mois est nécessaire.	Le VIH affaiblit le système immunitaire au point où le sujet devient victime de toutes sortes de maladies opportunistes (que l'organisme combattrait en temps normal). Le sida est mortel, mais son traitement bénéficie de développements scientifiques constants.	Il n'existe pas de vaccin contre le sida. Le traitement inclut la prise d'antiviraux, d'immunostimulateurs et de médicaments destinés à prévenir ou à enrayer les infections opportunistes. De nouveaux médicaments, les inhibiteurs de protéase, se sont révélés prometteurs.

Chlamydia

Les symptômes	La maladie	Est-ce grave?	Le traitement médical
• Miction douloureuse. • Écoulement vaginal chez la femme. • Écoulement urétral chez l'homme. • L'infection est parfois asymptomatique.	Peut causer une lésion des trompes de Fallope chez les femmes, et une prostatite ou une épididymite chez les hommes.	Si des sécrétions infectieuses entrent en contact avec les yeux, il peut s'ensuivre une infection oculaire. La mère peut transmettre l'infection au bébé pendant l'accouchement et causer chez lui une pneumonie ou une infection des yeux.	On traite l'infection aux antibiotiques. L'infection s'estompe en 1 ou 2 semaines. Tous les partenaires sexuels doivent être traités, même s'ils ne manifestent aucun symptôme, à défaut de quoi ils se retransmettront l'un l'autre l'infection.

Herpès génital

Les symptômes	La maladie	Est-ce grave?	Le traitement médical
• Douleur ou prurit de la région génitale. • Vésicules ou plaies. • Les lésions génitales peuvent être présentes à l'intérieur du vagin (femme) ou de l'urètre (homme) sans pour autant être visibles. • Récurrence des éruptions.	Causé par le virus herpès simplex, habituellement type 2. Les symptômes apparaissent entre 2 et 7 jours après l'exposition. Une démangeaison ou une sensation de brûlure est suivie de la formation de cloques et de lésions à l'intérieur du vagin ou sur les lèvres, les fesses et l'anus. Chez les hommes, les lésions affectent le pénis, le scrotum, les fesses, l'anus et les cuisses. Le virus peut demeurer latent dans les régions infectées et se réactiver périodiquement.	Il n'y a pas de vaccin ou de traitement. L'infection est très contagieuse en présence de lésions. Les nouveau-nés peuvent être contaminés au moment de la naissance si la mère présente des lésions à vif.	Le sujet doit veiller à bien nettoyer et bien assécher les lésions. L'antiviral d'ordonnance acyclovir favorise la cicatrisation. Si les récurrences sont nombreuses, l'acyclovir par voie orale contribue à la suppression du virus. Un autre antiviral d'ordonnance, le fanciclovir, est également disponible.

Affections spécifiques

Les maladies transmises sexuellement

Les symptômes	La maladie	Est-ce grave ?	Le traitement médical

Verrues génitales

Les symptômes	La maladie	Est-ce grave ?	Le traitement médical
• Présence de verrues sur les organes génitaux, l'anus, l'aine ou l'urètre.	Les verrues vénériennes ou génitales sont causées par le papilloma virus. Elles peuvent affecter tant les hommes que les femmes. Les personnes dont le système immunitaire est déficient et les femmes enceintes leur sont davantage sujettes.	Elles sont sans gravité mais très contagieuses. Les femmes qui souffrent de verrues vénériennes récurrentes courent davantage de risque de contracter un cancer de l'utérus et devraient subir annuellement une cytologie.	On retire les verrues par la médication, la cryochirurgie (gel), le laser ou au moyen d'un courant électrique. Ces procédures peuvent nécessiter une anesthésie locale ou générale.

Gonorrhée

Les symptômes	La maladie	Est-ce grave ?	Le traitement médical
• Écoulement épais et purulent de l'urètre. • Mictions fréquentes accompagnées d'une sensation de brûlure. • Chez la femme, légère augmentation des sécrétions vaginales et inflammation. • Écoulement anal ou irritation. • À l'occasion, fièvre et douleurs abdominales.	La gonorrhée est une infection bactérienne. Chez les hommes, les premiers symptômes apparaissent de 2 jours à 2 semaines après l'exposition à la bactérie. Chez les femmes, les symptômes peuvent retarder de 1 à 3 semaines. L'infection affecte habituellement l'utérus et, parfois, les trompes de Fallope.	Cette infection aiguë est extrêmement contagieuse et peut devenir chronique. Chez les hommes, elle peut entraîner une épididymite. Chez les femmes, elle peut se propager aux trompes de Fallope et provoquer une maladie inflammatoire du bassin. Elle peut nécroser les trompes et causer la stérilité. Les infections articulaires ou de la gorge sont rares.	De nombreux antibiotiques sont sécuritaires et efficaces dans le traitement de la gonorrhée. Cependant, bien que curable, la gonorrhée est de plus en plus résistante à certains antibiotiques. Une injection de ceftriaxone suffit parfois à l'enrayer. Les antibiotiques oraux (céfixime, ciprofloxacine) sont également efficaces.

Hépatite B

Les symptômes	La maladie	Est-ce grave ?	Le traitement médical
• Jaunissement des yeux et de la peau. • Urine à couleur de thé. • Symptômes semblables à ceux de la grippe. • Fatigue et malaises généralisés. • Fièvre.	L'hépatite B est une infection virale. Certains porteurs du virus sont asymptomatiques, mais ils peuvent quand même transmettre la maladie.	La femme enceinte peut transmettre le virus au fœtus. Dans de rares cas, le virus est cause d'insuffisance hépatique et de décès.	Il n'existe pas de traitement contre ce virus. Il n'est pas nécessaire de garder le lit, mais le repos est bénéfique. Une alimentation équilibrée est essentielle. Abstenez-vous de boire de l'alcool, qui précipite la détérioration du foie. L'hépatite B est évitable grâce à un vaccin.

Syphilis

Les symptômes	La maladie	Est-ce grave ?	Le traitement médical
• Lésions indolores sur les organes génitaux, le rectum, la langue ou les lèvres. • Hypertrophie des ganglions lymphatiques de l'aine. • Éruption cutanée n'importe où sur le corps, mais plus spécialement sur les paumes et la plante des pieds. • Fièvre. • Céphalée. • Douleurs aux os ou aux articulations.	La syphilis est une infection bactérienne très complexe. Premier stade : des lésions indolores apparaissent à la région génitale, au rectum ou à la bouche de 10 jours à 6 semaines après l'exposition à la bactérie. Deuxième stade, 1 semaine à 6 mois plus tard : des rougeurs peuvent affecter n'importe quelle partie du corps. Troisième stade, après plusieurs années de latence : maladies coronariennes et détérioration mentale.	Elle se guérit complètement si le diagnostic est précoce et le traitement immédiat. Laissée sans traitement, la syphilis peut devenir mortelle. Les femmes enceintes peuvent transmettre la maladie au fœtus, ce qui se traduit par des anomalies à la naissance et même la mort.	Se traite habituellement par la pénicilline. Les personnes allergiques à la pénicilline peuvent recevoir d'autres antibiotiques. Vingt-quatre heures après le début du traitement, la syphilis n'est plus contagieuse. Certaines personnes ne réagissent pas à la dose habituelle de pénicilline. Elles doivent donc subir des analyses sanguines périodiques pour s'assurer que l'agent infectieux a réel-

La santé mentale

- Les dépendances
- Les troubles anxieux et de panique
- La dépression et de déprime
- La violence familiale
- Les pertes de mémoire

Dans cette section, nous nous intéressons à une variété de problèmes qui affectent la santé mentale de millions d'individus et de leur famille. Nous proposons des moyens efficaces pour traiter les dépendances, l'anxiété, la panique, la dépression, la violence familiale et les pertes de mémoire.

Les dépendances

Il est possible de développer une dépendance à certaines substances et à certaines pratiques. La dépendance se caractérise par un besoin compulsif de s'adonner à une activité donnée ou à utiliser une substance spécifique. Dans cette section, nous abordons l'alcoolisme, le tabagisme, la toxicomanie et le jeu pathologique.

■ L'abus d'alcool et l'alcoolisme

L'abus d'alcool et l'alcoolisme sont un problème majeur aux points de vue social et économique, et sur le plan de la santé publique. Chaque année, plus de 100 000 personnes meurent des suites de l'abus d'alcool. Aux États-Unis, la baisse de productivité et les dépenses en matière de santé reliées à l'alcoolisme coûtent plus de 100 milliards de dollars chaque année à l'État. Selon le National Council on Alcoholism and Drug Dependence, plus de 13 millions d'Américains abusent de l'alcool.

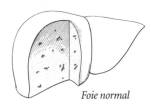

Foie normal

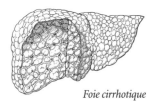

Foie cirrhotique

L'abus d'alcool endommage les tissus, particulièrement ceux du foie, au point de causer une formation excessive de tissu sclérotique : la cirrhose.

L'effet de l'alcool sur l'organisme

Les boissons alcoolisées que nous consommons contiennent de l'alcool éthylique (éthanol), un liquide incolore qui procure une sensation cuisante dans la bouche. L'éthanol est le résultat de la fermentation des sucres naturels présents dans les céréales et les fruits, notamment l'orge et le raisin.

L'alcool agit comme un sédatif du système nerveux. Chez certaines personnes, il a d'abord un effet stimulant qui progresse vers un effet sédatif et calmant après quelques verres. En amortissant le système nerveux central, l'alcool détend et amène une désinhibition. Plus on boit, plus cet effet sédatif est prononcé. Au début, l'alcool affecte la pensée, les émotions et le jugement. En quantité suffisante, il affecte la parole et la coordination musculaire, et il induit au sommeil. Consommé en grande quantité, l'alcool est un poison mortel : il peut provoquer le coma en entravant le fonctionnement des centres vitaux du cerveau.

L'abus de l'alcool peut gravement endommager le cerveau et le système nerveux, de même que le foie, le pancréas et l'appareil cardiovasculaire. Chez les femmes enceintes, il peut également nuire au fœtus.

L'intoxication par l'alcool

Les effets toxiques de l'alcool dépendent du taux d'alcool dans le sang. Par exemple, si vous ne buvez pas de façon assidue et que votre taux d'alcool est supérieur à 100 mg/dL (milligrammes d'alcool par décilitre de sang), vous pourriez être intoxiqué au point de parler, de penser et de vous déplacer avec difficulté. À mesure que ce taux augmente, cette légère confusion peut céder la place à un état de stupeur et, ultimement, au coma. Les alcooliques et les buveurs assidus développent une tolérance à l'alcool.

Votre réaction à l'alcool dépend aussi de la quantité de nourriture que vous avez ingérée avant de boire et du laps de temps écoulé entre le moment où vous avez mangé et le moment où vous consommez de l'alcool. La taille, la proportion de gras corporel et le degré de tolérance à l'alcool jouent également des rôles significatifs. La même quantité d'alcool peut affecter différemment un homme et une femme. Le taux d'alcool est en général supérieur chez les femmes à quantité égale : en raison de leur plus petite taille, l'alcool qu'elles consomment est moins dilué dans le sang. Il semble aussi qu'elles métabolisent l'alcool plus lentement que les hommes.

Dans la plupart des pays, le taux légal d'intoxication fluctue entre 70 et 100 mg/dL, ou 0,1 p. 100. Mais même lorsque leur taux d'alcool est de beaucoup inférieur à la limite permise, certaines personnes éprouvent des problèmes de coordination et un ralentissement des réflexes.

Qu'est-ce que l'abus d'alcool ?

Il n'est pas nécessaire d'être alcoolique pour « abuser » de l'alcool ou pour avoir « un problème d'alcool ». Certaines personnes qui boivent immodérément peuvent développer des ennuis de santé et des problèmes de comportement sans pour autant dépendre de l'alcool et sans avoir perdu tout contrôle sur leur consommation.

Qu'est-ce que l'alcoolisme ?

L'alcoolisme est une affection chronique, souvent progressive et fatale. L'alcoolique est obsédé par l'alcool et ne peut contrôler sa consommation. Il boit constamment en dépit des conséquences néfastes de son abus et de l'effet de l'alcool sur ses facultés rationnelles. La plupart des alcooliques nient avoir un problème d'alcool. Les autres indices d'alcoolisme incluent les suivants.

- Le fait de boire seul et en cachette.
- Le fait de ne pas se souvenir de ses engagements ou de certaines conversations.
- Le fait de boire régulièrement avant, pendant et après les repas et de perdre patience si ce rituel est bouleversé ou remis en question.
- Le fait de se désintéresser d'activités ou de loisirs qui jusque-là nous plaisaient.
- L'irritabilité croissante à mesure qu'approche l'heure habituelle du premier verre, surtout si l'alcool n'est pas disponible.
- Le fait de cacher de l'alcool en différents endroits de la maison, du bureau ou de la voiture.
- L'habitude de faire cul-sec, de commander des doubles, de s'intoxiquer délibérément pour se sentir bien ou de boire pour « être en forme ».
- Le développement de problèmes affectifs, professionnels, financiers ou légaux.

■ Le traitement de l'alcoolisme et de l'abus d'alcool

La plupart des alcooliques et des personnes qui abusent de l'alcool subissent un traitement contre leur volonté parce qu'ils nient leur problème. On doit souvent les y pousser. Les ennuis de santé ou les problèmes avec la justice peuvent toutefois les inciter à subir une cure de désintoxication. L'intervention de spécialistes aide l'alcoolique à admettre son problème et à accepter de devoir y remédier. Si une personne de votre connaissance ou un membre de votre famille vous semble avoir un sérieux problème d'alcool, confiez-vous à un spécialiste.

Suis-je alcoolique ?
Le test de dépistage auto-administré

En 1982, la Clinique Mayo a mis au point un test de dépistage auto-administré (le Self-Administered Alcoholism Screening Test, ou SAAST) composé de 32 questions. Ce test peut identifier jusqu'à 95 p. 100 des alcooliques qui nécessitent une hospitalisation.

Le test SAAST s'efforce d'identifier les comportements, les symptômes et les conséquences associés à la consommation d'alcool chez l'alcoolique. Voici un échantillonnage des questions que propose ce questionnaire.

1. Buvez-vous de temps à autre ?
2. Avez-vous l'impression de boire comme tout le monde, soit pas plus que la moyenne des gens ?
3. Vous êtes-vous réveillé un lendemain de veille en vous rendant compte que vous aviez oublié les événements de la soirée précédente ?
4. Vos proches s'inquiètent-ils ou se plaignent-ils de vos habitudes de consommation ?
5. Pouvez-vous arrêter de boire sans effort après 1 ou 2 verres ?
6. Vous sentez-vous parfois coupable de boire ?
7. Vos parents et vos amis jugent-ils normales vos habitudes de consommation ?
8. Êtes-vous toujours capable d'arrêter de boire quand vous le voulez ?
9. Avez-vous déjà participé à une rencontre des Alcooliques Anonymes (AA) en raison de vos habitudes de consommation ?
10. Avez-vous déjà participé à une altercation parce que vous aviez bu ?

Les réponses qui suivent montrent que vous avez peut-être un sérieux problème d'alcool : 1. Oui ; 2. Non ; 3. Oui ; 4. Oui ; 5. Non ; 6. Oui ; 7. Non ; 8. Non ; 9. Oui ; 10. Oui.

Si vous avez répondu à 3 ou 4 de ces questions comme ci-dessus, vous avez sans doute un problème d'alcool et vous devriez consulter un spécialiste.

■ Le traitement individualisé

Il existe tout un éventail de traitements pour venir en aide aux personnes qui ont un problème d'alcool. Une approche individualisée est importante. Le traitement pourrait comporter une séance d'évaluation, une intervention, la fréquentation d'une clinique externe, une psychothérapie ou un séjour en centre de désintoxication.

Il importe avant tout de déterminer si vous avez développé une dépendance à l'alcool. Si vous parvenez à vous dominer, le traitement pourrait consister à réduire votre consommation. Si vous abusez de l'acool, vous pourriez parvenir à modifier vos habitudes de consommation. Si vous êtes alcoolique, une simple réduction dans la consommation est inefficace et inappropriée : l'abstinence doit faire partie des objectifs de traitement de l'alcoolique.

Pour les personnes qui n'ont pas développé de dépendance, mais qui ressentent les effets néfastes de l'alcool, le traitement consiste dans le traitement des problèmes associés à l'alcool soit par l'intervention d'un spécialiste ou par une psychothérapie. Le spécialiste établit un plan de traitement approprié qui tient compte des objectifs à atteindre, d'une thérapie comportementale, de la lecture d'ouvrages de soutien, d'une thérapie de conseil *(counseling)* et d'un suivi en clinique.

La plupart des centres de désintoxication aux États-Unis ont développé une cure basée sur le Modèle du Minnesota, dont font partie l'abstinence, la thérapie individuelle et de groupe, la participation aux rencontres des Alcooliques Anonymes, des conférences, le soutien familial, des travaux pratiques, la thérapie par l'activité, ainsi que le soutien de conseillers (dont plusieurs sont des alcooliques en rémission) et d'un personnel pluridisciplinaire. (Contactez votre agent d'assurance pour savoir si votre police couvre la cure de désintoxication.)

En plus de la cure en clinique, il existe plusieurs formes de traitements possibles, dont l'acupuncture, le biofeedback, la thérapie de motivation, la thérapie cognitive et comportementale, et la thérapie d'aversion. Cette dernière consiste à associer la consommation d'alcool à une réaction d'aversion violente, par exemple, une nausée ou des vomissements, provoquée par une médication. Lorsque cette association est répétée plusieurs fois, l'alcool seul suffit à déclencher une réaction d'aversion, ce qui diminue le risque de récidive. Pour des raisons évidentes, la thérapie d'aversion, si elle est efficace, n'est pas très populaire.

L'alcool et les adolescents

Si les adultes mettent parfois des années à développer une dépendance à l'alcool, il suffit de quelques mois pour les adolescents. L'usage de l'alcool s'accroît sensiblement chez les jeunes des secondaires IV et V. Chaque année, aux États-Unis, plus de 2 000 jeunes âgés de 15 à 20 ans meurent dans des accidents d'automobile reliés à l'alcool, et de nombreux autres survivent avec un grave handicap. L'alcool est aussi responsable d'un grand nombre de décès par noyade, par suicide ou dans un incendie.

Le risque d'accoutumance des jeunes dépend en partie de l'influence parentale, de celle des pairs et des autres modèles à imiter, de la réceptivité à la publicité, de l'âge auquel ils commencent à consommer de l'alcool, de leur besoin psychologique de consommer et de facteurs génétiques prédisposants (alcoolisme familial ou parental).

Soyez à l'affût des indices suivants :
- Le jeune se désintéresse de ses activités et de ses loisirs.
- Il est irritable et anxieux.
- Ses relations amicales sont tendues ou instables ; il se joint à de nouveaux groupes d'amis.
- Ses résultats scolaires sont insatisfaisants.

Voici quelques conseils pour empêcher un jeune de consommer de l'alcool.
- Donnez l'exemple.
- Sachez communiquer avec vos enfants.
- Discutez avec eux des conséquences légales et médicales de la consommation d'alcool.

Le Modèle du Minnesota

Voici ce à quoi vous pourriez vous attendre si vous entreprenez une cure de désintoxication basée sur le Modèle du Minnesota.

- **La désintoxication et le sevrage.** Le traitement commence par une cure de désintoxication d'une durée de 4 à 7 jours. La prise de médicaments peut être nécessaire pour prévenir le delirium tremens ou les autres symptômes de sevrage.
- **Le bilan de santé et le traitement.** Les problèmes de santé associés à l'alcoolisme sont l'hypertension, un taux élevé de glucose, les maladies du foie et les maladies cardiaques.
- **Le soutien psychologique et la psychothérapie.** La thérapie de conseil (*counseling*), les thérapies de groupe et individuelle facilitent le traitement des problèmes psychologiques associés à l'alcoolisme.
- **Les programmes de rétablissement.** La désintoxication et les traitements médicaux ne constituent que la première étape du rétablissement de l'alcoolique qui participe à une cure de désintoxication.
- **L'importance de l'acceptation et de l'abstinence.** L'efficacité du traitement est gravement entravée tant que l'alcoolique n'admet pas sa dépendance et son incapacité à contrôler sa consommation.
- **La médication.** Un médicament sensibilisant, le disulfirame (Antabuse), peut s'avérer efficace. Combiné à l'alcool, il provoque une réaction physique violente incluant des bouffées de chaleur, des nausées, des vomissements et des maux de tête. Le disulfirame ne guérit pas l'alcoolisme et ne met pas fin à la compulsion, mais il est un excellent agent de dissuasion. La naltréxone, depuis longtemps reconnue pour son efficacité à bloquer l'effet euphorisant des narcotiques, semble aussi réduire le besoin de boire que peuvent éprouver les alcooliques en rémission, mais elle occasionne des effets secondaires indésirables, en particulier des lésions hépatiques.
- **Le suivi.** Les programmes de suivi et les Alcooliques Anonymes aident les alcooliques en voie de rétablissement à s'abstenir de consommer, à contrôler leurs rechutes éventuelles et à apporter à leurs habitudes de vie les modifications qui s'imposent.

Comment traiter la gueule de bois ? Le mieux est de ne pas boire.

Même une petite quantité d'alcool peut produire des effets secondaires désagréables. Certaines personnes ont des bouffées de chaleur, d'autres sont particulièrement sensibles à la tyramine, une substance chimique présente dans le vin rouge, le brandy et le cognac.

La gueule de bois (sensation ébrieuse) a fait l'objet de nombreuses recherches, mais ce phénomène reste mal compris. Il est sans doute attribuable à un certain degré de déshydratation, aux sous-produits de la décomposition de l'alcool, à un foie malade ou surmené, à un excès de nourriture et à un sommeil agité.

Le meilleur traitement contre la gueule de bois est encore l'abstinence ou, à défaut, la modération.

Si vous avez la gueule de bois, la patience seule pourra vous remettre sur pied et vous rendre fonctionnel. Il existe quantité de remèdes de bonne femme, mais leur efficacité n'a pas été démontrée et ils pourraient même être nocifs.

Pour remédier à la gueule de bois, suivez les conseils ci-dessous.

- Reposez-vous et réhydratez-vous. Buvez des liquides clairs (eau, boisson gazeuse, certains jus de fruits, bouillons). Évitez les boissons acides, caféinées ou alcoolisées.
- Prenez un analgésique en vente libre, mais soyez prudent. Voir la page **267**.

Le tabagisme et l'usage du tabac

Lorsque vous inhalez la fumée d'une cigarette, vous libérez tout un régiment de produits chimiques qui atteignent ensuite certains des principaux organes du corps : le cerveau, les poumons, le cœur et les vaisseaux sanguins. Vous exposez de la sorte votre organisme à des produits toxiques cancérigènes qui créent aussi une dépendance.

Le lien entre tabagisme et cancer du poumon est bien connu, mais le fait de fumer endommage également d'autres organes et d'autres tissus. Environ un cinquième de la totalité des décès aux États-Unis sont attribuables au tabagisme.

La nicotine, l'une des principales composantes du tabac, stimule certaines substances chimiques du cerveau qui favorisent la dépendance. Elle incite la glande surrénale à sécréter des hormones qui surmènent le cœur en augmentant la pression sanguine et en accélérant le rythme cardiaque.

L'oxyde de carbone inhalé avec la fumée du tabac remplace l'oxygène dans les cellules sanguines et prive ainsi le cœur, le cerveau et le reste du corps de cet élément indispensable à la vie. Fumer endort en outre le sens du goût et de l'odorat : la nourriture n'est plus aussi appétissante.

La fumée de cigarette contient plus de 40 substances cancérigènes, de minuscules quantités de poisons tels que l'arsenic et le cyanide, et plus de 4 000 autres substances toxiques. L'une des plus dommageables de ces substances est la nicotine. La nicotine est la première responsable de la dépendance au tabac ; elle crée une dépendance au même titre que la cocaïne, car elle stimule la production de dopamine, un euphorisant. Cette « montée de dopamine » fait intégralement partie du processus de dépendance.

Comment cesser de fumer

Nombreux sont les fumeurs qui veulent cesser de fumer, mais qui n'y parviennent pas en raison de l'emprise qu'exerce sur eux la nicotine. La plupart du temps, le succès est précédé de plusieurs essais infructueux. Voici quelques suggestions pour vous aider à cesser de fumer.

Faites vos devoirs. Renseignez-vous auprès de la Société canadienne du cancer et de l'Association pulmonaire du Canada, de votre médecin ou de votre bibliothèque locale sur les différents ouvrages incitatifs à votre disposition. Évaluez les différents programmes de soutien. Parlez à des ex-fumeurs pour connaître la méthode qu'ils ont employée pour cesser de fumer et les trucs qui les ont aidés.

Effectuez de petits changements. Efforcez-vous de ne fumer que dans une seule pièce de la maison ou encore à l'extérieur. Perdez l'habitude de fumer en renonçant à fumer dans la voiture. Entreprenez si possible un programme d'exercices (voir page **225**).

Apprenez à connaître votre comportement de fumeur. Avant d'arrêter de fumer, portez une attention spéciale à votre comportement. Quand fumez-vous ? Où ? Avec qui ? Énumérez les déclencheurs qui vous poussent à allumer une cigarette. Prenez la décision de les contrôler lorsque vous cesserez de fumer. Apprenez à composer avec ces situations sans fumer.

N'hésitez pas à demander de l'aide. Participez à un programme de soutien. Plus vous aurez de l'aide, plus grandes seront vos chances de succès. Les recherches montrent que les personnes qui participent à un programme de soutien pour cesser de fumer ont un taux de réussite 8 fois supérieur à celles qui procèdent seules.

Soyez motivé. Pour cesser de fumer, il faut être motivé à le faire. Lors de l'évaluation des programmes d'anti-tabagisme de la Clinique Mayo, il a été démontré que les personnes les plus motivées étaient deux fois plus susceptibles de cesser de fumer que les personnes moins motivées.

Prévoyez de cesser de fumer à une date précise. Choisissez une journée peu stressante. Prévenez vos amis, votre conjoint et vos collègues de votre intention. Ils pourront vous encourager dans les moments difficiles.

■ Les thérapies de remplacement de la nicotine

Jusqu'à présent, les auxiliaires les plus efficaces pour aider les personnes qui veulent cesser de fumer sont ceux qui libèrent une quantité de nicotine vers le cerveau par des moyens autres que la cigarette. En théorie, ces thérapies substitutives allègent les symptômes du sevrage nicotinique qu'éprouvent les fumeurs lorsqu'ils cessent de fumer. D'autres produits d'ordonnance ou offerts en vente libre peuvent aussi vous venir en aide.

Produits en vente libre

Les timbres transdermiques de nicotine. Le timbre libère la nicotine dans le sang progressivement. Jusqu'à tout récemment, ce produit n'était offert que sur ordonnance. Les recherches démontrent que les personnes qui utilisent correctement le timbre transdermique ont un taux de succès deux fois plus élevé. Appliquez le timbre le matin, sur une partie non velue du thorax ou du dos. Changez souvent l'emplacement pour éviter les irritations. Enlevez le timbre précédent avant d'en appliquer un nouveau. La durée du traitement varie selon les besoins de chacun. En général, il faut compter de 6 à 8 semaines pour modifier avec succès les habitudes associées au tabagisme. La force du timbre dépend de la marque ; lisez attentivement les emballages. Les gros fumeurs devraient sans doute commencer par une dose de nicotine plus élevée et réduire celle-ci progressivement. **Mise en garde :** Chez 10 à 20 p. 100 des individus environ, une éruption cutanée se déclare à l'emplacement du timbre. S'il ne s'agit que d'une simple rougeur, une application de crème à l'hydrocortisone apportera un soulagement. Si l'irritation est plus prononcée, vous devrez cesser d'utiliser le timbre ou choisir une autre marque. Ne fumez jamais pendant que vous portez un timbre transdermique de nicotine.

La gomme à la nicotine. Il ne s'agit pas d'une gomme à mâcher, mais bien d'une résine mastiquable qui libère la nicotine dans le sang par la paroi buccale. Les études démontrent que les personnes qui utilisent la gomme à la nicotine cessent de fumer plus facilement que celles qui s'en dispensent. Il en existe de deux types : à 2 et à 4 mg de nicotine. Les gros fumeurs devront sans doute utiliser la dose la plus élevée. Placez un morceau de gomme dans votre bouche et mordez-le délicatement jusqu'à ce que vous goûtiez sa saveur particulière. Placez ensuite le morceau de gomme entre la gencive et la joue. Répétez ce processus pendant quelques minutes. Chaque morceau de gomme est efficace pendant environ 30 minutes. Utilisez la gomme quand vous avez envie de fumer ou dans ces occasions où vous saurez que vous en aurez envie. Au début, vous pouvez mâcher de 10 à 12 morceaux par jour. Réduisez ce nombre progressivement sur une période de plusieurs semaines, pendant que vous apprenez à surmonter votre envie de fumer. **Mise en garde :** Le fait de mâcher la gomme rapidement et de déglutir rend la nicotine inactive et peut provoquer des nausées. Bien lire l'étiquette.

Les médicaments d'ordonnance

L'inhalateur doseur (Inhalateur Nicotrol) ressemble à une cigarette qu'on aspire et qui libère des vapeurs de nicotine dans la bouche. La paroi buccale absorbe la nicotine avant de la libérer dans le sang puis au cerveau, ce qui contribue à alléger les symptômes de sevrage.

Le chlorhydrate de bupropion (Zyban) est avant tout un antidépresseur. Tout comme la nicotine, les comprimés de bupropion augmentent le taux de dopamine du cerveau. Comme tout médicament, ce produit occasionne des effets secondaires, notamment des maux de tête et un assèchement de la bouche. Si vous êtes porté aux convulsions, n'utilisez pas ce produit.

Les fumeurs qui combinent les thérapies de remplacement de la nicotine et le soutien psychologique d'un groupe d'entraide ou d'un conseiller ont beaucoup plus de succès que ceux qui procèdent seuls. Environ 5 p. 100 des fumeurs parviennent à se débarrasser de leur habitude sans l'aide de personne. Chez les personnes qui optent pour une thérapie substitutive associée à un programme de soutien, le taux de succès est de 30 p. 100.

■ Comment contrôler les effets du sevrage ?

Voici une liste des principaux symptômes associés au sevrage et quelques suggestions pour mieux les contrôler. Le sevrage peut durer de quelques jours à quelques semaines. Il importe de développer de nouvelles habitudes.

Problème	Solutions
L'envie de fumer	• Distrayez-vous. • Faites des exercices de respiration diaphragmatique (voir page **235**). • Réalisez que l'envie de fumer est de courte durée.
L'irritabilité	• Respirez profondément à quelques reprises. • Visualisez une scène bucolique et prenez de mini-vacances. • Prenez un bain chaud.
L'insomnie	• Faites une promenade quelques heures avant d'aller dormir. • Lisez pour vous détendre. • Prenez un bain chaud. • Mangez une banane ou buvez du lait chaud. • Évitez les boissons caféinées passé midi. • Référez-vous au chapitre sur les troubles du sommeil à la page **54**.
L'appétit	• Préparez une trousse de survie contenant des pailles, des bâtons de cannelle, des bâtonnets de plastique, de la réglisse, des cure-dents, de la gomme à mâcher ou des légumes crus. • Buvez beaucoup d'eau ou de liquides faibles en calories.
Le manque de concentration	• Buvez beaucoup d'eau. • Marchez d'un bon pas, si possible dehors. • Simplifiez votre calendrier de travail pour quelques jours. • Faites une pause.
La fatigue	• Faites davantage d'exercice. • Dormez suffisamment. • Faites la sieste. • Ne vous surmenez pas pendant 2 à 4 semaines.
La constipation, la flatulence, les crampes d'estomac	• Buvez beaucoup de liquides. • Accroissez votre consommation de fibres : fruits, légumes crus, céréales de grains entiers. • Modifiez progressivement votre alimentation. • Référez-vous aux sections sur la constipation, page **68** ; la flatulence, page **70**.

Source : Mayo Nicotine Dependence Center.

■ Le tabagisme et les adolescents : autotraitement

Quel mal y a-t-il à ce que les adolescents fassent « l'essai » du tabac ?

Fumer crée une dépendance. La plupart des adolescents sous-estiment les risques associés au tabagisme et surestiment leur aptitude à cesser de fumer après avoir commencé. Un grand nombre d'entre eux croient pouvoir cesser de fumer n'importe quand. Dans les faits, 70 p. 100 des adolescents qui fument de 1 à 5 cigarettes par jour fumeront encore dans 5 ans. Plus de la moitié des adolescents qui fument ont tenté sans succès de se débarrasser de cette habitude.

Les adolescents commencent à fumer beaucoup plus tôt que ne le croient leurs parents. Dix pour cent des fumeurs adultes ont allumé leur première cigarette vers 9 ou 10 ans, et la moitié des adolescents qui commencent à fumer le font vers l'âge de 14 ans. Près de 20 p. 100 des étudiants du secondaire II ont fumé au cours des 30 derniers jours. Chez les finissants des cégeps, ce pourcentage est de 30 p. 100. Plus un enfant est jeune lorsqu'il commence à fumer, plus il court le risque de devenir un gros fumeur à l'âge adulte. En outre, les jeunes qui fument sont plus susceptibles de faire l'essai de la marijuana ou d'autres drogues.

Voici quelques stratégies à l'intention des parents.

- **Parlez avec vos adolescents. Demandez-leur si certains de leurs amis fument.** Si ses meilleurs amis fument, votre enfant sera 13 fois plus porté à fumer. La plupart des adolescents allument leur première cigarette en compagnie d'amis qui fument déjà.
- **Sachez ce que vos enfants pensent du tabagisme.** Demandez-leur de lire ce chapitre et de vous donner leur opinion.
- **Aidez votre enfant à explorer ses sentiments personnels par rapport au tabagisme et à l'influence de ses pairs.** Interrogez-le sans porter de jugement et aidez-le à développer une stratégie pour faire face aux situations difficiles.
- **Encouragez votre enfant à se soucier de son bien-être physique et de sa vitalité.** Les styles de vie actifs que présentent la plupart des publicités des compagnies de tabac sont davantage associés à la vie du non-fumeur. Les personnes qui fument souffrent plus souvent de rhumes et d'autres infections de l'appareil respiratoire.
- **Rappelez à votre enfant les répercussions sociales du tabagisme.** Fumer donne mauvaise haleine et une mauvaise odeur aux cheveux et aux vêtements.
- **Donnez l'exemple.** Si vous fumez, votre meilleure motivation pour cesser est la santé de vos enfants.
- **Collaborez avec le personnel de l'école.**

Les dangers de la fumée des autres

Il est prouvé que l'exposition à la fumée des autres est nocive pour la santé des non-fumeurs. On l'associe au cancer du poumon et aux maladies cardiaques. Ce fait a incité un grand nombre de gouvernements à interdire l'usage du tabac dans de nombreux lieux publics.

Manifestement, les personnes qui souffrent d'affections respiratoires ou cardiovasculaires, de même que les personnes âgées, sont davantage à risque lorsqu'elles s'exposent à la fumée des autres. Les nourrissons sont 3 fois plus susceptibles de mourir du syndrome de mort subite du nouveau-né si leur mère fume pendant et après la grossesse.

Les enfants de moins de 1 an qui s'exposent à la fumée de cigarette souffrent davantage de maladies respiratoires nécessitant une hospitalisation que les enfants de parents non-fumeurs. La fumée des autres augmente les risques d'otites, de pneumonies, de bronchites ou d'amygdalites.

■ La toxicomanie

La dépendance aux drogues ou aux médicaments d'ordonnance est dangereuse en raison de ses conséquences négatives à long terme, de ses effets désastreux sur les relations familiales et professionnelles et des risques associés au sevrage. Les drogues illégales sont nocives non seulement de par leur nature intrinsèque, mais aussi parce que, dans certains cas, elles sont contaminées par des substances toxiques ou infectieuses. Dans la plupart des cas, il est impossible de se débarrasser de cette dépendance par soi-même.

Les drogues les plus courantes

La colle. Certains jeunes respirent de la colle, un dépresseur du système nerveux central. Au début, quelques inspirations procurent un sentiment d'euphorie, mais l'enfant développe une tolérance à la colle en quelques semaines seulement. Les premiers symptômes miment ceux de l'ébriété : bouche pâteuse, étourdissements, perte des inhibitions, somnolence et amnésie. L'enfant a parfois des hallucinations, il perd du poids et s'évanouit.

Les excitants du système nerveux central (amphétamines et cocaïne). Les amphétamines sont des excitants qui produisent une dépendance psychologique extrême, l'équivalent d'une compulsion. Les personnes qui abusent des amphétamines développent une très grande tolérance à leurs effets euphorisants, qui perdurent pendant plusieurs heures. La cocaïne déclenche la libération dans l'organisme des substances chimiques qui surmènent le cœur et accélèrent le rythme cardiaque. Ces réactions se traduisent par un sentiment d'euphorie, une impression de pouvoir et une libido exacerbée. Même une dose moyenne de cocaïne peut tuer. La cocaïne en injection ou fumable (« crack ») est encore plus dangereuse, car elle pénètre en plus grande quantité dans l'appareil circulatoire.

Les opioïdes. L'opium provient d'une substance laiteuse présente dans les graines du pavot. Les opioïdes comprennent les opiacés (dérivés naturels de l'opium, notamment l'héroïne et la morphine) et les stupéfiants semi-synthétiques de type morphinique. On les trouve dans les médicaments contre la douleur, dans les anesthésiants ou les antitussifs (par exemple, la codéine et la méthadone). Les symptômes de dépendance incluent la dépression, l'anxiété, l'impulsivité, un manque de tolérance à la frustration et un besoin de gratification immédiate.

La marijuana et le haschisch. La marijuana se compose des feuilles et des fleurs séchées du chanvre indien *(Cannabis sativa)*. Le haschisch provient de la résine concentrée de cette même plante. L'organisme absorbe les substances psychotoxiques de ces drogues. Une personne extrêmement intoxiquée éprouve une sensation de détente euphorique. Ces drogues affectent la concentration, de même que les fonctions perceptuo-motrices. L'usage régulier de ces drogues accélère le rythme cardiaque, provoque des rougeurs aux yeux et entrave le fonctionnement respiratoire. Les symptômes de sevrage incluent des sueurs, des tremblements, des nausées, des vomissements, des diarrhées, de l'irritabilité et des troubles du sommeil.

Les hallucinogènes. Le LSD (diéthylamide de l'acide lysergique) perturbe considérablement l'humeur et les facultés rationnelles et provoque des hallucinations de même qu'un état général présentant des symptômes de trouble psychotique aigu. Le sujet peut éprouver des réactions de panique extrême, une accélération du rythme cardiaque, de l'hypertension et des tremblements. La préparation la plus communément vendue de phencyclidine (PCP) porte le nom de « poudre d'ange » ; c'est une poudre blanche et granuleuse. À faible dose (5 mg), le PCP provoque de l'agitation, un manque de coordination et la suppression des sensations (analgésie). À fortes doses, le sujet bave, vomit, devient stuporeux ou comateux. Lorsque des troubles psychotiques délirants sont associés au PCP, le risque de suicide ou de violence envers autrui est très élevé.

Les drogues synthétiques ont acquis une grande popularité dans les années 1990. Elles visent des effets spécifiques et leur composition a pour but de modifier chimiquement certaines drogues existantes afin de contourner la loi. Ces drogues portent les noms de « ecstasy », « Adam », « Ève » et « China white », aussi connu sous le nom de E, XTC et X. Leur usage est hautement toxique et peut entraîner de graves complications, notamment des troubles moteurs et la mort.

Soins médicaux

Les toxicomanes ont besoin du soutien de leur famille et de leurs amis, et pourraient devoir subir une cure de désintoxication en milieu hospitalier. Un suivi prolongé (groupes de soutien, post-cure en clinique externe ou séjour en maison de repos) de plusieurs semaines ou de plusieurs mois peut s'avérer nécessaire pour prévenir les récidives.

À quoi reconnaît-on l'abus des drogues chez les adolescents ?

Nous ne fournissons ici que quelques indices pouvant montrer qu'un adolescent abuse des drogues.

- **Les études.** Le jeune se met brusquement à détester l'école et invente des excuses pour rester à la maison. Contactez la direction de l'école pour savoir si son taux d'absentéisme correspond aux données dont vous disposez. Un élève jusque-là excellent qui multiplie les échecs ou n'obtient que la note de passage pourrait s'adonner aux drogues.
- **L'état de santé.** L'indifférence et l'apathie sont des indices possibles du recours aux drogues.
- **L'apparence** est très importante pour les adolescents. Une perte d'intérêt subite pour les vêtements et l'apparence est un important indice.

- **Le comportement.** Les adolescents prisent leur intimité. Mais méfiez-vous si votre adolescent déploie des efforts supplémentaires pour vous empêcher d'entrer dans sa chambre ou de connaître ses allées et venues.
- **L'argent.** Si l'adolescent vous demande plus d'argent que d'habitude sans justification valable, il se peut qu'il fasse usage de drogues.

Que pouvez-vous faire ?

Les adolescents doivent pouvoir communiquer avec leurs parents. Même s'il refuse de se confier, continuez de lui faire comprendre que vous êtes prêt à l'écouter vous faire part de ses expériences.

■ Le jeu pathologique

Au jeu, cela est connu, la banque a l'avantage. Mais cela n'empêche pas les gens de jouer. Chaque année, les Nord-Américains consacrent plus de 500 milliards de dollars au jeu, soit plus que les dépenses du gouvernement en matière d'assurance-santé et d'assurance-hospitalisation.

Pour la plupart des gens, le jeu n'est pas un problème. Mais une petite minorité (de 1 à 2 p. 100 de la population) deviennent des joueurs pathologiques. Les personnes de ce groupe ne parviennent plus à dominer leur impulsion à jouer, ce qui entraîne des conséquences désastreuses, voire fatales.

Qu'est-ce que le jeu pathologique ?

L'American Psychiatric Association (APA) classe le jeu pathologique dans la catégorie des troubles du contrôle des impulsions. Pour satisfaire les critères diagnostiques de l'APA en matière de jeu pathologique, le sujet doit se montrer chroniquement incapable de résister aux impulsions à jouer et répondre à au moins 5 des critères suivants :

1. Préoccupation constante pour le jeu (besoin de revivre des expériences passées ; planification ou facilitation de la prochaine activité de jeu ; recherche d'argent pour jouer).
2. Besoin de jouer des sommes de plus en plus élevées pour atteindre le paroxysme de la satisfaction.
3. Tentatives répétées et infructueuses pour limiter ses activités de jeu ou pour cesser de jouer.
4. Agitation ou irritabilité lors des tentatives pour limiter ses activités de jeu ou pour cesser de jouer.
5. Fuite par le jeu des problèmes personnels ou des sentiments dysphoriques (impuissance, culpabilité, anxiété, dépression).
6. Tendance à vouloir prendre sa « revanche » après une perte d'argent.
7. Tendance à mentir aux membres de la famille, aux thérapeutes, etc. dans le but de cacher sa passion pathologique du jeu.
8. Falsification de documents, fraudes, détournements de fonds, vols liés aux recherches d'argent pour jouer.
9. Mise en péril ou perte d'une relation affective importante ou d'un emploi, ou encore d'une occasion d'avancement dans les études ou la carrière pour des motifs de jeu.
10. Nécessité d'un apport d'argent par un tiers pour sauver une situation financière désespérée due aux activités de jeu.

Soins médicaux

Les meilleures thérapies ressemblent aux thérapies existant pour les autres formes de dépendance. Elles incluent des stages de formation et le développement d'une relation thérapeutique avec un individu ou un groupe bien décidés à dominer leur passion du jeu.

- **La thérapie de groupe** procure un soutien et un encouragement, et diminue le besoin de recourir à des mécanismes de défense. Les personnes qui ont vécu la même situation peuvent percer à jour les dénis du sujet et l'aider à regarder son problème en face.
- **Les médications** pouvant faciliter le processus de rétablissement sont à l'état de recherches. Certains médicaments prometteurs sont déjà utilisés dans le traitement de l'alcoolisme, des troubles obsessionnels-compulsifs et de la dépression.
- **Les Gamblers Anonymes** offrent un programme en 12 étapes calqué sur celui des Alcooliques Anonymes. Les personnes qui croient être des joueurs pathologiques peuvent répondre à un questionnaire et se procurer auprès de cette association une liste de leurs assemblées locales. À certains endroits, on trouve des groupes de soutien subventionnés (consultez votre annuaire du téléphone). Les Gamblers Anonymes (Gamblers Anonymous) ont plus de 12 000 chapitres locaux aux États-Unis et 20 assemblées internationales.

Les symptômes du jeu pathologique

Vous pourriez avoir une dépendance au jeu si vous constatez ceci :

- Vous vous absentez du travail et de la vie familiale pour vous adonner à vos activités de jeu.
- Vous jouez en cachette.
- Vous éprouvez du remords après avoir joué et jurez de ne plus recommencer. Vous pourriez renoncer au jeu quelque temps, puis récidiver.
- Vous ne planifiez pas vos activités de jeu : vous jouez « par hasard ». Vous jouez jusqu'à ce que vous ayez perdu tout l'argent dont vous disposiez.
- Vous jouez l'argent qui sert à payer vos factures ou à résoudre vos ennuis financiers. Vous mentez, volez, empruntez ou vendez vos biens personnels pour trouver de l'argent pour jouer.
- Lorsque vous perdez, vous rejouez pour récupérer vos pertes. Lorsque vous gagnez, vous jouez pour gagner davantage. Vous rêvez de gagner le gros lot et visualisez ce que vous pourrez acheter.
- Vous jouez quand vous êtes dépressif ou quand vous êtes d'humeur à célébrer.

Les troubles anxieux et de panique

La crise est inattendue. Soudain, le cœur bat à tout rompre, vous avez des bouffées de chaleur et vous avez l'impression d'étouffer. Vous êtes étourdi, vous avez la nausée, vous avez peur de perdre le contrôle. Certaines personnes éprouvent également la peur de mourir. Chaque année, des milliers d'individus connaissent un épisode similaire. Souvent, croyant qu'ils subissent un infarctus, ils se rendent aux urgences. D'autres s'efforcent de ne pas tenir compte de ces symptômes parce qu'ils ne se rendent pas compte qu'ils viennent de subir une crise de panique.

Les attaques de panique sont des épisodes soudains de peur intense qui provoquent des réactions physiques caractéristiques. De 10 à 20 p. 100 des individus connaîtront une attaque de panique au moins une fois dans leur vie. Naguère associée à la crise de nerfs ou au stress, l'attaque de panique est maintenant considérée comme un trouble potentiellement débilitant, mais répondant au traitement de façon satisfaisante.

Le déclenchement du système d'alarme

Ces états anxieux commencent en général au début de l'âge adulte et peuvent affecter un individu jusqu'à la fin de sa vie. L'attaque commence brusquement, atteint son paroxysme dans les 10 minutes qui suivent et dure environ une demi-heure. Les symptômes peuvent inclure une accélération du rythme cardiaque, de la transpiration, des tremblements et une difficulté respiratoire. Le sujet pourrait également frissonner, avoir des bouffées de chaleur, des nausées, des crampes abdominales, des douleurs thoraciques et des étourdissements. La sensation d'étranglement ou la difficulté à avaler ne sont pas rares.

Si les attaques sont fréquentes ou si la peur de les subir nuit à vos activités normales, vous pourriez souffrir d'un état anxieux, d'une névrose d'angoisse connue sous le nom de panique. Les femmes lui sont plus sujettes que les hommes, et ses causes ne sont pas parfaitement connues. L'hérédité a peut-être un rôle à jouer dans les états anxieux : le risque de subir une attaque de panique augmente en présence d'antécédents familiaux de panique.

De nombreux scientifiques croient que l'attaque de panique déclenche une réaction instinctive d'alarme. Par exemple, si un grizzli vous pourchassait, votre corps réagirait instinctivement. Votre cœur battrait plus vite et vous auriez le souffle court pendant que vous mesureriez la gravité de la situation. Ces mêmes réactions caractérisent l'attaque de panique. Même en l'absence d'une stimulation anormale, quelque chose déclenche votre système d'alarme.

Certains problèmes médicaux peuvent également déclencher une attaque de panique : imminence d'une crise cardiaque, hyperthyroïdisme, sevrage de certaines substances toxiques. Si vous ressentez les symptômes d'une attaque de panique, consultez votre médecin.

Les options de traitement

Heureusement, les troubles anxieux et de panique répondent très bien au traitement. La plupart des gens peuvent rapidement mener une vie normale. Le traitement peut inclure ce qui suit :

- **La formation.** Pour bien contrôler et prévenir les attaques futures, il importe de connaître la nature de la panique. Votre médecin pourrait vous fournir de la lecture et vous apprendre des techniques de contrôle de la panique.
- **La médication.** On pourrait vous prescrire un antidépresseur, efficace dans la prévention des attaques futures. Dans certains cas, le médecin pourrait prescrire un tranquillisant seul ou en association avec un autre médicament. L'efficacité de ces médicaments varie et la durée du traitement dépend de la gravité des symptômes et de la réaction au traitement.
- **La thérapie.** Le psychiatre ou le psychologue vous aide à développer des techniques de contrôle des symptômes et des déclencheurs de l'anxiété et de la panique. Dans la plupart des cas, 8 à 10 séances suffisent. La psychothérapie de longue durée est rarement nécessaire.
- **La détente.** Voir page 235.

La dépression
et la déprime

Qui n'est pas déprimé de temps à autre? Qui ne s'est pas senti, pendant quelques jours, au fond du baril? Cette sensation s'estompe en peu de temps, et vous retrouvez votre vitalité habituelle. Mais si ces épisodes de déprime sont gênants, il existe des façons de les éviter.

Il ne faut pas confondre «déprime» et «dépression clinique». La déprime est provisoire et s'estompe rapidement.

La dépression clinique est un problème médical persistant, mais traitable. Éventuellement, on pourrait noter une amélioration spontanée, mais, en général, laissée sans traitement, la dépression persistera pendant plusieurs mois et même davantage. La personne dépressive ne jouit pas de la vie. Elle n'a pas d'énergie, elle perd toute estime de soi et se culpabilise sans raison. Elle éprouve également des difficultés de concentration et devient irritable. Elle souffre d'insomnie, et l'on note aussi parfois des changements aux habitudes alimentaires: inappétence ou appétit vorace. Le sujet peut éprouver un sentiment de désespoir profond et devenir suicidaire (voir page **210**). Une personne dépressive peut présenter certains de ces symptômes, la plupart d'entre eux ou encore tous ces symptômes.

Nous énumérons ci-dessous les symptômes de la dépression clinique et les symptômes de la déprime.

La dépression
- Absence persistante de vitalité
- Tristesse persistante
- Irritabilité et sautes d'humeur
- Sentiment récurrent de désespoir
- Vision négative du monde et des autres
- Excès d'appétit ou manque d'appétit
- Perte de l'estime de soi ou culpabilité
- Impossibilité de se concentrer, pertes de mémoire
- Insomnie matinale récurrente ou autres troubles du sommeil
- Inaptitude à jouir de la vie

La déprime
- Sentiment de tristesse pendant quelques jours, mais aptitude à fonctionner normalement
- Perte occasionnelle de vitalité, léger changement dans les habitudes de sommeil
- Aptitude à jouir de certaines activités de loisir
- Poids stable
- Sentiment de désespoir fugace

Autotraitement en cas de déprime

En cas de déprime, suivez ces conseils:
- Exprimez vos émotions. Parlez à une personne de confiance, votre conjoint, un membre de la famille, un conseiller spirituel. Ils peuvent vous prodiguer leur soutien et leurs conseils, et vous aider à prendre du recul.
- Ne restez pas seul.
- Adonnez-vous à des activités qui vous intéressent ou qui vous plaisent plus particulièrement.
- Faites modérément de l'exercice peut stimuler la bonne humeur.
- Reposez-vous et ayez une alimentation équilibrée.
- N'en faites pas trop à la fois. Si vous devez accomplir des tâches importantes, subdivisez-les en tâches plus petites. Fixez-vous des objectifs faciles à atteindre.
- Recherchez les occasions de venir en aide à des gens moins fortunés que vous.

■ Les causes de la dépression

Chaque année aux États-Unis, plus de 17 millions d'adultes souffrent de dépression. Il peut arriver que la dépression soit un effet secondaire de certains médicaments, qu'elle soit consécutive à une maladie ou à une alimentation déficiente, ou encore qu'elle soit due à un déséquilibre organique. Mais, le plus souvent, la cause de la dépression n'est pas clairement identifiable.

Des antécédents familiaux de dépression font de vous une personne à risque. La dépression peut également être récurrente ; si vous avez fait une première dépression, vous pourriez rechuter. Ne permettez pas à ces facteurs de dominer votre vie, mais tenez-en compte lorsque vous évaluerez votre état psychique. Si vous éprouvez des symptômes intermittents, n'hésitez pas à consulter un médecin. De même, si vous vous faites traiter par un psychiatre, prévenez-en votre médecin traitant afin d'éviter tout risque d'interaction nocive entre différents médicaments.

Il peut arriver que la dépression soit secondaire à un choc ou à un traumatisme, notamment la perte d'un être cher (voir plus bas) ou d'un emploi. Mais la dépression frappe aussi quand tout va bien. Il est certes normal d'éprouver de la tristesse à la suite d'un deuil ou d'un échec, mais si ce sentiment perdure indûment, il peut s'agir d'une dépression clinique.

La dépression ne disparaît pas d'elle-même. Ne vous attendez pas à en sortir du jour au lendemain ou à pouvoir la surmonter par la simple force de votre volonté. Si les symptômes perdurent plus de quelques semaines, si vous êtes désespéré ou suicidaire, cherchez de l'aide. Ne vous culpabilisez pas. Vous n'êtes pas responsable de votre dépression et celle-ci n'est pas une preuve de faiblesse.

Contactez votre médecin traitant ou demandez que l'on vous dirige vers un psychiatre. Le psychiatre est un médecin au même titre que votre médecin traitant ; il peut donc évaluer votre état en tenant compte des affections physiologiques qui pourraient contribuer à vos symptômes.

Si vos symptômes sont bénins mais persistants, un psychologue pourra vous aider. Contrairement au psychiatre, le psychologue n'a pas de formation médicale ; il est formé en psychothérapie. Si le fait de vous confier à un membre de la famille ou à vos amis peut vous soulager quelque peu, cela ne peut se substituer à une aide professionnelle compétente.

Si vous connaissez quelqu'un qui traverse une dépression, invitez cette personne à vivre une vie sociale normale. Encouragez-la avec fermeté, mais délicatement et sans insister. La famille et les amis doivent appuyer le processus thérapeutique et non pas s'y substituer. Il ne convient pas de banaliser la dépression, mais bien d'y voir une occasion de venir en aide à un être cher. La dépression est tout à fait traitable dans la plupart des cas. Rassurez la personne dépressive que tout ira mieux, mais ne vous attendez pas que son état s'améliore rapidement. Ne minimisez pas ses émotions et prêtez-lui une oreille attentive.

La dépression saisonnière, une autre forme de dépression, est associée au manque de lumière et se produit plus souvent l'hiver, dans les climats froids, quand les journées sont plus courtes. Elle affecte les femmes plus que les hommes. Les personnes atteintes bénéficient d'une cure de lumière artificielle dispensée par une lampe à spectre lumineux étendu.

Quelques conseils pratiques pour vivre le deuil

- **Exprimez vos émotions.** Rédigez vos souvenirs ou écrivez une lettre à la personne décédée.
- **Demandez de l'aide.** Lorsque nous traversons un deuil, nos amis ne savent pas toujours comment réagir. Nous pouvons les rassurer en leur demandant une aide précise.
- **Poursuivez vos activités habituelles.** Les personnes en deuil ne doivent pas oublier de faire de l'exercice, de s'alimenter correctement et de se reposer.
- **Si nécessaire, consultez.** Si votre deuil est extrêmement difficile à vivre ou s'il dure plus de 6 mois, il pourrait s'agir d'une dépression.

■ Les options de traitement

La plupart des personnes dépressives trouvent un soulagement dans la prise d'antidépresseurs. Il en existe plus d'une douzaine et chacun présente des caractéristiques particulières. Le médecin, souvent un psychiatre ou un généraliste, choisira le médicament le plus approprié. Discutez avec lui des effets secondaires potentiels. Si ceux-ci vous inquiètent, consultez le médecin qui vous a prescrit le médicament. Certains des effets secondaires les plus fréquents incluent la sécheresse de la bouche, une éruption cutanée, des étourdissements, de la constipation ou de l'agitation.

Parmi les autres traitements possibles, notons la psychothérapie (parler de ses émotions) et les consultations avec un psychiatre, un psychologue ou un thérapeute de conseil. Il existe plusieurs approches psychothérapeutiques. Certaines sont individuelles, d'autres s'adressent à des groupes de personnes qui connaissent des problèmes similaires et qui se réunissent pour en discuter sous la supervision d'un thérapeute.

Soyez patient. Si certaines améliorations deviennent évidentes au bout de 2 semaines, d'autres mettront jusqu'à 6 semaines pour se manifester. La lenteur du processus est parfois décourageante. Il importe donc que la famille et les amis vous apportent leur soutien et vous prodiguent leurs encouragements pendant ce temps. Vous pourriez aussi devoir ajuster périodiquement la posologie de vos médicaments.

Le patient ne doit pas s'attendre à une amélioration subite de son humeur et de sa vitalité. Les changements positifs aux habitudes de sommeil, à l'appétit et à la vitalité se produiront lentement. Il en ira de même de votre humeur générale et de votre sentiment de bien-être.

En plus de trouver un thérapeute ou un psychiatre compétent, vous devez vous sentir à l'aise avec lui. Il doit faire preuve d'empathie lorsque vous lui confiez vos problèmes, il doit vous interroger, vous faire part de ses réflexions et de ses recommandations et vous mettre au courant des risques possibles et des autres options de traitement à votre disposition.

Les signes avant-coureurs du suicide

Ne perdez pas de vue que les indices ci-dessous ne sont pas exhaustifs. La personnalité suicidaire type n'existe pas. Si vous êtes inquiet, consultez sans tarder.

- **Le retrait.** Le sujet refuse de communiquer et semble rechercher la solitude.
- **Les sautes d'humeur.** Le sujet est euphorique un jour et abattu le lendemain. Il traverse des phases de calme soudain et inexpliqué.
- **Crise existentielle ou traumatisme.** Un divorce, un décès, un accident, une perte de l'estime de soi à la suite d'un congédiement ou de problèmes financiers peuvent conduire un individu au bord du suicide.

- **Un changement de comportement.** Le sujet a changé d'attitude, ne se soucie plus de son apparence et ne s'intéresse plus à rien. Un introverti devient soudainement extraverti.
- **Les menaces.** On croit à tort que les personnes qui menacent de se suicider ne passeront pas à l'acte.
- **Les cadeaux.** Le sujet « lègue » ses biens personnels à ses amis et aux êtres chers.
- **La dépression.** Le sujet semble dépressif et incapable de fonctionner normalement au travail et dans sa vie sociale.
- **Le goût du risque.** La tendance suicidaire se manifeste par un goût subit pour la vitesse ou les comportements sexuels risqués.

La violence familiale

Violence physique, viol conjugal, peur de recevoir des coups de la part d'un conjoint ou peur que vos enfants deviennent victimes de violence physique ou sexuelle de la part de votre conjoint : toutes ces situations sont synonymes de violence familiale.

Ce sont surtout les femmes qui sont victimes de violence familiale, mais les hommes n'en sont pas exempts. Chaque année, aux États-Unis, entre 2 et 4 millions de femmes sont battues, et 1 500 femmes sont tuées par leur mari, leur ex-mari ou leur conjoint de fait. La violence familiale est le fait de toutes les origines ethniques, de tous les groupes d'âge, de toutes les classes sociales et de toutes les confessions.

La violence physique est le recours à la force dans le but de dominer et d'asservir une autre personne. La personne violente a également recours à l'intimidation, à la violence psychologique, au harcèlement, à l'humiliation et aux menaces.

À quoi reconnaît-on un comportement violent ?

Vous vivez sans doute une relation de violence si vous vivez ce qui suit :

- On vous a déjà frappé(e) de la main ou des pieds, on vous a bousculé(e) ou menacé(e) avec force.
- Vous n'êtes pas libre d'aller et venir à votre guise ni de porter les vêtements qui vous plaisent.
- On vous a accusé(e) à tort d'avoir posé certains actes.
- Vous n'êtes pas libre de prendre des décisions.
- Vous entérinez les décisions de votre conjoint parce que vous appréhendez sa colère.

Autotraitement

Comment réagir

- Si vous croyez devenir victime de violence, confiez-vous à quelqu'un au plus tôt. Faites appel à un service téléphonique d'urgence de votre localité ou à une agence de services sociaux. Confiez-vous à un ami, à votre médecin ou à un membre du clergé.
- Si vous êtes déjà victime de violence, planifiez votre fuite. Soyez prêt(e) à fuir avec vos enfants, vos clés et vos papiers importants. Soyez alerte et disposé(e) à partir sans préavis.
- Ayez de l'argent comptant en cas d'urgence.
- Conservez une liste de numéros de téléphone de personnes qui peuvent vous venir en aide.
- Apprenez par cœur le numéro de téléphone d'un refuge pour femmes battues.

Les services professionnels

Certaines personnes hésitent à discuter ouvertement de ces problèmes avec des étrangers. Mais si vous faites appel à une agence de services sociaux ou si vous vous confiez à un conseiller, vous pouvez lui faire part de l'embarras et de la honte que vous éprouvez.

Si vous devez faire appel à la police, assurez-vous qu'on réagira promptement et qu'on vous prendra au sérieux. Dans certains endroits, l'arrestation du suspect est obligatoire : la personne violente devra quitter le domicile pendant toute la durée de l'enquête.

Si vous vous rendez à un refuge, vous y serez en sécurité et l'on vous entourera de soins. Renseignez-vous sur vos droits, notamment sur la possibilité d'obtenir une ordonnance restrictive ; celle-ci interdit à la personne violente d'entrer en communication avec vous.

Vous devriez également avoir accès à une thérapie de conseil afin de pouvoir discuter de vos problèmes et de décider, de concert avec le thérapeute, s'il convient de prendre des mesures légales.

Les pertes de mémoire

Il arrive à tout le monde d'avoir la mémoire qui flanche. Où ai-je mis les clés de la voiture ? Quel est le nom de la personne à qui je viens de serrer la main ? Ces oublis sont normaux. Mais si vous souffrez de pertes de mémoire chroniques, vous devez consulter un médecin.

À la naissance, le cerveau compte des milliards de cellules. Avec l'âge, certaines d'entre elles meurent sans être remplacées. Notre corps produit une quantité décroissante des substances chimiques qui assurent la survie et le fonctionnement de nos cellules cérébrales. Bien que la mémoire à court terme et la mémoire à long terme ne soient pas affectées en général, avec l'âge, la mémoire récente perd de son efficacité.

Il existe 3 types de mémoire :
- **La mémoire à court terme.** C'est la mémoire temporaire. On cherche un numéro de téléphone dans l'annuaire, et on l'oublie sitôt après l'avoir composé. Dès qu'une information ne nous est plus utile, elle se volatilise.
- **La mémoire récente.** C'est la mémoire qui préserve le passé récent : ce que vous avez mangé au petit-déjeuner, les vêtements que vous avez portés hier.
- **La mémoire à long terme.** Cette mémoire préserve le passé lointain, notamment vos souvenirs d'enfance.

Les pertes de mémoire peuvent avoir plusieurs causes. Elles peuvent être dues aux effets secondaires de certains médicaments, à un trauma crânien, à l'alcoolisme, à une thrombose. Les troubles de la vue et de l'ouïe sont également susceptibles d'affecter la mémoire. Les femmes enceintes éprouvent parfois des problèmes de mémoire à court terme. La *démence* (également appelée « sénilité ») occasionne aussi des pertes de mémoire.

La maladie d'Alzheimer est la forme la plus répandue de démence. Ses symptômes incluent une perte progressive de la mémoire récente et une inaptitude à assimiler de nouvelles informations ; une tendance de plus en plus marquée à se répéter, à égarer des objets, à être confus et à se perdre ; la lente désintégration de la personnalité, du jugement et des aptitudes sociales ; une augmentation graduelle de l'irritabilité, de l'anxiété, des épisodes dépressifs, de la confusion et de l'agitation.

Autotraitement pour améliorer sa mémoire	• **Développez une routine.** Il est plus facile d'assumer ses activités quotidiennes lorsqu'on respecte une routine. (Planifiez un calendrier des tâches domestiques : lavez la salle de bains le samedi ; arrosez les plantes le dimanche, etc.) • **Exercez votre intellect.** Faites des casse-tête ou des mots croisés et adonnez-vous à des activités qui mettent vos facultés mentales au défi. • **Ne négligez pas l'exercice.** Quand vous entrez dans une pièce où il y a plusieurs personnes, faites un inventaire mental de celles que vous reconnaissez. Lorsque vous faites la connaissance de quelqu'un, glissez son nom à quelques reprises dans la conversation. • **Taquinez les nombres.** Supposons que l'anniversaire de votre épouse tombe un 3 octobre. Développez un moyen mnémotechnique pour vous le rappeler ; par exemple, chantez « Trois fois passera ». • **Faites des associations d'idées.** En conduisant la voiture, remarquez les points de repère et nommez-les à voix haute pour bien les imprimer dans votre mémoire (« Pour aller chez Robert, tourner à gauche à l'école secondaire »). • **Évitez de vous faire du souci.** L'inquiétude ne fera qu'aggraver la situation. • **Rédigez des listes.** Notez ce que vous avez à faire et tous vos rendez-vous. Par exemple, payez la facture du téléphone le même jour de chaque mois.
Soins médicaux	Si vos pertes de mémoire vous inquiètent, consultez un médecin.

Restez en forme

- Se laver les mains
- Quel est votre poids santé?
- Une saine alimentation
- Comment réduire son taux de cholestérol
- L'exercice et la bonne forme physique
- Le dépistage et les vaccins
- Le contrôle du stress
- Protégez-vous

Cette section contient des tas de renseignements utiles qui ont pour but de vous aider à rester en forme en développant et en maintenant de bonnes habitudes de vie.

Se laver les mains

À une époque où la haute technologie domine tous les aspects des soins de santé, il est facile de perdre de vue que de simples mesures d'hygiène de base peuvent contribuer, à leur humble façon, à prévenir les infections. En se lavant souvent les mains à l'eau et au savon, il est possible d'éviter des maladies qui engageraient pour leur traitement des sommes considérables et un énorme capital de temps.

Pourquoi est-ce important ?

Quand nous accomplissons nos activités quotidiennes, les germes s'accumulent sur nos mains. Si nous négligeons de nous laver les mains, nous risquons de propager tout un éventail de maladies, du simple rhume à des infections beaucoup plus graves telles que la dysenterie (infection intestinale) ou l'hépatite (inflammation du foie).

La plupart des cas de diarrhée et de vomissements sont attribuables à une hygiène déficiente.

Ne perdez pas de vue que plus de décès sont dus à des infections qu'à toute autre maladie, si l'on excepte les maladies coronariennes et le cancer. La pneumonie et la grippe sont la sixième cause de décès aux États-Unis.

Les Américains dépensent annuellement plus de 20 milliards de dollars pour combattre les infections. Mais le pire est que beaucoup de ces souffrances pourraient être évitées grâce à une savonnette de quelques sous.

Comment doit-on se laver les mains ?

Il n'est pas si simple qu'il n'y paraît de se laver correctement les mains. Il faut appliquer du savon ou du détergent sur la paume des mains et frotter vigoureusement pendant au moins 10 secondes pour éliminer les germes (micro-organismes), et ensuite les rincer.

La température de l'eau importe peu, mais une eau suffisamment chaude pour éliminer les matières grasses (43 °C) est préférable. Plus chaude, elle tue les germes, mais on risque de se brûler les mains.

Les germes tendent à proliférer autour des cuticules, sous les ongles et dans les plis. Concentrez-vous sur ces zones. Rincez-vous parfaitement les mains afin d'enlever le plus de micro-organismes possible.

Quand doit-on se laver les mains ?

S'il est impossible d'éliminer complètement les germes de nos mains, il y a des occasions où il est indispensable de bien les laver.

Lavez-vous toujours les mains dans les situations suivantes :
- Avant de manger ou de manipuler des aliments
- Après être allé aux toilettes
- Après avoir changé la couche du bébé
- Après avoir joué avec un animal de compagnie
- Après avoir manipulé des ordures
- Après avoir manipulé de l'argent
- Après vous être mouché ou après avoir éternué ou avoir toussé dans vos mains
- Après avoir manipulé des aliments crus (surtout la viande)

Le lavage des mains en milieu hospitalier

Il y a toujours place pour de l'amélioration en ce qui concerne le lavage énergique des mains, et ces mesures d'hygiène préoccupent les professionnels de la santé.

Les infections transmises en milieu hospitalier (infections nosocomiales) sont beaucoup trop répandues. Selon les Centers for Disease Control and Prevention, aux États-Unis, les coûts directs associés à ces infections totalisent en moyenne 4 milliards de dollars par an.

Que faire ?

N'oubliez pas que le personnel médical est souvent très occupé. Ces professionnels oublient parfois de se laver les mains. Si vous êtes leur patient, vous pourriez leur renouveler la mémoire avec tact.

Quel est votre poids santé?

Pour quantité d'individus qui s'efforcent de perdre du poids, c'est l'impasse. Nous sommes bombardés de recettes et de diètes miracles. La minceur est très lucrative! L'obésité comporte des risques. Pour parvenir à perdre du poids, il faut à la fois être bien informé, être déterminé, ainsi qu'être disposé à réduire notre consommation de nourriture et à faire régulièrement de l'exercice.

Pour la plupart des personnes qui font de l'embonpoint, perdre du poids est un objectif raisonnable, car une perte de poids nous rend moins à risque pour les maladies cardiaques, le diabète et l'hypertension. Malheureusement, un grand nombre de personnes, surtout des femmes, s'efforcent de perdre du poids sans nécessité. Perdre du poids lorsqu'on est déjà mince n'offre aucun avantage et peut même nuire à la santé.

Les risques associés à l'embonpoint

Le poids auquel nous devrions tendre est celui qui favorise un état de santé optimal. N'oubliez pas que votre poids n'est qu'un des nombreux éléments qui contribuent à votre état de santé.

Si vous faites de l'embonpoint, vous êtes davantage à risque pour les troubles suivants:
- L'hypertension
- Les maladies cardiaques
- Le diabète non-insulino-dépendant
- La détérioration des articulations
- Les maux de dos chroniques
- Les calculs biliaires
- Les affections respiratoires

Les personnes qui aspirent à la minceur rencontrent des tas d'obstacles. De toutes celles qui parviennent à perdre du poids, plus de 95 p. 100 reprennent les kilos perdus dans les 5 ans qui suivent. Que faire? D'abord, déterminez si vous faites vraiment de l'embonpoint. Dans l'affirmative, mettez au point un programme-minceur réaliste et sécuritaire.

La capacité de l'organisme à accumuler des graisses est pratiquement sans limites. La perte de poids diminue la pression exercée sur les organes internes par l'excédent de gras et les tensions que subissent le bas du dos, les hanches et les genoux.

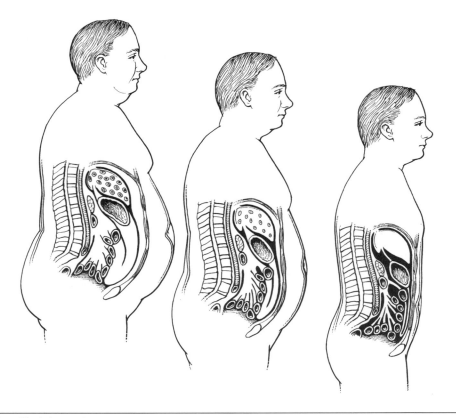

■ Comment calculer son indice de masse corporelle

Qu'est-ce qu'un poids santé? Si vous faites de l'hypertension, ou si vous êtes à risque pour l'hypertension, il n'est pas indispensable que vous deveniez « mince », mais vous devriez vous efforcer d'atteindre le poids qui vous permet le plus facilement de contrôler votre tension artérielle et qui diminuera les risques de subir d'autres ennuis de santé.

Il existe 3 modèles d'auto-évaluation qui vous aideront à déterminer votre poids santé et à décider si vous auriez intérêt à perdre quelques kilos.

L'indice de masse corporelle

La première étape pour évaluer votre poids santé consiste à déterminer votre indice de masse corporelle. Le tableau ci-dessous vous y aidera.

Un indice de masse corporelle de 19 à 24 est idéal. S'il se situe entre 25 et 29, vous faites de l'embonpoint. Vous êtes obèse s'il est de 30 ou plus, et extrêmement obèse lorsqu'il excède 40.

Avec un indice de 25 ou davantage, vous risquez de souffrir d'une maladie associée au poids, notamment l'hypertension.

Quel est votre indice de masse corporelle?

L'indice de masse corporelle (IMC)

IMC	Poids santé		Embonpoint					Obésité				
	19	24	25	26	27	28	29	30	35	40	45	50
Taille						Poids en kilogrammes						
1,47 m	41	52	54	56	59	61	63	65	76	87	98	108
1,50 m	43	54	56	58	60	63	65	67	78	90	101	112
1,52 m	44	56	58	60	63	65	67	69	81	93	104	116
1,55 m	45	58	60	62	65	67	69	72	84	96	108	120
1,57 m	47	59	62	64	67	69	72	74	87	99	112	124
1,60 m	49	61	64	66	69	72	74	77	89	102	115	128
1,63 m	50	64	66	68	71	74	77	79	92	105	119	132
1,65 m	52	65	68	71	73	76	79	82	95	109	122	136
1,68 m	54	67	70	73	76	78	81	84	98	112	126	140
1,70 m	55	69	72	75	78	81	84	87	101	116	130	145
1,73 m	57	72	74	76	80	83	86	89	104	119	134	149
1,75 m	58	73	77	80	83	86	89	92	107	122	139	153
1,78 m	60	76	79	82	85	88	92	95	110	126	142	158
1,80 m	62	78	81	84	88	91	94	98	113	130	146	162
1,83 m	64	80	83	87	90	93	97	100	117	133	150	167
1,85 m	65	83	86	89	93	96	99	103	120	137	154	171
1,88 m	67	84	88	92	95	99	102	106	123	141	159	176
1,91 m	69	87	91	94	98	102	105	109	127	145	163	181
1,93 m	71	89	93	97	100	104	108	112	130	149	167	186

Cette grille est une version modifiée des National Institutes of Health Clinical Guidelines on the Identification, Evaluation, and Treatment of Overweight and Obesity in Adults, 1998 (Recommandations cliniques des National Institutes of Health pour l'identification, l'évaluation et le traitement de l'embonpoint et de l'obésité chez les adultes, 1998).

Tour de taille

Le tour de taille est la deuxième mesure en importance après l'indice de masse corporelle. Il montre l'emplacement de votre excès de gras. Chez la plupart des gens, l'embonpoint est localisé autour de la taille : c'est la silhouette en forme de « pomme ». Chez les autres, l'embonpoint est localisé au-dessous de la taille, sur les hanches et les cuisses : c'est la silhouette en forme de « poire ».

La poire est préférable à la pomme. L'excédent de gras autour de la taille est associé à une incidence accrue d'hypertension, de diabète, de maladies coronariennes, d'accidents vasculaires cérébraux et de certains types de cancer. Chez les personnes de type « pomme », le gras de l'abdomen est plus susceptible de s'accumuler dans les artères, mais on ignore encore le mécanisme exact de cette particularité.

Pour déterminer si votre excédent de gras est localisé à la taille, prenez vos mensurations. Posez le galon juste au-dessus de l'extrémité supérieure des os de hanche. Une taille de plus de 102 cm (40 po) chez les hommes et de plus de 88 cm (35 po) chez les femmes met votre santé en péril, surtout si votre IMC est supérieur à 25.

Restez en forme

■ Quelques conseils pour perdre du poids

Pour perdre du poids, vous devez modifier vos habitudes de vie en améliorant votre alimentation et votre niveau d'activité physique. Engagez-vous à perdre du poids lentement et à changer graduellement vos habitudes. Le temps est un important facteur de succès.

Autotraitement

- **Ne vous engagez pas dans un programme minceur lorsque vous êtes déprimé** ou que vous traversez une période difficile de votre vie : dans ces circonstances, toutes vos tentatives seront vouées à l'échec.
- **Fixez-vous des objectifs réalistes** (à court et à long terme). Vous voulez perdre 20 kilos ? Commencez par en perdre 2.
- **Surveillez votre alimentation.** La plupart des gens sous-estiment le nombre de calories qu'ils consomment en une journée. Une réduction de 500 à 1000 calories par jour est réaliste si vous voulez perdre de ½ à 1 kilo par semaine. Les régimes alimentaires très peu calorifiques (1 200 calories par jour) ne satisfont pas vos besoins en nutriments. Référez-vous à la page **219** : « Une saine alimentation équilibrée ».
- **Apprenez à aimer les aliments qui sont bons pour vous.** Étudiez la pyramide alimentaire de la page **220**. Ayez toujours des aliments sains sous la main pour les collations et pour les repas. Planifiez vos collations.
- **Limitez les matières grasses à 30 p. 100 de votre alimentation totale,** et si possible à 20 p. 100. Mais n'exagérez pas. Les matières grasses sont indispensables à une bonne santé. Pour réduire votre consommation de graisses, mangez moins de viande et évitez les fritures, les desserts trop riches, la margarine, la mayonnaise et les vinaigrettes.
- **Ne sautez pas de repas.** Il importe de manger à des heures régulières pour contrôler son appétit et ses choix alimentaires. Le petit-déjeuner stimule le métabolisme dès le début de la journée : si vous déjeunez le matin, vous brûlez davantage de calories.
- **Tenez un registre alimentaire.** Les personnes qui notent tout ce qu'elles mangent parviennent plus facilement à ne pas reprendre l'excédent de poids qu'elles ont réussi à perdre. Tenez aussi un registre de vos programmes d'exercices.
- **Notez ce qui exerce une influence sur vos tentatives pour perdre du poids.** Quand vous avez une fringale, notez-le. Dépend-elle de votre humeur, de l'heure de la journée, des aliments à votre portée, d'une activité particulière ? Mangez-vous sans réfléchir à ce que vous faites, par exemple, en regardant la télévision ou en lisant le journal ?
- **Réfléchissez à ce que vous buvez.** Réduisez votre consommation de boissons gazeuses. L'alcool est très calorifique ; il stimule l'appétit et affecte la volonté. Le lait réduit en matières grasses et les jus de fruits contiennent aussi des calories. Buvez de l'eau. Une boisson gazeuse de temps en temps ne vous fera pas de tort.
- **Évitez les sucreries et le sucre.** Tous deux sont très calorifiques et pauvres en nutriments essentiels. Les bonbons et les desserts sont parfois très riches en matières grasses.

- **Mangez lentement.** Vous mangerez moins, car vous vous sentirez rassasié plus tôt.
- **Concentrez-vous sur ce que vous mangez.** Ne faites rien d'autre en mangeant (par exemple, ne lisez pas et ne regardez pas la télévision).
- **Faites le service vous-même.** Renoncez aux plats de service.
- **Utilisez des assiettes plus petites,** réduisez vos portions et posez vos couverts entre chaque bouchée.
- **Essayez d'ignorer vos fringales.** Elles s'estomperont au bout de quelques minutes.
- **Ne vous pesez pas trop souvent.** Une fois la semaine est suffisant.
- **Les suppléments vitaminiques** sont indispensables lors d'un régime amaigrissant, surtout si l'on se limite à 1400 calories par jour. Évitez les préparations coûteuses, les doses trop élevées et les comprimés « pour maigrir ».

Chez certaines personnes, l'embonpoint affecte grandement l'état de santé (obésité morbide). Elles doivent prendre des mesures radicales pour éviter une mort prématurée, notamment les coupe-faim, le jeûne ou la chirurgie. Ces approches doivent toujours être étroitement supervisées par un médecin. Toutefois, si le sujet ne modifie en rien ses habitudes alimentaires, même ces mesures échoueront.

■ L'exercice physique: la clé de la minceur

L'exercice constitue un élément important de tout programme minceur. Mais n'entreprenez que graduellement tout programme d'exercice, surtout si vous n'êtes plus très en forme. Si vous avez plus de 40 ans, que vous fumez, que vous avez subi un infarctus ou que vous souffrez de diabète, consultez votre médecin avant d'adopter tout programme de conditionnement physique. Il devra peut-être effectuer une épreuve d'effort afin d'évaluer votre niveau de risque et de connaître vos limites.

Autotraitement

- **Trouvez 1 ou 2 activités qui vous plaisent** et auxquelles vous pouvez vous adonner régulièrement. Commencez lentement et progressez petit à petit afin d'atteindre votre objectif, qui sera de faire 30 minutes ou plus d'exercice chaque jour.
- **Il n'est pas nécessaire que cette activité soit très énergique** pour qu'elle produise des résultats. Vous pourrez atteindre votre objectif en pratiquant régulièrement des exercices modérés tels que la marche.
- **Variez votre programme** afin d'éviter l'ennui et d'améliorer votre forme générale.
- **Faire de l'exercice avec un ou une ami(e)** vous aidera à ne pas flancher.
- **Tout compte, même les petites choses.** Garez la voiture à l'extrémité du parc de stationnement. Montez l'escalier au lieu de prendre l'ascenseur. Descendez de l'autobus plus tôt et marchez.
- **Tenez un registre de vos activités.**
- **Soyez fidèle à votre programme d'exercices.** Ne le remettez pas pour faire autre chose.
- **Pour de plus amples renseignements,** consultez le chapitre intitulé « L'exercice et la bonne forme physique », en page **225**.

Une saine alimentation

L'organisme puise l'énergie et les nutriments dont il a besoin dans les aliments. Bien entendu, la plupart des gens aiment manger. Si manger à sa faim est rarement un problème, une alimentation saine et équilibrée peut devenir un défi, mais elle est indispensable pour prévenir les maladies et pour être au sommet de sa forme.

De nombreuses affections graves (les maladies cardiaques, le cancer et les accidents vasculaires cérébraux, entre autres) sont dues, en partie, à une surconsommation d'aliments mal choisis. Pour la plupart des gens, la meilleure attitude consiste à observer les principes alimentaires de base.

- **Ayez une alimentation variée** et consommez beaucoup de légumes, de fruits et de céréales.
- **Maintenez un poids santé** (voir page **215**).
- **Réduisez les matières grasses et le cholestérol** (voir ci-dessous et page **222**).
- **Limitez votre consommation de sucres simples** (sucreries). S'ils ne sont pas directement une cause d'hyperactivité ou de diabète, ils sont très riches en calories et pauvres en nutriments indispensables (vitamines et minéraux). Ils contribuent en outre à l'obésité, et l'on sait que l'obésité peut mener au diabète.
- **Limitez votre consommation de sel** (sodium). Ne salez pas vos aliments à table et salez peu à la cuisson. Le sodium affecte l'équilibre des fluides de l'organisme et peut hausser la tension artérielle.
- **Consommez l'alcool avec modération.** Si vous voulez consommer de l'alcool, buvez modérément, soit pas plus de 1 verre par jour pour les femmes qui ne sont pas enceintes, et pas plus de 2 verres par jour pour les hommes. (Un verre égale 350 ml de bière, 150 ml de vin ou 50 ml de spiritueux à 80°.)

Restez en forme

Quelle quantité de gras devrions-nous consommer?

Aussi peu que 1 cuillerée à table d'huile végétale suffit à satisfaire nos besoins quotidiens en acides gras. L'excédent des matières grasses se transforme en calories, contribue à l'embonpoint et augmente les risques de maladies coronariennes et de certains types de cancer.

Les spécialistes nous conseillent de limiter notre consommation de gras à 20 ou 30 p. 100 des calories totales. Puisque les gras saturés élèvent le niveau de cholestérol dans le sang, ils ne devraient pas excéder un tiers du gras total dans votre alimentation. La viande, le lait (sauf le lait écrémé), le fromage, la crème glacée, l'huile de palme et l'huile de coco (dans les susbtituts de lait) contiennent des gras saturés. La margarine et le saindoux fabriqués à partir d'huiles végétales hydrogénées contiennent des acides gras trans et contribuent également à hausser le taux de cholestérol.

Apprenez à lire les étiquettes pour bien choisir vos aliments et contrôler votre consommation de gras. Si vous ne faites pas d'embonpoint, que vous êtes en forme et que votre taux de cholestérol est peu élevé, la consommation de matières grasses que suggèrent les départements de l'agriculture et de la santé et des services sociaux des États-Unis est la suivante :

	Gras total (en grammes)	Gras saturés (en grammes)
La plupart des femmes et des autres adultes	53	16
La plupart des hommes, des femmes actives, des adolescentes et des enfants	73	22
Les hommes actifs et les adolescents	93	28

■ La pyramide alimentaire

La pyramide alimentaire ci-dessous a été développée par le Département d'agriculture des États-Unis. Elle englobe les principes d'une alimentation à faible teneur en gras, à riche teneur en fibres, riche en vitamines, en minéraux et en autres nutriments essentiels. Tous ces facteurs contribuent à une santé et une énergie optimales ; ils favorisent le contrôle du poids et réduisent les risques de maladies cardiovasculaires et de certains types de cancer. La disposition pyramidale met en relief par ordre d'importance les groupes alimentaires qui doivent faire partie d'un régime sain, de même que les aliments à éviter.

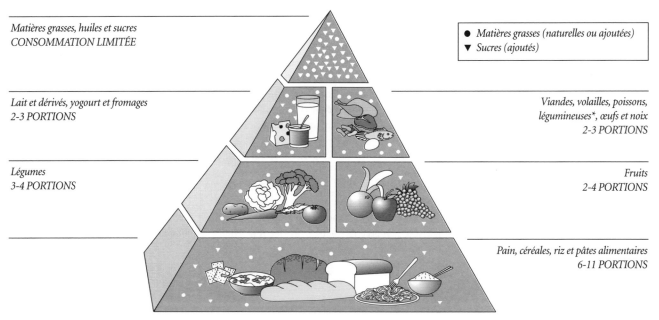

Matières grasses, huiles et sucres
CONSOMMATION LIMITÉE

● *Matières grasses (naturelles ou ajoutées)*
▼ *Sucres (ajoutés)*

Lait et dérivés, yogourt et fromages
2-3 PORTIONS

Viandes, volailles, poissons,
légumineuses*, œufs et noix
2-3 PORTIONS

Légumes
3-4 PORTIONS

Fruits
2-4 PORTIONS

Pain, céréales, riz et pâtes alimentaires
6-11 PORTIONS

* Substituez souvent des légumineuses aux protéines animales.

Combien de portions par jour nous sont-elles nécessaires ?

	Femmes et autres adultes	Enfants, adolescentes, femmes actives, la plupart des hommes	Adolescents, hommes actifs	Femmes enceintes et qui allaitent
Niveau calorifique*	1 600 approx.	2 200 approx.	2 800 approx.	1 800-2 000
Céréales	6	9	11	9
Légumes	3	4	5	4
Fruits	2	3	4	3
Produits laitiers	2-3†	2-3†	2-3†	3
Viandes	2 (total 140 g)	2 (total 170 g)	3 (total 200 g)	3 (total 200 g)

* Niveau calorifique si vous optez pour des aliments à faible teneur en gras choisis dans les 5 principaux groupes alimentaires, et que vous réduisez votre consommation de matières grasses, d'huiles et de sucreries.

†Les adolescents et les jeunes adultes jusqu'à 24 ans doivent consommer 3 portions quotidiennes.

Tiré de *Mayo Clinic Diet Manual*, septième édition, 1994, et de la pyramide alimentaire du Département de l'agriculture des États-Unis.

■ La caféine

Le café, le thé et le chocolat contiennent de la caféine. On ajoute aussi souvent de la caféine aux boissons gazeuses et à certains médicaments en vente libre, notamment les analgésiques, les médicaments contre le rhume, les stimulants et les remèdes contre les allergies.

Bien que la prise régulière de caféine ne soit pas reconnue officiellement comme étant une dépendance, de nombreuses personnes ont besoin de caféine pour se réveiller : tant que vous n'avez pas bu votre café, vous êtes somnolent et vous avez un léger mal de tête. Si vous éprouvez de la difficulté à dormir, si vous souffrez de maux de tête, de fatigue, d'irritabilité, de nervosité, de déprime légère ou que vous bâillez souvent, vous consommez sans doute trop de caféine.

Autotraitement

Si la caféine vous gêne, essayez ce qui suit :

- Si vous buvez plus de 4 portions par jour de café ou de boissons caféinées, réduisez progressivement votre consommation de 1 portion par jour.
- Quand vous avez soif, optez pour de l'eau ou pour une boisson qui ne contient pas de caféine.
- Remplacez une partie de votre mélange de café préféré par du café décaféiné.
- Substituez du café instantané ordinaire à votre café au percolateur. Le café instantané contient moins de caféine.
- Préférez le thé ou une autre boisson chaude au café. Soyez prudent si vous consommez des tisanes. Certaines tisanes, surtout les préparations domestiques, ont des effets similaires, voire plus prononcés que le café.
- Vos symptômes devraient commencer à s'estomper dans 4 à 10 jours.

Proportion de caféine dans les boissons, les aliments et les médicaments

	Milligrammes de caféine*			Milligrammes de caféine*
Café (145 ml)		Pepsi Diète		36
au percolateur	75	RC Cola		36
au goutte-à-goutte	105	7-Up, Sprite, Crush et		
instantané	60	Racinette A&W		0
Thé (145 ml)		Cacao (145 ml)		5
importé	60	Lait au chocolat (235 ml)		10
domestique	40	Chocolat mi-amer (28 g)		10-20
instantané	30	Sirop au chocolat (30 ml)		5
glacé (350 ml)	70			
		Médicaments en vente libre		
Boissons gazeuses (350 ml)		Vivarin (1 comprimé)		200
Mountain Dew	55	No-Doz (1 comprimé force maximale)		200
Coca-Cola	46	Excedrin† (1 comprimé extra-fort,		
Coke Diète	46	sans AAS)		65
Dr. Pepper	40	Midol† (1 comprimé, force maximale)		60
Pepsi Cola	38	Vanquish† (1 comprimé)		33

* Quantités moyennes, sauf pour les médicaments
† Excedrin, Midol et Vanquish contiennent également d'autres ingrédients actifs

Comment réduire son taux de cholestérol

Les maladies cardiovasculaires sont la première cause de décès en Amérique du Nord (un million de décès chaque année). Un grand nombre de ces décès sont attribuables à l'athérosclérose (rétrécissement ou obstruction des artères). Le cholestérol joue un rôle majeur dans cette affection pourtant évitable dans bien des cas.

L'athérosclérose, un processus muet et indolore, est l'accumulation, sur la paroi interne des artères, de dépôts gras contenant du cholestérol. Ces dépôts prennent la forme de nodules appelés athéromes (plaque). L'accumulation de plaque rétrécit le diamètre de l'artère et entrave la circulation du sang.

Qu'est-ce que le cholestérol ?

Le cholestérol est présent dans toutes les cellules de l'organisme, et toutes en ont besoin. Mais les risques de maladies cardiovasculaires augmentent si le sang contient une trop forte proportion de cette substance cireuse et grasse.

Une perte de poids, un régime à faible teneur en matières grasses et d'autres modifications à vos habitudes de vie peuvent abaisser votre taux de cholestérol. Mais, parfois, ces mesures sont insuffisantes ; vous devenez alors vulnérable aux maladies cardiaques ou aux accidents vasculaires cérébraux.

Il existe heureusement une vaste gamme de médicaments aptes à abaisser rapidement le taux de cholestérol et à réduire sensiblement votre facteur de risque.

Pourquoi avons-nous besoin de cholestérol ?

Le cholestérol n'est qu'un des lipides (matières grasses) présents dans le sang. On en parle souvent comme d'un poison, mais il nous est indispensable. Il est essentiel aux membranes cellulaires, c'est un isolant du système nerveux, et il favorise la production de certaines hormones en plus de participer à la digestion.

Le foie fabrique environ 80 p. 100 du cholestérol total de l'organisme. Le reste provient des produits d'origine animale de notre alimentation.

Le système sanguin, qui transporte les nutriments en provenance des aliments digérés, transporte aussi le cholestérol. Pour ce faire, l'organisme enduit le cholestérol d'une protéine. Cette union d'une protéine et du cholestérol porte le nom de lipoprotéine. On qualifie souvent de « mauvais » le cholestérol des lipoprotéines de basse densité. Avec le temps, il peut s'accumuler avec d'autres substances sur la paroi interne des artères et former la plaque (athéromes) dont la présence rétrécit les artères et rend vulnérable aux infarctus et aux accidents vasculaires cérébraux. Au contraire, on qualifie de « bon » le cholestérol des lipoprotéines de haute densité, car il contribue à évacuer le cholestérol des vaisseaux sanguins.

La médication

Si, en dépit de l'exercice et des changements que vous apportez à votre alimentation, votre taux de « mauvais » cholestérol est encore trop élevé ou votre taux de « bon » cholestérol trop bas (voir « Le dosage de la cholestérolémie », page **224**), certains médicaments peuvent venir à votre rescousse en modifiant le niveau de cholestérol du sang ou celui des triglycérides (un autre lipide).

Artère normale

Artères encrassées

Athéromes (plaque)

L'excès de particules de LDL cholestérol dans le sang augmente les risques de dépôts de cholestérol sur la surface interne des artères. Avec le temps, une accumulation de nodules gras (athéromes) se forme et entraîne le rétrécissement, voire l'obstruction des artères.

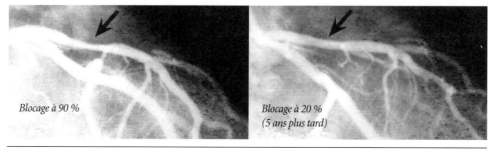

Angiographies de l'artère coronarienne prises à 5 ans d'intervalle : les résultats favorables de la prise d'hypocholestérolémiants y sont clairement visibles.

Blocage à 90 %

Blocage à 20 % (5 ans plus tard)

La réduction du LDL cholestérol ou d'autres lipides empêche la formation de plaque (athéromes) ou la réduit. Quelques mois suffisent généralement pour que les médicaments aident à la stabilisation de la plaque déjà formée dans les vaisseaux sanguins et empêchent que celle-ci ne craquelle ou ne se désagrège, ce qui entraînerait une obstruction ou la formation d'un caillot.

Il existe plusieurs types de médicaments pour abaisser le taux de cholestérol :

- **Les résines.** La cholestyramine (Questran) et le colestipol (Colestid) sont utilisés depuis environ 20 ans. Ces résines réduisent indirectement le taux de cholestérol en se liant aux acides biliaires du tube digestif. Les acides biliaires sont fabriqués dans le foie à partir du cholestérol. Ils sont indispensables à la digestion. Lorsqu'ils se fixent aux acides biliaires, ils incitent le foie à en produire davantage. Et puisque le foie utilise le cholestérol pour fabriquer ces acides, moins de cholestérol pénètre dans le système sanguin.
- **Les médicaments pour réduire le taux de triglycérides.** Le gemfibrozil (Lopid) ou des doses élevées de niacine, une vitamine, peuvent diminuer la production de triglycérides et même les évacuer du sang.
- **Les statines.** Ces médicaments, introduits à la fin des années 1980, sont en voie de devenir les médicaments les plus souvent prescrits pour réduire le taux de cholestérol. Si vous avez déjà vu des publicités pour ces hypocholestérolémiants, vous connaissez sans doute déjà leur nom : la fluvastatine (Lescol), la lovastatine (Mevacor), la simvastatine (Zocor), la pravastatine (Pravachol) et l'atorvastatine (Lipitor).

En comprimés ou en capsules, les statines agissent directement sur le foie pour y bloquer une substance indispensable à la production du cholestérol. Ce processus réduit le cholestérol présent dans les cellules hépatiques et incite celles-ci à évacuer le cholestérol du système sanguin.

Selon la posologie, les statines peuvent réduire votre taux de LDL cholestérol jusqu'à 40 p. 100, ce qui suffit en général à ramener celui-ci au niveau recommandé. Les statines favorisent également la réabsorption par l'organisme du cholestérol en provenance de la plaque, ce qui dégage progressivement les vaisseaux sanguins.

Les statines sont les seuls hypocholestérolémiants capables de réduire les risques de décès consécutifs à une maladie cardiovasculaire. Comme la niacine, les statines diminuent aussi le risque d'un deuxième infarctus.

Ces médicaments sont-ils pour vous ?

Si votre médecin sait que vous souffrez d'une maladie cardiovasculaire (vous avez subi un infarctus, par exemple) et que votre taux de LDL cholestérol excède 100 mg par décilitre (mg/dL), il pourrait vous prescrire immédiatement un médicament et vous conseiller fortement d'apporter des modifications à votre mode de vie. Il sera plus hésitant si votre taux de cholestérol est élevé, mais que vous n'avez pas reçu de diagnostic de maladie cardiovasculaire.

Votre médecin pourrait vous conseiller avant tout de faire de l'exercice, de vous astreindre à un régime alimentaire à faible teneur en gras et d'apporter d'autres changements à vos habitudes. Mais si ces mesures s'avéraient insuffisantes, il pourrait envisager la médication, surtout en présence d'autres facteurs favorisants pour les maladies cardiovasculaires.

Pourquoi votre taux de cholestérol est-il élevé ?

Les gènes et les habitudes de vie influencent le taux et le type de cholestérol. Il se peut que le foie produise trop de LDL cholestérol, qu'il n'en évacue pas une quantité suffisante, ou qu'il ne produise pas suffisamment de HDL cholestérol.

Le tabagisme, une alimentation à forte teneur en gras et l'inactivité contribuent également à hausser le taux de LDL cholestérol et à réduire le taux de HDL cholestérol, en plus de modifier le taux des autres lipides du sang.

Pour connaître votre taux de cholestérol, le mieux est de solliciter un dosage de la cholestérolémie auprès de votre médecin. Les tests à domicile ne révèlent que le taux de cholestérol total, sans spécifier les proportions de « bon » et de « mauvais » cholestérol.

La prise de médicaments, associée aux modifications du mode de vie, est souvent le traitement préconisé, pour les personnes qui n'ont pas reçu un diagnostic de maladie cardiovasculaire, si :

- leur taux de LDL cholestérol excède 190 mg/dL en dépit des changements apportés aux habitudes de vie, ou si
- leur taux de LDL cholestérol excède 160 mg/dL en dépit des changements apportés aux habitudes de vie et en présence de 2 facteurs favorisants ou davantage.

Évaluez vos options

Votre médecin tiendra compte de plusieurs facteurs lorsqu'il vous prescrira un hypocholestérolémiant : entre autres, vos taux de « bon » et de « mauvais » cholestérol, le taux d'autres lipides dans votre sang, et votre âge. Il pourrait recommander une association médicamenteuse.

L'efficacité des hypocholestérolémiants varie selon les individus. Aucun médicament n'est une panacée. Qui plus est, si votre médication actuelle est efficace, il ne sert à rien d'en changer.

Le traitement à long terme

La décision de prendre un hypocholestérolémiant n'est pas anodine. Ces médicaments, qui doivent la plupart du temps être pris jusqu'à la fin de la vie, se révèlent onéreux (jusqu'à 200 $ par mois). Il importe aussi de subir des examens périodiques du foie, car dans de rares cas, ces médicaments entraînent des lésions hépatiques. C'est du reste pour cette raison qu'on les déconseille aux personnes atteintes d'une maladie du foie.

Les autres effets secondaires des hypocholestérolémiants sont bénins, mais ils pourraient vous gêner au point de vous inciter à vous abstenir de les prendre. Les statines, par exemple, occasionnent parfois des douleurs musculaires lorsqu'on les associe à d'autres médicaments tels que le gemfibrozil, les antifongiques ou l'érythromycine, un antibiotique très populaire. Toutefois, cet effet secondaire est rare.

Les résines pourraient entraîner de la constipation et des ballonnements, ou diminuer l'efficacité d'autres médicaments pris en même temps. La niacine provoque parfois une irritation cutanée ou une hausse de la glycémie ; elle peut aggraver un ulcère à l'estomac ou déclencher une crise de goutte. Quant au gemfibrozil, il peut favoriser la formation de calculs biliaires.

En outre, puisque les hypocholestérolémiants ne sont commercialisés que depuis une vingtaine d'années, leur innocuité, lorsqu'on doit les prendre toute sa vie, n'a pas encore été démontrée.

Bien entendu, il importe de toujours peser le pour et le contre de la prise d'un médicament. Si vous avez reçu un diagnostic de maladie cardiovasculaire ou que vous êtes très vulnérable à l'une de ces affections, les hypocholestérolémiants représentent sans doute l'une de vos meilleures options de traitement.

Le dosage de la cholestérolémie*

Analyse	Souhaitable	Acceptable	Indésirable
Cholestérol total	Inférieur à 200	200-240	Supérieur à 240
LDL cholestérol	Inférieur à 130	130-160	Supérieur à 60
HDL cholestérol	Supérieur à 45	35-45	Inférieur à 35
Triglycérides	Inférieur à 200	200-400	Supérieur à 400

Ces taux sont indiqués en milligrammes par décilitre. Ils se rapportent aux personnes qui **n'ont pas** reçu un diagnostic de maladie cardiovasculaire. Si vous êtes atteint d'une maladie cardiovasculaire, votre médecin pourrait vous proposer des recommandations différentes.

* Dosage en vigueur aux États-Unis.

L'exercice et la bonne forme physique

Un programme d'exercice régulier de 3 à 4 séances hebdomadaires peut réduire d'environ 70 p. 100 les risques de décès dus, entre autres, aux maladies cardiovasculaires et au cancer. En faisant régulièrement de l'exercice, vous pourriez développer une forme physique comparable à celle d'une personne sédentaire de 10 à 20 ans plus jeune que vous.

Le conditionnement physique comporte de nombreux avantages :

- **Pour le cœur.** En renforçant les contractions du cœur, l'exercice favorise la circulation sanguine et ralentit le rythme cardiaque. Le cœur travaille mieux en se surmenant moins.
- **Pour le taux de cholestérol.** L'exercice régularise le taux de cholestérol.
- **Pour la tension artérielle.** L'exercice peut prévenir et même abaisser une tension artérielle trop élevée. Il est particulièrement efficace dans les cas d'hypertension légère.
- **Pour le diabète.** L'exercice abaisse la teneur du sang en glucose. Il peut également prévenir le diabète type 2.
- **Pour les os.** Les femmes qui font de l'exercice sont moins vulnérables à l'ostéoporose, du moment qu'elles ne sont pas actives au point de provoquer l'interruption des menstruations.
- **Pour le bien-être général.** L'exercice réduit le stress, améliore le bien-être général, favorise le sommeil et stimule la concentration.

■ L'exercice: aérobique ou anaérobique?

L'exercice aérobique (qui fait appel à l'oxygène) consiste en une gymnastique des principaux groupes musculaires tels que les muscles des jambes. Cette forme d'exercice sollicite beaucoup le cœur, les poumons et les cellules musculaires, mais elle n'est pas intense au point de devenir douloureuse en raison d'une accumulation d'acide lactique dans les tissus. Un niveau d'intensité adéquat vous fera transpirer et accélérera votre respiration, mais il vous permettra de poursuivre votre activité pendant 20 à 40 minutes. L'exercice aérobique, par exemple la marche, le vélo, le jogging ou la natation, développe l'endurance.

L'exercice anaérobique (qui ne fait pas appel à l'oxygène) exige un tel effort musculaire qu'il utilise tout l'oxygène disponible, puis brûle l'énergie accumulée et dépourvue d'oxygène. Cette alternance a pour résultat une production et une accumulation douloureuse d'acide lactique dans les muscles sollicités. C'est pour cette raison que l'on ne peut fournir un effort soutenu lors d'exercices anaérobiques. Songez, par exemple, à l'haltérophilie. L'exercice anaérobique est très efficace, mais il développe la force plutôt que l'endurance. Si vous entreprenez un programme d'exercice, complétez votre séance d'exercices aérobiques par quelques exercices anaérobiques peu exigeants. Optez pour des haltères légers ou réglez l'appareil à une tension minimale afin d'éviter de vous blesser.

Que signifie être en forme?

Vous êtes en forme si votre état correspond à ce qui suit :

- Vos activités quotidiennes ne vous fatiguent pas et vous avez encore assez d'énergie pour pratiquer vos loisirs préférés.
- Vous pouvez marcher 1 kilomètre ou grimper un escalier de quelques étages sans perdre le souffle et sans ressentir de lourdeur ou de fatigue dans les jambes.
- Vous pouvez poursuivre une conversation lors d'un exercice modéré, par exemple quand vous marchez d'un bon pas.

Si vous êtes très sédentaire, vous n'êtes sans doute pas en forme. Une mauvaise forme physique se caractérise par une fatigue générale, une inaptitude à se mesurer physiquement aux personnes de son âge, une tendance à éviter les activités physiques parce qu'il nous suffit de parcourir une courte distance à pied pour être fatigué et essoufflé.

■ Comment entreprendre un programme d'exercice

Consultez votre médecin avant d'entreprendre un programme d'exercice si vous fumez, si vous avez plus de 40 ans, si vous n'avez jamais fait d'exercice ou si vous êtes atteint d'une affection chronique : maladie coronarienne, diabète, hypertension, maladie pulmonaire ou maladie du rein. L'exercice est risqué si l'on en fait trop, avec trop d'intensité et sans bénéficier d'un conditionnement préalable adéquat.

Si votre médecin vous donne son feu vert, suivez ces quelques conseils :

- **Commencez lentement.** N'exagérez pas. Si vous ne parvenez pas à soutenir une conversation pendant votre séance d'exercice, vous allez sans doute au-delà de vos forces.
- **Choisissez un type d'exercices qui vous convient.** Faites ce que vous aimez ou, tout au moins, ce que vous ne détestez pas. Autrement, vous aurez du mal à respecter votre programme.
- **La régularité et la modération sont de mise.** Ne vous surmenez jamais au point de ressentir des nausées ou des étourdissements, ou d'avoir de la difficulté à reprendre votre souffle. Voici quels devraient être vos objectifs.
  - *La fréquence :* de 3 à 4 séances par semaine.
  - *L'intensité :* Visez environ 60 p. 100 de votre capacité aérobique. Pour la plupart des gens, 60 p. 100 est synonyme d'effort modéré accompagné de respiration profonde, mais sans essoufflement et sans surchauffe.
  - *La durée :* Fixez-vous pour objectif des séances de 20 à 30 minutes. Si le temps vous manque, sachez que 3 séances de 10 minutes sont aussi bénéfiques qu'une séance de 30 minutes. Si vous n'avez pas l'habitude de l'exercice, faites des séances plus courtes au début et augmentez-en progressivement la durée.
- **Faites toujours des exercices de réchauffement et de refroidissement avant et après.** Des exercices d'assouplissement détendront vos muscles avant de commencer vos exercices et, à la fin de votre séance, les assoupliront.

Combien de calories puis-je brûler en faisant de l'exercice ?

Le fait de brûler 1000 calories par semaine réduit considérablement les risques d'infarctus. Le tableau ci-dessous indique le total des calories qu'il est possible de perdre au cours d'une séance de 1 heure, selon le type d'exercice pratiqué. Plus votre poids est élevé, plus vous perdrez de calories.

Activité (1 heure)	Calories* 55 à 60 kg	Calories* 75 à 80 kg	Activité (1 heure)	Calories* 55 à 60 kg	Calories* 75 à 80 kg
Danse aérobique	290-575	400-800	Raquetball	345-690	480-690
Trekking (avec sac à dos)	29-630	400-880	Saut à la corde	345-690	480-960
Badminton	230-515	320-720	Course, 12 km/h	745	1040
Vélo	170-800	240-1120	Patin (tous types)	230-460	320-640
Vélo (stationnaire)	85-800	120-1120	Ski de fond	290-800	400- 1120
Quilles	115-170	160-240	Ski alpin	170-460	240-640
Canot	170-460	240-640	Escalier	230-460	320-640
Danse	115-400	160-560	Natation	230-690	320-900
Jardinage	115-400	160-560	Tennis	230-515	320-720
Golf (sans caddie)	115-400	160-560	Volleyball	170-400	240-560
Randonnée (sans sac à dos)	170-690	240-960	Marche, 3 km/h	150	210
Jogging, 8 km/h	460	640			

* Si votre poids est différent de ceux du tableau, vous pouvez déterminer le total approximatif des calories perdues en vous basant sur le nombre de calories de la deuxième colonne. Multipliez ce nombre par votre poids et divisez par 80. Par exemple, si vous pesez 100 kilos, une heure de jogging vous fera perdre 800 calories.

$$\frac{640 \times 100}{80} = 800 \text{ calories/heure.}$$

■ Pour être en forme, marchez

Moins de la moitié des Nord-Américains font de l'exercice. Pourtant, marcher d'un bon pas pendant 30 à 60 minutes chaque jour vous permettrait d'atteindre ce niveau de forme physique que l'on associe couramment à la longévité et à la bonne santé.

Il n'est pas nécessaire de choisir un type d'exercice trop vigoureux. Même le fait de marcher lentement peut réduire votre vulnérabilité aux maladies cardiaques. Bien entendu, marcher plus vite ou plus souvent procure des avantages plus importants encore.

Commençons par le commencement

Pour établir un programme de marche efficace, vous devez tenir compte de vos objectifs et de votre sécurité, de vos horaires et de vos goûts personnels. Voici quelques trucs qui feront de cet exercice une entreprise productive :

- **Fixez-vous des objectifs réalistes.** Quels bienfaits voulez-vous retirer de cette forme d'exercice ? Soyez précis. Êtes-vous un homme de 45 ans qui souhaite prévenir la crise cardiaque ? Êtes-vous une personne de 75 ans qui désire profiter de ses loisirs et préserver son autonomie ? Voulez-vous perdre du poids ? abaisser votre tension artérielle ? diminuer le stress ? ou, plus simplement, garder la forme ?

  La marche peut vous permettre d'atteindre de tels objectifs. Sachez opter pour ce qui vous importe le plus ; ensuite, définissez clairement votre programme. Ne dites pas : « Je vais marcher plus souvent. » Dites : « Je vais marcher de 7 h à 7 h 30 le mardi, le jeudi et le samedi matin. »

- **Procurez-vous de bonnes chaussures.** Il n'est pas nécessaire de dépenser une fortune pour des chaussures de marche, mais celles-ci doivent protéger et stabiliser le pied.
- **Portez des vêtements appropriés.** Portez des vêtements amples et confortables. Optez pour des tissus appropriés au temps qu'il fait : un coupe-vent pour les journées fraîches et venteuses, des vêtements superposés pour le froid. Choisissez des couleurs vives et apposez à vos vêtements des bandes de ruban adhésif qui réfléchissent la lumière. Évitez les tissus caoutchouteux qui entravent l'évaporation de la transpiration. Portégez-vous du soleil avec un écran solaire, des lunettes de soleil ou un chapeau.
- **Buvez beaucoup d'eau.** Lorsque vous faites de l'exercice, vous avez besoin de vous hydrater pour maintenir une température corporelle normale et pour rafraîchir les muscles sollicités. Pour remplacer les fluides que vous perdez à l'effort, buvez avant et après l'exercice. Si vous marchez pendant plus de 20 minutes, buvez un demi-verre d'eau aux 20 minutes, surtout lorsqu'il fait chaud.
- **Consultez votre médecin.** Si vous êtes âgé de plus de 40 ans ou si vous êtes atteint d'une affection chronique, consultez votre médecin avant d'entreprendre un programme d'exercice.

La planification

Si vous déployez un peu plus d'efforts que la normale, le corps réagit en se renforçant. En augmentant progressivement la durée de vos séances de conditionnement physique, vous facilitez ce processus d'adaptation du corps : de 8 à 12 semaines suffisent pour améliorer votre forme physique. Pour conditionner votre cœur et vos poumons en toute sécurité, tenez compte des aspects ci-dessous en planifiant votre programme d'exercice.

- **L'intensité.** Il n'est pas nécessaire de faire des exercices vigoureux pour en retirer des bienfaits. Mais quel serait un niveau d'intensité optimal pour vous ? Voici comment vous pouvez le découvrir :
1. Le test de la parole. Vous devriez être en mesure de soutenir une conversation en marchant. Si cela ne vous est pas possible, vous vous surmenez sans doute. Ralentissez.
2. Le niveau d'effort. Il concerne l'ensemble des efforts physiques que vous déployez. Le niveau d'effort tient compte de toutes les sensations associées à l'épuisement, au stress physique et à la fatigue.

Le niveau d'effort

Le niveau 6 correspond à un effort minimal, par exemple, être assis dans un fauteuil. Le niveau 20 correspond à un effort maximal, par exemple, gravir une pente raide au pas de course.

Visez le niveau 13, qui équivaut à 70 p. 100 de votre capacité maximale. C'est, selon nous, le niveau idéal pour la majorité des gens. Ne vous inquiétez pas des détails isolés tels que la lourdeur aux jambes ou l'essoufflement, mais efforcez-vous de tenir compte de votre effort global.

6	
7	très, très facile
8	
9	très facile
10	
11	relativement facile
12	
13	relativement difficile
14	
15	difficile
16	
17	très difficile
18	
19	très, très difficile
20	

- **La fréquence.** Marchez au moins 3 fois la semaine. Pour une forme physique optimale, 3 ou 4 heures de marche par semaine est l'idéal.
- **Durée.** Marchez pendant au moins 20 à 30 minutes. Si vous n'avez jamais fait d'exercice ou si vous n'en avez pas fait depuis un certain temps, commencez par des séances de 5 minutes et prolongez-les graduellement.

Le programme de 12 semaines

Ce calendrier d'exercice vous aidera à améliorer votre programme existant ou à en entreprendre un.

Semaine	Durée (min)	Jours par semaine	Heures totales par semaine
1	20	3	1
2	20	3	1
3-4	25	3	1,25
5-6*	30	3-4	1,5-2
7-8	35	4-5	2-3
9-10	40	4-5	3-3,5
11-12	40	5-6	3,5-4

* Vous pouvez aussi atteindre progressivement votre but (marcher de 3 à 4 heures par semaine) de la façon suivante: continuez à ne marcher que de 3 à 4 fois la semaine, mais prolongez chaque séance jusqu'à 45 à 60 minutes.

Le guide de la santé

■ Exercices d'étirement pour les marcheurs

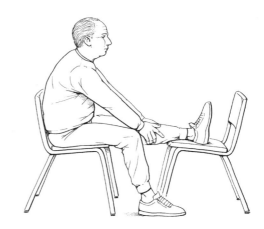

Étirement du haut de la cuisse. *Étendez-vous à plat dos sur un lit, le plus près possible du bord, en laissant pendre la jambe gauche dans le vide. Ramenez la cuisse et le genou droits contre la poitrine jusqu'à ce que le dos entre en contact avec la surface. Gardez cette position pendant 30 secondes. Relâchez. Répétez avec l'autre jambe.*

Étirement du mollet. *Appuyez les mains contre un mur, jambe gauche en avant et genou plié. La jambe droite reste tendue, talon par terre. En gardant le dos droit, portez le bassin en avant jusqu'à ce que vous ressentiez un étirement dans la jambe. Gardez cette position pendant 30 secondes. Relâchez. Répétez avec l'autre jambe.*

Étirement du muscle ischio-jambier. *Asseyez-vous sur une chaise et appuyez la jambe gauche sur une autre chaise placée devant vous. Gardez le dos droit. Penchez lentement le bassin vers l'avant au niveau des hanches jusqu'à ce que vous sentiez un étirement à l'arrière de la cuisse. Gardez cette position pendant 30 secondes. Relâchez. Répétez avec l'autre jambe.*

Étirement du bas du dos. *Étendez-vous à plat dos sur une surface ferme (par terre ou sur une table) genoux pliés, hanches bien à plat. En vous servant de vos 2 mains, ramenez le genou gauche vers l'épaule (si vous avez mal aux genoux, exercez plutôt une pression contre la cuisse). Gardez cette position pendant 30 secondes. Relâchez. Répétez avec l'autre jambe.*

Étirement du torse. *Nouez vos mains à l'arrière de la tête. Ramenez fermement les coudes vers l'arrière en inspirant profondément. Gardez cette position pendant 30 secondes (en respirant). Relâchez.*

Restez en forme

Ce n'est pas tout de marcher. Il importe que la marche soit précédée et suivie d'exercices d'assouplissement. Les étirements illustrés à la page précédente sont excellents.

Un bon programme d'exercice comporte 3 étapes :

- **Le réchauffement.** Avant chaque séance, accordez-vous 5 minutes pour réchauffer vos muscles. Ces 5 exercices accélèrent graduellement le rythme cardiaque, haussent la température du corps et favorisent l'irrigation sanguine des muscles. Les exercices d'assouplissement favorisent et maintiennent la souplesse musculaire et articulaire.
- **Le conditionnement.** La marche augmente la capacité aérobique en accélérant le rythme cardiaque, en améliorant la qualité de la respiration et l'endurance musculaire. La marche permet en outre de brûler des calories. Combien ? Tout dépend de la vitesse et de la durée de la marche, ainsi que de votre poids (voir « Combien de calories puis-je brûler en faisant de l'exercice ? », page **226**).
- **Le refroidissement.** Après chaque marche, détendez vos muscles pendant 5 minutes en faisant les mêmes exercices d'assouplissement que pour le réchauffement. Cette phase ralentit le rythme cardiaque et détend les muscles sollicités tout en développant la souplesse.

La sécurité

Félicitations. Vous vous êtes engagé à faire régulièrement de la marche. Vous êtes confiant d'en retirer des bienfaits. Mais attention de ne pas vous surmener :

- Ne marchez pas trop longtemps.
- Ne marchez pas trop énergiquement.
- Ne marchez pas sans une préparation appropriée.

Les douleurs au pied ou au talon sont une conséquence fréquente du surmenage. Elles peuvent entraver votre programme d'exercice et réduire votre motivation. Voici comment vous pouvez marcher sans vous épuiser :

- **Progressez lentement.** Si vous n'avez pas fait d'activité physique depuis 2 mois, soyez conservateur. Au cours des 2 ou 3 premières semaines, optez pour un niveau d'effort minimal que vous hausserez progressivement à mesure qu'augmentera votre niveau de confort.
- **Soyez à l'écoute de votre corps.** Vos muscles seront endoloris à mesure que vous prolongerez vos séances. Mais si vous êtes à bout de souffle ou si vous ressentez des douleurs articulatoires, ralentissez. Des muscles endoloris pendant plusieurs jours sont un indice de surmenage musculaire.

Consultez immédiatement votre médecin si vous ressentez des symptômes de maladie cardiaque ou pulmonaire : douleurs thoraciques, sensation d'oppression, fatigue inhabituelle qui se prolonge pendant plusieurs heures, arythmie ou essoufflement inhabituel pendant ou après l'exercice.

- **Remplacez vos chaussures quand elles s'usent.** Après 800 kilomètres de marche ou un an d'usure, vos chaussures ne sont plus ce qu'elles étaient. Lorsque la semelle commence à se détacher de l'empeigne, investissez dans une paire de chaussures neuves. Vérifiez la stabilité de vos chaussures en les plaçant côte à côte : regardez si l'une ou l'autre de vos chaussures s'incline vers la gauche ou vers la droite.
- **Choisissez soigneusement votre parcours.** Évaluez les dangers potentiels du parcours choisi. Évitez les trottoirs en mauvais état, les nids-de-poule, les branches basses, les irrégularités du sol. Ne marchez pas au bord de la route à l'obscurité. Si possible, faites-vous accompagner. Ayez toujours sur vous vos papiers d'identité.
- **Ne vous surmenez pas.** Si votre programme d'exercice vous pèse, réduisez-le d'une journée. Consacrez ce temps à des loisirs agréables.

Le guide de la santé

Comment choisir une chaussure de marche appropriée

Recherchez les qualités suivantes dans une chaussure de marche :

- **L'empeigne et le bout.** Ne doit pas blesser le dessus ou le côté des orteils. Recherchez une chaussure à bout arrondi qui ne comprime pas les orteils.
- **L'extérieur.** Une chaussure en cuir ou faite d'un matériau qui respire est confortable et durable.
- **L'intérieur.** La chaussure doit être confortable et sécuritaire. Recherchez un glissoir, un contrefort, une languette et des ailes coussinés pour éviter les frottements et pour protéger le dessus du pied, de même qu'une doublure lisse et absorbante. Assurez-vous que vous pouvez retirer les fausses semelles pour les aérer ou les remplacer.
- **Le quartier.** Conserve la stabilité du pied dans sa rotation avant et empêche la flexion de côté de la cheville. Pour un soutien optimal, recherchez un quartier qui se prolonge jusqu'au cambrion.
- **Le talon.** Assure la souplesse du mouvement et un bon positionnement du talon au sol. Recherchez une chaussure qui suit la courbe naturelle du pied. Le talon devrait être légèrement biseauté.
- **La première semelle.** Aussi appelée fausse semelle. Elle procure un soutien supplémentaire et une protection contre le choc.

Anatomie d'une chaussure de marche

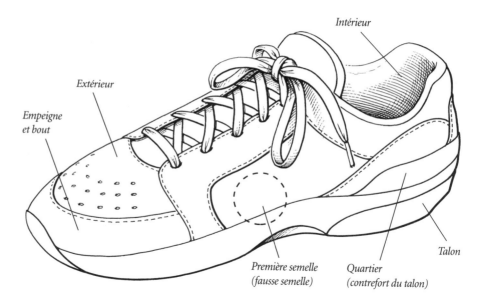

Extérieur

Intérieur

Empeigne
et bout

Première semelle
(fausse semelle)

Quartier
(contrefort du talon)

Talon

Une bonne chaussure de marche coûte entre 75 et 200 $. Même les modèles standard les moins chers offrent une conception adéquate et des matériaux de qualité. Les chaussures légères pèsent de 50 à 80 g de moins que les autres modèles. Une chaussure plus légère est moins fatigante, mais elle procure un soutien plus limité et sa durabilité est moindre. Les modèles haut de gamme sont très coûteux. Ils s'adressent aux personnes soucieuses de la mode ou aux marcheurs énergiques qui recherchent une durabilité maximale.

Le dépistage et les vaccins

■ Les tests de dépistage pour adultes

Analyse ou examen	Raison d'être	Recommandations
Taux de cholestérol sanguin	Identification des personnes très vulnérables aux maladies coronariennes.	• Analyse de base dans la vingtaine. Si les résultats correspondent à la norme, 1 fois tous les 5 ans. Voir page **224**.
Tension artérielle	Dépistage précoce de l'hypertension.	• Aux 2 ans, ou selon les conseils de votre généraliste.
Dépistage du cancer du côlon (plusieurs types d'examen)	Dépistage de tumeurs cancéreuses ou de polypes sur la paroi interne du côlon. Les polypes peuvent devenir cancéreux.	• Sigmoïdoscopie tous les 3 à 5 ans après l'âge de 50 ans. • Radiographie du côlon tous les 3 à 5 ans après l'âge de 50 ans, combinée à une proctoscopie ou à une sigmoïdoscopie. • Coloscopie tous les 5 ans après l'âge de 50 ans. La coloscopie est la technique la plus décisive et remplace les autres techniques d'investigation, mais elle comporte un degré de risque supérieur et son coût est élevé.
Bilan de santé*	Dépistage des maladies avant l'apparition des symptômes. La prévention réduit le risque de contracter certaines maladies.	• Deux fois dans la vingtaine. • Trois fois dans la trentaine. • Quatre fois dans la quarantaine. • Cinq fois dans la cinquantaine. • Annuellement à compter de 60 ans. • Plus souvent si vous souffrez d'une affection chronique ou si vous devez prendre régulièrement des médicaments.
Examen dentaire de routine	Dépistage des caries et des affections des gencives, de la langue et de la bouche.	• Une fois l'an ou selon les recommandations de votre dentiste.
Électrocardiogramme (E.C.G.)	Détection des lésions au muscle cardiaque ou des arythmies.	• E.C.G. de base avant 40 ans. Par la suite, au besoin ou selon les recommandations de votre médecin.
Examen des yeux	Dépistage des problèmes visuels.	• Tous les 4 à 5 ans ou selon les recommandations de votre médecin.
Mammographie (radiographie des seins)	Dépistage précoce du cancer du sein.	• Chaque année pour les femmes de plus de 50 ans. Une mammographie annuelle pourrait être souhaitable pour les femmes de plus de 40 ans. Voir page **155**.
Cytologie	Détection des cellules précancéreuses.	• Une fois tous les 1 à 3 ans, en fonction de votre niveau de risque et selon les recommandations de votre médecin. Voir page **161**.
Antigène spécifique de la prostate (PSA)	Évalue la quantité d'une protéine sécrétée par la prostate. Un taux élevé est parfois le signe d'un cancer de la prostate.	• Les personnes qui ont de forts antécédents familiaux de cancer de la prostate devraient subir ce test, ou se fier aux recommandations de leur médecin. N'oubliez pas que le taux de PSA est parfois plus élevé en présence d'une hypertrophie de la prostate ou d'une prostatite, sans diagnostic de cancer.

* La nature des examens d'un bilan de santé dépend de l'âge, du sexe, du passé médical et du niveau de risque en fonction du mode de vie et des antécédents familiaux.

La vaccination des adultes

Le vaccin	Recommandations
Diphtérie-tétanos (rappel)	• Tous les 10 ans; en présence d'une plaie profonde ou souillée si le dernier rappel remonte à plus de 5 ans. Les rappels doivent être administrés le plus tôt possible après la blessure.
Hépatite A (2 injections)	• Les voyageurs et les personnes à risque élevé (personnes atteintes d'une maladie chronique du foie, homosexuels, personnes qui font usage de drogues par intraveineuse, personnes exposées au virus de l'hépatite A).
Hépatite B (3 injections)	• Professionnels de la santé, personnes à risque (personnes ayant des partenaires sexuels multiples ou dont le partenaire sexuel est porteur du virus).
Vaccin antigrippal	• Tous les ans pour les personnes de 65 ans ou plus, de même que pour les personnes à risque (professionnels de la santé, personnes souffrant d'affections chroniques).
Rougeole-rubéole-oreillons (RRO) (2 injections sont conseillées)	• Les adultes nés après 1956 qui ne possèdent pas de certificat de vaccination ou de preuve de leur immunité.
Vaccin contre la pneumonie	• Les personnes de 65 ans ou plus ou toute personne atteinte d'une maladie chronique qui augmente les risques d'infection. La plupart du temps, une inoculation suffit pour la vie entière.
Varicelle (2 injections)	• Les adultes vulnérables (professionnels de la santé en l'absence d'une varicelle préalable ou adultes bien portants exposés au virus).

Restez en forme

La vaccination des enfants

Ces dernières années, plusieurs nouveaux vaccins sont devenus disponibles, et les institutions médicales continuent d'évaluer et de mettre à jour les calendriers vaccinaux. Le tableau qui suit tient compte du calendrier de la Clinique Mayo, qui diffère quelque peu des recommandations entérinées en novembre 1996 par l'American Academy of Family Physicians (Académie américaine des omnipraticiens) et par les Centers for Disease Control and Prevention (Centres de prévention et de contrôle des maladies). Consultez votre médecin ou votre professionnel de la santé pour établir le calendrier vaccinal de votre enfant.

Âge	Vaccin
À la naissance	Hépatite B
À 2 mois	Hépatite B; DCT; HiB; Polio
À 4 mois	DCT; HiB; Polio
À 6 mois	DCT; HiB; Polio
À 9 mois	Hépatite B
À 15 mois	RRO; VZV; DCT; Polio
À 5 ans	DT; Polio (oral)
À 11 ans	RRO; Td; (hépatite B et VZV pour les enfants non vaccinés)

Abréviations

DCT — diphtérie-coqueluche-tétanos
DT — association légèrement différente de DCT
RRO — rougeole-rubéole-oreillons
VZV — varicelle-virus herpès zoster
Td — tétanos-diphtérie-coqueluche (rappel)

HiB — *Haemophilus influenza B*

Le contrôle du stress

Le stress est attribuable à un grand nombre de facteurs que l'on associe surtout aux changements qui affectent l'existence. Ces changements sont parfois heureux (vacances, promotion, etc.) ou malheureux (décès d'un proche, perte d'emploi, etc.).

Quand le stress suscite de l'anxiété, de la tension ou des inquiétudes, cette réaction n'est pas que psychologique. Lorsqu'une quelconque menace semble peser sur nous, l'organisme libère des « messagers » chimiques qui provoquent des changements physiologiques : accélération du pouls et de la respiration, sécheresse de la bouche, etc. Ces changements sont des signes précurseurs de la réaction de fuite. Un stress prolongé peut affecter la santé physique et psychologique.

■ Les symptômes du stress

Physiques	Psychologiques	Comportementaux
Maux de tête	Anxiété	Excès de table/manque d'appétit
Grincement des dents	Irritabilité	Impatience
Gorge serrée et sèche	Sentiment d'urgence/fatalité	Tendance à argumenter
Tension des mâchoires	Dépression	Procrastination
Douleurs thoraciques	Raisonnement lent	Plus grande consommation d'alcool ou de drogues
Dyspnée	Pensées en bataille	Tabagisme accru
Palpitations	Sentiment d'impuissance	Introversion et isolement délibéré
Hypertension	Désespoir	Fuite des responsabilités
Douleurs musculaires	Sentiment d'échec	Improductivité professionnelle
Indigestion	Déroute	Épuisement professionnel (burn-out)
Constipation/diarrhée	Insécurité	Hygiène personnelle déficiente
Transpiration abondante	Tristesse	Changements dans la pratique religieuse
Mains moites et froides	Méfiance	Changements dans les relations affectives et familiales
Fatigue	Colère	
Insomnie	Hypersensibilité	
Malaises fréquents	Apathie	

Autotraitement

- **Apprenez à vous détendre.** La visualisation, la méditation, la détente musculaire et les techniques de respiration peuvent vous aider (voir page **235**). Vous devez ralentir votre rythme cardiaque et abaisser votre tension artérielle tout en détendant vos muscles.
- **Discutez de vos problèmes** avec une personne de confiance. Le fait de vous confier vous détendra et vous donnera du recul. Vous pourriez trouver des façons de remédier à la situation.
- **Révisez votre agenda.** Subdivisez vos responsabilités en tâches plus petites et moins contraignantes.
- **Contrôlez votre colère.** Il faut que la colère s'exprime, mais avec modération. Comptez jusqu'à 10, reprenez-vous et faites preuve d'une plus grande rationalité.
- **Partez en voyage.** Un changement de rythme vous aidera à acquérir une nouvelle perspective.
- **Soyez réaliste.** Fixez-vous des objectifs réalisables. Révisez vos priorités. Concentrez-vous sur ce qui est important pour vous. Des objectifs inaccessibles sont garants d'échec. Évaluez vos priorités et concentrez-vous sur ce qui a le plus d'importance à vos yeux.
- **Évitez l'automédication.** On est parfois tenté de prendre certains médicaments ou de se tourner vers l'alcool pour éprouver un soulagement. Mais ces substances ne font que masquer le problème.

- **Dormez suffisamment, faites de l'exercice, surveillez votre alimentation.** Un esprit sain dans un corps sain. Le sommeil nous aide à affronter nos problèmes avec un esprit clair. L'exercice nous permet de dépenser l'excédent d'énergie dû au stress.
- **N'hésitez pas à vous faire aider.** Consultez votre médecin ou un professionnel de la santé mentale si le stress vous rend dysfonctionnel.

Techniques de détente pour réduire le stress

La détente musculaire progressive

- Asseyez-vous ou étendez-vous confortablement et fermez les yeux. Détendez complètement la mâchoire et assurez-vous de ne pas serrer les paupières.
- Parcourez mentalement votre corps en commençant par les orteils et en remontant lentement vers la tête. Concentrez-vous tour à tour sur chaque partie de votre corps et imaginez que vous voyez fondre la tension.
- Contractez les muscles de chaque partie du corps tour à tour en comptant jusqu'à 5, puis détendez-les.

La visualisation

- Laissez vos pensées vous envahir sans vous y arrêter. Imaginez-vous détendu et calme. Imaginez que vos mains sont chaudes (ou fraîches si vous avez chaud) et lourdes, et que votre cœur bat lentement.
- Respirez lentement, régulièrement et profondément.
- Une fois détendu, imaginez que vous vous trouvez dans un endroit que vous aimez ou au beau milieu d'un paysage de rêve.
- Prolongez cet état pendant 5 à 10 minutes, puis réintégrez progressivement la réalité.

La respiration de détente

Moyennant un peu de pratique, vous pourrez apprendre à maîtriser une respiration profonde et relaxante. Au début, portez des vêtements lâches qui ne compriment ni la taille ni l'abdomen, étendez-vous sur le dos et respirez. Quand vous aurez maîtrisé la respiration profonde dans cette position, refaites cet exercice, cette fois en position assise et, enfin, debout.

- Étendez-vous sur votre lit.

- Écartez légèrement les pieds. Posez une main sur l'abdomen, près du nombril. Placez l'autre main sur la poitrine. N'appuyez pas.
- Inspirez par le nez. Expirez par la bouche.
- Concentrez-vous sur votre respiration pendant quelques minutes et prenez conscience de la main qui se soulève et de celle qui s'abaisse.
- Expulsez lentement tout l'air de vos poumons.
- Inspirez lentement en comptant jusqu'à 4 (environ 1 seconde pour chaque chiffre). En inspirant, distendez légèrement l'abdomen d'environ 2 à 3 centimètres (vous devriez le sentir se soulever avec votre main). Ne bougez ni les épaules ni la poitrine.
- En inspirant, visualisez l'air tiède qui circule dans votre corps.
- Faites une pause de 1 seconde après l'inspiration.
- Expirez lentement en comptant jusqu'à 4. Sentez l'abdomen qui se relâche lentement.
- En expirant, imaginez que vous expulsez vos tensions.
- Faites une pause de 1 seconde après l'expiration.
- Si vous éprouvez de la difficulté à inspirer et à expirer en comptant jusqu'à 4, commencez plus lentement et progressez jusqu'à 4. Si vous vous sentez étourdi, respirez plus lentement ou moins profondément.
- Répétez cette séquence (inspiration lente – pause – expiration lente – pause) de 5 à 10 fois. Expirez. Inspirez lentement: 1, 2, 3, 4. Pause. Expirez lentement: 1, 2, 3, 4. Pause. Inspirez: 1, 2, 3, 4. Pause. Expirez: 1, 2, 3, 4. Pause. Continuez.

S'il vous est difficile de respirer rythmiquement, inspirez un peu plus profondément, retenez votre respiration pendant 1 seconde ou 2 et expirez doucement en pinçant les lèvres pendant environ 10 secondes. Recommencez 1 ou 2 fois, puis retournez à l'exercice précédent.

Protégez-vous

En Amérique du Nord, près de 1 décès sur 20 est accidentel. Les accidents, dont un grand nombre peuvent être évités, sont la principale cause de décès chez les personnes de moins de 35 ans. La moitié des morts d'enfants sont dues à des accidents. Les pages qui suivent comportent des conseils de sécurité. Sans prétendre à l'exhaustivité, nous désirons vous éveiller aux circonstances potentiellement dangereuses auxquelles nous faisons face dans notre vie quotidienne. Pour en savoir plus sur la sécurité au travail, référez-vous à la page **240**.

■ Les risques routiers

Quelque 50 000 personnes meurent chaque année dans des accidents de la route, et un plus grand nombre encore subissent des blessures graves. Réduisez les risques d'accidents en observant les directives ci-dessous :

- **Attachez toujours votre ceinture de sécurité,** même si vous ne parcourez qu'une brève distance. La plupart des accidents de la route se produisent à proximité du domicile.
- **Les enfants doivent prendre place dans des sièges sécuritaires** (voir l'encadré ci-dessous).
- **Adoptez un style de conduite préventif.** Méfiez-vous en tout temps des autres conducteurs.
  – Ne suivez pas de trop près la voiture qui vous précède. Allouez la longueur d'une voiture pour chaque 15 km/h de vitesse.
  – Le pare-brise, les fenêtres et le rétroviseur doivent toujours être propres. Ne vous fiez pas uniquement à ce que vous voyez dans le rétroviseur. Retournez-vous pour vérifier les angles morts. Renoncez à la conduite agressive.
- **Tenez compte du temps qu'il fait.** Gardez une trousse de survie dans la voiture : nourriture, vêtements chauds, couvertures. Assurez-vous que le réservoir à essence est toujours plein. N'abandonnez pas votre voiture en cas d'urgence. Si le moteur tourne, ouvrez les fenêtres d'un cran afin d'éviter l'accumulation de monoxyde de carbone – qui peut vous tuer.
- **Ne prenez pas le volant si vous n'êtes pas en état de conduire.** Ne conduisez pas après avoir consommé de l'alcool ou si vous avez pris des médicaments qui provoquent la somnolence ou un ralentissement des réflexes.
- **Évitez les distractions.** Les enfants doivent porter leur ceinture de sécurité. Ne vous laissez pas distraire par la radio, n'utilisez pas votre téléphone cellulaire et ne regardez pas ce qui se passe au bord de la route.
- **Respectez le calendrier d'entretien de votre véhicule,** ou encore faites-le vérifier tous les 6 mois ou 12 000 kilomètres, de même qu'avant d'entreprendre un long voyage.
- **Gardez une trousse de secours dans la voiture.** Elle doit contenir les effets suivants : lampe de poche, trousse de premiers soins, câbles d'appoint, pièces de monnaie pour téléphoner, torches de détresse, bougies et allumettes.

Les coussins gonflables et les enfants ne font pas bon ménage

La force d'impact d'un coussin gonflable peut tuer ou blesser grièvement les jeunes enfants ou les nourrissons. Voici quelques conseils de sécurité qui ont trait au transport des enfants :

- Il faut utiliser un siège d'auto pour bébé pour les bébés de moins de 9 kg ou de moins de 1 an. En cas d'accident, le dossier rigide protège mieux le dos, le cou et la tête. Le siège doit être fixé solidement au milieu de la banquette arrière.

- Les enfants pesant de 9 à 18 kg ou âgés de moins de 4 ans doivent prendre place dans un siège d'enfant correctement fixé à la banquette arrière. Les sangles du harnais doivent maintenir en place le tiers supérieur du torse de l'enfant.

  Les enfants de plus de 18 kg qui sont trop petits pour porter la ceinture de sécurité de la voiture doivent prendre place dans un siège d'appoint. Assurez-vous que la ceinture sous-abdominale et la sangle d'épaule sont correctement positionnées.

Les chutes

Les enfants et les personnes âgées courent souvent le risque de trébucher et de tomber. En fait, les chutes constituent la principale cause de décès accidentel chez les personnes de plus de 65 ans. Elles sont souvent attribuables à une perte d'équilibre, à une perte d'acuité visuelle, à la maladie, à la prise de médicaments, et ainsi de suite. La meilleure prévention consiste à réduire les risques.

Autotraitement

Voici quelques conseils pour éviter les chutes :

- **Subissez régulièrement un examen de la vue et de l'ouïe.** Si votre vue et votre ouïe sont déficientes, vous ne capterez pas d'importants signaux qui pourraient prévenir la chute.
- **Faites de l'exercice.** L'exercice renforce et tonifie la musculature et améliore la coordination. Non seulement vous préviendrez ainsi les chutes, mais vous réduirez la gravité de vos blessures si vous tombez.
- **Méfiez-vous des médicaments.** Discutez-en avec votre médecin. Certains médicaments peuvent affecter l'équilibre et la coordination.
- **Évitez l'alcool.** Même consommé avec modération, l'alcool peut favoriser les chutes, surtout si votre équilibre et vos réflexes ne sont plus ce qu'ils étaient.
- **Levez-vous lentement.** Une chute soudaine et provisoire de la tension due aux médicaments ou au vieillissement peut provoquer des étourdissements si vous vous levez trop vite.
- **Assurez votre équilibre et votre stabilité.** Si vous êtes sujet aux étourdissements, appuyez-vous sur une canne ou une marchette. Portez des chaussures solides à talons bas, munies de semelles larges et antidérapantes.
- **Renoncez aux tapis et aux carpettes glissantes.**
- **Installez un éclairage adéquat,** et n'oubliez pas les veilleuses.
- **Empêchez les enfants et les bébés d'accéder aux escaliers ;** installez des rampes pour les personnes âgées.

Le saturnisme (intoxication par le plomb)

Selon la U.S. Environmental Protection Agency (EPA), 1 enfant américain sur 11 présente un taux dangereusement élevé de plomb dans le sang. Les enfants sont plus vulnérables au saturnisme que les adultes. Les Centers for Disease Control and Prevention conseillent un test de dépistage du plomb dans le sang à 1 an, ou encore à 6 mois si vous croyez que votre domicile contient une proportion élevée de plomb. Les enfants de plus de 1 an peuvent subir un test de dépistage aux 2 ans, ou encore chaque année si votre maison contient de la peinture au plomb ou si le plomb a un rôle à jouer dans vos loisirs ou dans votre profession. Voici quelques sources potentielles de saturnisme :

- **Le sol.** Certains sols contiennent des particules de plomb en provenance de la peinture ou de la gazoline utilisées naguère. Ces particules peuvent rester dans le sol pendant plusieurs années. Aux alentours des maisons anciennes et dans certains quartiers urbains, le sol présente parfois une très forte concentration de plomb.
- **La poussière de maison.** Cette poussière peut contenir des particules de plomb provenant de la peinture des murs ou encore de la terre transportée du dehors par les chaussures.
- **L'eau.** Les tuyaux de plomb, les robinets en bronze et les tuyaux de cuivre soudés au plomb peuvent libérer des particules de plomb dans l'eau potable. Si votre plomberie contient du plomb, laissez couler l'eau de 30 à 40 secondes avant de la boire. L'eau chaude absorbe une plus grande quantité de plomb que l'eau froide. L'EPA déconseille l'utilisation d'eau du robinet pour la préparation de lait maternisé si la plomberie de votre maison n'est pas récente.
- **La peinture.** Maintenant illégale, la peinture au plomb se retrouve encore sur bon nombre de murs et de moulures dans les maisons anciennes. Si vous devez sabler ou décaper une maison ancienne, portez un masque protecteur et éloignez les enfants de la poussière.

■ L'intoxication à l'oxyde de carbone

L'oxyde de carbone est un gaz toxique produit par une combustion incomplète. Il est incolore, inodore et sans saveur. L'oxyde de carbone s'accumule dans les globules rouges, enrayant ainsi la circulation de l'oxygène dans l'organisme.

Chaque année, en Amérique du Nord, environ 10 000 personnes subissent une intoxication à l'oxyde de carbone. Il suffit pourtant de quelques mesures pour la prévenir.

- **Reconnaissez les signes et les symptômes.** Maux de tête, fièvre, peau rougeâtre, étourdissements, faiblesse, fatigue, nausées, vomissements, dyspnée, douleurs thoraciques et confusion. Ces symptômes se manifestent en général assez lentement; c'est pourquoi on les confond souvent avec ceux du rhume ou de la grippe. Si les mêmes symptômes se manifestent chez toutes les personnes présentes ou si les symptômes s'estompent lorsque vous vous absentez quelque temps et qu'ils reviennent lorsque vous entrez de nouveau dans l'édifice, il s'agit d'une intoxication.
- **Sachez reconnaître les causes.** L'intoxication à l'oxyde de carbone est le plus souvent attribuable au mauvais fonctionnement d'une fournaise au gaz ou à l'huile, d'un poêle à bois, d'un appareil de cuisson au gaz, d'un chauffe-piscine, ou encore aux gaz d'échappement d'un véhicule automobile. Un échangeur thermique endommagé, une cheminée obstruée, les conduits de chaleur ou les évents des appareils ménagers peuvent laisser l'oxyde de carbone s'infiltrer dans les pièces de la maison. Les maisons actuelles, trop isolées, peuvent accroître le risque d'intoxication en réduisant l'apport d'air frais.
- **Procurez-vous un détecteur.** Le détecteur sonne l'alarme s'il y a accumulation d'oxyde de carbone. Recherchez la cote UL 2 034 sur l'emballage.
- **Sachez quand réagir.** Si l'alarme se déclenche, ouvrez immédiatement les portes et les fenêtres. Si une personne présente éprouve des symptômes, évacuez immédiatement les lieux et faites le 911. Si personne ne présente de symptômes, continuez de ventiler la maison, éteignez tous les appareils à combustible et demandez à un technicien qualifié d'inspecter votre domicile.

■ La pollution ambiante

L'EPA, l'agence de protection de l'environnement des États-Unis, considère que la pollution ambiante est l'un des 4 facteurs environnementaux les plus dommageables pour la santé. Les autres sont la pollution extérieure, les produits toxiques en milieu de travail et la contamination de l'eau potable.

Les polluants domestiques les plus dangereux sont les suivants:

- **La fumée de tabac.** Le tabagisme cause le cancer du poumon. Même si vous ne fumez pas, si vous vivez sous le même toit qu'un fumeur, vous courez 30 p. 100 plus de risque de contracter un cancer du poumon qu'une personne qui vit dans un milieu exempt de fumée. Si les purificateurs d'air sont efficaces, ils filtrent les solides et non pas les émanations.
- **Le radon.** Le radon est un gaz naturel qui provient de la décomposition radioactive de l'uranium présent dans le roc et le sol. Le radon est indétectable à l'œil, au goût ou à l'odeur. Il peut cependant s'infiltrer dans votre maison et dans d'autres constructions par des fissures dans les fondations, par les bouches d'égout et les joints entre les murs et les planchers. Une exposition prolongée à des niveaux élevés de radon peut provoquer le cancer du poumon. Procurez-vous un détecteur de radon. Si vous constatez un niveau élevé de radon, communiquez avec l'EPA à 1 800 SOS-RADON.

La santé au travail

- **La santé, la sécurité et la prévention des accidents**
- **Équilibrer travail et vie familiale**
- **Comment contrôler le stress**
- **Les technologie**
- **La grossesse et le travail**
- **La planification de la retraite**

Dans cette section, nous abordons les moyens à prendre pour assurer votre réussite professionnelle et votre bien-être en milieu de travail. Le lecteur y trouvera des renseignements pratiques sur des aspects fondamentaux de la santé et de la sécurité : comment équilibrer sa vie professionnelle, sa vie familiale et une grossesse éventuelle. Comment réduire ou contrôler le stress, ou soulager les tensions et les douleurs associées au travail à l'ordinateur. En terminant, le lecteur trouvera des informations importantes sur la planification de la retraite.

La santé, la sécurité et la prévention des accidents

◼ Prendre soin de son dos

Le dos bouge dans plusieurs directions et supporte le poids du corps dans bon nombre d'activités. C'est pourquoi il est vulnérable et pourquoi les maux de dos ne sont pas rares.

Autotraitement

Prenez soin de votre dos :
- **Faites de l'exercice.** L'exercice améliore la forme générale et la force des membres en plus de faciliter la perte de poids – toutes choses qui contribuent à protéger le dos. Des exercices pour renforcer les muscles abdominaux devraient faire partie de votre programme de conditionnement physique, car ce sont les muscles abdominaux qui soutiennent et protègent le dos.
- **Soyez à l'écoute de votre corps.** Si vous avez mal au dos, cessez ce que vous faites et reposez-vous, ou faites autre chose. Tant que durera la douleur, continuez à faire des exercices d'assouplissement, mais cessez tout exercice de renforcement du dos et des abdominaux.
- **Améliorez votre maintien.** Un bon maintien contribue à ralentir l'usure des muscles et des articulations du dos.
- **Évitez les mouvements qui surmènent le dos.** Les torsions, les inclinations et les extensions fatiguent le dos et le rendent vulnérable aux blessures.
- **Servez-vous de vos jambes pour soulever des charges.** Pliez toujours les genoux quand vous soulevez une charge.
- **Quand vous avez mal au dos.** Ne négligez pas le premier pincement ! On peut soulager la plupart des maux de dos par le repos, des exercices d'assouplissement, des compresses froides et des analgésiques en vente libre. Évitez de vous pencher ou de vous accroupir, mais demeurez actif et marchez le plus possible.

Soins médicaux

Votre état devrait s'améliorer dans environ 2 semaines. Si le mal de dos persiste ou s'il s'accompagne de faiblesse, d'engourdissement ou d'élancements dans les jambes, consultez votre médecin. **Si vous constatez une perte de contrôle inattendue de la vessie ou des instestins, consultez votre médecin sur-le-champ.**

Pour de plus amples renseignements, voir la page **60**.

◼ Le syndrome du canal carpien : pas de tension, pas de douleur

Le syndrome du canal carpien est très répandu chez les travailleurs manuels et chez toutes les personnes qui utilisent leurs mains lors de tâches répétitives ou dans leurs loisirs (bricolage, tricot, etc.).

Les signes avant-coureurs

Ce syndrome est facile à prévenir et à traiter, et ses signes avant-coureurs sont faciles à identifier :
- Un engourdissement, un fourmillement ou une sensation de faiblesse dans les mains ou les doigts, en particulier dans les 3 doigts du milieu.
- Un endolorissement de l'avant-bras ou de la main après un effort ou un mouvement répétitif.
- Les symptômes apparaissent la nuit et vous réveillent.

Qu'est-ce que le syndrome du canal carpien?

Le canal carpien est un couloir situé entre le poignet et la main; il renferme et protège les nerfs et les tendons. Lorsque les tissus de ce canal enflent et s'enflamment, ils opèrent une pression sur un nerf qui sensibilise le pouce, l'index, le majeur et l'annulaire. Un excès de pression sur ce nerf occasionne l'un ou l'autre des symptômes décrits précédemment. Laissé sans traitement, ce problème peut entraîner des lésions nerveuses et musculaires.

Qui est à risque?

Vous-même, si votre travail ou vos loisirs vous obligent à des mouvements répétitifs du poignet ou des doigts, à des pincements ou à des préhensions qui nécessitent un effort musculaire, ou si vous travaillez avec des outils qui produisent des vibrations (marteau-piqueur, etc.). Toutefois, la plupart des gens peuvent s'adonner sans aucun dommage à de telles activités.

Les femmes sont plus vulnérables que les hommes, et certaines affections médicales augmentent la vulnérabilité à ce syndrome: c'est le cas du diabète et de la polyarthrite rhumatoïde. La grossesse fragilise aussi le canal carpien; heureusement, le syndrome du canal carpien attribuable à une grossesse s'estompe presque toujours après l'accouchement.

La prévention

Une pause, un massage, la prise d'ibuprofène, d'aspirine ou d'un anti-inflammatoire en vente libre apportent un soulagement temporaire. La prévention est le meilleur remède:

- Faites une mini-pause de 60 secondes toutes les 15 ou 20 minutes: étirez doucement vos mains et vos doigts. Si possible, alternez vos activités. Par exemple, tapez sur un clavier pendant 15 minutes, puis travaillez au téléphone pendant 5 minutes.
- Gardez la forme. Évitez les flexions extrêmes du poignet. Le juste milieu est toujours préférable.
- Relâchez votre emprise. Évitez de trop serrer le volant, le pinceau ou le stylo. Les stylos, les crayons et les outils coussinés favorisent une préhension plus souple.

Soins médicaux

Si, en dépit de ces mesures, la douleur, l'engourdissement ou la faiblesse persistent plus de 2 semaines, consultez votre médecin. Il pourrait vous conseiller une attelle, une physiothérapie ou l'injection de médicaments d'ordonnance. Parfois, la chirurgie s'avère nécessaire.

Pour de plus amples renseignements, voir la page **106**.

■ L'arthrite au travail

Un Nord-Américain sur 7 souffre d'une forme ou d'une autre d'arthrite. La plus répandue, qui affecte 20 millions d'individus, est l'arthrose. L'arthrose se caractérise par une détérioration du cartilage due à l'usure ou à un trauma. Elle touche un grand nombre de travailleurs de plus de 55 ans et affecte surtout la base du pouce, l'épaule, le dos, la hanche ou le genou. Le sujet éprouve de la difficulté à marcher, à soulever des charges, à accomplir des tâches qui exigent de lever les bras. L'arthrose affecte également la motricité fine.

La polyarthrite rhumatoïde est une autre forme d'arthrite très répandue; elle touche environ 2 millions de Nord-Américains. Dans ce cas, les dommages aux articulations sont attribuables non pas à un problème mécanique (détérioration du cartilage), mais bien à une inflammation qui survient lorsque le système immunitaire du sujet attaque son organisme.

La santé au travail

Autotraitement

Voici comment composer avec les problèmes d'arthrite en milieu de travail :

- Reconnaissez vos limites et sachez les accepter. Vous devrez sans doute effectuer des changements à long terme dans votre façon de travailler.
- Informez votre employeur de votre état. Des modifications mineures à votre lieu de travail et des pauses plus fréquentes suffiraient peut-être à vous procurer un soulagement.
- Les horaires flexibles sont peut-être pour vous. Quoi qu'il en soit, donnez-vous le temps de réchauffer et d'assouplir vos articulations avant de commencer à travailler.
- Planifiez le plus possible vos tâches de façon à éviter les mouvements répétitifs qui exigent un effort. Alternez entre soulever des charges et vous lever ou vous asseoir.
- Glissez votre crayon dans une gaine coussinée, utilisez des appuie-bras ; si vous devez rester debout longtemps, procurez-vous une carpette spéciale.
- Une juste dose d'exercice, de travail et de loisirs est bénéfique. Mais évitez toute activité qui occasionne des douleurs articulaires pendant 2 heures ou plus après le travail.

■ L'exercice au bureau

Les employés de bureau qui passent 8 heures assis sont plus que d'autres sujets à la fatigue, au stress, aux maux de dos et même aux caillots sanguins. Les exercices de souplesse qui suivent vous soulageront et pourraient même rehausser votre productivité.

Trois pauses-souplesse par jour, de 5 minutes chacune, vous stimuleront, détendront vos muscles et amélioreront votre souplesse. Voici 6 exercices que vous pouvez faire sans même quitter votre poste de travail. (Note : gardez la position requise pendant 10 à 20 secondes. Faites 1 ou 2 répétitions pour chaque côté.)

1. Étirez vos doigts le plus possible pendant 10 secondes. Détendez-les. Repliez les doigts et serrez-les.
2. Penchez lentement la tête vers l'épaule gauche jusqu'à ce que vous sentiez une tension au cou. Refaites l'exercice du côté droit, puis en penchant la tête vers l'avant.
3. Placez votre main droite juste au-dessus du coude gauche. Poussez doucement le coude gauche vers l'épaule droite en tournant la tête pour regarder par-dessus l'épaule gauche.
4. Levez le coude gauche au-dessus de la tête et posez la paume de votre main gauche sur la nuque. Posez votre main droite sur votre coude gauche. Poussez délicatement le coude gauche derrière la tête et vers l'épaule droite jusqu'à ce que vous sentiez une tension dans l'épaule et le bras.
5. Posez vos mains sous le genou gauche et tirez doucement la jambe pliée vers le torse. Deuxième étape : tenez votre jambe avec votre main droite et tirez-la vers votre épaule droite.
6. Croisez la jambe gauche par-dessus la jambe droite. Posez le coude droit par-dessus la cuisse gauche. Exercez une pression délicate du coude contre la jambe en faisant une légère torsion de la hanche, du bas et du milieu du dos en regardant par-dessus votre épaule gauche.

■ Comment soulever correctement une charge

Le dos s'incurve en 3 endroits : vers l'intérieur à la nuque, vers l'extérieur aux épaules et vers l'intérieur au creux des reins.

Que vous portiez un enfant ou que vous transportiez du bois de construction, il importe de veiller au bon alignement de ces incurvations lorsque vous soulevez une charge, afin d'éviter toute blessure au dos.

- Planifiez vos mouvements. Assurez-vous que rien ne les entravera et qu'aucun obstacle ne vous gênera dans vos déplacements. Serait-il préférable d'utiliser un diable ou une plate-forme de transport ? Si possible, poussez votre charge au lieu de la tirer.
- Servez-vous de vos jambes. Tenez-vous debout, les pieds alignés avec les épaules. Pliez les genoux, et non pas la taille. Soulevez la charge en laissant les jambes faire leur travail.
- Serrez la charge contre votre corps : vous éviterez de surmener le dos.
- Évitez les torsions : elles vous arracheraient un cri. Faites plutôt pivoter vos pieds pour changer de direction.

   Soyez prudent même au repos.
- Assis : la chaise doit soutenir le dos et permettre un bon alignement des genoux et des hanches.
- Couché : un matelas ferme vous permet de bouger librement sans causer de courbatures ou de maux de dos.
- Debout : si vous devez rester debout longtemps au même endroit, appuyez un pied sur un tabouret ou une étagère basse.

Aidez votre dos à porter des charges lourdes

Renforcez les muscles lombaires et abdominaux : ce sont eux qui soutiennent et protègent votre colonne vertébrale. Restez mince. Les personnes qui font de l'embonpoint sont plus sujettes aux blessures au dos.

Aïe, mon dos !

En général, une lombalgie se résorbe dans les 2 semaines. Restez actif, mais évitez le plus possible de soulever des charges ou de vous pencher. Une application de glace engourdira la douleur les 2 premiers jours ; après 48 ou 72 heures, une application de chaleur est préférable. Un analgésique en vente libre apportera un certain soulagement.

   Mise en garde : consultez un médecin dans les cas suivants :
- Si vous ressentez des élancements dans une jambe ou les deux (surtout au bas des genoux).
- Si vous vous sentez faible.
- Si vous éprouvez des problèmes inattendus de vessie ou d'intestin (incontinence ou constipation).

   N.B. Les radiographies ne sont ni efficace ni utiles au diagnostic des douleurs lombaires.

   Pour de plus amples renseignements, voir la page **60**.

◼ La sécurité au travail

Assurez votre sécurité et celle de vos collègues en observant les directives suivantes :

- **Protégez vos yeux.** Si votre travail comporte un risque de blessures aux yeux, votre employeur est requis par la loi de vous fournir des lunettes protectrices, et vous devez les porter. Si elles nuisent à votre efficacité, faites l'essai d'un modèle différent.
- **Protégez vos oreilles.** Dans les milieux bruyants, l'employeur devrait mesurer le niveau de bruit régulièrement ou vous fournir une protection adéquate. Il existe des casques protecteurs spécialement conçus. Certains modèles masquent tous les bruits externes. D'autres sont munis d'écouteurs et d'un microphone qui vous permettent de communiquer avec vos collègues. Les protège-tympans en mousse, en plastique, en caoutchouc ou moulés procurent également une protection efficace contre le bruit. Renoncez au coton hydrophile qui pourrait obstruer le conduit auditif.

- **Les émanations toxiques, la fumée, la poussière et les gaz.** L'exposition aux vapeurs toxiques, aux gaz, aux particules de poussière et à la fumée est responsable de nombreux problèmes respiratoires. Il peut s'agir d'une exposition prolongée à une faible quantité de produits chimiques ; mais une exposition accidentelle et brève à un niveau élevé de produits toxiques peut également se produire. Portez des vêtements, un masque et des lunettes protectrices appropriés et assurez-vous de travailler dans un lieu adéquatement ventilé.

Si vous êtes enceinte ou que vous tentez de le devenir, évitez toute exposition à des produits toxiques.

Si vous croyez que votre lieu de travail vous expose à des vapeurs toxiques, à de la fumée, à de la poussière ou à des produits chimiques, discutez-en avec votre médecin. De nombreuses affections respiratoires ne se développent qu'après plusieurs années d'exposition à des produits industriels. Une exposition brève et apparemment anodine peut aussi avoir pour conséquence une affection chronique. Si vous croyez courir des risques inutiles ou exagérés, contactez le département de sécurité de l'entreprise qui vous emploie, Santé Canada ou votre syndicat.

Les médicaments et l'alcool. Ne consommez pas d'alcool avant ou pendant les heures de travail. Ne faites pas fonctionner de machinerie lourde quand vous devez prendre des médicaments qui causent de la somnolence. Si vous devez prendre des médicaments, consultez votre médecin ou votre pharmacien pour en connaître les effets secondaires qui pourraient affecter votre travail.

Le sommeil et le travail par roulement

Le travail par roulement bouleverse les cycles normaux de sommeil et oblige le travailleur à s'adapter à chaque changement d'horaire. Si vous avez dû traverser plusieurs fuseaux horaires, vous savez comment l'organisme réagit lorsque son horloge biologique se détraque. Dans de tels cas, l'insomnie, la fatigue mentale et physique, l'indigestion et les malaises généralisés ne sont pas rares.

Si vous travaillez par roulement, vous aurez de plus en plus de difficulté à vous adapter à mesure que vous vieillirez. Selon certaines recherches, les changements trop fréquents de quart de travail rendent l'individu vulnérable aux maladies coronariennes ou aux ulcères d'estomac. Voici quelques suggestions :

- Gardez le même poste pendant 3 semaines au lieu d'en changer chaque semaine.
- Ajustez la séquence de vos roulements. Votre cycle de sommeil se rapprochera de la normalité si vous travaillez le jour, le soir et la nuit plutôt que le jour, la nuit et enfin le soir.
- La tolérance aux roulements varie selon les individus. Si vous éprouvez de la difficulté à vous adapter, envisagez de changer d'emploi. Si votre insomnie est grave, consultez votre médecin qui pourrait vous prescrire un somnifère à action brève.

Pour de plus amples renseignements, voir la page **54**.

Les drogues, l'alcool et le travail

Les drogues illicites et l'alcool peuvent affecter votre santé et votre sécurité au travail, de même que celles de vos collègues. Ce problème est très répandu, comme en témoignent les statistiques ci-dessous :

- Soixante-quinze pour cent des toxicomanes occupent un emploi.
- L'alcoolisme est responsable de la perte de 500 millions de jours de travail/an.
- Les drogues et l'alcool sont l'une des 4 principales causes de violence au travail.
- Les travailleurs sous influence sont 5 fois plus à risque pour les accidents.
- Les personnes qui font usage de drogues ou d'alcool ont un taux d'absentéisme 10 fois plus élevé que les personnes qui s'en abstiennent.

- Les personnes qui font usage de drogues profitent 8 fois plus souvent de leur assurance-groupe que les personnes qui s'en abstiennent.
- Selon un sondage Gallup réalisé auprès des travailleurs, 97 p. 100 d'entre eux approuvent le dépistage des drogues dans certaines circonstances, et 85 p. 100 d'entre eux croient que des analyses d'urine pourraient contribuer à enrayer les toxicomanies.

Auto-évaluation

Pour savoir si vous faites face à un problème de drogue ou d'alcool, répondez aux questions suivantes :

- Ai-je fait usage de drogues illicites au cours des 6 derniers mois ?
- Ai-je abusé d'un médicament d'ordonnance en raison de ses effets (pour dormir, pour me calmer ou pour le plaisir) ?
- Ai-je couru des risques parce que j'étais sous influence (opéré de la machinerie lourde ou pris des décisions qui pouvaient affecter la sécurité de mes collègues) ?
- Ai-je consommé de l'alcool 12 heures ou moins avant de me rendre à mon lieu de travail ?
- Les drogues ou l'alcool ont-ils nui à mes relations affectives, à ma santé ou à la qualité de mon travail ?

Si vous avez répondu par l'affirmative à l'une ou l'autre de ces questions, il se pourrait que vous abusiez des drogues ou de l'alcool, et vous devriez rechercher du secours.

Autotraitement

Si vous ou un membre de votre famille avez développé une dépendance à l'alcool, référez-vous à la section « L'abus d'alcool et l'alcoolisme », page **196**.
- Si vous ou un membre de votre famille avez un problème de drogue, référez-vous à la section « La toxicomanie », page **204**.
- De nombreuses grandes sociétés offrent à leurs employés des programmes de soutien confidentiels pour les aider à régler leurs problèmes de drogues ou d'alcool. Renseignez-vous auprès du département du personnel ou des ressources humaines.
- Si la société qui vous emploie ne met pas de tels programmes à votre disposition, contactez un médecin ou un psychologue qui vous dirigera en toute confidentialité vers les services d'aide appropriés.

Équilibrer travail et vie familiale

■ Cinq suggestions pour ne pas devenir fou

La vie est un carrousel? Voici 5 suggestions pour ne pas devenir fou:

- Identifiez celles de vos responsabilités auxquelles vous ne pouvez pas échapper et qui vous apportent le plus de satisfaction. Votre emploi du temps penche-t-il de leur côté ou les négligez-vous en faveur de tâches inutiles et peu satisfaisantes? Réorganisez votre emploi du temps pour donner la priorité à ce qui a vraiment de l'importance.
- Planifiez efficacement les tâches ménagères. Commencez par faire la lessive chaque jour et répartissez vos courses tout au long de la semaine. Un calendrier familial qui souligne les dates importantes vous évitera la panique de dernière minute.
- Éliminez les malentendus qui vous volent du temps en apprenant à communiquer clairement vos intentions et à écouter attentivement. Dans une vie aussi compliquée que la vôtre, vous devez communiquer avec tous, de votre conjoint à la gardienne des enfants. Faites-le efficacement.
- Combattez la culpabilité. Rappelez-vous qu'il est normal de devoir travailler à l'extérieur tout en élevant une famille, tant pour les hommes que pour les femmes. Si rien ne vous soulage, confiez-vous à vos enfants. Il se pourrait bien qu'ils fassent preuve de compréhension.
- Réservez du temps, chaque jour, à une activité que vous aimez. Accordez-vous vraiment ce moment de solitude. Ne vous précipitez pas dans la cuisine dès votre retour du travail pour préparer le souper. Faites de cette heure une période familiale de repos/collation. Les enfants affamés pourront mieux patienter et tous profiteront de ces minutes de détente.

Équilibrer sa vie ne signifie pas tout faire. Réfléchissez à ce que représente pour vous une vie équilibrée et passez à l'action.

Pour de plus amples renseignements, voir les pages **234** et **249**.

■ Un enfant maladif et un emploi exigeant

«Ma fille attrapait des rhumes et des otites à répétition quand elle était petite, si bien qu'il m'est arrivé souvent de devoir rester à la maison 2 ou 3 jours par mois», se rappelle Jeanne. «Je suis institutrice. Ce n'était guère facile de trouver quelqu'un pour me remplacer. Je me souviens que le directeur de l'école me répétait souvent: "Quoi, votre fille est encore malade?"»

Voilà, en quelques mots, le défi qu'ont à relever les parents qui travaillent lorsque leur enfant tombe malade. Pour certains, un enfant malade est aussi synonyme de perte de salaire. Mais il est inévitable qu'un enfant tombe malade. Si vous vous préparez dès maintenant à une telle éventualité, vous rehausserez le bien-être de l'enfant – et celui de votre employeur.

- **Avant que l'enfant ne tombe malade,** identifiez les personnes qui peuvent vous aider à vous en occuper, notamment:
  - des grands-parents ou d'autres membres de la famille;
  - des amis;
  - des voisins;
  - des personnes à la retraite;
  - des paroissiens;
  - des étudiants d'université;
  - des parents sans emploi ou qui travaillent à la maison.

Renseignez-vous auprès de toutes les personnes que vous connaissez, et même auprès du secrétariat de l'école, ou des instituteurs de votre enfant. Certaines personnes voudront être dédommagées, mais d'autres accepteront de vous aider en échange de petits services. Vous pourriez faire quelques travaux ménagers, des courses ou encore garder leurs enfants certains soirs ou les week-ends. Si possible, ayez sous la main une liste de personnes disponibles. Préparez un plan A, puis un plan B et un plan C.

- **Partagez cette responsabilité entre conjoints.** Les femmes héritent souvent du soin d'un enfant malade. «Dans un grand nombre de familles, il est entendu ou sous-entendu que c'est la mère qui doit s'occuper d'un enfant malade», dit le Dr Jill A. Swanson, directrice des services pédiatriques communautaires et de la médecine pour adolescents à la Clinique Mayo, de Rochester, au Minnesota. «Parfois, maman aurait intérêt à dire à papa : "Je crois que c'est ton tour." Maman doit admettre qu'elle a raison de vouloir que cette responsabilité soit partagée.»

Il importe d'aborder ce problème avec votre conjoint avant même qu'il ne se présente. Quand les enfants sont jeunes, l'un de vous pourrait travailler à temps partiel ou bénéficier d'horaires flexibles. Vous pourriez aussi vous relayer. Par exemple, votre conjoint resterait à la maison le matin pendant que vous allez travailler, et vous le remplaceriez l'après-midi. Le travail des 2 conjoints en souffrirait moins.

- **Les garderies pour enfants malades.** Il existe des garderies conçues spécialement pour les enfants malades. Certains hôpitaux pour enfants offrent de tels services. Dans d'autres cas, les garderies ordinaires disposent d'une salle séparée pour les enfants malades.

Certains parents n'aiment pas se prévaloir de ces services, car ils sont d'avis que la place de l'enfant malade est à la maison, avec maman ou papa. D'autres croient qu'en certaines circonstances, ces garderies spécialisées sont tout indiquées. Par exemple, un enfant contagieux pourrait ne présenter que peu de symptômes et même se sentir plutôt en forme bien qu'il ne puisse fréquenter l'école. Sans doute n'a-t-il besoin que d'une petite sieste et de la possibilité de s'adonner à des jeux calmes. Dans ce cas, la présence du parent n'est pas indispensable.

Avant de recourir aux services de garderies spécialisées, visitez-en quelques-unes en compagnie de votre enfant. Renseignez-vous sur leurs coûts et leurs politiques, et assurez-vous que l'ambiance et le personnel satisfont vos attentes.

N'oubliez pas, ces garderies s'adressent aux enfants dont les symptômes ne sont pas sévères. Lorsqu'un enfant est très malade, il a besoin de l'attention que seul un parent peut lui prodiguer, à la maison.

- **Visez la flexibilité.** Efforcez-vous de structurer votre vie professionnelle de manière qu'elle vous accorde une plus grande flexibilité pour prendre soin de vos enfants. Les progrès technologiques (courriel, téléphones cellulaires, télécopieurs, etc.) facilitent plus que jamais la vie des parents. Au cours de votre prochaine recherche d'emploi, vérifiez si vous bénéficierez de ces progrès. Et demandez à votre employeur éventuel si l'entreprise a développé un plan d'action pour aider les parents dont l'enfant est malade.

- **Discutez du problème avec votre employeur.** Négociez. Si vous lui proposez des solutions au lieu de lui donner des ultimatums, votre employeur réagira plus favorablement. Acceptez d'apporter du travail à la maison ou de faire du temps supplémentaire le soir et les week-ends. Demandez à vos collègues s'ils acceptent que vous leur déléguiez certaines responsabilités. Proposez à un collègue d'échanger vos quarts de travail. Démontrez que vous avez l'intention de compléter vos tâches même quand votre enfant est malade.

Certains directeurs d'entreprise constatent qu'il est dans leur intérêt d'aider les parents à prendre soin d'un enfant malade. Ils ont mis au point quelques solutions.

Dans un certain nombre d'entreprises, les employés bénéficient de quelques jours de congé sans solde pour toutes sortes d'urgences, y compris pour le soin d'un enfant malade. D'autres employeurs disposent d'une liste de garderies spécialisées et, dans certains cas, en assument les coûts.

D'autres directeurs d'entreprise permettent aux employés de puiser dans leurs congés de maladie ou leurs vacances pour s'occuper d'un enfant malade. Dans certains cas, les employés peuvent «donner» à un collègue les congés de maladie dont ils n'ont pas eux-mêmes bénéficié.

Si l'entreprise qui vous emploie n'a pas développé de programme dans ce sens, c'est peut-être parce que personne n'en a fait la demande. Si vous abordez la question avec votre employeur, vous pourrez sans doute trouver une solution d'un commun accord, surtout si d'autres employés doivent faire face aux mêmes problèmes. Quand un conflit entre le travail et la vie familiale draine un employé de toute son énergie, tout le monde y perd. Mais quand tous s'activent à trouver une solution, tout le monde y gagne.

- **Sachez en quoi consistent vos droits et vos avantages sociaux.** Votre convention collective ou vos avantages sociaux prévoient sans doute des solutions pour le soin des enfants malades. Aux États-Unis, la loi sur les congés familiaux et les congés de maladie oblige les employeurs à accorder des congés aux personnes qui doivent s'occuper d'un membre de la famille qui est malade. N'oubliez pas que ces congés requis par la loi sont des congés sans solde et qu'ils sont soumis à certaines restrictions.
- **Développez une perspective à long terme.** On dit : « Sur leur lit de mort, rares sont ceux qui souhaiteront avoir passé plus de temps au bureau. » En développant une perspective à long terme, vous parviendrez plus facilement à harmoniser les besoins de vos enfants et vos propres objectifs.

■ Les matins échevelés

Dans la plupart des familles, surtout celles où les 2 parents travaillent à l'extérieur, le matin est le moment le plus stressant de la journée. Mettez fin aux matins échevelés de la façon suivante :

- Assurez-vous que chacun dort suffisamment. Établissez une heure du coucher réaliste pour vos enfants et imposez-la. Commencez à envoyer les enfants se coucher de 30 à 60 minutes avant le couvre-feu.
- Pas de lambins dans la salle de bains ! Mettez sur pied un plan de rotation pour l'utilisation de la salle de bains et réglez la minuterie en conséquence.
- Évitez les distractions. Ne permettez pas aux enfants de regarder la télévision tant qu'ils ne sont pas tous prêts à partir pour l'école.
- Accordez-vous 10 minutes de solitude (pour le café ou la méditation) avant le lever des enfants. Si vous vous sentez quand même pressé, réglez le réveil pour qu'il sonne 15 minutes plus tôt.

N'assumez pas toutes les responsabilités. Demandez aux enfants de vous aider : la veille, ils peuvent sortir du placard les vêtements qu'ils porteront, préparer leur casse-croûte du midi et emballer leurs affaires. Les enfants sont plus serviables si on stimule leur sens des responsabilités.

Comment contrôler le stress

■ Épuisé ? Rien ne vaut une mise au point

Si vous appréhendez d'aller travailler depuis plusieurs semaines, que vous êtes épuisé ou que vous ne supportez plus le stress, votre état pourrait nuire sérieusement à votre vie professionnelle, à vos relations personnelles et même mettre votre gagne-pain en péril. Une frustration intolérable ou l'indifférence face au travail, l'irritabilité persistante, la colère, le sarcasme et la tendance à argumenter montrent que vous devez vous prendre en mains. Voici quelques stratégies utiles :

- Veillez sur vous-même. Ayez une alimentation équilibrée, mangez à des heures régulières et ne sautez pas le petit-déjeuner. Dormez suffisamment et faites de l'exercice.
- Faites-vous des amis au travail et en dehors du bureau. Pour résoudre nos difficultés, le premier pas consiste à en parler avec des personnes de confiance. Évitez les amis pessimistes qui ajoutent à vos frustrations.
- Accordez-vous du repos. Partez en vacances ou offrez-vous un long week-end. Réservez-vous des moments chaque semaine pendant lesquels vous ne répondez ni au téléphone ni à votre téléavertisseur. Faites de courtes pauses pendant la journée.
- Fixez-vous des limites. Si nécessaire, apprenez à dire « non » gentiment, mais fermement.
- Choisissez sagement vos batailles. Résistez à la tentation d'argumenter chaque fois qu'on ne partage pas vos opinions. Gardez la tête froide et réservez vos argumentations pour les questions importantes. (Mieux, restez neutre en tout temps.)
- Ayez un exutoire. Lisez, pratiquez une activité de loisir, faites de l'exercice, bref, faites n'importe quoi qui vous distraie et vous détende.
- Cherchez de l'aide. Si aucune de ces solutions n'apaise votre stress et votre épuisement, consultez un professionnel de la santé.

Un remède efficace contre l'épuisement : ne gardez que les papiers indispensables sur votre bureau et jetez les autres. Rédigez une liste de priorités. Pendant la journée, consultez cette liste et accomplissez vos tâches en commençant par la plus urgente.

■ Résoudre les conflits entre employés en 5 étapes

Pour résoudre un conflit, la meilleure approche consiste à en discuter avec la personne concernée. Mais l'humeur qui prévaut lors de cette discussion est fondamentale. Voici quelques suggestions :

- **Rencontrez-vous en privé.** Choisissez une zone neutre et une heure précise qui convient à chacun. Abordez le sujet sans agressivité. Dites, par exemple : « J'aimerais te parler de quelque chose. Il me semble que… » ou encore : « Quand tu auras une minute, j'aimerais aborder certaines questions avec toi. »
- **Évitez les accusations.** En parlant au « je », vous inciterez moins l'autre personne à se placer sur la défensive et vous ne risquez pas de l'irriter.
- **Sachez écouter.** Vous maîtriserez mieux votre colère si vous êtes réceptif au point de vue de l'autre personne.
- **Concentrez-vous sur les solutions.** Ne vous laissez pas distraire.
- **Demandez l'aide d'un arbitre.** Consultez un conseiller en ressources humaines qui vous aidera à établir les bases d'une discussion et à respecter les règles d'une communication respectueuse.

■ Cinq trucs pour une meilleure gestion de votre emploi du temps

- Rangez dans une chemise les coupures de journaux et de revues que vous devez lire.
- Ne gardez que les papiers importants sur votre bureau et jetez les autres. Préparez une liste de priorités. Rangez les dossiers qui remontent à plus de 6 mois.
- Pendant la journée, consultez votre liste de priorités et accomplissez vos tâches en commençant par la plus urgente.
- Ayez un agenda où vous pourrez noter aussi les adresses et les numéros de téléphone. Inscrivez-y les tâches qui figurent sur votre liste de priorités à la page du jour où vous devez les accomplir. Réévaluez vos priorités quotidiennement.
- Planifiez des moments où vous pourrez travailler sans être dérangé aux projets importants ou difficiles.

■ Apprenez à connaître votre employeur ; cela facilitera vos relations

Si votre employeur et vous êtes comme chien et chat, ne désespérez pas. Apprenez plutôt à le connaître. Voici comment :

- Demandez-vous : « Que veut-il au juste ? » Préfère-t-il que vous respectiez les échéanciers quitte à produire des résultats moyens, ou que vous remettiez un travail impeccable quitte à prendre plus de temps ? Veut-il savoir ce que vous faites dans tous les détails ou fait-il une indigestion d'information si vous lui faites part de vos progrès au jour le jour ? Découvrez ses préférences et agissez en conséquence. Cela facilitera sa vie et la vôtre.
- Sachez ce que votre employeur attend de vous. S'il n'exprime pas clairement ses attentes, n'hésitez pas à lui demander ce qu'il souhaite.
- Identifiez son style : formel ? informel ? vue d'ensemble ? manie du détail ? Sans chercher à l'imiter, efforcez-vous d'harmoniser votre attitude à la sienne.

Parlez avec votre employeur. Une conversation franche et pleine de tact suffira sans doute à transformer des rapports tendus en une relation agréable.

■ Sus à l'hostilité : discutez

Selon le Dr Richard E. Finlayson, du département de psychiatrie et de psychologie à la Clinique Mayo, « la colère est une réaction normale, même au travail. Le tout est de savoir contrôler convenablement cette colère. »

Pour éviter les situations hostiles, il importe de pouvoir se confier à quelqu'un. Cela réduit les tensions et nous donne le recul nécessaire. Lorsque la tension monte, voici ce que nous proposons :

- Envisagez les *solutions,* et non pas uniquement les problèmes. Efforcez-vous ensemble de remédier à la situation.
- Réprimez votre colère tant que vous n'avez pas en mains toutes les données du problème.
- Si vous vous sentez sur le point d'éclater, retenez-vous. Comptez jusqu'à 10, respirez profondément, allez faire une promenade… faites l'impossible pour vous calmer et pour éviter de faire un acte que vous regretteriez plus tard.
- Recourez à l'écoute active : répétez avec calme ce que l'on vient de vous dire. (« Voyons si j'ai bien compris… »)
- Si la confrontation semble inévitable, demandez à un tiers d'arbitrer votre discussion.

■ Les commérages

Les restructurations d'entreprises créent beaucoup d'insécurité chez les employés et fournissent de la matière aux ragots. Le manque de renseignements concrets fait aller les langues.

Selon Connie L. Tooley, coordonnatrice des services aux employés à la Clinique Mayo, dans ce type de situation, les employés deviennent méfiants et se livrent à toutes sortes de spéculations.

C'est là un terrain très propice aux rumeurs. Si les rumeurs distraient les participants, elles sont souvent pénibles et même destructrices pour les personnes qu'elles visent. Mme Tooley et ses collègues assurent qu'il est possible d'enrayer les commérages.

Assumez-vous. Par exemple, affirmez ne pas vouloir casser du sucre sur le dos des absents et contentez-vous d'écouter. Si la conversation tourne aux rumeurs, dites que vous ne vous y sentez pas à l'aise. Si vous entendez des ragots, éloignez-vous. Vous pourriez aussi prendre la ferme résolution de ne faire que des commentaires obligeants et de ne jamais entériner de propos dérogatoires.

■ Des moyens simples pour composer avec un surcroît de travail

Comme la plupart des gens, vous vous demandez souvent comment parvenir à assumer de plus en plus de travail avec de moins en moins de ressources.

Longtemps avant que vos obligations vous pèsent, sachez reconnaître les symptômes avant-coureurs du stress. Spécialiste en médecine comportementale à la Clinique Mayo, le Dr Barbara K. Bruce nous rappelle quels sont ces symptômes : maux de tête, malaises digestifs, troubles du sommeil, fatigue, impatience et perte du sens de l'humour.

Quand vous sentez monter la tension, combattez-la. Comment ? Commencez par renoncer à l'ergomanie (obsession du travail). Prenez soin de vos relations personnelles. « Les ergomanes, dit le Dr Bruce, sont productifs au travail, mais au détriment du reste de leur vie. À mesure qu'augmentent leurs responsabilités, ils négligent de plus en plus leurs amis et leur famille. Cette attitude contribue au stress et à l'épuisement et, en bout de ligne, elle affecte la productivité. »

Les recherches montrent que la vie sociale a un effet tampon sur le stress professionnel. La qualité de vos relations (avec votre conjoint, vos collègues et vos amis) est très importante.

La santé au travail

■ Développez le sens de l'écoute

Pour apprendre à écouter les autres, développez les aptitudes suivantes :
- **Encouragez votre interlocuteur.** Hochez la tête, posez des questions, montrez par votre attitude que vous écoutez ce qu'on vous dit. Concentrez toute votre attention sur votre interlocuteur. Regardez-le dans les yeux et ne jouez pas avec les objets qui se trouvent sur votre bureau.
- **Respectez votre interlocuteur.** Répétez ou reformulez son point de vue pour vous assurer que vous avez bien compris. Dites : « Ainsi, tu crois que nous devrions… » Ne supposez pas que vous avez bien saisi son point de vue tant qu'il ne s'est pas montré d'accord avec votre formulation.
- **Réagissez à ce que dit votre interlocuteur.** Posez-lui des questions, ou dites, par exemple : « Poursuis ton idée. » Souvent, il se sentira encouragé à aborder le nœud du problème. Ne vous hâtez pas à répondre ou à exprimer votre point de vue.

Ralentissez. Faites participer votre interlocuteur à la quête d'une solution ou au processus décisionnel. Deux têtes valent mieux qu'une. Mettez fin à la conversation sur une note positive qui facilitera la communication future au lieu de la décourager.

■ Quand vous devenez le patron

Jusque-là, vous n'étiez qu'un employé comme les autres. Et voilà qu'on vous a promu. La situation est délicate. Vous devez assumer davantage de responsabilités. Vous devrez sans doute superviser un employé qui espérait obtenir votre poste. Mettez au point un plan d'action qui vous ralliera vos anciens collègues. Aidez-les à s'adapter à leur nouvelle situation, fixez certaines limites, modifiez votre relation avec eux et faites votre travail. C'est tout un programme.

Pour commencer, rencontrez chaque employé privément tour à tour. Les 6 étapes suivantes orienteront votre conversation.

1. **Reconnaissez que la situation est délicate.** Dites : « Nous avons travaillé ensemble très longtemps. Il nous faudra sans doute un peu de temps pour nous adapter à cette nouvelle situation. J'aimerais que tout se passe bien. »

2. **Demandez-lui de vous aider.** Dites : « J'ai besoin de ton aide pour que cette transition se fasse en douceur. Puis-je compter sur toi ? »

3. **Demandez-lui son opinion.** Dites : « Quelle devrait être ma plus grande priorité, selon toi ? De quoi dois-je tenir compte ? » Ensuite, écoutez-le.

4. **Demandez-lui un compte rendu.** Dites : « J'aimerais que tu me mettes au courant de tes projets en cours (ou de tes responsabilités). »

5. **Fixez-lui des objectifs.** Détournez son attention de votre relation et orientez-la vers le travail à faire. Insistez sur l'importance que vous accordez à la productivité. Si possible, établissez une limite de temps (ce trimestre ou, mieux, la fin du mois). Assurez-vous que ces objectifs sont quantifiables et exprimez clairement vos attentes.

6. **Sachez apprécier** la contribution de cette personne à l'entreprise, ses aptitudes et l'importance de son rôle dans votre équipe ou votre département.

La technologie

■ Êtes-vous affaissé quand arrive midi ?

Si vous avez l'impression de ressembler au bossu de Notre-Dame, vous avez besoin de conseils ergonomiques. L'ergonomie est très importante pour la santé. Le rôle des ergonomes est d'harmoniser les relations entre l'homme et la machine.

Si vous travaillez à l'ordinateur, il est indispensable que vous ayez quelques notions d'ergonomie :

- Gardez le dos droit. Évitez de vous affaisser.
- Disposez votre clavier à la hauteur des coudes ou légèrement plus bas.
- Éloignez le plus possible votre écran tout en vous assurant de bien lire le texte.
- Vérifiez vos épaules de temps en temps. Sont-elles tendues ? Détendez-les.

Travaillez debout. Vous ne serez pas seul : Ernest Hemingway, Virginia Woolf, Winston Churchill et Thomas Jefferson avaient des bureaux surélevés qui leur permettaient de travailler debout.

N'oubliez pas de vous dégourdir les jambes. Par exemple, levez-vous pour répondre au téléphone. Imprimez vos documents, puis changez de pièce et corrigez le texte sur papier plutôt qu'à l'ordinateur.

■ Êtes-vous technophobe ?

Avez-vous déjà eu envie de massacrer votre ordinateur ? Vous êtes en bonne compagnie. Près de 60 p. 100 des travailleurs sont technophobes. La « technophobie », soit la peur ou la haine de la technologie, n'est pas une maladie. C'est une attitude, un réflexe qui suscite de l'anxiété.

Pour être plus précis, certaines personnes appréhendent d'avoir l'air stupides ou incompétentes, d'être surveillées par Big Brother, de ne pas dominer la situation, d'être l'esclave d'une machine, de devoir s'en remettre à une mécanique qui peut toujours flancher, d'endommager les appareils ou les données, et de devoir renoncer au contact humain.

Les gens craignent pour leur sécurité d'emploi. Ils manquent d'estime de soi. Lorsqu'un appareil flanche, qui blâmer ? Le manufacturier ? l'appareil ? soi-même ? Les deux tiers des technophobes en assument la responsabilité.

La technophobie peut se traduire par un rejet systématique de tout nouveau gadget, un refus d'apprendre, un manque de productivité et un absentéisme accru. Cette phobie entrave quelque 75 p. 100 des employés dans leur travail. La plupart des gens se contentent de n'utiliser que 10 à 25 p. 100 des capacités d'un logiciel. Et jusqu'à 75 p. 100 se demandent en secret : « Qu'est-ce qu'un logiciel, au juste ? »

Vous voulez dominer votre technophobie ?

- Entraînez-vous !
- Jouez à un jeu d'ordinateur.
- Demandez à un collègue de vous aider.
- Confiez vos problèmes au service de soutien technique.
- Lisez un ouvrage de formation à l'intention des technophobes (il y en a !).
- Énumérez les bienfaits de la technologie et punaisez-les au mur.
- N'abordez qu'une chose à la fois.
- Inscrivez-vous à un cours de formation de 2 jours.
- Célébrez chacune de vos victoires.
- Entraînez-vous !

■ L'ordinateur et les douleurs au cou

Voici quelques suggestions :
- Placez votre écran à la hauteur des yeux de façon à ne pas devoir vous pencher ou vous étirer pour le voir. En reculant votre écran le plus loin possible, vous élargissez votre champ de vision et vous libérez votre espace de travail.
- Assurez-vous que vos lunettes vous permettent de voir l'écran sans pencher la tête.
- Optez pour une chaise qui supporte le haut de la colonne vertébrale et la région lombaire. Des appuie-bras peuvent contribuer à soulager la tension de la nuque.
- Faites une pause de 30 secondes par heure pour étirer et assouplir la nuque.
- Utilisez le haut-parleur ou un casque d'écoute pour parler au téléphone. Ne coincez pas le récepteur entre l'épaule et le cou pour continuer à travailler tout en parlant.

■ L'ordinateur et la fatigue oculaire

Vous venez de lever les yeux vers votre écran d'ordinateur. Comme un nombre croissant d'individus pour qui l'ordinateur fait partie intégrante du travail, c'est sans doute la millième fois aujourd'hui que vous levez les yeux vers cet écran. Comme eux, vous avez les yeux fatigués.

Parmi les symptômes de fatigue oculaire, notons les suivants :
- Une sensation de douleur ou de brûlure aux yeux, des démangeaisons, de la sécheresse.
- Une vision trouble ou double.
- Une vision lointaine brouillée après avoir longtemps regardé l'écran.
- Des maux de tête, des douleurs au cou.
- Une mauvaise adaptation de la vision entre l'écran et le document source.
- De la difficulté à se concentrer sur l'image à l'écran.
- Des bordures de couleur ou des images fantômes quand vous éloignez les yeux de l'écran.
- Une sensibilité accrue à la lumière.

La fatigue oculaire associée à l'écran d'ordinateur n'a pas, que l'on sache, de conséquences à long terme, mais elle est désagréable et gênante. Si vous ne pouvez pas transformer votre milieu de travail de façon à éviter complètement la fatigue oculaire, voici quelques conseils à suivre pour reposer vos yeux :
- Modifiez vos habitudes de travail.
- Reposez vos yeux. Détournez-les de l'écran et fixez un point dans la distance ou un objet situé à quelques mètres pendant 10 secondes toutes les 10 minutes.
- Variez vos activités. Aux 2 heures, levez-vous et marchez : vous reposerez et votre corps et vos yeux. Alternez entre le travail à l'ordinateur et vos autres tâches. Envisagez la possibilité de travailler debout quand vous n'êtes pas à l'ordinateur.
- Clignez des yeux. Le travail prolongé à l'ordinateur provoque la sécheresse des yeux, surtout pour les personnes qui portent des lentilles cornéennes. Certaines personnes ne clignent des yeux qu'une fois par minute quand elles travaillent à l'ordinateur, alors que la fréquence normale est d'un clignement toutes les 5 secondes. Si vous clignez des yeux moins souvent, ceux-ci ne se lubrifient pas suffisamment ; ils s'assèchent, piquent ou brûlent. Clignez des yeux plus souvent. Si cela ne suffit pas, recourez à des larmes artificielles disponibles en pharmacie.
- Sommeillez. Si possible, appuyez-vous au dossier de la chaise et fermez les yeux pendant quelques minutes. Mais attention qu'on ne vous accuse pas de dormir au travail !

Chaque chose à sa place

L'écran. La distance entre l'écran et vos yeux doit être de 45 à 75 cm. Pour la plupart des gens, cela équivaut à la distance de l'épaule au bout des doigts. Si vous devez vous approcher pour lire les petits caractères, utilisez un caractère plus gros. Il est facile d'ajuster le caractère à l'écran avec la plupart des logiciels de traitement de texte ou de navigation Internet.

Le guide de la santé

Le haut de l'écran devrait être situé à la hauteur des yeux ou plus bas pour que vous penchiez légèrement la tête vers votre travail. S'il est placé trop haut, le fait de devoir lever la tête constamment vous occasionnera des douleurs au cou et favorisera la sécheresse des yeux, car vous ne fermerez sans doute pas complètement les paupières en clignant des yeux. Si votre écran est par-dessus votre ordinateur, envisagez de déplacer celui-ci ou de l'installer par terre.

La poussière sur l'écran réduit le contraste et crée des reflets. Nettoyez souvent votre écran.

Le clavier. Placez votre clavier directement devant l'écran. Si vous le placez en angle ou de côté, vos yeux se fatigueront à force de devoir s'adapter continuellement.

Le document source. Tout texte à lire devrait être fixé à un support placé à côté de l'écran, à la même distance que celui-ci, dans le même angle et à la même hauteur. Ainsi, vos yeux n'ont pas à s'adapter à chaque allée et venue.

L'éclairage ambiant et les reflets. Asseyez-vous devant votre écran éteint. Vous y verrez les reflets et les images que vous ne voyez pas en temps normal, y compris votre propre reflet. Remarquez les effets de lumière intense. La source de lumière est sans doute située au-dessus de vous ou derrière vous (lampes fluorescentes, soleil, etc.).

Si possible, orientez votre écran de manière que les sources de lumière intense proviennent du côté et qu'elles soient parallèles à votre ligne de vision. Si nécessaire, éteignez certains plafonniers. Si cela est impossible, inclinez légèrement l'écran pour réduire les reflets, ou fermez les stores ou les rideaux. Les pare-reflets ou les panneaux anti-reflets sont parfois utiles, mais assurez-vous de ne pas sacrifier l'intensité du contraste. Une lampe ajustable est une excellente solution. En général, l'éclairage ambiant devrait être plus sombre que les parties les plus blanches de l'écran.

Les lunettes. De bonnes lunettes aident à ne pas fatiguer les yeux. Si vous devez porter des lunettes ou des lentilles, assurez-vous qu'elles conviennent au travail à l'ordinateur. La plupart des lentilles sont ajustées pour la lecture et ne conviennent sans doute pas au travail à l'ordinateur. Souvent, les personnes qui portent des lunettes à double foyer doivent tendre le cou pour regarder par la moitié inférieure de leurs lunettes, ce qui provoque des lombalgies et des douleurs à la nuque. Envisagez la possibilité d'investir dans une bonne paire de lunettes ou de lentilles conçues pour le travail à l'ordinateur.

Consultez un optométriste dans les cas suivants :
- Vous avez toujours mal aux yeux.
- Votre vision se détériore.
- Vous voyez double.

La grossesse et le travail

■ Sachez quels sont vos droits

De nombreuses femmes continuent à travailler tout au long de leur grossesse et quand leurs enfants sont petits. En fait, plus de la moitié des femmes qui ont des enfants de moins de 6 ans ont un emploi. Mais il importe de se rappeler que la Superfemme est pure fiction. Il peut être très exigeant de jongler avec une carrière, les changements physiologiques qu'entraîne la grossesse, les tâches ménagères et l'éducation des enfants.

Nous vous offrons tout de même ici quelques suggestions d'ordre général. Ne perdez pas de vue que la grossesse, l'accouchement et l'éducation sont différents pour chacun. Si votre grossesse ne présente pas de complications, vous pouvez sans doute travailler jusqu'au moment d'accoucher. Il est même bon de travailler, même si votre travail est physiquement exigeant.

■ Pour des heures de travail plus agréables

- La femme enceinte a besoin de plus de sommeil que d'habitude, surtout si son travail est physiquement exigeant. Réduisez provisoirement vos activités sociales.
- Pour combattre les nausées du matin…
  - Faites une bonne nuit de sommeil ; levez-vous suffisamment tôt pour ne pas avoir à vous presser.
  - Ayez toujours des craquelins ou autre chose à grignoter à portée de la main au travail, afin de ne pas rester l'estomac vide.
  - Évitez les odeurs qui provoquent des nausées, quitte à demander poliment à un collègue de ne pas porter son eau de cologne ou sa lotion après-rasage habituelles pendant un certain temps.
- Ajustez votre équipement pour être confortable.

■ La sécurité au travail et les femmes enceintes

Abordez les questions de sécurité au travail avec votre médecin, notamment celles-ci :
- L'obligation de soulever des charges de façon répétée, de rester debout pour de longues périodes ou de travailler avec une machinerie qui produit beaucoup de vibrations.
- Les postes avec changements fréquents de quarts de travail.
- Des locaux surchauffés.
- L'exposition au plomb, au mercure, aux rayons X, aux produits chimiques destinés au traitement du cancer, aux gaz anesthésiants et aux dissolvants (par exemple, la benzine). La loi oblige les industries à fournir aux employés des Fiches techniques santé-sécurité concernant toutes les substances toxiques présentes dans leur milieu de travail.
- L'exposition aux infections. Vous pouvez réduire les risques d'infection en portant des gants, en vous lavant les mains fréquemment et en prenant vos repas à l'extérieur.

■ Le retour au travail après l'accouchement

- Quand le bébé est né, vous ne devez pas vous sentir forcée de retourner travailler. Discutez-en avec votre conjoint et avec votre médecin.
- Si vous décidez de retourner sur le marché du travail, demandez à votre conjoint de vous donner un coup de main pour le lever du bébé le matin, la préparation des repas, les tâches ménagères et la lessive.
- Il importe que vous gardiez du temps pour vous. Demandez à une amie, à un parent ou à une gardienne de surveiller le bébé et passez du temps en compagnie de votre conjoint, allez déjeuner au restaurant, sortez faire des courses, faites de l'exercice ou restez à la maison et détendez-vous.
- Il n'est pas rare que les nouvelles mamans se culpabilisent de retourner travailler. Elles ont l'impression d'être coincées entre l'arbre et l'écorce. Elles s'inquiètent de ne pas être là quand bébé fera son premier pas ou dira son premier mot (pourtant, pendant des années, les pères n'ont pas assisté à ces phénomènes…). Elles se demandent comment elles pourront continuer à donner le sein à leur bébé. Elles veulent que leur enfant reçoive la meilleure qualité de soins possible.
- Avec votre conjoint et votre médecin, discutez de la possibilité de prolonger le plus possible votre congé de maternité. Pourriez-vous travailler à temps partiel? selon un horaire flexible? en partageant votre poste avec quelqu'un d'autre? le télétravail serait-il une solution? Proposez des arrangements pour que votre absence ne nuise pas à vos responsabilités professionnelles.
- Les bébés éprouvent naturellement une anxiété de séparation entre 6 et 13 mois. S'ils s'accrochent au début, ils s'adaptent relativement vite à une nouvelle routine.

■ L'allaitement maternel et le travail

- Demandez à votre employeur de mettre à votre disposition une pièce qui ferme à clef (par exemple, un bureau inoccupé) où vous pourrez extraire votre lait. Si l'entreprise offre un service de garderie, ou si votre gardienne habite à proximité, vous pourriez demander qu'on vous accorde quelques minutes de plus à l'heure du déjeuner afin que vous puissiez allaiter votre bébé.
- Empruntez ou louez un tire-lait. Les tire-lait électriques sont en général plus efficaces que les modèles manuels. Un tire-lait double permet de pomper le lait rapidement (en 10 ou 15 minutes) et favorise la production de lait.
- Habituez le bébé à boire au biberon en lui donnant tôt votre lait à boire au biberon. Substituez un biberon de lait maternel à un biberon de lait maternisé par jour. Vous devrez sans doute faire l'essai de plusieurs tétines avant que le bébé accepte le biberon. Il se pourrait que le bébé s'adapte plus facilement si votre conjoint lui donne son biberon.
- Tentez d'extraire le lait de vos seins 1 ou 2 fois par jour et conservez-le dans un sac isolant que vous garderez au froid pendant le transport. Vous pourrez vous servir de ce lait 2 ou 3 fois le lendemain. S'il ne vous est pas possible d'utiliser un tire-lait au travail, tentez d'extraire votre lait avant de quitter la maison le matin, encore au retour, et 1 ou 2 fois au cours du week-end. Le lait maternel se conserve 5 jours au réfrigérateur. Vous pouvez donner le biberon au bébé directement du réfrigérateur ou encore le réchauffer sous un robinet d'eau chaude. Ne le réchauffez surtout pas au micro-ondes: vous le priveriez de ses qualités naturelles qui protègent l'enfant contre les infections. En outre, le lait chaud pourrait provoquer des brûlures à la bouche du bébé.
- Limitez les biberons de lait maternisé que la gardienne donnera au bébé en votre absence. Le bébé tétera plus volontiers à votre retour et stimulera ainsi votre production de lait.
- Adressez-vous à une conseillère en allaitement de l'hôpital où vous avez accouché, ou consultez le personnel médical de votre CLSC.

■ La garde des enfants

Ce qui convient à l'un ne convient pas forcément à l'autre. Chaque approche, en matière de garde des enfants, a des avantages et des inconvénients. Demandez à vos amis, à votre médecin ou à vos collègues de vous recommander une garderie ou une gouvernante, et consultez aussi l'annuaire du téléphone. Commencez vos recherches au moins 3 mois avant de confier votre bébé à la garde de quelqu'un d'autre.

- Ayez un entretien avec toute personne qui s'occupera de votre enfant. Renseignez-vous sur sa formation et son expérience.
- Demandez à la garderie si on permet les visites éclair des parents. La plupart des garderies fiables accueillent les parents en tout temps.
- Renseignez-vous sur les soins d'urgence; sachez si la personne responsable a reçu une formation en réanimation cardiorespiratoire (RCR).
- Parmi les autres sujets à aborder: les heures d'ouverture ou de présence à la maison; les retards éventuels; le choix des couches; l'interdiction de fumer; les mesures à prendre en cas d'urgence.

La planification de la retraite

Il fut un temps où les retraités recevaient une montre en or et se demandaient que faire pour combler le vide de leurs journées. De nos jours, les personnes à la retraite sont si souvent occupées à faire du bénévolat et à voyager qu'elles ont à peine le temps de rendre visite à leurs enfants.

Plus de 35 millions de Nord-Américains sont retraités ou sur le point de prendre leur retraite. Cette étape de la vie peut être tout aussi enrichissante que les précédentes. Un mode de vie sain jumelé aux progrès de la science se traduit par de nombreuses années de bonne forme pour jouir des plaisirs de la vie.

Votre retraite vous comblera-t-elle? Cela dépend de vous.

D'employé à retraité

Avant l'instauration des pensions du gouvernement, les gens travaillaient aussi longtemps qu'ils en étaient capables ou jusqu'à la mort. La retraite est un phénomène relativement récent, ce qui signifie qu'elle s'accompagne souvent d'un manque de préparation et d'expérience.

On ne prend pas sa retraite du jour au lendemain. Virginia Richardson, qui enseigne le travail social à l'université de l'Ohio, recommande aux gens de se préparer graduellement à la retraite. Chaque étape comporte des mesures qui rehausseront la qualité de nos dernières années de vie.

Étape 1 – la pré-retraite. Cette étape s'étend de 40 à 60 ans environ. On fait le bilan de sa vie et l'on prend les mesures qui s'imposent pour vivre le plus longtemps possible, que l'on décide ou non de prendre sa retraite dans quelques années. «Il est clairement démontré, dit Mme Richardson, que les personnes qui préparent leur retraite s'y adaptent plus facilement. »

Trois principaux facteurs facilitent une bonne adaptation:

1. La sécurité financière. Économisez et investissez consciencieusement dès aujourd'hui, même si cela exige de la discipline et si cela suppose un certain niveau de risque. Les séminaires d'information peuvent vous aider à évaluer vos revenus de retraite et à déterminer s'ils suffiront au style de vie que vous envisagez. Si vous commencez à investir assez tôt, vous aurez le temps de faire les ajustements qui s'imposent.
2. La santé. Surveillez votre poids, faites de l'exercice, ayez une alimentation équilibrée, prévenez les maladies; tout cela vous sera remboursé plus tard par une bonne santé et une vitalité accrue.
3. Une attitude positive. L'optimisme est tonique. Il contribue au plaisir de la retraite.

Voici quelques suggestions pour développer une attitude optimiste:

- Visualisez votre vie de retraité: comment occuperez-vous ces heures que vous consacriez autrefois à votre travail? Le bricolage et les loisirs ne suffisent pas. Envisagez la retraite comme une occasion d'apprendre et d'enrichir votre esprit.

Vous souhaitez prendre votre retraite? Ne vous isolez pas et bougez

Les recherches récentes entérinent le bon sens: si vous voulez rester en santé à l'âge de la retraite, stimulez votre circulation et restez en circulation.

Une expérience démontre que l'exercice et le soutien psychologique sont les meilleurs garants de la santé chez les retraités. Il y aurait un lien possible entre l'isolement social et une baisse de certaines hormones. Qui plus est, de tels changements hormonaux pourraient affecter le système immunitaire.

Pour des bienfaits accrus, jumelez exercice et vie sociale. Joignez-vous à une classe de conditionnement physique. Allez marcher avec un ami. Faites du vélo avec vos proches. Faites tout ce que vous pouvez pour demeurer socialement et physiquement actif.

- Analysez-vous. Quand l'identité, l'estime de soi et la vie sociale dépendent de notre carrière ou de celle de notre conjoint, l'adaptation à la retraite est malaisée. Découvrez d'autres manières de vous accomplir, de structurer votre vie et de rehausser votre estime de vous-même.
- Ne perdez pas vos émotions de vue: vivez pleinement cette étape de deuil, admettez votre colère ou votre peur de vieillir et de quitter votre emploi. Si ces sentiments perdurent, consultez.

Étape 2 – la décision. Prendrez-vous une retraite précoce? À quel style de vie aspirez-vous? Plus vous contrôlerez ces choix, plus vous vous adapterez. Voici comment prendre votre retraite en mains:
- Répétez. Réfléchissez à ce que vous aimeriez faire et faites-en l'essai pendant vos vacances et les week-ends. Réduisez progressivement vos horaires de travail ou délestez-vous de certaines responsabilités. Si vous êtes veuf ou veuve, renseignez-vous sur les activités pour personnes seules auxquelles vous pourriez participer quand vous cesserez de travailler.
- Réévaluez vos rôles respectifs dans votre couple. Si vous demeurez à la maison, la présence soudaine de votre conjoint à toute heure du jour nuira-t-elle à vos activités ou vous viendra-t-elle en aide? Commencez dès maintenant à partager les tâches domestiques. Si vous aviez une carrière, à quoi vous occuperez-vous maintenant de 9 h à 17 h? Votre vie domestique sera-t-elle transformée si vous êtes le seul membre de votre couple à prendre sa retraite?

Étape 3 – la retraite. On ne choisit pas toujours le moment de la retraite. Si vous avez dû prendre une retraite forcée en raison d'une mise à pied ou d'une maladie, ou si vous n'avez pas les moyens de cesser de travailler, vous pourriez devoir faire face à beaucoup de ressentiment.

Même les retraites les mieux planifiées comportent certains obstacles. Le Dr Richardson soutient que le sentiment de perte, la déprime, l'agitation, l'anxiété, une légère dépression ou une obsession du passé sont des occurrences normales pour un grand nombre de retraités au cours des 6 premiers mois de leur nouvelle vie. Si vous éprouvez de tels sentiments, sachez qu'ils prendront fin et que vous vous sentirez plein d'une vitalité nouvelle dans peu de temps. Mais si ces émotions vous submergent, consultez votre médecin.

Plus de 90 p. 100 des personnes qui prennent une retraite volontaire sont heureuses. Voici quelques suggestions des spécialistes pour faciliter votre adaptation:
- Demeurez actif. Fixez-vous des objectifs et respectez un horaire établi afin de ne pas bouleverser votre mode de vie plus que nécessaire. Par exemple, levez-vous toujours à la même heure, allez faire une promenade, lisez le journal et prenez votre petit-déjeuner.
- Préférez les passe-temps qui stimulent l'intellect. Faites des mots croisés ou jouez au Scrabble pour stimuler vos facultés mentales. Ces facultés ne déclinent pas forcément avec l'âge. Ce qui vaut pour le corps, vaut pour le cerveau: tant que l'on s'en sert, il ne s'use pas.
- Voyagez. Il n'est pas nécessaire d'aller loin ou de dépenser des fortunes. Les agences de voyage qui s'adressent aux personnes âgées sont en constante expansion.
- Retournez aux études. Obtenez enfin votre diplôme, faites une maîtrise, ou inscrivez-vous à des cours comme auditeur libre. La plupart des universités et des institutions secondaires offrent des programmes de formation continue.

Aux États-Unis, Elderhostel jumelle le voyage à l'éducation. Les participants sont logés sur le campus d'une université et s'inscrivent comme auditeurs libres aux cours de leur choix, de l'astronomie à Shakespeare. L'un des cours offerts propose un séjour d'une semaine au College of Santa Fe pour étudier les arts de la poterie chez les Indiens du Sud-Ouest. On se renseigne en écrivant à Elderhostel, 75 Federal St., Boston, MA 02 110, ou en téléphonant au (617) 426-8 056.
- Faites du bénévolat. Le bénévolat est non seulement enrichissant pour qui le fait, mais indispensable pour qui en bénéficie en ces périodes de restrictions budgétaires. Les musées, les écoles, les hôpitaux, les bibliothèques et les agences de services sociaux ont toutes besoin de bénévoles.

Bref, planifiez votre retraite. Ce pourrait être la plus belle carrière de votre vie.

Le consommateur averti

- Vous et votre médecin traitant
- Les trousses d'analyse à domicile
- Votre arbre généalogique médical
- La médication et vous
- Les voyages et la santé

Dans cette section, nous répondons aux questions qui concernent plus particulièrement le consommateur. Par exemple, comment communiquer et collaborer efficacement avec son médecin traitant ? Que peut nous apprendre notre passé médical familial ? Les trousses d'analyse à domicile sont-elles efficaces ? Que devraient contenir une trousse des premiers soins et l'armoire à pharmacie de la salle de bains ? Quels sont les risques pour la santé associés au voyage ? Nous nous arrêtons également à l'usage correct des médicaments, et nous fournissons une brève description des médicaments contre la grippe et contre la douleur dont il a été question tout au long de cet ouvrage.

Vous et votre médecin traitant

La qualité de la relation entre le patient et le médecin est très importante ; une bonne communication fait partie intégrante de cette relation. N'hésitez pas à faire part à votre médecin, le cas échéant, de votre insatisfaction et, si nécessaire, changez de médecin.

Que devez-vous attendre de votre médecin ?

Vous serez plus satisfait des soins que l'on vous prodigue si vos attentes sont réalistes. Vous ne pouvez pas toujours espérer une guérison, mais votre relation avec votre médecin devrait englober les facteurs suivants :

- **Suffisamment de temps pour poser des questions et discuter de ce qui vous inquiète.** Une consultation de 10 à 15 minutes suffit en général pour traiter adéquatement un mal de gorge ou une otite. Mais certains symptômes tels que les maux d'estomac chroniques, le stress ou un ennui de santé complexe exigent une consultation plus longue. Pour éviter les frustrations associées au manque de temps, planifiez vos consultations en conséquence.
- **L'information.** Exigez du médecin qu'il vous explique clairement ce dont vous souffrez.
- **Une évaluation des coûts du traitement.** Votre médecin devrait accepter de vous tenir au courant des coûts éventuels reliés aux analyses, aux examens et aux traitements.
- **La consultation.** Le droit de consulter un médecin est un droit acquis. Cela ne signifie pas que vous puissiez exiger de lui des visites à domicile en plein cœur de la nuit ; mais vous devriez pouvoir le consulter aussi souvent que votre état l'exige et que le permettent ses horaires de consultation.
- **Les urgences.** Lorsque votre médecin est inaccessible, vous devriez avoir sous la main le numéro de téléphone d'un médecin substitut.
- **Le processus décisionnel.** Vous devriez participer aux décisions qui concernent votre santé.
- **La confidentialité.** Le médecin et les autres professionnels de la santé sont tenus à la confidentialité en ce qui concerne l'information qui figure à votre dossier médical. Dans certains cas, par exemple en cas de maladie infectieuse, la loi oblige le médecin à prévenir les autorités gouvernementales. Toutefois, l'information qui figure dans votre dossier médical ne peut être transmise à une compagnie d'assurance, à un employeur ou à toute autre personne sans votre approbation.
- **Les références.** Si vous souffrez d'une affection inhabituelle qui nécessite une investigation particulière, votre médecin pourrait vous diriger vers un collègue ou un spécialiste. Si vous devez changer de médecin pour quelque raison que ce soit, le transfert rapide de votre dossier médical s'impose.

La consultation

- **Avant la consultation,** notez par écrit de 1 à 3 problèmes qui vous inquiètent, décrivez brièvement leurs symptômes et indiquez le moment où ceux-ci se produisent.
- **Tenez compte de la durée de la consultation.** Si vous croyez qu'une consultation de 10 à 15 minutes ne suffira pas à circonscrire votre problème, faites-en part à la secrétaire quand vous prendrez rendez-vous.
- **Soyez ponctuel.** Si vous devez annuler un rendez-vous, prévenez votre médecin au moins 24 heures à l'avance.
- **Apportez vos médicaments dans leur contenant d'origine.**
- **Répondez correctement et complètement aux questions que le médecin vous posera.** Énumérez tous les médicaments d'ordonnance ou en vente libre que vous prenez, de même que les vitamines ou les herbes médicinales. Soyez franc quant à votre consommation d'alcool ou à votre tabagisme, et dites quels autres médecins ou professionnels de la santé vous consultez.
- **Sachez écouter.** Répétez ce que vous dit le médecin. Le cas échéant, demandez au médecin de clarifier ses propos en termes plus faciles à comprendre.
- **Observez ses directives.** Des sondages démontrent qu'un tiers des patients seulement observent les directives de leur médecin.
- **Exprimez-vous.** Si vous doutez du diagnostic ou de l'opportunité du traitement, dites-le.

Les trousses d'analyse à domicile

Il est possible de se procurer en pharmacie des trousses d'analyse à domicile qui permettent d'effectuer certains tests de base sans l'intervention du médecin ou d'un professionnel de la santé.

Comme la plupart des analyses de laboratoire, ces trousses permettent l'analyse de l'urine, du sang ou des selles. Elles sont en général peu coûteuses et peuvent servir plusieurs fois.

Les trousses
- **Le test de grossesse** détermine si vous êtes enceinte.
- **Le test d'ovulation** vous aide à identifier vos périodes de fertilité.
- **Le dosage de la glycémie,** par l'urine ou par le sang, détecte la présence du diabète ou détermine si celui-ci est sous contrôle.
- **Le dosage de la cholestérolémie** indique le taux de cholestérol total. Un taux souhaitable serait de 200 mg par décilitre de sang.
- **Les analyses d'urine** sont de plusieurs types. Certaines mesurent le taux de protéines, dont un excédent pourrait signaler un problème rénal.
- **Le test pour détecter la présence de sang dans les selles.** Des selles sanglantes sont parfois un symptôme de cancer du côlon.

Les inconvénients des trousses d'analyse à domicile
- **On court le risque de ne pas effectuer le test correctement** et, par conséquent, d'en fausser les résultats. Il importe de suivre attentivement les instructions pour une efficacité maximale. Les erreurs sont moins fréquentes en laboratoire, car l'expérience et un équipement supérieur jouent en faveur des techniciens.
- **Les analyses ne sont pas toujours fiables.** Cela vaut autant pour les analyses en laboratoire que pour les tests à domicile. Un certain pourcentage des résultats indique la présence d'un problème inexistant (résultat faux positif) : par exemple, le test indique la présence de sang dans les selles, alors qu'il n'y en a pas, ou que vous êtes enceinte quand vous ne l'êtes pas.
- **Un résultat faux négatif** est également possible. Le test indique alors l'absence de problème, alors qu'il y en a un. Par exemple, un résultat faux négatif pourrait indiquer que la teneur de votre sang en glucose est normale quand elle est anormale, ou que vous n'êtes pas enceinte quand vous l'êtes. Le médecin est davantage en mesure d'évaluer un résultat faux négatif ou faux positif en se fondant sur d'autres données médicales, sur sa formation et sur son expérience.
- **Une interprétation erronée des résultats.** Les résultats de tests fondés sur un changement de couleur, par exemple, sont parfois faciles à confondre. Souvent, il convient de consulter et de faire confirmer le test par une analyse de laboratoire, quel que soit le résultat obtenu.
- **L'indécision.** Après avoir effectué un test à domicile, il n'est pas toujours facile de décider ce qu'il convient de faire ensuite. Par exemple, si vous êtes persuadé de la présence de sang dans vos selles alors que le test indique le contraire, devriez-vous consulter votre médecin ?

Mise en garde

Utilisées correctement, les analyses à domicile peuvent être fiables. Néanmoins, la prudence est de mise. Ces trousses ne remplacent pas le diagnostic médical, surtout s'il y a risque de maladie grave. Tout résultat incertain ou inquiétant devrait être vérifié par un médecin.

Votre arbre généalogique médical

Profitez des réunions familiales non seulement pour apprendre les dernières nouvelles, mais aussi pour connaître votre historique médical familial.

Chez 10 à 15 p. 100 des personnes atteintes d'un cancer du côlon, ce cancer a touché d'autres personnes de la famille. Un quart des enfants d'alcooliques courent le risque de devenir eux-mêmes alcooliques. Une présence significative de cas d'hypertension, de diabète, de certains cancers et de certains problèmes psychiatriques dans une même famille augmente le risque chez tous les membres de cette famille de développer la même affection.

Cela signifie-t-il que vous êtes prédestiné à souffrir du même mal qu'un membre de votre famille? En général, non. Mais vous êtes nettement plus à risque.

De nombreuses maladies graves comportent certains facteurs héréditaires. Le fait de savoir que vous êtes à risque vous permet de prendre les mesures préventives nécessaires, ou, du moins, de bénéficier d'un dépistage précoce, au moment où vos chances de guérison sont plus grandes.

Un arbre généalogique médical offre une vue schématique des maladies à tendance héréditaire. Muni de cette information, votre médecin pourra commander certaines analyses ou vous conseiller des changements appropriés à votre mode de vie. En fait, selon une étude, 25 000 arbres généalogiques médicaux ont permis d'identifier 43 000 personnes à risque pour des maladies à tendance héréditaire. Les personnes évaluées se sont révélées d'excellentes candidates pour un traitement préventif.

Comment préparer un arbre généalogique médical

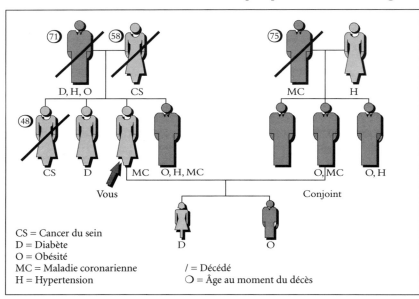

CS = Cancer du sein
D = Diabète
O = Obésité
MC = Maladie coronarienne
H = Hypertension

/ = Décédé
◯ = Âge au moment du décès

Arbre généalogique médical qui illustre votre historique médical familial

• **Sachez qui est qui.** Commencez par inclure vos parents, votre fratrie, vos enfants, puis ajoutez des renseignements concernant vos grands-parents, vos oncles et tantes, vos cousins et cousines, vos neveux et nièces. Plus cette liste sera longue, mieux ce sera.

• **Obtenez le plus de détails possible.** Renseignez-vous auprès des membres de votre famille par téléphone, ou expédiez-leur un questionnaire.

• **Fouillez le passé.** Toute information (des allergies aux boiteries) peut être utile. Portez cependant une attention spéciale aux affections qui répondent aux mesures préventives telles que le cancer, l'hypertension, le diabète, la dépression et l'alcoolisme. Notez l'âge du sujet au moment du diagnostic, de même que son mode de vie (fumeur? sédentaire? etc.).

• **Rassemblez l'information.** Organisez votre arbre généalogique de manière que l'historique médical de plusieurs membres de la famille soit visible d'un seul coup d'œil (voir l'illustration). Assignez un code à chaque affection médicale et inscrivez ce code sous le nom ou la silhouette de la personne concernée. Notez également l'âge de son décès si elle est décédée.

• **Discutez-en avec votre médecin.** Demandez à votre médecin d'étudier votre arbre généalogique médical.

Les médicaments et vous

Quel que soit votre âge ou votre état de santé, vous devez obéir à certaines règles lorsque vous prenez des médicaments.

- **Prévenez votre médecin si vous prenez un médicament en vente libre, quel qu'il soit,** y compris des laxatifs ou des antiacides, de l'aspirine ou de l'acétaminophène, des médicaments contre la toux ou le rhume, des antihistaminiques et des suppléments vitaminiques ou minéraux. Ces médicaments sont parfois très puissants et peuvent provoquer de dangereuses réactions si on les associe à des médicaments d'ordonnance.
- **Lisez attentivement les étiquettes.** Renseignez-vous auprès de votre médecin ou de votre pharmacien sur les effets secondaires potentiels, sur les restrictions alimentaires auxquelles vous devriez vous astreindre, sur les dangers de l'alcool associé à certains médicaments, et ainsi de suite. Si vous notez une différence dans vos médicaments au moment du renouvellement de votre ordonnance, interrogez le pharmacien.
- **Respectez la posologie.** Il peut être très dangereux d'excéder la dose prescrite. En ce qui concerne la prise de médicaments, « plus » n'est pas synonyme de « mieux ».
- **N'interrompez pas le traitement** quand les symptômes s'estompent. Poursuivez le traitement pendant toute la durée prescrite, même si vos symptômes disparaissent complètement, sauf sur avis contraire du médecin.
- **Tenez un registre** des médicaments que vous devez prendre chaque jour et gardez-le toujours sur vous. Notez-y aussi vos allergies ou vos intolérances à certains médicaments.
- **Informez votre médecin de tout effet secondaire indésirable :** maux de tête, étourdissements, vision trouble, acouphènes, dyspnée, urticaire et autres réactions inattendues.
- **Faites remplir vos ordonnances par le même pharmacien ;** vous éviterez ainsi les interactions dangereuses entre plusieurs médicaments. Votre pharmacien sera en mesure de s'assurer que vos médicaments, prescrits par plus d'un médecin, peuvent être associés sans danger.
- **Rangez correctement vos médicaments.** La plupart des médicaments doivent être rangés à la température ambiante dans un endroit sec et à l'abri de la lumière du soleil. Certains médicaments doivent être réfrigérés. L'armoire à pharmacie de la salle de bains n'est pas un endroit idéal, en raison de l'humidité et des fluctuations de la température ambiante.
- **Jetez vos vieux médicaments.** Les médicaments se détériorent avec le temps et peuvent même devenir toxiques. Ne prenez jamais un vieux reste de médicaments.
- **Veillez à la sécurité de vos enfants.** Gardez tout médicament d'ordonnance ou en vente libre hors de la portée des enfants. Procurez-vous des emballages à l'épreuve des enfants, surtout si ceux-ci sont jeunes ou si vous accueillez chez vous vos petits-enfants ou de très jeunes enfants.
- **Rangez vos médicaments dans leur contenant d'origine.** Si vous perdez l'étiquette et que vous ignorez ce que renferme un contenant, jetez-le. Les contenants d'ordonnance sont conçus pour garder les médicaments à l'abri de l'humidité et de la lumière.
- **Si vous avez de la difficulté à ouvrir un contenant** muni d'un bouchon de sécurité, demandez à votre pharmacien de vous remettre un contenant à fermeture normale.
- **Ne partagez jamais vos médicaments d'ordonnance avec quelqu'un d'autre.** Ce qui vous convient peut être nocif pour une autre personne.
- **Ne prenez jamais un médicament à l'obscurité.**
- **Évitez l'association médicaments/alcool ;** elle peut être très dangereuse.

■ Les médicaments contre la douleur : à chaque mal son remède

En dépit des différentes mentions sur les emballages, la plupart des analgésiques en vente libre contiennent l'un des 5 produits chimiques suivants : de l'acide acétylsalicylique (AAS, communément appelé aspirine), de l'acétaminophène, de l'ibuprofène, du naproxène sodique et, depuis peu, du kétoprofène. Les différences entre ces produits sont en général minimes en ce qui concerne le contrôle de la douleur.

Le terme « analgésique » provient du grec *an,* un préfixe privatif, et *algos,* qui signifie « douleur ». Les analgésiques en vente libre soulagent les malaises légers ou moyens associés aux maux de tête, aux rhumes, aux maux de dents, aux douleurs musculaires, aux maux de dos, à l'arthrite et aux crampes menstruelles, en plus d'abaisser la fièvre. Il existe 2 groupes principaux d'analgésiques en vente libre : ceux qui réduisent l'inflammation et ceux qui ne la réduisent pas.

· **Les AINS.** L'aspirine, l'ibuprofène, le naproxène sodique et le kétoprofène réduisent l'inflammation. Ce sont des anti-inflammatoires non stéroïdiens (AINS). Ils sont particulièrement efficaces lorsque la douleur s'accompagne d'inflammation (certaines formes d'arthrite, tendinites). Ils peuvent cependant provoquer des ennuis gastriques, des ulcères et des saignements (voir page **267**).

· **L'acétaminophène.** Elle ne réduit pas l'inflammation. Puisque ses effets secondaires sont pratiquement inexistants à dose normale, l'acétaminophène est un choix adéquat pour un usage à long terme ou lorsque la prise d'AINS est déconseillée.

La dose normale d'analgésiques en vente libre procure un soulagement similaire d'un médicament à l'autre dans les cas de maux de tête ou de douleurs musculaires. Pour les douleurs menstruelles, l'ibuprofène, le naproxène sodique et le kétoprofène sont sans doute plus efficaces.

Les étiquettes

Les analgésiques en vente libre sont offerts sous une grande variété de formes. Parfois, un produit générique suffit. Renseignez-vous auprès de votre médecin ou votre pharmacien.

Voici un petit lexique qui vous aidera à comprendre les déclarations du fabricant sur l'étiquette :

· **Comprimés avec gastraide.** Ce type d'analgésique contient un antiacide pour réduire les effets secondaires dus à l'acidité. Les spécialistes ne s'entendent pas sur le degré de protection que ces comprimés procurent à la paroi de l'estomac.

· **Comprimés enrobés.** Un enrobage spécial facilite le transit du comprimé dans l'estomac en permettant sa dissolution dans l'intestin grêle. Cela réduit les risques d'irritation de l'estomac. Procurez-vous un analgésique enrobé si vous devez vous soumettre à une prise quotidienne en raison de douleurs chroniques. Toutefois, puisque l'enrobage retarde la dissolution du comprimé, ce type d'analgésique n'est pas recommandé lorsqu'on recherche un soulagement rapide (par exemple, en cas de mal de tête).

· **Comprimés à libération prolongée ou à action lente.** Ces produits se dissolvent lentement et prolongent le soulagement en libérant une dose constante d'analgésique dans le sang. À prendre si vous désirez un soulagement prolongé plutôt qu'immédiat.

· **Analgésique extra-fort.** Chaque dose contient une plus grande quantité d'analgésique que le produit régulier, en général 500 mg d'aspirine ou d'ibuprofène au lieu de 325 mg. Ce type d'analgésique convient lorsqu'une seule dose ne suffit pas à alléger vos symptômes ; mais il faut réduire la fréquence des prises.

· **Associations de produits.** Certains analgésiques contiennent de la caféine ou un antihistaminique. Les recherches montrent que la caféine, en association avec l'aspirine ou l'acétaminophène, soulage mieux la douleur.

· **Comprimés, caplets, gélules molles, gomme à mâcher, préparation liquide.** Si vous avez de la difficulté à avaler un comprimé rond ou un caplet ovale, une gélule molle vous conviendra davantage. Vous pouvez également prendre l'aspirine associée à un antiacide en pastilles effervescentes à dissoudre (Alka-Seltzer) ou sous forme de gomme à mâcher (Aspergum).

· **Les génériques.** Les analgésiques génériques sont presque toujours moins coûteux que les produits brevetés, mais ils peuvent être tout aussi efficaces.

Autotraitement

- **Soyez conscient des risques.** Ne prenez pas d'AINS si vous devez aussi prendre un anti-coagulant, si vous souffrez d'une affection rénale, d'ulcères, d'une tendance aux hémorragies ou si vous êtes allergique à l'aspirine.
- **Évitez les interactions entre médicaments.** Si vous devez prendre d'autres médicaments d'ordonnance ou en vente libre, renseignez-vous auprès de votre médecin ou de votre pharmacien pour savoir quel analgésique vous convient.
- **N'excédez pas la dose recommandée,** sauf sur avis du médecin.
- **Évitez l'alcool.** L'alcool associé à l'aspirine, à l'ibuprofène ou au naproxène sodique accroît le risque de douleurs gastriques et de saignements. Associé à des doses excessives d'acétaminophène, l'alcool augmente le risque de lésions hépatiques graves.
- **Prenez des AINS avec du lait ou aux repas** pour minimiser les maux d'estomac.
- **Ne prolongez pas inutilement la prise d'analgésiques.** Réévaluez périodiquement vos besoins.
- Lisez toujours les étiquettes et respectez la posologie.

Les analgésiques en vente libre

	AAS	Acétaminophène	Ibuprofène	Naproxène sodique	Kétoprofène
Quelques marques brevetées	Anacin, Ascriptine, Bayer (Aspirine), Bufferin, Ecotrin, Empirin	Excedrin (sans AAS), Panadol, Tylenol, Atasol	Advil, Ibuprin, Motrin-IB, Nuprin	Aleve	Orudis KT, Actron
Calme la douleur et la fièvre	Oui	Oui	Oui	Oui	Oui
Réduit l'inflammation	Oui	Non	Oui	Oui	Oui
Effets secondaires	Saignements gastro-intestinaux, maux d'estomac, ulcères.	Aucun lorsque la dose recommandée n'excède pas quelques jours ou quelques semaines.	Saignements gastro-intestinaux, maux d'estomac, ulcération, douleurs.	Saignements gastro-intestinaux, maux d'estomac, ballonnements, vertiges.	Saignements gastro-intestinaux, ulcérations.
Mises en garde	Déconseillé en cas d'allergie à l'AAS, d'asthme, de tendance aux hémorragies, de goutte ou d'ulcères.	Une surdose peut endommager le foie. L'alcool rehausse les effets toxiques des doses élevées.	Déconseillé dans les cas d'allergie à l'AAS, d'asthme, d'insuffisance cardiaque, d'affection rénales, d'ulcères.	Déconseillé dans les cas d'allergie à l'AAS, d'asthme, d'insuffisance cardiaque, d'affections rénales, d'ulcères.	Déconseillé dans les cas d'allergie à l'AAS, d'asthme, d'insuffisance cardiaque, d'affections rénales, d'ulcères.
Les enfants	Peut causer le syndrome de Reye* lorsque administré à des enfants qui ont la varicelle, la grippe ou une autre affection virale.	Offert en format pour enfants. La posologie est fonction de l'âge et du poids. Consultez votre médecin.	Offert en format pour enfant. La posologie est fonction de l'âge et du poids. Consultez votre médecin.	Ne pas administrer aux enfants de moins de 12 ans sauf sur avis du médecin.	Déconseillé. L'innocuité et l'efficacité n'ont pas été démontrées.

* Le syndrome de Reye est une affection rare et potentiellement mortelle qui provoque l'œdème du cerveau.
N.B. Cette liste n'est pas exhaustive et n'équivaut pas à une recommandation. Nous n'avons pas testé ces produits. Les renseignements fournis sont ceux des manufacturiers.

Les médicaments contre le rhume sont-ils efficaces ?

Il n'y a toujours pas de cure au simple rhume. Les médicaments conçus pour alléger les symptômes du rhume (écoulement nasal, fièvre, congestion, toux) représentent le segment le plus important de l'industrie pharmaceutique en Amérique du Nord, pour ce qui est des médicaments en vente libre. Certains de ces produits sont formulés pour soulager en même temps les irritations des yeux et les éternuements associés aux allergies.

La plupart du temps, le rhume se soigne sans médicaments. Sauf, peut-être, pour les pastilles de zinc (voir page **125**), aucun des médicaments contre le rhume n'accélérera votre guérison. Mais si vos symptômes vous gênent, certains médicaments en vente libre vous soulageront quelque peu. Attention ! Il faut les prendre au bon moment. Pris à tort et à travers, ils pourraient aggraver votre état.

Les médicaments contre le rhume

	Antihistaminiques	Décongestifs	Médicaments pour la toux	Associations médicamenteuses toux/rhume
Quelques marques brevetées	Benadryl, Chlor-Tripolon, Réactine, Claritine, Allégra	Néo-Synéphrine, Sudafed, génériques	**Expectorants** Robitussin, génériques contenant de la guaifénésine **Antitussifs** Robitussin-DM, génériques contenant du dextrométhorphane	Actifed, Chlor-Tripolon-D, Contac, Dimetapp, Drixoral, Sudafed Plus, Tavist D, génériques
Allégement des symptômes	Éternuements, écoulement nasal, irritation des yeux, congestion due aux allergies.	Congestion, enchifrènement	*Les expectorants* liquéfient les sécrétions et facilitent l'expectoration. *Les antitussifs* calment la toux.	Toux, congestion nasale, malaise généralisé.
Effets secondaires et mises en garde	Somnolence, sécheresse de la bouche, peut assécher les sécrétions et enrayer les expectorations, peut accroître l'effet de l'alcool.	Insomnie, irritabilité, palpitations, peut provoquer une hausse de tension.	Les antitussifs ont parfois un effet sédatif, car ils contiennent certaines substances de type narcotique.	Ne contiennent sans doute pas suffisamment d'antihistaminique pour être efficace ; peuvent contenir plus de 3 produits différents.
Moment de la prise pour un effet optimal	À prendre dès le début du rhume, en présence d'éternuements et d'écoulement nasal.	En cas de congestion nasale. Ne pas prolonger la prise au-delà de quelques jours. Inefficace après 3 ou 4 jours.	Quand les sécrétions sont épaisses et la toux omniprésente.	Utiliser de préférence les produits individuels à la phase du rhume où ils seront les plus efficaces.

Autotraitement	Quelques conseils pour la prise de médicaments contre le rhume :

- **Lisez toujours l'étiquette** pour connaître les ingrédients actifs et les effets secondaires d'un médicament.
- **Un médicament pour traiter un symptôme particulier est souvent plus efficace** qu'une association médicamenteuse.
- **La plupart des associations médicamenteuses contre le rhume contiennent un analgésique** tel que l'AAS, l'ibuprofène ou l'acétaminophène (voir page **267**). Il ne sert à rien de prendre un analgésique supplémentaire.
- **N'associez pas** plusieurs médicaments contre le rhume ou des médicaments contre le rhume à d'autres médicaments sans d'abord consulter votre médecin ou votre pharmacien.
- **Évitez l'alcool** lorsque vous prenez des médicaments contre le rhume.
- **Consultez votre médecin** avant d'administrer un médicament contre le rhume à votre enfant.

■ La trousse de premiers soins

En cas d'urgence ou de maladie, il importe d'avoir certains médicaments et fournitures médicales à portée de la main. Rangez ces médicaments en un lieu facilement accessible, mais hors de la portée des enfants. N'oubliez pas de remplacer certains articles quand vous les aurez utilisés et de vous assurer que votre trousse est toujours bien fournie. Voici ce dont vous avez besoin en cas d'accident ou si survient l'une des maladies que nous avons décrites dans cet ouvrage :

- **Coupures.** Pansements de différents formats, gaze, ruban adhésif, solution antiseptique pour nettoyer les plaies et crème antiseptique pour prévenir les infections.
- **Brûlures.** Compresses froides, gaze, antiseptique en aérosol et crème antiseptique.
- **Endolorissements, douleurs, fièvre.** aspirine (pour adultes seulement) ou un autre anti-inflammatoire non stéroïdien (AINS), acétaminophène pour enfants et adultes.
- **Blessures aux yeux.** Bain oculaire, œillère, bandeau.
- **Entorses, luxations, fractures.** Compresses froides, bandes élastiques, bandage triangulaire pour mettre le bras en écharpe.
- **Piqûres et morsures d'insectes.** Pince à épiler pour retirer le dard, crème à l'hydrocortisone pour soulager les démangeaisons. Si un membre de la famille est allergique aux piqûres d'insecte, une trousse contenant une seringue d'épinéphrine (adrénaline).
- **Intoxications et empoisonnements.** Sirop d'ipéca pour induire le vomissement. À n'utiliser qu'après avoir contacté un centre anti-poison ou un professionnel de la santé (fixez sur votre téléphone un autocollant portant le numéro de téléphone de votre centre anti-poison local).
- **Soins généraux.** Thermomètre, ciseaux, cotons-tiges, mouchoirs de papier, savon ou tampons nettoyants, gants à utiliser lorsque le sujet saigne ou en présence de liquides organiques, manuel de premiers soins.

Le consommateur averti

Les voyages et la santé

Tomber malade en voyage est problématique. Nous vous suggérons ici quelques moyens de faire face aux problèmes de santé des voyageurs. Les personnes atteintes d'une affection chronique devraient toujours consulter leur médecin avant de partir en voyage.

■ Planifiez votre voyage

Il est bon de toujours se préparer, même pour un court voyage. Ne partez pas sans une dose de bon sens. Réfléchissez à ce qui pourrait vous arriver une fois parvenu à destination. N'oubliez pas que le fait de partir en voyage ne vous dispense pas d'obéir aux directives de votre médecin, surtout si vous devez prendre des médicaments d'ordonnance, suivre un régime alimentaire spécial ou observer un programme de conditionnement physique.

- **Soumettez-vous à un examen médical.** Après une chirurgie, un infarctus, un accident vasculaire cérébral, une fracture ou tout autre problème médical sérieux, votre médecin vous dira s'il est prudent de voyager, surtout en avion.
- **Les vaccins.** Même si vous vous rendez dans un pays voisin, assurez-vous que votre carnet vaccinal est à jour (voir page **274**).
- **Consultez votre dentiste.** Ne laissez pas un mal de dents intense gâcher votre séjour dans la cabine pressurisée d'un avion ou se manifester quand vous croquerez dans une friandise exotique. Faites obturer vos dents, ajuster vos prothèses et effectuer tout autre travail de dentisterie nécessaire avant de partir.
- **Prévoyez les retards.** On ne sait jamais quand des circonstances exceptionnelles nous obligeront à rester absent plus longtemps que prévu, ni ce qui nous attend à destination. Emportez plus de médicaments que nécessaire et renouvelez vos ordonnances avant votre départ. Si vous portez des lunettes, apportez une paire de rechange. Munissez-vous de chaussures confortables et de vêtements appropriés aux différents climats. N'oubliez pas votre trousse de premiers soins.
- **Prenez les précautions qui s'imposent.** L'altitude et la pollution affectent souvent les voyageurs dans les grandes villes étrangères et constituent un danger particulier pour les personnes âgées, les personnes hypertendues, anémiques ou souffrant de maladies respiratoires ou cardiovasculaires. Demandez à votre médecin comment faire face à de tels problèmes s'ils se présentent.
- **Évaluez vos besoins en fait d'assurances.** Consultez votre assureur pour connaître votre couverture médicale à l'étranger. Sachez également quelles conditions s'appliquent si vous devez obtenir des soins médicaux à l'extérieur du pays. Si vous partez pour une longue période, vous gagneriez sans doute à vous procurer une assurance-voyage. Vos assurances couvrent peut-être les accidents et la perte de bagages, mais posent certaines restrictions en cas d'urgence médicale. Vous pouvez vous procurer une assurance-voyage auprès de la plupart des compagnies aériennes, des associations de personnes âgées et des sociétés de crédit. Lisez attentivement votre police afin de connaître exactement la portée de votre couverture.

La diarrhée du voyageur

La diarrhée affecte jusqu'à 50 p. 100 des voyageurs dans les pays en développement. Voici quelques suggestions pour réduire les risques :
- Assurez-vous que les aliments que vous consommez sont bien cuits et servis chauds.
- Ne buvez que de l'eau embouteillée, des boissons gazeuses, de la bière ou du vin servis dans leur contenant d'origine. Les boissons à base d'eau bouillie (thé, café) ne présentent aucun danger en général (attention aux glaçons).
- Utilisez de l'eau embouteillée pour vous brosser les dents. Fermez la bouche quand vous prenez une douche.
- Évitez les salades, les buffets, les viandes crues ou insuffisamment cuites, les légumes crus, le raisin, les baies, les produits laitiers, l'eau du robinet et les glaçons.
- Demandez à votre médecin si vous devez vous munir d'un antidiarrhéique.

L'épuisement dû à la chaleur

Les visites touristiques dans les climats très chauds peuvent provoquer des faiblesses, des étourdissements, des nausées et de la transpiration. Vous êtes déshydraté. Quelques trucs pour prévenir les coups de chaleur :
- Ralentissez, surtout les premiers jours après votre arrivée dans un climat chaud.
- Reposez-vous à l'ombre de temps à autre.
- Évitez les excès de table.
- Buvez avant d'avoir soif. Évitez les boissons alcoolisées.
- Portez des vêtements légers de couleur claire et un chapeau à large bord.
- Au premier signe d'épuisement dû à la chaleur, reposez-vous à l'ombre ou dans un immeuble climatisé.

Les ampoules

Les ampoules vous disent de ralentir. Voici comment les éviter :
- Portez des chaussures confortables.
- Portez des chaussettes en coton ou en laine que vous aurez saupoudrées de talc.
- Portez des coussinets de moleskine.

L'altitude

Le manque d'oxygène à haute altitude occasionne des malaises très gênants : maux de tête, difficultés respiratoires et léger épuisement, fatigue, nausées et troubles du sommeil. Quelques conseils pour prévenir ces malaises :
- **Ne vous hâtez pas de grimper.** Commencez votre ascension à moins de 2 700 mètres.
- **Donnez-vous le temps de vous adapter.** Reposez-vous au moins une journée à votre arrivée pour habituer votre organisme aux effets de l'altitude.
- **N'exagérez pas.** Si vous manquez d'air, ralentissez et reposez-vous.
- **Limitez vos ascensions.** N'excédez pas 1 000 mètres par jour (300 mètres si vous vous trouvez déjà à plus de 3 500 mètres).
- **Dormez à plus basse altitude.** Si vous montez à plus de 3 300 mètres pendant la journée, dormez à 2 700 mètres ou moins.
- **Renoncez aux cigarettes et à l'alcool.**
- **Les médicaments.** Demandez à votre médecin s'il convient que vous preniez de l'acétazolamide (Diamox) ou un autre médicament d'ordonnance dans le but de prévenir ou d'alléger les symptômes dus à l'altitude.

■ Le mal des transports

Tout type de transport peut occasionner des malaises. Le mal des transports peut frapper soudainement ou commencer par une légère agitation qui progresse vers des sueurs froides, des vertiges, des vomissements et de la diarrhée. Le mal cesse en général dès que le véhicule ou le transporteur s'immobilise. La fréquence des voyages facilite l'adaptation.

On peut la plupart du temps prévenir le mal des transports en prenant certaines mesures.
- En bateau, demandez une cabine située au milieu du navire, près de la ligne de flottaison. En avion, choisissez un siège à l'avant des ailes. À bord, dirigez le jet d'aération vers votre visage. En train, asseyez-vous près d'une fenêtre, face à l'avant. En voiture, conduisez ou prenez place sur le siège du passager et non à l'arrière de la voiture.

Voici quelques suggestions si vous êtes sujet au mal des transports :
- Fixez votre regard sur l'horizon ou sur un objet éloigné et stationnaire. Ne lisez pas.
- Bougez la tête le moins possible. Appuyez-la au dossier du siège.
- Ne fumez pas et éloignez-vous des fumeurs.
- Évitez les mets épicés, l'alcool et les excès de nourriture.
- Prenez un antihistaminique tel que la méclizine (Antivert) ou le dimenhydrinate (Gravol) avant de ressentir un malaise. Ces médicaments provoquent de la somnolence.
- La scopolamine est un médicament d'ordonnance sous forme de timbre dermique. Appliquez le timbre derrière l'oreille plusieurs heures avant le départ pour une protection de 72 heures. Consultez votre médecin avant d'utiliser ce médicament si vous souffrez d'asthme, de glaucome ou de rétention urinaire.
- Si vous ressentez un malaise, des craquelins ou une boisson gazeuse soulageront vos nausées.

■ Mise en garde

Les touristes sont souvent des proies faciles pour les malfaiteurs. En voyage, les mêmes mesures de prudence que vous observez à la maison sont de rigueur si vous voulez éviter les ennuis. Voici un petit aide-mémoire.
- Évitez les quartiers dangereux, les raccourcis, les ruelles sombres et les rues mal éclairées et peu passantes.
- Ne vous promenez pas seul la nuit.
- N'emportez pas beaucoup d'argent comptant. Préférez les chèques de voyage et les cartes de crédit. Munissez-vous d'un numéro de téléphone d'urgence en cas de vol de vos chèques ou de vos cartes de crédit.
- Dissimulez votre argent, vos chèques et vos cartes de crédit en plusieurs endroits plutôt qu'en un seul. Les ceintures porte-monnaie que l'on dissimule sous les vêtements sont très sécuritaires.
- Fuyez les manifestations et les rassemblements publics.
- Ne vous affichez pas ; évitez les conversations bruyantes et les disputes. Ne dévoilez pas votre itinéraire ou vos projets à des étrangers.
- Méfiez-vous des voleurs à la tire. Ils travaillent souvent en paire. Pendant que l'un vous bouscule ou vous distrait en vous demandant un renseignement ou en engageant la conversation, l'autre subtilise votre porte-monnaie.
- Croisez votre sac à main sur votre poitrine et portez-le du côté opposé à la rue pour décourager les voleurs.
- Ayez l'air de savoir où vous allez, même si vous vous êtes égaré. Si possible, demandez des indications à un agent de police ou à un autre représentant de l'autorité.
- Si vous devez sortir le soir, prévenez quelqu'un de l'heure approximative de votre retour.
- Si l'on vous agresse, restez calme et donnez votre argent et vos objets de valeur à votre agresseur. L'argent est remplaçable. Pas vous.

- En tout temps, fermez à clef votre chambre d'hôtel. Donnez rendez-vous à vos visiteurs dans le hall.
- Ne laissez pas d'argent ou d'objets de valeur dans votre chambre quand vous sortez. Utilisez le coffre-fort de l'hôtel.
- Si vous êtes seul, n'entrez pas dans un ascenseur avec un individu louche.

■ Par-delà les mers

Si vous devez traverser l'océan, parlez-en d'abord à votre médecin, surtout si vous souffrez d'une affection chronique ou si vous devez prendre des médicaments. Faites-lui part de votre destination, de la durée de votre séjour et des activités auxquelles vous comptez vous adonner.

Si vous devez vous rendre dans un lieu reculé, envisagez la possibilité de consulter une clinique des voyageurs. Votre médecin traitant pourra vous diriger vers une clinique ou un médecin pour voyageurs.

- **Prévoyez les vaccins nécessaires.** Les vaccins dépendent de votre destination, de la durée de votre séjour et de vos antécédents médicaux Consultez votre médecin de 4 à 6 semaines (mieux, 6 mois) avant votre départ pour planifier un calendrier vaccinal. Certains vaccins nécessitent plusieurs injections réparties sur quelques jours, quelques semaines ou même quelques mois.

  <u>Santé Canada</u>, **votre médecin, les cliniques des voyageurs et, aux États-Unis, les Centers for Disease Control and Prevention (voir Sources de renseignements pour les voyageurs, page** 277) vous renseigneront sur les différents vaccins nécessaires et sur les mesures à prendre avant de partir en voyage.

- **Obtenez une autorisation de voyager de votre médecin.** Votre médecin pourrait vous autoriser à voyager même si votre santé n'est pas très bonne. Obtenez cette autorisation par écrit pour le cas où le transporteur aérien ou tout autre organisme officiel douterait de votre aptitude à voyager.

- **Emportez un résumé de votre bilan de santé.** Faites-en plusieurs copies. En cas d'urgence, vous devrez en remettre une à chaque professionnel de la santé qui vous soignera. Si vous avez des ennuis cardiaques ou si vous portez un stimulateur cardiaque, demandez une copie de votre plus récent électrocardiogramme (E.C.G.).

- **Sachez où vous adresser pour obtenir des soins médicaux.** Emportez une liste de noms, d'adresses et de numéros de téléphone d'hôpitaux et de médecins qui parlent votre langue dans le pays où vous comptez vous rendre. Votre médecin, le Collège des médecins de votre région, Santé Canada (514) 283-4677 (http://www.hwc.ca), ou Assistance-Voyage Montréal Inc., 9605, rue Notre-Dame Est, Montréal, H1L 3P7 (514 355-2550) vous aideront à préparer cette liste.

- **Emportez une copie de vos ordonnances médicales.** Demandez que le médecin dactylographie vos ordonnances (elles seront plus faciles à lire). N'oubliez pas d'emporter une ordonnance pour vos lunettes ou vos lentilles cornéennes.

- **Empaquetez soigneusement vos médicaments.** Les médicaments d'ordonnance doivent être rangés dans leur contenant d'origine. Placez-les, avec leurs étiquettes dactylographiées, dans votre bagage à main. Renouvelez toujours vos ordonnances avant votre départ et emportez plus de médicaments que nécessaire. Si vous devez prendre un médicament à usage restreint, par exemple un narcotique prescrit par votre médecin, évitez les discussions embarrassantes avec les agents en douane en vous munissant d'une lettre d'autorisation de votre médecin, sur papier à en-tête de sa clinique. Connaissez aussi les lois des pays que vous visiterez.

- **Vérifiez votre police d'assurance.** Assurez-vous par avance que votre assurance couvre les soins médicaux à l'étranger.

- **Renseignez-vous sur les pays que vous visiterez.** Avant de partir, lisez ce que vous pouvez sur la culture, les gens, l'histoire. Pour des renseignements à jour concernant les risques pour la santé et la sécurité dans les pays que vous visiterez, adressez-vous au ministère des Affaires extérieures et du Commerce international, 1 800 267-6788.

Le guide de la santé

■ Les vaccins spéciaux

En plus des vaccins de base (rougeole, rubéole, oreillons, diphtérie, coqueluche, tétanos, polio), il est recommandé de recevoir les vaccins suivants lorsqu'on voyage à l'étranger :

Doses additionnelles ou rappels

- **Tétanos et diphtérie.** Un rappel de l'association tétanos/diphtérie pour adultes est conseillé tous les 10 ans.
- **Polio.** À moins d'avoir reçu un rappel de ce vaccin à l'âge adulte, une dose supplémentaire serait à conseiller si vous voyagez en Afrique, en Asie, au Moyen-Orient, en Inde et dans les pays environnants, ainsi que dans la plupart des républiques de l'ex-Union soviétique.
- **Rougeole.** Les personnes nées en 1957 ou après devraient recevoir un rappel de ce vaccin avant de traverser les mers.

Vaccins particuliers

- **Fièvre jaune.** Conseillé si vous vous rendez en Afrique ou en Amérique du Sud.
- **Hépatite B.** Conseillé si vous devez rester plus de 6 mois en Asie du Sud-Est, en Afrique, au Moyen-Orient, dans les îles du Pacifique Sud et Sud-Ouest, en Amazonie (Amérique du Sud).
- **Hépatite A (immunoglobuline).** Conseillé pour tous les pays sauf le Japon, l'Australie, la Nouvelle-Zélande, l'Europe du Nord et de l'Ouest, l'Amérique du Nord (sauf le Mexique).
- **La fièvre typhoïde.** Conseillé si vous devez rester plus de 6 semaines dans des régions où vous devez vous méfier des aliments et de l'eau (c'est le cas de nombreux pays en développement).
- **Le méningocoque.** Conseillé en Afrique sub-saharienne.
- **Encéphalite verno-estivale et encéphalite centro-européenne.** Conseillé si vous devez rester longtemps dans une région où la maladie est répandue.

■ Les voyages en avion

L'avion est le mode de transport le plus rapide et le plus sécuritaire. Toutefois, l'altitude et la vitesse de déplacement sont telles que l'organisme doit faire face à des défis très particuliers. Voici quelques-uns des problèmes susceptibles de se présenter au cours d'un voyage en avion :

La déshydratation

Le degré d'humidité d'une cabine pressurisée n'est que de 5 à 10 p. 100, ce qui favorise la déshydratation. Il importe donc de boire beaucoup d'eau ou de jus de fruits pendant la durée du vol, et d'éviter l'alcool et la caféine.

Les caillots de sang

Le fait d'être assis pendant une longue période favorise une accumulation des liquides organiques dans les tissus des jambes, ce qui augmente le risque de formation de caillots (thrombophlébite). Voici quelques suggestions pour stimuler la circulation du sang :

- Levez-vous et étirez-vous de temps à autre quand s'éteint le voyant lumineux qui vous impose de boucler vos ceintures. Une fois par heure environ, marchez dans l'allée.
- Faites des flexions de chevilles ou pressez vos pieds contre le sol ou l'appuie-pieds fixé au siège en face de vous.
- Si vos chevilles ont tendance à enfler ou si vous avez des varices, portez des bas de soutien.

L'otite barotraumatique (otite des aviateurs)

Pour éviter d'avoir mal aux oreilles au décollage et à l'atterrissage, faites l'exercice suivant qui équilibrera la pression dans vos 2 oreilles :

- Prenez une grande inspiration ; gardez-la pendant 2 secondes.
- Expirez lentement environ 20 p. 100 de l'air de vos poumons en pinçant graduellement les lèvres.
- Lèvres fermées, efforcez-vous d'expulser doucement l'air de vos poumons, comme un joueur de trompette. Ne soufflez pas trop fort.
- Après 2 secondes environ, expirez normalement.
- Pour éviter les étourdissements, ne répétez pas cet exercice plus de 10 fois.
- Le fait de bâiller, de mâcher de la gomme ou de déglutir vous apportera aussi un soulagement.

Le décalage horaire

Si vous avez déjà parcouru plusieurs fuseaux horaires, vous connaissez les symptômes du décalage, ce sentiment d'épuisement et de confusion. Les effets du décalage ne sont pas tous identiques : les voyages d'ouest en est, qui font avancer l'horloge biologique, sont souvent plus difficiles à supporter que les voyages d'est en ouest qui ajoutent des heures à la journée. Chez la plupart des gens, l'organisme s'adapte à raison d'une heure par jour. Ainsi, après avoir parcouru 4 fuseaux horaires, votre organisme met environ 4 jours à retrouver son rythme normal.

- **Réglez votre horloge biologique.** Commencez quelques jours avant le départ en adoptant un cycle de sommeil et d'éveil similaire à celui que vous observerez une fois parvenu à destination.
- **Buvez beaucoup de liquides et mangez légèrement.** Hydratez-vous pendant toute la durée du vol, mais évitez les boissons alcoolisées ou caféinées qui favorisent la déshydratation et troublent le sommeil.

■ Questions et réponses

Le rhume et les voyages en avion

QUESTION : **Un voyage en avion peut-il aggraver le rhume ?**

Réponse : Probablement pas. Mais un rhume peut aggraver le mal d'oreilles à l'atterrissage en raison de la pression exercée sur l'oreille moyenne. À haute altitude, la pression est basse, mais elle augmente à la descente.

Lorsqu'on souffre d'un rhume, la trompe d'Eustache, le petit conduit qui relie la gorge et l'oreille moyenne, est souvent obstruée. En temps normal, la trompe d'Eustache régularise la pression de l'oreille interne à mesure qu'augmente la pression ambiante. L'obstruction de la trompe d'Eustache crée un vacuum dans l'oreille moyenne, ce qui se traduit par une pression accrue et douloureuse sur le tympan. Lorsque l'organisme s'efforce de combler ce vide, des fluides organiques et parfois même du sang pénètrent dans l'oreille interne.

Pour prévenir l'otite des aviateurs lorsque vous avez le rhume, prenez un décongestif au moins 1 heure avant l'atterrissage et utilisez un décongestif nasal avant la descente. Ces médicaments contribuent à dégager la trompe d'Eustache, de même que le fait de consommer une boisson non alcoolisée au moment du décollage et de l'atterrissage.

Buvez beaucoup de boissons non alcoolisées pendant la durée du vol, surtout si vous avez un rhume. Les liquides empêchent la sécheresse de la gorge et des sinus, fluidifient les sécrétions et favorisent l'expectoration.

La mélatonine et le décalage horaire

QUESTION : **Un ami me suggère de prendre des comprimés de mélatonine pour prévenir les effets du décalage horaire. La mélatonine est-elle efficace ?**

Réponse : C'est possible, mais les médecins de la Clinique Mayo ne la conseillent pas.

La mélatonine, parfois qualifiée d'hormone nocturne parce que le cerveau la sécrète la nuit, contribue à régulariser les cycles de sommeil et de veille.

Pour cette raison, on tente de déterminer si elle peut prévenir les effets du décalage horaire. Selon certaines recherches, il serait sans doute possible d'avancer ou de reculer progressivement l'heure du coucher en prenant des doses infimes de mélatonine (souvent moins de 1 mg) à différents moments de la journée. L'adaptation, à l'arrivée à destination, en serait facilitée d'autant. Bien que certaines recherches semblent démontrer l'efficacité de ce processus, d'autres donnent à penser que la mélatonine, non seulement ne prévient pas les effets du décalage horaire, mais pourrait même les aggraver.

En dépit des nombreux articles et ouvrages qui vantent les bienfaits de la mélatonine, on ignore encore presque tout des effets de cette hormone sur l'organisme, en particulier sur une longue période ou associée à d'autres médicaments. On s'inquiète aussi de la qualité et de la pureté de ses ingrédients actifs. Puisque la mélatonine n'est pas un médicament, elle n'est pas soumise au contrôle de qualité de la Food and Drugs Administration des États-Unis avant sa mise en marché.

Peut-on voyager à la suite d'un infarctus ?

QUESTION : **Mon mari a été victime d'un infarctus. Quelles précautions doit-il prendre en voyage ?**

Réponse : Si vous êtes atteint d'une maladie cardiovasculaire, que vous faites de l'angine ou que vous avez été victime d'un infarctus ou d'un accident vasculaire cérébral, vous devriez prendre certaines précautions :

- Sachez reconnaître les symptômes d'un infarctus ou d'un accident vasculaire cérébral. Au premier indice, appelez les secours ou rendez-vous aux services d'urgence les plus proches. Sachez par avance où trouver rapidement des soins adéquats.
- Vérifiez la date d'expiration de vos comprimés de nitroglycérine. Renouvelez-les s'ils datent de plus de 6 mois.
- Ne conduisez pas la voiture pendant plus de 4 heures sans prendre du repos.
- Évitez le soleil de midi si vous voyagez dans un climat chaud et humide.
- Limitez ou évitez l'alcool. L'alcool entrave l'aptitude du cœur à pomper.
- Si vous portez un stimulateur cardiaque, demandez à votre médecin d'en vérifier la pile avant votre départ.

■ Sources d'information pour les voyageurs

International Association for Medical Assistance to Travelers (IAMAT)
417 Center Street
Lewiston, NY 14 092
(716) 754-4883
Site Web : http://www.sentex.net/~iamat
IAMAT met à la disposition des voyageurs une liste de médecins de langue anglaise à travers le monde.

Assistance-voyages Montréal Inc.
9605, rue Notre-Dame Est
Montréal, Québec
(514) 355-2550

Centers for Disease Control and Prevention (CDC)
Atlanta, Georgia
(404) 639-3311
Site Web : http://www.cdc.gov

Un message enregistré offre en tout temps des renseignements sur les maladies les plus susceptibles de frapper les voyageurs dans différents pays du monde et sur les mesures préventives à adopter. On y détaille aussi la liste des vaccins recommandés. Les CDC mettent aussi à votre disposition, pour une somme minime, un livret d'information pour les voyageurs : *Health Information for International Travel*. On peut le commander par téléphone au numéro ci-dessus ou en écrivant à : Superintendent of Documents, U.S. Government Printing Office, Washington, DC 20402.

Santé Canada
Direction générale de la protection de la santé
1001, Saint-Laurent Ouest
Longueuil, Québec
(450) 646-1353 ; 1 800 561-3350.

Mayo Clinic Health Oasis
Site Web : http://www.mayohealth.org
Le site Web de la Clinique Mayo regorge de renseignements sur la santé en voyage.

La trousse de secours du voyageur

Les voyageurs ne sont pas à l'abri des accidents ou des blessures mineures. Ayez ce qu'il vous faut sous la main pour traiter les petits malaises et les accidents mineurs. Votre trousse de secours devrait contenir les éléments suivants.

Ruban adhésif
Antiacides
Crème antibactérienne
Comprimés antidiarrhéiques
Antihistaminiques
Pansements (y compris des pansements élastiques)

Cotons-tiges
Décongestif
Laxatif
Débarbouillettes pré-humidifiées
Coussinets de moleskine (pour les ampoules aux pieds)
Médicament en vente libre pour les brûlures d'estomac
Analgésiques en vente libre
Ciseaux
Lait ou crème hydratante
Écran solaire (facteur de protection de 15, au moins)
Thermomètre
Pince à épiler

Index

Table des matières

Le directeur

Le Dr Philip T. Hagen est à la fois médecin et communicateur. En tant que clinicien praticien à la Clinique Mayo, il consacre la plus grande partie de son temps à ses patients, mais il éprouve depuis longtemps une passion pour l'éducation en matière de santé et l'amélioration des habitudes de vie. Le Dr Hagen collabore aussi très étroitement avec l'équipe éditoriale de la Clinique Mayo. Il est:

- Directeur médical de *Mayo Clinic HealthQuest*
- Ancien rédacteur médical adjoint de la *Mayo Clinic Health Letter*
- Spécialiste en médecine préventive et médecine des occupations
- Agréé en médecine interne et préventive
- Professeur adjoint, Mayo Medical School
- Directeur des programmes de résidence en médecine préventive de la Clinique Mayo
- En sa qualité de directeur médical du programme HealthQuest de promotion de la santé auprès des entreprises, le Dr Hagen contrôle la qualité et l'exactitude des renseignements qui apparaissent dans le bulletin d'information *Mayo Clinic HealthQuest, Le Guide d'autotraitement*, et Mayo HealthQuest Online, un site Web consacré à la gestion de la santé et de la maladie.

En plus de se passionner pour la médecine et pour une information médicale de qualité, le Dr Hagen s'intéresse énormément à l'informatique et aux technologies de l'information.

La Clinique Mayo

La Clinique Mayo est à l'avant-garde de la médecine de groupe. Comptant en son sein plus de 2 000 médecins et scientifiques œuvrant dans l'ensemble des spécialités médicales, la Clinique Mayo a pour objectif d'établir des diagnostics complets et d'offrir des solutions et des traitements efficaces à toute personne qui se débat avec un problème médical courant ou rare.

Grâce aux vastes connaissances, à l'expérience et au savoir-faire de ses intervenants, la Clinique Mayo occupe un rang unique dans le domaine de l'information médicale. Depuis 1983, la Clinique Mayo a offert de l'information médicale de qualité à des millions de lecteurs par des bulletins, des ouvrages et des sites Web. Plusieurs de ces efforts ont été couronnés par des prix prestigieux. Ces produits d'information reflètent la philosophie de la Clinique Mayo. Pour trouver des réponses fiables aux questions que vous vous posez, recherchez le matériel que diffuse la Clinique Mayo, et n'oubliez pas que les revenus que nous tirons de nos activités éditoriales contribuent au soutien de nos programmes, y compris ceux que nous consacrons à l'éducation et à la recherche médicale.

Cet ouvrage a été achevé d'imprimer
au Canada en octobre 2000.

Transcontinental
IMPRESSION
IMPRIMERIE GAGNÉ